BIRGIT STOLT

DIE SPRACHMISCHUNG IN LUTHERS TISCHREDEN

ACTA UNIVERSITATIS STOCKHOLMIENSIS
STOCKHOLMER GERMANISTISCHE FORSCHUNGEN
4

DIE SPRACHMISCHUNG IN LUTHERS TISCHREDEN

Studien zum Problem der Zweisprachigkeit

VON

BIRGIT STOLT

ALMQVIST & WIKSELL
STOCKHOLM
GÖTEBORG · UPPSALA

PRINTED IN SWEDEN

Almqvist & Wiksells

BOKTRYCKERI AKTIEBOLAG

UPPSALA 1964

INHALTSVERZEICHNIS

Vorwort 5
Ziel und Aufgabe der Arbeit; Wahl des Materials 5

Einleitung 8
Die Zweisprachigkeit der Gebildeten im 16. Jahrhundert 8
Die Tischreden; ihre Entstehung und Überlieferung 15
    Die Schreiber (16). Ihre Zuverlässigkeit (17). Aurifaber (19). Die Überlieferung (24). Paralleltexte (25). Die Glättung der Abschreiber (28).
Das Verhältnis der Weimarer Ausgabe der Tischreden zu den Handschriften 33
Kritische Bemerkungen zur Weimarer Ausgabe 36
Ausgangspunkt der Untersuchung 39
    Textunterlage (39). Fehlerquellen (40). Arbeitshypothese (41). Verzeichnis der untersuchten Stücke (42). Grundsätze für die Schreibung (43). Terminologie und Einteilung des Materials (43).
Die Frequenz der verschiedenen Arten des Sprachwechsels . . . 44
Bestimmung des Nachschreibers von Nr. 3669 und Nr. 570–656 . 47
Bemerkungen zu den verschiedenen Arten des Sprachwechsels . . 49

Hauptteil 52
I. Sprachwechsel innerhalb des Satzes 52
Einleitende Bemerkungen 52
  a. Die Entscheidung der sprachlichen Zugehörigkeit eines Satzes 52
  b. Das Problem des „fremden Wortes" 55
  1. Einzeln eingeschaltete Wörter 59
    A. Lateinische Wörter 59
      1. Substantive (59). 2. Adjektive (74). 3. Adverbien (75). 4. Verben (76). 5. Partikeln (76).
    B. Deutsche Wörter 77
      1. Substantive (77). 2. Adjektive (77). 3. Adverbien (77). 4. Verben (78). 5. Partikeln (78).
  2. Der Mischsatz 78
    A. Der Hauptsatz 78
    Bemerkungen zur Einteilung des Materials 78
    I. Das Vorfeld 79
      1. Deutsche Mischsätze mit lateinischem Vorfeld (79). 2. Deutsche Mischsätze mit gemischtem Vorfeld (84). 3. Spiegelbilder zu 1 (85). 4. Spiegelbilder zu 2 (85).

II. Das Mittelfeld 86
    1. Deutsche Mischsätze mit lateinischem Mittelfeld (86). 2. Deutsche Mischsätze mit gemischtem Mittelfeld (88).

III. Das Nachfeld 91
    1. Deutsche Mischsätze mit lateinischem Nachfeld (91). 2. Deutsche Mischsätze mit gemischtem Nachfeld (97). 3. Spiegelbilder zu 1 (102). 4. Spiegelbilder zu 2 (103).

B. Eingeleitete Gliedsätze 104
    Bemerkungen zur Einteilung des Materials 104
        1. Deutscher Rahmen mit lateinischer Füllung (105). 2. Deutscher Rahmen mit gemischter Füllung (106). 3. Gemischter Rahmen (108). 4. Spiegelbilder zu 1 (108).

C. Der Teilbogen 109
    Einleitende Bemerkungen 109
    Deutsche Mischsätze mit lateinischem Teilbogen (109). 2. Deutsche Mischsätze mit gemischtem Teilbogen (112). 3. Lateinische Mischsätze mit deutschem Teilbogen (113).

Bemerkungen zu I 113
Die Zusammenarbeit grammatischer und syntaktischer Kategorien in einem Satz. Einleitende Problemdiskussion 113
Gibt es Elemente im Satz, die vorwiegend der einen oder der anderen Sprache entnommen werden? 115
Wie arbeiten die Elemente beider Sprachen zusammen? 122
    Das Prädikat (122). Substantivische Glieder (124). Der Gebrauch des Artikels (125). Pronomen (129). Adjektive und ihr Hauptwort (131). Adverbien (133). Negation (133). Vergleichspartikeln und die durch sie eingeleiteten Satzglieder (135). Präpositionalgefüge (137). Lateinische Konstruktionen ohne deutsche Entsprechung (141). Konjunktionen (143). Der Gliedsatzrahmen (160). Die Wortstellung (164). Die Flexion (165). Der Einfluß des deutschen Artikels oder Pronomens auf die lateinische Flexion (166).

Gründe für den Sprachwechsel im Satz 169
II. Sprachwechsel zwischen Haupt- und Gliedsätzen und zwischen ganzen Sätzen 171
    1. Die Hypotaxe 171
    Einleitende Bemerkungen 171
    A. Gliedsätze ohne Einleitewort 172
        1. Direkte Rede und indirekte Rede nach verba dicendi, Zitate 172
        2. Übrige Inhaltssätze 179
        3. Übrige Gliedsätze ohne Einleitewort 180
    B. Gliedsätze mit Einleitewort 181
        1. Relativsätze 181
        2. Indirekte Fragesätze 184

3. Konjunktionalsätze 185
  a. Dass-Sätze (185). Quod-Sätze (190). *Ut*-Sätze (191). *Ne*-Sätze
    (193).
  b. Wenn-, wo-, ob-Sätze (193). *Si*-(*nisi*-, *etiamsi*-, *quodsi*-) Sätze
    (194). *Quando*-Sätze (196). *Cum*-Sätze (197). *Donec*- usw.
    -Sätze (197).
  c. Vergleichssätze mit wie, als (199). Vergleichssätze mit *sicut*,
    ut, quam (199).

Bemerkungen zum Sprachwechsel in der Hypotaxe 200
  Allgemeine Beobachtungen 201
  Zu den Anführungssätzen und Zitaten 201
  Zu den übrigen uneingeleiteten Inhaltssätzen 202
  Zu den Relativsätzen 203
  Zu den dass-, bzw. *quod-, ut-* und *ne*-Sätzen 207
  Zu den wenn- usw. -Sätzen bzw. *si*- usw. -Sätzen . . . 209
  Zu den wie- usw. -bzw. *sicut*- usw. -Sätzen 210
  Zusammenfassende Bemerkungen zu den eingeleiteten
  Gliedsätzen 211

2. Die Parataxe 213
  Bemerkungen zur Einteilung des Materials 213
  A. Syndetische Satzverbindung 215
    1. Kopulative Satzverbindung 215
    2. Adversative Satzverbindung 219
    3. Kausale Satzverbindung 222
    4. Disjunktive Satzverbindung 225
    5. Modale Satzverbindung 226
    6. Lokale und temporale Satzverbindung 226
  B. Asyndetische Satzverbindung 227
    1. Das retrospektive Signal ist ein Adverb 227
    2. Das retrospektive Signal ist ein Demonstrativpro-
      nomen 228
    3. Das retrospective Signal ist persönliches Pronomen . 230
    4. Der Anschlußsatz beginnt mit dem Prädikat unter
      Auslassung des Subjektspronomens 232
    5. Übrige asyndetische Satzverbindungen 234

3. Sprachwechsel zwischen unverbundenen Sätzen 237
  1. Das retrospektive Signal ist eine echte Konjunktion . . 237
  2. Das retrospektive Signal ist ein Konjunktionaladverb . 238
  3. Das retrospektive Signal ist ein Adverb 238
  4. Das retrospektive Signal ist ein Demonstrativpronomen 239

5. Das retrospektive Signal ist ein perönliches Pronomen . 239

6. Der deutsche Anschlußsatz beginnt mit dem Prädikat
unter Auslassung des Subjektspronomens 240

7. Übrige asyndetische Sätze 240

4. Fortlaufende Texte 243

Bemerkungen 244

Zum Sprachwechsel in der Parataxe 244

Mit „und" bzw. *et* zusammengezogene Sätze 244

Zur syndetischen Satzverbindung 246

Zur asyndetischen Satzverbindung 247

Tempus und Modus in der Hypotaxe und Parataxe . . . 248

Zum Sprachwechsel zwischen unverbundenen ganzen Sätzen 250

Lehnwendung und Lehnsyntax 250

Gründe für den Sprachwechsel in der Parataxe bzw. Hypo
taxe und zwischen ganzen Sätzen 252

Das Äquivalenzverhältnis der Sprachen und die sprachliche
Indifferenz 374

III. Vergleiche mit anderen Mischtexten 259

Zur Authentizität der TR 259

a. Die Bibelnotizen und Briefe, zusammenfassende Übersicht 259

b. Vergleich mit einer Predigtnachschrift Rörers 261

Vergleich mit schwedisch-lateinischen Mischtexten aus dem
16.–17. Jahrhundert 263

Die althochdeutsche Mischprosa 272

Beispiele aus der heutigen Literatur 281

IV. Sprachpsychologische Auswertung 284

Sprache, Denken und Sprechen 284

Der Formulierungsprozess des Zweisprachlers 288

a. Das Satzschema und seine Füllung 288

b. Der Prozess des Sprachwechsels 292

Schlussbetrachtungen. Zusammenfassende Übersicht 298

Literaturverzeichnis 298

VORWORT

Ziel und Aufgabe der Arbeit; Wahl des Materials

Bei meiner Arbeit an den Schriften Hubmaiers[1] fiel mir besonders auf, wie ausserordentlich abhängig die gebildeten Menschen im Reformationszeitalter von der lateinischen Sprache waren. Viele von ihnen konnten keinen zusammenhängenden Prosatext verfassen, ohne dass die lateinische Sprache auf Schritt und Tritt durchschimmerte[2]. So schreibt Newald: ,,Es gibt auf weite Strecken überhaupt kein Werk in deutscher Prosa, dessen geistiger Gehalt nicht vorher in lateinischer Sprache gedacht wurde. ... Selbst sprachgewaltige Former wie *Luther* stehen unter diesem Zwang des Lateinischen. Man kann einzelne Stellen aus *Luthers* frühesten deutschen Schriften ihrem Sinne nach erst dann ganz erfassen, wenn man sie ins Lateinische, aus dem sie kommen, zurückübersetzt.''[3] Es erschien mir als eine verlockende Aufgabe, die intersprachlichen Relationen zwischen der deutschen Muttersprache und der lateinischen Gelehrtensprache näher zu untersuchen, und zwar nicht auf Worteinzelheiten, sondern auf das sprachliche Geschehen hin, das sich beim Formulieren im Sprecher abspielt.

Das Reformationszeitalter spielt bei dem Konkurrenzkampf der beiden Sprachen eine besonders wichtige und gleichzeitig eigenartige Rolle: während einerseits das Lateinische durch die Humanisten eine besondere Geltung und Würdigung erhalten hatte, fing man zur gleichen Zeit an, mehr und mehr auf deutsch zu schreiben. ,,Früher dachte man mittelalterlich und drückte es lateinisch aus; jetzt lernte man an den Klassikern lateinisch denken. Früher sprach man latein; jetzt sprach man **richtig** latein ... Durch das Aufleben der Volkssprachen wurde die jahrtausendalte Vorherrschaft des Lateinischen in dem Moment ge-

---

[1] Balthasar Hubmaier, Schriften. Hersg. G. Westin u. T. Bergsten. Gütersloh 1962.

[2] B. Stolt, Textkritische und stilistische Studien zu den Schriften des Wiedertäufers Balthasar Hubmaier. Stockholm 1959. (Masch.) S. 44 f.

[3] R. Newald, Von deutscher Übersetzerkunst. In: ZfdG 2. 1936. S. 200. Vgl. auch dens., Probleme und Gestalten des deutschen Humanismus. Berlin 1963. S. 117.

fährdet, als es sich seines Wertes voll bewusst geworden war ... Durch die Fusion mit der energischen Vitalität der Volkssprachen pflanzte sich der humanistische Impuls nicht nur fort, sondern brachte er es überhaupt erst zu einer grossen kulturschöpferischen Leistung."[1]

Es galt, einen geeigneten Text zu finden, der die Wechselwirkung der beiden Sprachen aufeinander so deutlich wie möglich zum Ausdruck brachte. Der Text musste von stilistischen Absichten möglichst frei und durfte kein Übersetzungstext sein. In der speziellen Übersetzungssituation ist der Schreiber von vornherein an das lateinische Vorbild gebunden, so dass solche Texte kein Bild von dem Verhältnis beider Sprachen zueinander beim freien Formulieren bieten. Am besten spiegelt die gesprochene Rede dieses Verhältnis wider, weswegen auch in Untersuchungen moderner Zweisprachigkeit das Tonband ein gutes Hilfsmittel ist[2]. Da uns für vergangene Epochen dieses Hilfsmittel nicht zur Verfügung steht, müssen wir uns mit Texten behelfen, die der gesprochenen Sprache am nächsten kommen.

Für das Reformationszeitalter stehen uns hier die Aufzeichnungen von Luthers „Tischreden" zur Verfügung: Aussprüche Luthers wurden gleich bei Tisch laufend nachgeschrieben. Uns liegen sie, von E. Kroker herausgegeben, in der sechsbändigen Weimarer Ausgabe vor. (Kritische Würdigung der Texte s. u. S. 15 ff.) Sie sind in einer Mischung von Deutsch und Lateinisch abgefasst. Näher können wir der gesprochenen damaligen Sprache nicht kommen.

Diese Sprachmischung wird zum Gegenstand einer analytischen Untersuchung gemacht. Da eine systematische Analyse eines Mischtextes m. W. bisher noch nicht vorgenommen worden ist[3], konnte ich mich methodisch auf keine Vorarbeiten stützen. Wo die deutsche

---

[1] R. Sühnel, Homer und die englische Humanität. Tübingen 1958. S. 4 bzw. 20.

[2] E. Haugen, The Norwegian Language in America. Philadelphia 1953. S. 65.

[3] Die erste monographische Untersuchung über Mischprosa gibt F. Junghans, Die Mischprosa Willirams. Diss. Berlin 1893. Diese kurze Darstellung (41 Seiten) geht nicht auf die Struktur der Mischsprache ein, sondern bringt stilistische und psychologische Erklärungen. — P. Hoffmann, Die Mischprosa Notkers des Deutschen. Berlin 1910, stellt tiefschürfende philosophische und psychologische Überlegungen an („Zugleich ist Notkers Mischprosastil ein so persönliches und in Notkers Sprachseele begründetes Sprachorgan, dass seine Entwicklung einzig durch die äussere Lebensgeschichte erklärt wird", S. 3), die bei einem Philologen viele Fragezeichen hinterlassen. (S. auch die Rezension von D. v. Kralik, in: Deutsche Literaturzeitung 31. 1910. Sp. 2206 ff.) — E. Schaumann, Studien zu Notkers Mischprosa. Wien 1911, gibt eine kurze Darstellung (40 Seiten), die auch nicht auf die Sprachstruktur eingeht, sondern vorwiegend den Zweck der Sprachmischung und Notkers Quellen behandelt.

Forschung intersprachliche Relationen in vergangenen Epochen untersucht hat, hat sie vorwiegend die Worteinzelheit ins Auge gefasst und dabei nicht so sehr das sprachliche Geschehen als das Resultat dieses Geschehens untersucht[1], was sich auch in der Terminologie abspiegelt[2]. Bei meiner Arbeit stehen im Blickpunkt:

1. grammatische Fragen: wie arbeiten die grammatischen Elemente beider Sprachen zusammen? Was ergänzt sich und was schliesst sich aus?

2. sprachpsychologische Gesichtspunkte: Gründe für die Bevorzugung der einen oder der anderen Sprache; der sprachliche Formulierungsprozess des Zweisprachlers; auch die ,,sprachliche Zwischenwelt" des Zweisprachlers wird gestreift.

So lange man nur in der lateinischen Welt lebt und Latein als Latein liest, nicht vom Deutschen her, denkt man bei *virum* gar nicht an die Unterscheidung *den Mann — einen Mann,* und so lange man nur im Deutschen lebt und Deutsch als Deutsch liest und spricht, solange denkt man bei *grimmig* nicht an die Unterscheidung von *saeva* (= Adjektiv) und *saeve* (= Adjektivadverb)[3].

Dazu erhebt sich ungesucht die Frage: wenn man in beiden Sprachen lebt und beide spricht, wie denkt man dann?

---

[1] Ich führe an dieser Stelle nur an: W. Betz, Deutsch und Lateinisch. Bonn 1949, und H. Gneuss, Lehnbildungen und Lehnbedeutungen im Altenglischen. Diss. Berlin 1955.

[2] Vgl. hierzu E. Haugen, The Analysis of Linguistic Borrowing. In: Language 26. 1950. S. 213 f.

[3] H. Glinz, Sprachliche Bildung in der höheren Schule. Düsseldorf 1961. S. 35.

EINLEITUNG

Die Zweisprachigkeit der Gebildeten im 16. Jahrhundert

Die Probleme der Zweisprachigkeit, die durch den zweiten Weltkrieg besonders aktualisiert wurden, sind in den letzten Jahrzehnten Gegenstand umfassender Forschung gewesen[1]. Im folgenden wird die Zweisprachigkeit der Gebildeten im 16. Jahrhundert charakterisiert und mit der „modernen" Zweisprachigkeit verglichen, wie sie in sprachlichen Grenzgebieten, bei Emigranten und bei sprachlichen Minderheiten (z. B. im Elsass) besteht.

„Schon im vorgerückten 15. Jahrhundert legte jeder Humanist Wert darauf, als „homo bilinguis" zu gelten, mithin neben dem ciceronianischen

---

[1] Für die Literatur vor 1953 verweise ich auf die Übersicht bei U. Weinreich, Languages in Contact. Jetzt 2. Aufl. The Hague 1963. Seit 1953 sind ausserdem erschienen u. a.: Th. Elwert, Das zweisprachige Individuum. Wiesbaden 1960. L. Weisgerber, Sprachenrecht und europäische Einheit. Düsseldorf 1959. E. Fausel, Die deutschbrasilianische Sprachmischung. Berlin 1959. D. Magenau, Die Besonderheiten der deutschen Schriftsprache im Elsass und in Lothringen. Mannheim 1962. A. v. Weiss, Hauptprobleme der Zweisprachigkeit. Heidelberg 1959. E. Haugen, Bilingualism in the Americas: A Bibliography and Research Guide. Alabama 1956. Ders., Languages in Contact. In: Proceedings of the 8th International Congress of Linguists. Oslo 1958. S. 771–810. H. Vogt, Contact of Languages. In: Word 10. 1954. S. 365–74. H. Moser, Eigentümlichkeiten des Satzbaus in den Aussengebieten der deutschen Hochsprache. In: Festschrift Weisgerber. Düsseldorf 1959. S. 195–220. W. Betz, Lehnwörter und Lehnprägungen im Vor- und Frühdeutschen. In: F. Maurer – F. Stroh, Deutsche Wortgeschichte. Bd. 1. Berlin 1959[2]. S. 127–147. Dort weitere Literatur. — Über die Verhältnisse in der Schweiz s. B. Boesch, Die mehrsprachige Schweiz. In: WW 8. 1957/58. S. 65–76. Dort weitere Literatur. — S. Abou, Le bilinguisme Arabe-français au Liban. Paris 1962. W. Wieczerkowski, Bilinguismus im frühen Schulalter. Helsingfors 1963. Dort weitere Literatur. E. Oksaar, Om tvåspråkighetens problematik. In: Språklärarnas medlemsblad 19. 1963. S. 5–15. J. Hennig, Zum grammatischen Geschlecht englischer Sachbezeichnungen im Deutschen. In: ZfdWf 19. 1963. H. 1/2. S. 54–63. Dort weitere Literatur. E. Wallberg, Verborgene Einflüsse d. Engl. auf d. dt. Spr. In: Muttersprache 72. 1962. S. 17–19. H. Moser, „Hoffentlich ist das bald over" — Sprachprobleme in der Bundeswehr. In: Information für die Truppe. 1963. 7/8 S. 525–532. E. Koch-Emmery, Die Rolle der Zweisprachigkeit im heutigen Australien. In: Moderne Sprachen 7. 1963. Heft 3/4. (Festgabe H. Koziol.) S. 52–60.

Latein ... das Griechische zu beherrschen."[1] Auffällig an diesem Ausspruch ist, dass mit der Muttersprache offenbar gar nicht gerechnet
wurde, sie „zählte" nicht. Auf den Gedanken, dass jeder gebildete Mensch
allein schon durch seine Lateinkenntnisse damals zweisprachig war,
kam man anscheinend damals nicht. Dabei liegt diese Tatsache auf der
Hand. „People like Calvin and Montaigne knew Latin as well as French,
they were able to express the same thought by different words, but
keeping the same trend; a more intimate contact ('symbiose') between
two languages is not imaginable. Such bilingual authors existed in all
European countries ..."[2]

   Latein als Lern- und Schulsprache. Mit dem Eintritt in die Schule
begann für das Kind das Studium des Lateinischen; nach wenigen Jahren
durften die Schüler unter sich nur noch Lateinisch sprechen[3]. Damit
war das Lateinische eine Zweitsprache geworden, die die gesamte Schulsituation des Kindes decken musste. Die Situation des damaligen Schülers
ist mit der eines deutschsprachigen Kindes im Elsass, in Lothringen oder
Luxemburg zu vergleichen[4]. Die Erweiterung des Wortschatzes, die
mit dem Heranwachsen eines Menschen und seiner Bildung Hand in
Hand geht, kam in erster Linie dem Latein zugute; für viele neue Begriffe musste dem Kind eine entsprechende Bezeichnung in der Muttersprache fehlen. Dadurch wurde die „innere Sprache"[5] mehr und mehr
vom Latein beherrscht. Die Milieu- und Stoffgebundenheit der Sprache
und die dominierende Bedeutung der Lernsprache für das Denken ist
bezeugt[6]: ... le polyglotte parle intérieurement en L^e [= Langue étrangère]

---

[1] H.-F. Rosenfeld, Humanistische Strömungen. In: Deutsche Wortgeschichte I². 1959. S. 356.

[2] F. Blatt, Latin Influence on European Syntax. In: TCLC XI. 1957. S. 53.

[3] Rosenfeld 1959, S. 398. I. Weithase, Zur Geschichte der gesprochenen deutschen Sprache. Tübingen 1961. S. 56.

[4] Weisgerber 1959, S. 99: „Auf dieses deutsch-mundartliche Elternhaus setzt
nun die Schule ... einen ausschliesslich französischsprachigen Unterricht." Weisgerber bezeichnet das Ergebnis als „sprachliche Trümmerlandschaft" (S. 101). —
Zur Schulsituation in Luxemburg vgl. A. Kuenzi—H. Boder, Enquête sur le bilinguisme à Luxembourg. Bieler Jahrbuch–Annales Biennoises 6. 1932. S. 34–696.
Die Verf. betonen besonders die Entwurzelung der Kinder und die Kluft, die sich
zwischen Elternhaus und Schule auftut. — Weniger pessimistisch sind Wieczerkowski; Weinreich, S. 116 ff.; W. F. Leopold, Speech Development of a Bilingual
Child. Bd. 1–4. Evanston 1939–49. Bes. Bd. 4, S. IX und 164. Vgl. auch E. Oksaar
1963, S. 14.

[5] Zur „inneren Sprache" vgl. F. Kainz, Psychologie der Sprache. Bd. 3. Stuttgart 1954. S. 148 ff.: „... unter den Begriff der inneren Sprache fällt ... das Gesamtgebiet von Sprache minus Artikulation."

[8] I. Epstein, La pensée et la polyglossie. Lausanne 1915. S. 41 ff., 45.

... quand il pense aux choses apprises en L^e[1]. Aus eigener Erfahrung weiss ich, wie schwer es war, Erlebnisse aus der Schulwelt, die eng mit der schwedischen Sprache verknüpft waren, zu Hause auf deutsch wiederzugeben. Bei isolierten Ideen kommt noch das Problem der Terminologie hinzu.

Latein als Spielsprache. „Selbst das Spiel war den Kindern nur unter der Bedingung, dass auch dabei ausschliesslich Latein gesprochen wurde, erlaubt."[2] Man fragt sich mit einigem Bedenken, was für ein Latein wohl dabei herausgekommen sein mag.

Latein als Schreib- und Lesesprache. Was ferner der lateinischen Sprache einen intensiven Einfluss auf die innere Sprache gab, war ihre Stellung als Schreib- und Lesesprache. „The visual reinforcement in the use of a language that a bilingual gets by reading and writing it may put that language in a dominant position over a purely oral one."[3] „Le polyglotte parle intérieurement en L^e ... quand il repense aux choses qu'il vient de lire en L^e."[4]

Latein als Sprache der Wissenschaft. Was die Schule begonnen hatte, setzte die Universität fort[5]. Als Sprache der Wissenschaft und der bewunderten antiken Autoren hatte das Lateinische eine soziale Geltung[6], die der Muttersprache völlig fehlte. Die lateinische Sprache war wie eine akademische Uniform, in die sich die Gebildeten kleideten: sie löschte alle Unterschiede der sprachlichen Abkunft (verschiedene Dialekte und verschiedene Sprachen) aus. Sie war international. Durch den Humanismus wird „die Beherrschung eines eleganten ciceronianischen Lateins zum Prüfstein höherer Eignung"[7].

Latein als Sprache der Liturgie. Als Sprache des Gottesdienstes erhielt das Lateinische einen besonderen Wert, der auch auf die Gefühlswelt mit übergriff. Zusammen mit der griechischen und der hebräischen

---

[1] Ebd. S. 56. Vgl. Weinreich S. 81.

[2] Weithase, S. 62. W. zitiert aus den Strassburger Gymnasialgesetzen von 1538: „Cum colludunt, cum ambulant, cum obviam veniunt sermo sit latinus — aut graecus. Nullus veniae locus, si quis hic peccet petulanter."

[3] Weinreich, S. 75.

[4] Epstein, S. 55 f. Vgl. auch Oksaar 1963, S. 13.

[5] Ein eindrucksvolles Bild von der lateinischen Bildung in Deutschland erhält man aus E. R. Curtius, Europäische Literatur und lateinisches Mittelalter. Bern 1948[2]. Bes. S. 58 ff., 64 ff.

[6] Über die Bedeutung der sozial höher stehenden Sprache vgl. Weinreich S. 85, 88. Vgl. auch J. H. S. Bossard, The Bilingual as a Person—Linguistic Identification with Status. In: ASR 10. 1945. S. 708 f.

[7] Rosenfeld 1959, S. 341.

zählte die lateinische Sprache zu den drei „heiligen" Sprachen. So schreibt Luther 1526:

> [die lateinische *formula missae*] wil ich hie mit nicht auffgehaben odder verendert haben … Denn ich ynn keynen weg wil die latinische sprache aus dem Gottis dienst lassen gar weg komen … Und wenn ichs vermöcht und die Kriechsche und Ebreische sprach were uns so gemeyn als die latinische und hette so viel feyner musica und gesangs, als die latinische hat, so solte man eynen sontag umb den andern yn allen vieren sprachen, Deutsch, Latinisch, Kriechisch, Ebreisch messe halten, singen und lesen[1].

Nach dem oben Ausgeführten nimmt es nicht wunder, dass die Muttersprache mehr und mehr verdrängt wurde. Über Luther schreibt Rosenfeld:

> Latein aber war ihm … zur zweiten Muttersprache geworden; ja, dem Mönche war das Latein geradezu an die erste Stelle gerückt. Zumal im ersten Drittel seiner Wirksamkeit lag ihm bei allem Wissenschaftlichen das Lateinische näher als das Deutsche. Wir sehen, wie er sich nicht nur wissenschaftliche Erörterungen zunächst in lateinischer Sprache entwirft, sondern ebenso Predigten, ja sogar Flugschriften für das Volk, die er dann in deutsche Sprache umsetzt … Mit lateinischen Worten auf den Lippen ist er auch in den Tod gegangen[2].

Nachteilige Rückwirkungen auf die Muttersprache. Die Bevorzugung des Lateinischen musste selbstverständlich Mängel in der Beherrschung der Muttersprache hervorrufen: sobald sich das Gespräch um andere als die alltäglichsten Dinge drehte, mussten sich lateinische Wörter und Phrasen eindrängen. Bei sprachlich weniger Begabten konnte es geschehen, dass der Sprecher weder das Deutsche noch das Lateinische richtig beherrschte; so klagt Luther 1524 in einem Brief an die „Ratherren aller Städte deutsches Lands":

> Ja wo wyrs versehen, das wyr … die sprachen faren lassen, so werden wir nicht alleyn das Evangelion verlieren, sondern wird auch endlich dahyn geratten, das wir wider lateinisch noch deutsch recht reden odder schreyben künden. Des last uns das elend grewlich exempel zur beweysung und warnung nemen ynn den hohen schulen und klöstern, darynnen man nicht alleyn das Evangelion verlernt, sondern auch lateinische und deutsche sprache verderbet hat, das die elenden leut … wider deutsch noch lateinisch recht reden oder schreyben konnen[3].

---

[1] „Deudsche Messe und ordnung Gottis diensts" 1526. WA XIX. S. 74.

[2] Luther, Erasmus und wir. In: FF 29/10. 1955. S. 315. — Vgl. auch K. Langosch, Lateinisches Mittelalter. Darmstadt 1963. Bes. S. 10.

[3] WA XV, S. 38.

Den Mangel an Ausdrucksfähigkeit sowohl beim schriftlichen als auch mündlichen Gebrauch der Muttersprache betont auch I. Weithase:

Eine sehr realistische Kritik dieser Überbetonung des Lateinischen bringt die Zyklopädia Paracelsica, die 1585 mit einer Vorrede von Samuel Eisenmenger aus Brüssel herausgekommen ist ... Die Kritik beginnt bei den tatsächlichen Gegebenheiten: dass nämlich der lateinkundige Schulentlassene nicht fähig ist, „seinem Vatter, Bruder, Schwester, oder Freunden, inn seiner eygnen Teutschen Mutter sprach nicht ein Missiven, oder Bittschrift stellen, noch vielweniger vor der Obrigkeit, oder vor einer gemeyn jr nohturfft mündtlich fürbringen, das heisst nun frembde sprachen lernen ehe er sein Muttersprach wol kan"[1].

Die Forschung ist sich darüber einig, dass es vorwiegend die Muttersprache ist, die mit fremden Wörtern durchsetzt wird, während die andere, besonders die sozial höher stehende Sprache, möglichst rein erhalten wird:

un bilingue parlant dans sa langue maternelle en arrive parfois à introduire dans la conversation des mots étrangers (plus rarement des tournures) lorsque ceux-ci sont les premiers à lui venir à l'esprit ou bien lorsqu'ils expriment plus exactement ce que l'on veut dire, ou bien aussi par snobisme. Cela est dû ... au fait que la langue maternelle qu'on parle sans réfléchir, avec un certain laisser-aller, se trouve mélangée de tous les éléments étrangers fréquemment entendus et refoulés dans le subconscient[2].

Der Einfluss des Gesprächspartners, „Partnerzwang". Die Wahl der Sprache hängt vom jeweiligen Gesprächspartner ab; diese Tatsache nennt M. Braun „Partnerzwang"[3]. Dieser Partnerzwang scheint sich besonders stark bei kleinen Kindern auszuwirken: Epstein bringt Beispiele von Kindern, die mit den Eltern eine, mit Einheimischen eine

---

[1] I. Weithase, S. 63 f. — Wieczerkowski findet dagegen keine „muttersprachlichen Retardationen" bei den Schulkindern (S. 145, 165 f.), was er damit erklärt, dass „die Muttersprache der Kinder 'in der Wertschätzung der Schule hoch steht' (GEISSLER), zum anderen mit der sprachlichen Situation der Kinder überhaupt. Die Schulsprache ist das Medium, in der sich die sozialen Kontakte der Schule vollziehen, nicht aber die Verständigungsbasis des weiteren Kontakts" (S. 148). — Eine hohe Wertschätzung genoss die Muttersprache im Zeitalter der Humanisten nicht; auch spielte das Latein, wie oben ausgeführt, nicht nur die Rolle einer Schulsprache.

[2] A. Boileau, Le Problème du Bilinguisme et la Théorie des Substrats. In: RLV 12. 1946. S. 121. Vgl. hierzu auch: E. Lentz, Zum psychologischen Problem „Fremdsprachen und Muttersprache". In: ZfpPs 20. 1919. S. 409–15; Kr. Sandfeld, Problèmes d'interférences linguistiques. In: Actes du quatrième congrès de linguistes. Kopenhagen 1938. S. 59–61. Bes. S. 61; M. West, Bilingualism. Calcutta 1926. S. 57 ff.

[3] M. Braun, Beobachtungen zur Frage der Mehrsprachigkeit. In: Göttingische gelehrte Anzeigen 199. 1937. S. 126.

andere Sprache sprechen; sie verknüpfen Sprache und Person so fest miteinander, dass sie sich weigern, z. B. den Eltern in der Sprache der Einheimischen auch nur auf Fragen zu antworten[1].

Nicht nur für die gesprochene Sprache, auch für die gedachte und die geschriebene ist der Adressat ausschlaggebend.

Die Sprache des inneren Selbstgesprächs ist nicht etwa nur eine und nicht immer dieselbe, sondern jede Sprache, deren ich mich im mündlichen oder schriftlichen Verkehr ... bedient habe, kann als Sprache der „inneren Rede" auftreten. Und zwar wird die Wahl dieser Sprache durch den gedachten Gesprächspartner bestimmt, und die Wahl wird im Unterbewusstsein schon vorher getroffen; sie ist mir nicht freigestellt, sondern ist bereits festgelegt durch meine Gewohnheit, den Partner in seiner Sprache anzusprechen[2]. Die Schriftsprache ist vom unmittelbaren Sprechmilieu ... weit unabhängiger ... sie ist an den Stoff, das Thema gebunden und zwar so sehr, dass ich mich in der Wahl der Sprache mitunter geradezu von der Themawahl beeinflusst fühle — doch ist das eine Illusion, denn dieser Drang ist nur sekundär, primär ist der Gedanke, an welches Publikum man sich mit dem betreffenden Thema wendet, so dass letztlich und primär der Adressat das sprachliche Medium bestimmt[3].

Macht man sich diese Bedeutung des gedachten Gesprächspartners für die sprachliche Abfassung klar, so erscheint einem die Situation des Predigers im Reformationszeitalter äusserst unnatürlich: er hatte seine Predigten auf lateinisch zu schreiben, aber auf deutsch zu halten[4]!

Wenn man nun als Gesprächspartner einen ebenso zweisprachigen Menschen hat wie man es selbst ist, fällt dieser Partnerzwang fort; man ist an keine Sprache ausschliesslich gebunden. Das Resultat ist „regellose Sprachmischung" auch im Denken[5]. Haugen sagt dazu: „Speakers will often be quite unaware that they are switching back and forth; they are accustomed to having bilingual speakers before them, and know that whichever language they use, they will be understood."[6] „Man kann eine solche durch nichts motivierte Sprachmischung oft in Ge-

---

[1] Epstein, S. 60 f.; vgl. auch Elwert, S. 290 f. Unter Emigranten kommt es andererseits vor, dass die Eltern mit den Kindern in der Muttersprache sprechen, die Kinder dagegen in der Landessprache antworten. — Auch regellose Sprachmischung kommt vor; das zweisprachige Verhalten eines Kindes ist dazu grossen Schwankungen unterworfen, vgl. Wieczerkowski, S. 15.

[2] Elwert, S. 329.

[3] Ebd. S. 326.

[4] Th. Grentrup, Religion und Muttersprache. Münster 1932. S. 203. Weithase, S. 44 f., 95.

[5] Braun, S. 125.

[6] Haugen 1953, S. 65.

sprächen zwischen gleichartigen Zweisprachlern ... beobachten"[1]. Auch für Grenzgebiete ist das Hin- und Herschalten aus der einen Sprache in die andere bezeugt; Schuchardt spricht von einer ,,sprachlichen Indifferenz":

> Wenn aber z. B. an der Sprachgrenze in Böhmen vielfach nicht bloss tschechische Antwort auf deutsche Frage und umgekehrt ertheilt wird, sondern auch in einem Redefluss Übergang von einer Sprache zur anderen, zum Theil Wiederholung von eben Gesagtem in der anderen Sprache stattfindet, so werden wir eine gewisse Indifferenz bezüglich zweier gleich nahe liegenden Verständigungsmittel constatiren[2].

Für Luther ist solches Hin- und Herwechseln bezeugt:

> denn wie Bugenhagen am 6. Juli 1527 den schwer erkrankten Luther ,,in lecto invenit claris verbis nunc latine nunc germanice, nunc deum patrem nunc Christum dominum invocantem", so hat Luther an seinem Tisch, und, wo er sonst mit Studenten oder Gelehrten verkehrte, ein Gemeng beider Sprachen angewendet[3].

Nach dem oben Ausgeführten war dies vollkommen natürlich und traf sicher nicht nur für Luther zu, sondern für alle Gebildeten seiner Zeit: die gebildete Umgangssprache bediente sich sowohl des Deutschen wie des Lateinischen. Dass besonders die gesprochene Sprache gerne fremde Wörter aufnimmt, ist auch anderweitig bezeugt; D. Magenau berichtet aus Elsass-Lothringen:

> Da fast alle Kreise der Bevölkerung die Mundart sprechen oder verstehen, drang ein grosser Teil der französischen Wörter zuerst in die gesprochene Sprache ein und wurde aus ihr in die geschriebene übernommen. ... Aus der engen Verbindung von gesprochener und geschriebener Sprache erklärt sich die Verteilung der Wörter der Zeitungssprache auf eine so grosse Zahl von Sachgebieten und die Tatsache, dass gerade die der gesprochenen Sprache am nächsten stehenden Zeitungteile die meisten fremden Wörter aufweisen ...[4]. Das Bequemlichkeitsstreben des Menschen, seine Neigung, gedankliche Schwierigkeiten zu umgehen, trägt den Sieg davon. Warum soll man übersetzen, wenn der fremde Ausdruck überall verstanden wird[5]?

Besondere Merkmale der gebildeten Zweisprachigkeit im 16. Jh. Es bestehen gewisse Unterschiede zwischen der damaligen Zweisprachigkeit

---

[1] Braun, S. 125.

[2] H. Schuchardt, Dem Herrn Franz von Miklosich zum 20. November 1883: Slawo-deutsches und Slawo-italienisches. Graz 1884. S. 81.

[3] W. Meyer, Über Lauterbachs und Aurifabers Sammlungen der Tischreden Luthers. In: AWG 1. Berlin 1896. S. 4.

[4] Magenau, S. 97; Sperrung von mir.

[5] Ebd. S. 99.

und der modernen: Lateinisch war bei allen gelernte Zweitsprache, auch bei den Lehrern. Keiner befand sich also einem anderen gegenüber in der benachteiligten Lage, eine erlernte Sprache mit jemandem sprechen zu müssen, der diese zur Muttersprache hatte. Ein lateinisches sprachliches Hinterland gab es nicht, statt dessen galt die Literatur als Vorbild. Die Aussprache wurde der Muttersprache angepasst[1].

Träger der Zweisprachigkeit war nur die gebildete Schicht, während unter Emigranten und in sprachlichen Minderheiten alle Schichten der Bevölkerung betroffen werden. Diese gebildete Schicht befand sich dabei stets, was die Muttersprache betrifft, im sprachlichen Hinterland. In Haus und Familie lebte die Muttersprache ihr eigenes Leben, ohne je von ihrem Quell abgeschnitten zu werden, wie es bei Emigranten der Fall ist. Deshalb konnte sich der lateinische Einfluss nicht in dem Masse auf die Syntax der Muttersprache erstrecken, wie es z. B. im Deutschbrasilianischen der Fall ist[2].

Die Tischreden; ihre Entstehung und Überlieferung[3]

Als Tischgenossen nahmen an Luthers Mahlzeiten regelmässig eine Reihe von Theologen teil[4]. Wie es bei einer solchen Mahlzeit zugehen konnte, schildert anschaulich Johannes Mathesius im Jahre 1540:

Ob aber wol unser Doctor offtmals schwere unnd tieffe gedancken mit sich an tisch nam, auch bißweylen die gantze malzeyt sein alt Kloster *silentium* hielt, das kein wort am tische gefiel, doch ließ er sich zu gelegner zeyt sehr lustig hören, wie wir denn sein reden *Condimenta mensae* pflegten zu nennen, die uns lieber waren denn alle würtze und köstliche speyse.

Wenn er uns wolte rede abgewinnen, pfleget er ein anwurff zu thun: Was höret man newes? die erste vermanung liessen wir fürüber gehen. Wenn er wider anhielt: Ir Prelaten, was newes im lande? Da fiengen die alten am tische an zu reden. Doctor Wolff Severus, so der Römischen Königlichen Majestat Preceptor gewesen, saß oben an, der bracht was auff die ban, wenn niemand frembdes verhanden, als ein gewanderter Hofman.

Wens gedöber, doch mit gebürlicher zucht, und ehrerbietigkeyt angieng, schossen andere bißweylen jhren theyl auch darzu, biß man den Doctor

---

[1] Vgl. D. Norberg, Remarques sur l'histoire de la prononciation du latin. In: Acta Conventus Romani. Rom 1959. S. 107–114, und F. Brittain, Latin in church. The history of its pronunciation. London 1955². S. 25, 27 ff.

[2] Vgl. Fausel, S. 47 f. F. bringt Belege wie: „Weil er hat es für mich geschenkt."

[3] Leider fehlt der WA eine kurze, gesammelte Darstellung. Eine ausführlichere findet sich jetzt bei B. Klaus, Veit Dietrich. Leben und Werk. Nürnberg 1958. S. 92 ff.

[4] Vgl. WA TR Bd. 1, S. XXVI f.

anbracht. Offtmals legte man gute fragen ein auß der schrifft, die löset er fein rund unnd kurtz auff, unnd da einer ein mal part hielt, kondt ers auch leyden, und mit geschickter antwort widerlegen. Offtmals kamen ehrliche leut von der Universitet, auch von frembden orten an Tisch, da gefielen sehr schöne reden und historien[1].

Luthers Predigten und Vorträge in Kirche und Hörsaal wurden für gewöhnlich nachgeschrieben[2], was althergebrachtem Gebrauch entsprach. So liegen uns ja z. B. die mittelalterlichen Predigten Bertholds nur in Nachschriften seiner Hörer vor. Wenn, wie aus der obigen Schilderung hervorgeht, theologische Fragen bei Tisch erörtert wurden, war es an sich nicht erstaunlich, dass auch hier nachgeschrieben wurde. Dass Luther durch dieses Nachschreiben nicht gestört wurde, geht aus gelegentlichen Anreden und Aufforderungen an die Schreiber hervor: das scherzhafte: ,,*Hoc scribite et notate!*" (TR Nr. 246) nach einem Kraftausdruck; *,,Et signate vobis hoc"* (Nr. 463), so wie die wiederholte Aufforderung an Schlaginhaufen: ,,*scribite hoc!* ... Lieber, schreibts und merckhts!" (Nr. 1525).

Natürlich wurde nicht alles und jedes laufend mitgeschrieben, sondern jeder Nachschreiber zückte dann die Feder, wenn das Gespräch eine ihm interessante Wendung nahm. Erst nachträglich wurde dann aus der Erinnerung der Zusammenhang oder die Veranlassung des Gesprächs referiert[3]. Dieses Einsetzen der Schreiber geht indirekt aus einem Stück bei J. Mathesius hervor: ,,*Cum quidam interrogaret Doctorem de loco, respondit ioco Doctorissa: Domine Doctor, non gratis docete eos! Iam colligunt multa.*" (Nr. 5187; Käthe war in Geldnot, vgl. a. a. O. Anm. 15.) Diese Stelle zeigt, dass mehrere gleichzeitig nachschrieben, und offenbar setzten die Federn eifrig ein — oder sassen die Schreiber erwartungsvoll mit gezückten Federn da — als Luther eine Bibelstelle zu erklären im Begriff stand. Dieser Eifer verursachte dann Käthes Ausruf.

Die Schreiber. Die meisten Tischreden stammen aus dem Anfang der dreissiger Jahre. Laut eigener Aussage hat Cordatus zuerst den Mut gefunden, auch bei Tisch nachzuschreiben. ,,Das früheste mit Sicherheit datierbare Stück seiner Sammlung fällt in den August des Jahres 1531."[4] Von seinem Beispiel angeregt schrieben dann ungefähr gleichzeitig Veit Dietrich, Schlaginhaufen und Rörer. In der Mitte der

---

[1] Zitiert nach WA TR Bd. 4, S. XXVIII.

[2] A. Freitag, Veit Dietrichs Anteil an der Lutherüberlieferung. In: Lutherstudien 1917. S. 171.

[3] Vgl. TR Bd. 3, S. XXX f.

[4] TR Bd. 1, S. XXVI.

dreissiger Jahre setzte mit dem Fortgang der Schreiber aus Wittenberg eine Pause ein. Gegen Ende der dreissiger Jahre, besonders im Jahre 1538, schrieb Lauterbach in Tagebuchform. 1540 schrieb Johannes Mathesius. Diese fünf haben die grössten Sammlungen zusammengetragen. Eine besondere Rolle spielt ausserdem Aurifaber; ihm wird unten (S. 19 ff.) eine besondere Studie gewidmet.

Ihre Zuverlässigkeit. Veit Dietrichs grosse Sammlung steht in der WA an erster Stelle. Sie ist besonders wertvoll dadurch, dass sie uns in einer Reinschrift seiner eigenen Hand vorliegt; die übrigen Sammlungen sind Abschriften anderer. Dietrich wird übereinstimmend von verschiedenen Forschern als ein treuer Nachschreiber angesehen[1]. Für die Treue Dietrichs zeugt u. a. Nr. 361, wo zu einem von ihm festgehaltenen lateinischen Ausspruch Luthers die Anm. Krokers besagt: ,,Fast ebenso lautet Luthers Bemerkung im Wittenberger Dekanatsbuch.''[2] Andererseits steht fest, dass ,,Dietrichs Kunst im Nachschreiben längst nicht so hoch steht als etwa die Rörers.''[3] Er konnte nicht so schnell schreiben, weswegen ihm manches entging. ,,Nach seiner Gewohnheit hat Dietrich beim Umschreiben nicht nur die Abkürzungen aufgelöst, sondern auch einiges 'amplificirt', namentlich bei den Zitaten und hebräischen Wörtern.''[4] (Griechische und hebräische Wörter sind für unsere Untersuchung von keiner Bedeutung.)

Schlaginhaufen ist als einziger der ältesten Nachschreiber nirgendwo in der WA der TR besonders charakterisiert. Im äusseren Sprachgewand steht er Dietrich nahe. Seine Sammlung ist weniger überarbeitet und ,,geglättet''; Unebenheiten finden sich bei ihm in grösserem Ausmass als bei Dietrich. Er hat weniger ,,amplifiziert'' und u. a. keine hebräischen und griechischen Zitate. In der folgenden Untersuchung wird er laufend mit VD. verglichen.

Cordatus hat von den ältesten Tischgenossen am schlechtesten nachgeschrieben. Dies zeigen besonders die Texte, zu denen sich bei anderen Nachschreibern Parallelen finden. ,,Diese Texte sind oft nur kurze Auszüge, Exzerpte aus längeren Reden, die Cordatus selbst nachgeschrieben, oder aus längeren Nachschriften andrer Tischgenossen, die er aus-

---

[1] Klaus, S. 96. A. Wahl, Beiträge zur Überlieferung von Luthers Tischgesprächen aus der Frühzeit. In: ARG 17. 1920. S. 39 f. und E. Kroker, Luthers Tischreden in der Mathesischen Sammlung. Leipzig 1903. S. 5. (Schriften der Königl. Sächs. Kommission für Geschichte VII.)

[2] TR Bd. 1, S. 152. Anm. 2.

[3] WA 31:1. S. 258.

[4] Ebd. S. 259.

geschrieben hat ... Von den älteren Tischgenossen hat Cordatus in seiner Sammlung das meiste fremde Gut."[1]

Rörer ist am umstrittensten. Einerseits ist er ,,ein annerkannt geübter Schnellschreiber", ,,der beste Überlieferer"[2], andererseits wird seine Authentizität von Kroker bestritten[3]. Ich schliesse mich Kroker darin an, dass die TR, die uns Rörer überliefert, in ihrer Fassung stark von der sonstigen Überlieferung abweichen[4] durch Überwiegen des Lateinischen, ihre präzise, elegante Fassung und ihre offenbaren Kürzungen. ,,Es sind mehr *excerpta* als *excepta ex ore Lutheri.*"[5] Seine Kunst im Schnellschreiben ist unwiderleglich; die zahlreichen Nachschriften von Predigten Luthers, die uns von seiner Hand vorliegen, legen davon Zeugnis ab. (Ein Auszug einer solchen Nachschrift wird unten S. 261 ff. als Vergleichsmaterial ausgewertet.) Aber es ging Rörer offensichtlich nur um das Festhalten des Inhalts, worunter die wortgetreue Wiedergabe zu leiden hatte. Im Blickpunkt seines Interesses standen theologische Dinge und Auslegungen von Bibelstellen[6].

In Lauterbachs Tagebuch dagegen überwiegt das Historische und Praktische[7]. Wo es darum geht, Luthers Worte festzuhalten, bemüht er sich um besondere Texttreue[8]. Was den Typ der Sprachmischung betrifft, steht er im grossen und ganzen Dietrich und Schlaginhaufen nahe. (Näheres unten.)

Mathesius setzt 1540 ein. Er scheint gut nachgeschrieben zu haben[9].

Von den übrigen kleineren Sammlungen ist noch Rabes bemerkenswert, da sie von der sonstigen Überlieferung durch die fast reine deutsche Sprache abweicht. Man hat die Möglichkeit erwogen, dass Rabe vielleicht Luthers Redeweise bei Tisch besonders treu wiedergebe.[10] Nach dem oben über die Zweisprachigkeit Festgestellten und der grossen Übereinstimmung der besten Überlieferer halte ich dies nicht für glaubhaft. Die Unzuverlässigkeit Rabes ist auch anderweitig nachgewiesen worden:

... es bleibt ... interessant festzustellen, dass Rabe in einer bestimmten Richtung Änderungen an Luthers Worten vornimmt. Kroker hat (TR 2,

---

[1] TR Bd. 2, S. XXII; vgl. auch S. XXIII, XXV–XXX.
[2] Freitag, S. 183 ff., 188.
[3] TR Bd. 4, S. XVII f., und abschliessend Bd. 6, S. XVI ff.
[4] Vgl. Kroker in TR Bd. 4, S. XVIII.
[5] Ders. in TR Bd. 1, S. XLI.
[6] Freitag, S. 185, 187.
[7] Vgl. TR Bd. 3, S. XLI f.
[8] Vgl. ebd. S. XXX f., XXXIII.
[9] Vgl. TR Bd. 4, S. XXXV, und Kroker 1903, S. 6.
[10] TR Bd. 2, S. XIX.

S. XIX u. S. 257, Anm. 18) hervorgehoben, dass Rabe mit Vorliebe die-
jenigen Äusserungen Luthers aufgezeichnet hat, die gegen den Adel — gemeint ist der niedere Adel, „Junker Scharrhans" — gerichtet waren. Allein
man muss weiter gehen: Rabe hat nachweislich in diesem Sinn Worte Luthers
geändert oder ergänzt[1].

Aurifaber. Mit Aurifabers Sammlung[2] muss ich mich hier etwas
ausführlicher befassen, obwohl gerade sie für unsere Untersuchung
wenig hergibt. Es zeigt sich nämlich, dass Aurifaber der Wissenschaft
zahlreiche Fallen stellt. Aurifabersche Paralleltexte sind in der WA den
anderen Texten laufend beigefügt, durch die Bezeichnung FB. und
kleineren Druck von diesen abgehoben. In den beiden ersten Bänden
der TR bleibt es dabei dem Leser überlassen, sich seine Meinung über
diese Texte selbst zu bilden[3]; eine Introduktion Aurifabers und eine
kritische Würdigung seiner Arbeitsweise findet sich erst in Bd. 3, in
der Einleitung zu den Schriften Lauterbachs (wo man sie nicht ver-
muten würde!).

Aurifabers grosse Sammlung ist grösstenteils eine nachträgliche Bearbeitung anderer Sammlungen, bei der das Latein übersetzt wurde,
mit unzähligen Synonymen und Erweiterungen[4]. Über seine eigenen
Nachschriften aus dem Jahr 1546 sagt Kroker: „Seine unleidliche
Sucht, Luthers Worte durch eigne Zutaten aufzuputzen, lässt es zuweilen fast unmöglich erscheinen, festzustellen, wo Luthers Worte auf-
hören und Aurifabers Zusätze anfangen."[5] Seine Bedeutung hat Aurifaber
dadurch, dass lange Zeit Luthers Tischreden nur in seiner Fassung verbreitet wurden. Grimms Wörterbuch und auch Dietz[6] haben Aurifaber

---

[1] Wahl, S. 35 f. Vgl. auch ebd. S. 33 ff., 38 f.

[2] WA TR Bd. 6. Aurifabers Sammlung erschien erstmalig in Eisleben 1566. Die
in der WA abgedruckte Version FB. folgt dem Text von K. E. Förstemann und
H. E. Bindseil (Förstemann Bd. 1–3. Leipzig 1844–46; Bindseil Bd. 4. Berlin
1848.) Diese ist besonders in der Orthographie vereinfacht und geglättet (TR
Bd. 1. S. XII).

[3] In Bd. 1, S. XI werden Aurifabers Texte allerdings „Umarbeitungen" genannt.

[4] Kroker gibt in TR Bd. 3, S. XXXIV f. eine ganze Seite solcher Beispiele. Er
schreibt dabei die Synonyme irrtümlich dem „veränderten Sprachgebrauch einer
jüngeren Zeit" zu. Über die Synonyme als „Charakteristikum der Epoche" s.
dagegen A. Schirokauer, Das Werden der Gemeinsprache im Wörterbuch des
Dasypodius. In: GR 18. 1943. S. 296; ebenfalls Rosenfeld 1959. S. 346, und meine
Einleitung zu Hubmaiers Schriften, S. 50 f.

[5] TR Bd. 6, S. XXI; vgl. auch ebd. S. XXII.

[6] Ph. Dietz, Wörterbuch zu Dr. Martin Luthers deutschen Schriften. Leipzig
1870 f.; vgl. ebd. Bd. 1, S. LXXXVI. Grimms Wörterbuch Bd. 1, Sp. LXXX.

für den Sprachgebrauch Luthers ausgeschrieben. Erst mit dem Erscheinen der WA ergab sich die Möglichkeit eines systematischen Vergleichs mit anderen Sammlungen.

Aurifaber verfolgte bei der Herausgabe der TR einen bestimmten Zweck: den der Erbauung weiter, grösstenteils lateinunkundiger Kreise. Dazu waren natürlich Luthers Aussprüche bei Tisch unter gleichgesinnten — und gleich zweisprachigen — Theologen nicht samt und sonders und ohne weiteres geeignet. Aurifabers Synonymenhäufung und Fabuliersucht sind mit Recht getadelt worden; wenig Beachtung haben dagegen seine Glossierungen lateinischer Ausdrücke und zuweilen auch das völlige Fortlassen schwieriger Fachwörter gefunden. Hier bestehen Fehlerquellen für die heutige Forschung, wie im folgenden ausgeführt werden soll.

Erbauliche Verschönerungen und Synonyme. In Nr. 141 gibt Luther Anweisungen, wie man die Anschläge des Teufels bekämpfen solle mit anderen Gedanken, „*choreae vel elegantis puellae*". Aurifaber nahm sichtlich am Tanz und den schönen Mädchen Anstoss und machte den Text harmlos-erbaulich: „daß man Kurzweile treibe mit spazieren gehen, essen, trinken, zun Leuten gehe, mit ihnen rede und fröhlich sei, daß man der schweren Gedanken los werde". Ähnlich übergeht Aurifaber in Nr. 122 stillschweigend Luthers Grobheiten im Umgang mit dem Teufel und macht die Anweisungen, wie man die „*tristitia*" bekämpfe, frömmer: Luther: „*tunc ede, bibe, quaere colloquia*"; Aurifaber: „derselbige halte sich erstlich an den Trost des göttlichen Worts, darnach so esse und trinke er, und trachte nach Gesellschaft und Gespräch gottseliger und christlicher Leute …"

Leider zitiert auch I. Weithase bei ihrer Schilderung von Luthers Einstellung zur Rhetorik Luthers Tischreden fast ausschliesslich nach Aurifaber, was besonders in einer Schilderung der gesprochenen deutschen Sprache einen falschen Eindruck erweckt, denn so hat Luther nicht gesprochen! Die endlosen Synonyme und das aurifabersche Lieblingswort „fein" in adverbialer Verwendung vor anderen Adverbien erwecken den Eindruck betulicher Redseligkeit, die in den übrigen Sammlungen der TR keine Entsprechung hat. Nur wenige Beispiele: auf S. 85 zitiert I. Weithase: „… fein ordentlich, eigentlich und richtig, kurz und einfältig davon lehren und reden soll". Dies ist eine freie aurifabersche Ausschmückung von „*ordinem loquendi*", nach Cordatus Vorlage: „*Dialectica non tradit materiam, sed ordinem loquendi*" (Nr. 2629 b). In Anm. 30 geht das „fein einfältig, rund und richtig" auf das eine lateinische Wort „*sincerus*" zurück, u. s. f.

Das „klassische" Zitat von der sächsischen Kanzlei bringe ich hier
mit seiner Vorlage:

*Nullam certam linguam Germanice
habeo, sed communem, ut me intelligere
possint ex superiori et inferiori Germania.* Ich rede nach der Sechsischen
cantzley, *quam imitantur omnes duces
et reges Germaniae*; alle reichstette,
fürsten höfe schreiben nach der
Sechsischen cantzeleien unser chur-
fürsten. *Ideo est communissima lingua
Germaniae.*
(Cord. 2758 b.)

Ich habe keine gewisse, sonderliche, eigene Sprache im Deutschen,
sondern brauche der gemeinen deutschen Sprache, dass mich beide,
Ober- und Niederländer verstehen
mögen. Ich rede nach der sächsischen
Canzeley, welcher nachfolgen alle
Fürsten und Könige in Deutschland;
alle Reichsstädte, Fürsten-Höfe
schreiben nach der sächsischen und
unsers Fürsten Canzeley, darum ists
auch die gemeinste deutsche Sprache.
(FB. WA Bd. 1. S. 524 f., zitiert
u. a. bei Bach.[1])

Hier geht also die „gewisse, sonderliche, eigene Sprache" auf „*certam
linguam*" zurück, und das „welcher nachfolgen alle Fürsten ..." ist nicht
etwa eine altertümliche Ausdrucksweise Luthers, sondern die in der
Wortfolge sklavische Übersetzung von „*quam imitantur omnes duces* ..."[2].

Glossen und Zusätze. Die Synonyme sind letzten Endes eine Stilfrage;
schlimmer ist es, wenn Luther Worte in den Mund gelegt werden —
und womöglich Schlussfolgerungen daraus gezogen werden — die er
nachweislich nicht gesprochen hat, denn hier wird der Sachverhalt ge-
fälscht. Man vergleiche folgenden Text aus Lauterbachs Tagebuch mit
Aurifabers Bearbeitung:

Es ist ein verdrieslich *exordium* und
captatio benevolentiae gewesen! Und
mus doch sein, *quia* ...
(LbTb Nr. 4114.)

Es ist ein verdrießlich *Exordium*,
Anfang, und *captatio benevolentiae*
gewest, da man im Eingang soll die
Zuhörer lustig machen, dass sie gern
mit Willen hernacher[3] hören, was
geprediget wird, und muß doch sein.
Denn ...
(FB.)

Wir finden bei Aurifaber zwei Glossen, eine zu „*Exordium*", und eine
zu „*captatio benevolentiae*". Unter Luthers Tischgenossen gehörten

---

[1] A. Bach, Geschichte der deutschen Sprache. Heidelberg 1961[7]. S. 200.

[2] E. Rooth hat diesen aurifaberschen Text interpretiert und dabei mit bemer-
kenswertem Instinkt „nachfolgen" (= *imitantur*) richtig als „söka efterlikna"
aufgefasst (Huvuddragen av det tyska språkets historia. Lund 1962[3]. S. 80 f.).

[3] Typisch aurifabersches Wort, vgl. den Titel seiner Tischredenausgabe: Colloquia oder Tischreden Martini Lutheri, ... h e r n a c h e r in gewisse Locos communes
verfasset ... durch Johannem Aurifabern. Frankfurt am Main 1573.

diese Fachausdrücke der Rhetorik zur Schulbildung[1]. Unglücklicherweise hat nun I. Weithase die zweite Glosse Luther in den Mund gelegt:

„Im allgemeinen hält er an der antiken Rhetorik fest, die besagt, dass das *exordium* mit der *captatio benevolentiae* 'die Zuhörer lustig machen, dass sie gern mit Willen hernacher hören, was gepredigt wird', wie es Luther formuliert."[2]

Bei B. Klaus werden meist die Urschriften der TR zitiert; so auch Nr. 233: „*Ergo so wag es dahin in nomine Domini* auf sein *benedictio et creatio.*"[3] Dann fährt Klaus jedoch fort: „Nach Aurifabers Bericht hat Luther dies Wort so beschlossen: 'Wage es im Namen des Herrn auf seinen Segen und Schöpfung, wenn dirs noth ist.' Jetzt aber war es nicht not nach Luthers Meinung. Ihr fügte sich Veit Dietrich." „Wenn dirs noth ist" ist jedoch ein freier Zusatz Aurifabers, der damals nicht in Luthers Haus weilte (er kam erst 1545 dorthin[4]) und darum auch keinen „Bericht" schreiben konnte. Aus Aurifabers Worten darf man keine „Meinung" Luthers ableiten.

Auslassungen und Vereinfachungen. Alle schwierigen Ausdrücke liessen sich nicht für ein breites Publikum mundgerecht machen; in solchen Fällen vereinfachte Aurifaber den Text, indem er ganze Sätze einfach ausliess und dafür eigene Zusätze machte. Man vergleiche:

Quamvis in Germanica lingua tot dialectos habes, ut se mutuo non intelligant. Helvetii fere nullam habent diphthongum. Suevi et Cherusci mutuo se non intelligunt, immo ipsi Bavari sunt inter se barbari, qui se mutuo non intelligunt.	Es sind aber in der deutschen Sprache viel Dialecti, unterschiedne Art zu reden, daß oft Einer den Andern nicht wol versteht, wie Bayern Sachsen etc. nicht recht verstehen, sonderlich die nicht gewandert sind.
(LbTb 4018.)	(FB.)

Die obige Version Aurifabers wird zitiert bei Arndt[5]; dieser fährt fort: „Mit diesen klaren Worten urteilte Luther ..." Nein, eben nicht „mit diesen klaren Worten"! Aurifaber glossiert Dialekt, traut seinen Lesern die Diphthonge überhaupt nicht zu, sondern lässt sie ganz weg, fügt dafür aber den Zusatz vom Wandern hinzu; das zeittypische Wortspiel[6] Bavari-barbari kann er überhaupt nicht wiedergeben.

---

[1] Vgl. Curtius, S. 79.

[2] Weithase, S. 88. — Zum Gebrauch der Glossen im Reformationszeitalter vgl. meine Einleitung zu Hubmaier, S. 48 f.

[3] a.a.O. S. 91.

[4] TR Bd. 6, S. XI f.

[5] E. Arndt, Luthers deutsches Sprachschaffen. Berlin 1962. S. 16.

[6] Zu der Vorliebe der Zeit für Wortspiele vgl. meine Einleitung zu Hubmaier, S. 45.

Ein ähnlicher Ausspruch über die deutschen Dialekte wird nach der vereinfachten aurifaberschen Fassung sogar bei einem Kenner der Luthersprache wie Erben zitiert[1]:

Germania tot habet dialectos, ut in triginta miliaribus homines se mutuo non intelligant. Austri et Bavari nullas servant diphthongos, dicunt enim e ur, fe ur, bro edt *pro* feuer, euer, brodt. *Ita Francones unisona et crassa voce loquuntur, quod Saxones praecipue Antverpiensium linguam non intelligunt* ... die Oberlendische sprache ist nicht die rechte Teutzsche sprache, *habet enim maximos hiatus et sonitus, sed Saxonica lingua est facillima, fere pressis labiis pronunciatur.*

(Lb:s Sammlung B, Nr. 6146.)

Deutschland hat mancherley *Dialectos*, Art zu reden, also, daß die Leute in 30 Meilen Weges einander nicht wol können verstehen. Die Oesterreicher und Bayern verstehen die Thüringer und Sachsen nicht, sonderlich die Niederländer.

Die oberländische Sprache ist nicht die rechte deutsche Sprache, nimmt den Mund voll und weit und lautet hart. Aber die sächsische Sprache gehet fein leise und leicht ab.

(FB.)

Hier ist in Aurifabers Version nicht viel vom ursprünglichen Text übriggeblieben. Wieder wird Dialekt glossiert; aber die Termini „*diphthong, hiatus, sonitus*" sind ihm für sein Publikum zu hoch, sie werden nicht übernommen. Sehr anschaulich ist Aurifabers Wiedergabe der beiden letzten Sätze; zum Schluss wieder das aurifabersche „fein" vor weiteren Adverbien. Da Erben sich an Sprachwissenschaftler wendet, wäre es besser gewesen, den ursprünglichen Text zu zitieren; für uns ist ja gerade das von Interesse, was Aurifaber seinem Publikum ersparen wollte.

Ich könnte noch eine ganze Reihe von Beispielen anführen, muss mich aber hier auf diese typischen Beispiele und den Hinweis auf die Fehlerquellen beschränken. Mit Recht warnt Kroker[2]: „Für Luthers Sprachschatz hat nur das Geltung, was in den Urschriften der Tischreden steht; unter Aurifabers Händen ist oft etwas ganz anderes daraus geworden." Es muss nachdrücklich hervorgehoben werden, dass Aurifabers Text heute nur noch zu dem Zweck gebraucht werden darf, zu dem ihn Aurifaber von Anfang an zurechtgeschnitten hat: zu dem der Erbauung[3]. Die Wissenschaft greift daneben, wenn sie sich auf Luther beruft und

---

[1] J. Erben, Luther und die neuhochdeutsche Schriftsprache. In: Deutsche Wortgeschichte I[2]. 1959. S. 448.

[2] TR Bd. 3, S. XXXVI.

[3] Auch K. Alands Neuausgabe der Tischreden (Luther Deutsch. Bd. 9. Berlin 1948) besteht aus „einer Auswahl aus der Ausgabe Aurifabers und ihrer Bearbeitung" (ebd. S 300).

als Beweis Aurifaber zitiert. Für wissenschaftliche Zwecke kommen ausschliesslich die Urschriften der TR in Betracht. Dabei muss man entweder das Latein in Kauf nehmen oder neu übersetzen. Es wäre zu wünschen, dass eine Neuausgabe der Tischreden eine entsprechende Warnung bereits im ersten Band bringt, so dass die Leser von Anfang an über das Verhältnis der beigefügten aurifaberschen Texte zu den Urtexten unterrichtet sind. Jetzt steht Krokers Warnung an einer Stelle, wo sie den meisten entgeht.

Die Überlieferung. Auf welchem Material wurden die ersten Aufzeichnungen geschrieben? „*Tabulas, tabellas, chartas, libellum*", so bezeichnen die Schreiber selbst ihr Material: „*tabulas meas*" und „*tabellas, quibus solebam audita inscribere*", sagt Cordatus[1]. „Wie Cordatus seine *tabellas* und Schlaginhaufen einen *libellum* hatte (TR 2, XVI), so schrieben wohl auch die übrigen Tischgenossen in dünne Hefte oder auf einzelne Lagen, die sie bequem in die Tasche stecken und beim Nachschreiben in der Hand halten konnten."[2] „Diese ersten Niederschriften sind wohl von sämtlichen Tischgenossen nachträglich überarbeitet und geglättet worden, und im günstigsten Falle liegen unserer Überlieferung diese ersten Überarbeitungen zugrunde."[3] Die ältesten Niederschriften sind verlorengegangen.

Unter den Tischreden finden sich auch solche, die nicht bei Tisch, sondern im Garten oder am Bett des erkrankten Luther nachgeschrieben worden sind. „Man darf auch den Begriff der Tischreden nicht zu sehr pressen ... Wir wissen, dass fast alle Tischgenossen zuweilen im Garten nachgeschrieben haben ..."[4]

Die Tischgenossen stellten sich gegenseitig ihre Nachschriften zum Abschreiben zur Verfügung[5]. Dabei ist etliches verlorengegangen[6]. Die Reinschriften wurden wieder von anderen ab- und ausgeschrieben. „Die meisten Handschriften von Luthers Tischreden sind späte Sammlungen, von denen jede aus den vielen Tausenden von Einzelstücken ... nur eine Auswahl zusammengestellt hat."[7] Von den Urschriften liegt

---

[1] TR Bd. 2, Nr. 2068; Kroker, Rörers Handschriftenbände und Luthers Tischreden. In: ARG 7. 1910. S. 84.

[2] Kroker in TR Bd. 3, S. XXX.

[3] Kroker 1910, S. 84.

[4] Ebd. S. 83.

[5] Vgl. Freitag, S. 186. Kroker, TR Bd. 1, S. XXXII.

[6] TR Bd. 1, S. XXXI f.; die Stücke Nr. 533–569 aus Dietrichs Heft; vgl. auch Freitag, S. 185 f.

[7] Kroker in TR Bd. 1, S. X.

uns, wie oben S. 17 bereits bemerkt, nur Veit Dietrichs Sammlung in seiner eigenen Reinschrift vor; die anderen Sammlungen sind Abschriften anderer Hand, bisweilen Abschriften von Abschriften[1].

Paralleltexte. Kroker unterscheidet zwischen ursprünglichen, abgeleiteten und scheinbaren Paralleltexten[2].

Ursprüngliche Parallelen liegen vor, wenn mehrere Schreiber gleichzeitig und unabhängig voneinander in Tätigkeit waren. Da jeder Schreiber seine eigene Auswahl traf, weichen sie oft stark voneinander ab.

Abgeleitete Parallelen entstanden, wenn mehrere Tischgenossen das gleiche Stück eines Nachschreibers abschrieben.

Scheinbare Parallelen entstanden, wenn Luther das gleiche Thema zu verschiedenen Gelegenheiten aufgriff. Datierung und äussere Umstände lassen oft erkennen, dass kein echter Paralleltext vorliegen kann.

Für unsere Untersuchung sind die ursprünglichen Parallelen deshalb wertvoll, weil sie die verschiedene Arbeitsweise der Schreiber beleuchten; abgeleitete Parallelen andererseits geben Aufschluss darüber, was bei dem Abschreiben mit den Texten geschah: wie treu man sich an die Vorlage hielt, was ,,geglättet'' wurde u. a. m.

Die Grenze zwischen ursprünglichen und abgeleiteten Parallelen ist oft unmöglich zu ziehen[3]. ,,Bei den zahlreichen Parallelen, die Dietrich bei Schlaginhaufen hat, lässt es sich leider nicht nachweisen, ob Dietrich und Schlaginhaufen alle diese Stücke gleichzeitig und unabhängig voneinander nachgeschrieben haben, oder ob einer von dem andern abgeschrieben hat, und wer der Nachschreiber, wer der Abschreiber gewesen ist.''[4] M.E. muss man noch eine Kombination von ursprünglicher +abgeleiteter Parallele ansetzen: wenn man sich gegenseitig seine Nachschriften auslieh, konnte man bei der nachträglichen Reinschrift und Überarbeitung sehr wohl zusammen mit seiner eigenen Nachschrift auch die eines anderen verwerten und dabei etwaige Lücken ausfüllen und Unklarheiten beheben. So haben z. B. Schlaginhaufen und Cordatus Parallelreihen, die in der WA als ursprüngliche Parallelen bezeichnet sind, obwohl, wie in den Anm. ausdrücklich vermerkt, die Schreiber hie und da voneinander abgeschrieben haben. Ich verweise hier nur auf Nr. 1756 in Schlaginhaufens Sammlung[5], wo Schlaginhaufen an Cordatus gerichtete Worte wiedergibt. Kroker bemerkt dazu: ,,Unser Stück ...

---

[1] Z. B. in Lauterbachs und Wellers Sammlung, vgl. TR Bd. 3, S. XVIII.
[2] TR Bd. 1, S. XV.
[3] Vgl. Kroker 1910, S. 89.
[4] Ders. in TR Bd. 1, S. XXXII.
[5] TR Bd. 2, S. 207.

steht ... in Schlaginhaufens Heft an falscher Stelle ... wahrscheinlich hat Schlaginhaufen dieses Stück erst später von Cordatus abgeschrieben."[1] Zu dem ebd. als ursprüngliche Parallele bezeichneten Stück 2669 a bei Cordatus wird bemerkt: „Hier kann kaum ein Zweifel daran sein, dass Cordatus eine Lage aus Schlaginhaufens Heft entlehnt hat."[2] Bei Nr. 2669 a wird auf die mögliche Abhängigkeit des Stückes von Schlaginhaufens Nr. 1756 aufmerksam gemacht[3], da ausdrücklich steht: „*Hoc dixit ad Conradum Cordatum*", während Cordatus von sich selbst gewöhnlich mit „*me*" spricht. Obwohl Kroker sich hier also widerspricht, ist die gegenseitige Abhängigkeit der Schreiber voneinander offensichtlich, doch müssen beide auch eigene Aufzeichnungen besessen haben, denn sie bringen verschieden viel.

Vergleiche zwischen Paralleltexten sind verschiedentlich durchgeführt worden[4]. Dabei ist der Text vorwiegend inhaltlich betrachtet worden. Ich habe die Texte Dietrichs, die anderweitig Parallelen haben, im Hinblick auf das Verhältnis der deutschen und der lateinischen Sprache zu einander untersucht und bin dabei zu folgendem Resultat gekommen:

1. rein lateinische Texte Dietrichs sind meist Referate in Dietrichs eigenem Wortlaut (vgl. z. B. Nr. 298 mit 1019, 1832 und 2656). Sie kommen für unsere Untersuchung weiter nicht in Betracht.

2. Wo mehrere Schreiber dieselben Aussprüche Luthers auffangen, stimmen sie in der Umschaltung der einen Sprache auf die andere weitgehend überein, während der Wortlaut Abweichungen zeigt. Beispiel:

VD. 315

In administratione oeconomiae et politiae mus *lex* seyn, das man es nit haben will, *ut aliquid peccetur. Econtra* wenn es geschehen, sol *remissio peccatorum* dazu kommen, sonst so verderbt mans. *Maritum oportet multa dissimulare in uxore et liberis, et tamen non obmittere debet legem.* So ists in allen stenden. *Remissio peccatorum est in omnibus creaturis.* Die beume wachsen nit all gerad, die wasser fliessen nit alle gerad, so ists *terra* nit allenthalb

Schlag. 1845

(*Remissio peccatorum in omnibus statibus.*)[5] *Deus in omnibus officiis, statibus commisit remissionem peccatorum. In oeconomia* muß *remissio peccatorum* sein, den wan etwas geschicht, *oportet patrem connivere.*

Es get nicht alles schlecht zu. Die wasser fliessen krumb, die baum wachsen ein theil krumb.

---

[1] Ebd. Anm. 10.
[2] Bd. 2, S. 597, Anm. 14.
[3] Ebd. Anm. 16.
[4] Kroker 1910, S. 88 f.; Wahl, S. 15 ff.
[5] Nachträgliche Überschrift, hier eingeklammert.

gleich etc. *Vera igitur est sententia: Qui nescit dissimulare, nescit imperare. Haec est* ἐπιείκεια. Man mus vertragen und dennoch nit all ding lassen hingehn. Es heist: *Nec omnia nec nihil.*

Nec omnia nec nihil muß einer haben, horen, sehen *in oeconomia.*

Übereinstimmungen: Der erste Mischsatz enthält „mus ... sein" als einzige deutsche Wörter. Die Worte von der Nachsicht, die der Familienvater auszuüben hat, sind lateinisch gesprochen, die Beispiele der Mängel in der Natur auf deutsch. Das lateinische Sprichwort *nec omnia nec nihil* steht in deutschem Kontext.

Abweichungen: Schlaginhaufen setzt offensichtlich später ein als Dietrich; deswegen entgeht ihm ganz das Gesetz. Sein erster Satz ist eine allgemeine Orientierung über das Gespräch; dann hatte er noch „muss ... sein" im Ohr, aber Luther sprach schon von „*remissio peccatorum*", weswegen dieser Ausdruck hineinschallte, während „*lex*" nun schon so lange zurücklag, dass Schlaginhaufen es vergessen hatte. Dietrich hat den besseren Text; da er offensichtlich früher anfing, war er nicht so in Eile und konnte mehr auffangen. Bei dem lateinischen Sprichwort, „*Qui nescit dissimulare ...*" und dem griechischen Terminus haben wir es möglicherweise mit „Amplifizierungen" Dietrichs zu tun. (Vgl. oben S. 17.)

Jedoch kann man nicht *a priori* davon ausgehen, dass Dietrichs Variante immer die authentische ist. Vgl.:

VD. 219

Magistratus est minister Dei, per se non posset retinere ullam disciplinam civilem. Er ist wie ein netz yhm wasser, unser Herr Gott aber jagt im die visch zu, *obicit ei nocentes, ne elabantur*; sonst wer es unmuglich, *nisi esset divina sententia*, die heist so: *Vel poeniteas vel puniaris; item: Deus est iustus iudex in terra. Ideo nullus, qui non poenitet, elabitur poenam magistratus.* Entlauffst du mir, so enttlauffst doch dem henger nit.

Schlag. 1408

Magistratus ist eben wie ein hammen, aber unser Herr Gott ist der sturl, damit man die fisch in hammen jecht. Wen ein dieb reiff ist, so jecht er in in hammen, *id est, facit, ut capiatur a magistratu, quia scriptum est: Dominus est iudex in terra. Ideo aut poeniteas aut punieris.*

Aus der Gegenüberstellung wird folgendes klar: Das Bild vom Fisch im Wasser wurde auf deutsch gesprochen, die Worte über die weltliche Verwaltung auf lateinisch, und das Ganze mit lateinischen Sentenzen gewürzt. Damit hören die Übereinstimmungen aber auch auf. M. E. hat Schlaginhaufen den besseren deutschen Wortlaut: „Hammen" ist bei Luther ein häufiges Wort, besonders beliebt in dem Sprichwort „für dem Hammen fischen" (so in Briefe Bd. 6, Nr. 1778 und Bd. 4, Nr. 1259; s. auch TR Nr. 3669 u. 3473 a). Die Richtigkeit von Schlaginhaufens Fassung „in hammen jecht" wird bewiesen durch die Fassung bei Cordatus, der sich — wie so oft — verhört hat: was bei Schlag. als „der sturl, damit man die fisch in hammen jecht" erscheint, wird bei ihm: „der stock, der die fisch mit handen fechet"[1]. Bei seiner nachträglichen Überarbeitung hat Dietrich offensichtlich das Bild vom „sturl" zu respektlos gefunden und leicht abgeändert, „hammen" und „jecht"[2] als zu mundartlich durch „netz[3] im wasser" und „jagt" ersetzt.

Die „Glättung" der Abschreiber. Um zu untersuchen, was mit den Texten geschah, wenn sie von anderen abgeschrieben wurden, habe ich an Texten Dietrichs Stichproben gemacht; die WA verzeichnet die Abweichungen der Abschriften im Apparat. Es wurden die Nummern 358 bis 434 willkürlich herausgegriffen und sämtliche Abweichungen, die in den Anmerkungen verzeichnet sind, kontrolliert.

Abschriften des zweiten Abschnitts (VD. 37–532) finden sich bei Rörer (Ror. Bos. q. 24c), Obenander (Oben.), Bavarus (Bav.) und in der Leipziger Handschrift Math. L.[4] Abschriften des dritten Abschnitts (VD. 533–656) stehen ebenfalls bei den oben Genannten[5]; ausserdem finden sich noch Abschriften grosser Stücke in den Handschriften Clm. 937, 939 und 943[6]. Eine andere Handschrift, Goth. B. 148, stimmt mit Bav. vollständig überein und wird in der WA nicht besonders berücksichtigt[7]. Kroker setzt ausserdem noch eine verschollene Handschrift X an; er schreibt zu Ror., Oben., Bav. und Math. L.: „Sie sind aber von unsrer Urschrift VD. nicht unmittelbar, sondern durch ein Mittelglied X abhängig ... eine Vergleichung von Aurifabers Text FB. zeigt, dass

---

[1] Laut Anm. 17 zu Nr. 2592a; von mir gesperrt. Die Handschrift Cord. B., die diesen Fehler enthält, ist „die einzige Handschrift, die in allen Abschnitten von Cordatus abhängig ist" (TR Bd. 2, S. XXVI).

[2] Zum umgelauteten a in „jecht" vgl. Franke Bd. 1. S. 118, 120.

[3] „Netz" ist das Wort, das Luther in seiner Bibelübersetzung anwendet, vgl. Matth. 4,20; 13,47; Luk. 5,4; Hiob 40,26. Siehe GWb VII. Sp. 635 ff. „Hamen" konnte auch „Angelhaken" bedeuten, vgl. Luther in Hiob 40,20. Zu „Hamen" s. Trübner Bd. 3. S. 305; Fischer Bd. 3. Sp. 1089; Wander Bd. 2. Sp. 290.

[4] Kroker, TR Bd. 1, S. XXIX.

[5] Ebd. S. XXXII ff.

[6] Über diese Handschriften s. TR Bd. 2, S. IX ff.

[7] TR Bd. 1, S. XXVIII, Anm. 4.

auch Aurifaber nicht Dietrichs ursprünglichen Text VD., sondern den etwas umgearbeiteten Text von X vor sich gehabt hat."[1] Freitag dagegen bezweifelt das Bestehen einer Handschrift X und führt die Abweichungen auf Rörer zurück, dem die übrigen Handschriften folgten[2]. M. E. hat jedoch Rörer zu viele Änderungen, denen die meisten übrigen Handschriften nicht folgen (vgl. unten), als dass man Freitag zustimmen könnte. Möglicherweise ist die „Handschrift X" von Dietrichs ursprünglicher Niederschrift abhängig, die Dietrich nach vollendeter Reinschrift wohl eher ausgeliehen haben wird als die reingeschriebene Sammlung, an der er fortlaufend weiterarbeitete. Darauf deuten Abweichungen in den Partikeln hin (vgl. unten S. 32, unter *sed*; S. 33, S. 35 f, S. 148).

1. Beseitigung des Sprachwechsels; Änderungen geschehen durchgehend zugunsten des Lateins.

a. *Im Satz:*
360: *sicut respondi* dem Hondorff. Ror., Oben.: *consuli* statt „dem".
365: *Pueri in lege* haben *circumcisionem* angenommen *ex verbo illo*. Ror., Oben.: *acceperunt.*
369: *Primum praeceptum* bleybt. Ror.: *manet.*
371: *Omnes gentes, quae non habent religionem*, mussen *superstitionem* haben. Ror.: *oportet habere superstitionem.*
376: Christ *est, qui* ... Ror.: *Christianus.*
385: das das *verbum* blib *in populo*. Ror., Oben.: *ut maneret* ...
386: *Ascendit* und nimpt andere mit. Ror., Oben.: *et accipit alios secum.*
400: *est sumpta figura ex cantico Mosi* von der Maria. Ror., Oben.: *de Marian.*
406: Sind *novitii in scriptura sancta*. Ror.: *Sunt.*
434: Unser Herr Gott hat allweg *primo* angefangen. Ror. 266[b], Oben.: *Sic Deus semper 1. incepit*[3]. Fast das ganze Stück ist bei Ror. und Oben. rein lateinisch geworden (übrig bleibt nur der deutsche Anführungssatz „es heisst"):
Das hindert die papisten, *quod hoc nesciunt*, das *gratia iustificans* sey *mera remissio, imputatio*. Ror., Oben.: *Hoc offendit et impedit (!) papistas, quod ... sit ...*
VD.: *Sic* was hat Maria dazu gethan, *quod est facta mater Christi?* Ror., Oben.: *Quid fecit Maria ...*
VD.: *Cognitio Christi* ist ein gross ding und ist so veracht. Ror., Oben.: *... magna res est et tamen mundo contempta.*

---

[1] TR Bd. 1, S. XXXII f.
[2] S. 183.
[3] In Dietrichs Urschrift hat sicher „1." gestanden; Luther muss „*primo*" gesprochen haben, denn „am Anfang" durch „1." wiederzugeben hätte wohl nicht sehr nahe gelegen.

Nach Nr. 434 bringe ich noch vereinzelte Beispiele:

439: *Substantia* bleybt. Ror., Oben., Bav.: *manet.*

467: *sed rhetorica*, die giebt dem Pamphilo seine *affectus*, dem *patri* seine *affectus*, den *servis* etc. Ror., Oben.: ... *tribuit Pamphilo suos affectus, patri suos, item servis etc.*

Ebd. Terencius bleybt *in humilibus.* ... Ror., Oben.: *manet.* VD. *quid* die freundtschafft. Ror.: *cognati*, Oben.: *cogitari.*

574: das *minister* gar *malus* sey. 4 Parallelen: *quod minister omnino sit malus.*

b. *Im Satzgefüge:*

365: *quod dicit:* Predigt allen heyden, *quasi dicat:* ... Ror., Oben.: *quod dicit: Docete omnes gentes, quasi dicat:* ...

402: *quia* zu den gedanken werden die *impii* nit kommen, *ut dicant:* ... Ror. 166ᵇ: *Quia ad has cogitationes impii non venient.*

Ebd. VD.: *Sed* zu den gedanken werden sie kommen: *Tu habuisti legem* ... Ror., Oben.: *Sed ad illas: Tu habuisti* ...

426 (das einzige Deutsch im Stück): *ut sit sententia:* ich troste und schrecke. Sämtliche Parallelen: *Ego perterrefacio et consolor.*

429: Er aber will die *generatio* behalten, *ne intereat ecclesia.* Sämtliche Parallelen: *Ipse vero vult conservare generationem, ne* ...

430: *Est impossibile*, das *credens homo* kondt sovil bucher schreyben als Erasmus und nit ein zeyl *de Christo* sezen. 4 Parallelen: *Impossibile est, quod credens homo tot libros possit scribere ut Erasmus et ne unum quidem versum inserere de Christo.*

433: das er gesagt het *propter verbum ignosci.* Ror.: *ut diceret*, Oben.: *ut dixisset.*

437: *Qui sunt peccatores vere*, die wollen es nit sein; *qui autem sancti*, die wollen es auch nit sein. Ror., Oben.: ... *nolunt tales esse* ... *nec isti tales esse volunt.* (Man beachte den Chiasmus!)

439: ... *nec potest ratio*, wie die zung on glauben redet eitel *blasphemias*, *sicut videmus* ... Ror., Oben., Bav.: ..., *sicut lingua sine fide meras blasphemias loquitur.*

488: *Ibi* Iohannes Huss *dixit*, es sey ein geitz. 7 Parallelen: ... *dixit avaritiam esse.*

c. *In der Satzverbindung:*

365: Er offenbart sich yhnen wol, *sed non omnes accipiunt.* Ror.: *Ipse quidem manifestat se ipsis,* ...

Ebd. *Vos adulti estis Diaboli filii*, seydt aus der kindheit gefallen. Ror., Oben.: *excidistis ex pueritia.*

Auch ganze Sätze werden übersetzt: in Nr. 456 ist der einzige deutsche Satz in vier Parallelen ins Lat. übersetzt:

VD.: Das heyst, wie Paulus sagt, weys leut zu narren gemacht. Ror., Oben., Bav., Math. L.: *hoc est, ut Paulus ait, sapientes stultos fieri.*

Zum Schluss sei noch Nr. 605 genannt, vgl. WA S. 285, Anm. 8–21.

2. Lateinische Sätze für deutsche, ohne dass dabei ein Streben nach Einsprachigkeit am Werke war (im Gegenteil wird dadurch zuweilen ein Sprachwechsel erst hervorgerufen).

361: Was will da aus werden? Sind dem wort ist Carlstadt gefallen. Ror., Oben., Bav.: ...? *Postquam ita dixit, coepit Carlstadius cadere.*

376: Die selben historien lernen uns glauben. Es hat yhm an einem prediger gefeylet. Die Parallelen: *Et hae historiae docent nos credere.*

Rein lateinischer Nebensatz wird für rein deutschen gesetzt, während der vorangehende gemischte bestehen bleibt:

383: das man sie so *secure sine offensione* het lesen konnen, als wir sie izt im Deutschen haben. Ror., Oben., Bav.: *ut eam iam in Germanico habemus.*

3. Das umgekehrte Verhältnis: deutscher Satz anstelle des lateinischen der Vorlage, ist selten; ich habe nur folgenden Beleg:

388: *sed quando sciunt,* das man unrecht hat, *et volunt tamen defendere, hoc est nimium.* Ror., Oben., Bav.: das ist zuvil.

4. Lateinische Wörter für deutsche, ohne dass reine Einsprachigkeit hergestellt wird.

358: Ich bin nit in eebruch gefallen, *sed in primam tabulam* wider Gotts wort und ehr. Ror., Oben.: ... *contra Dei verbum et honorem.*

Ebd.: fur den grossen sunden kan ich zu den andern *secundae tabulae* nit komen. Ror.: *ad alia;* Oben.: *alia.*

363: wie sollen wir *faeces* dazu komen. Ror., Oben., Bav.: *nos faeces.*

385: *Ergo sabbatum* ist umb *verbi* willen gebotten, das das *verbum* blib *in populo,* ... Oben.: *ut maneret* ...

642: zu keinem *adultero* noch *homicida.* 5 Parallelen: *adulterum vel homicidam.* (Womöglich hatte Dietrichs Urschrift die lat. Abkürzung.)

5. Mitunter wird ein deutscher Satz in einen Mischsatz verwandelt.

365: *sed* das ich bin dein Gott und deines samen Gott. Ror., Oben: *et seminis tui Deus.*

365: Der Teuffel reisset sie von der kindschafft. Ror., Oben.: *Diabolus rapit eos* von der kindschafft.

370: Hett er yhn gutlich gethan, werden sie ymmer drin bliben. Ror.: Hett er yhn gutlich gethan, *perpetuo mansissent in deserto.*

402: Glaub und Geyst ist bey sammen. Ror.: *Fides et Spiritus.*

417: so wer er yhm himel. 3 Parallelen: schon *in coelo.*

443: Wir glauben nit, das uns unser Herr Gott mehr geben wer denn den bauren, *quibus dat* ... Ror., Oben., Bav.: *quam impiis in mundo divitibus.*

6. Partikeln.

Sicut: statt *sicut* bei VD. setzt die Handschrift Oben. oft *sic:* Nr. 360, S. 151, Anm. 2; Nr. 386, S. 166, Anm. 18; Nr. 402, S. 174, Anm. 7: Ror., Oben.; Nr. 420, S. 183, Anm. 4;

umgekehrt wird *sic* zu *sicut* in Nr. 365, S. 155, Anm. 2: Ror., Oben.;
gelegentlich wird *sicut* ausgelassen: Nr. 360, S. 155, Anm. 8.
Sed: wo es in deutschem Kontext steht, setzen die Abschriften gelegentlich
„Aber": Nr. 369, S. 161, Anm. 2: Ror.; Nr. 604, S. 284, Anm. 14: statt
VD. „*sed* sehe" in 5 Parallelen: „ich sihe (sehe) aber". Für „nit-*sed*" steht
gelegentlich „nit-sondern": Nr. 574, S. 264, Anm. 16. Umgekehrt haben in
Nr. 395, S. 171 laut Anm. 7 vier Parallelen *sed* statt Dietrichs „sondern"
in: „den wollen wir nit hallten, sondern gehn lassen". Ich nehme an, dass
hier in der Urschrift die lateinische Abkürzung für „*sed*" gestanden hat.

Es herrscht eine Tendenz, lateinische Konjunktionen, die einen
deutschen Satz einleiten, auf deutsch wiederzugeben:
402: *Deinde* fule ich, das ... Ror. 166ᵇ: Darnach.
612: *Et tamen* fichtet er mich da mit an. 4 Parallelen: Noch.
571: entsprechendes *quia* bei Ror. u. a. „denn".

Die Vergleichspartikel *quam:*
388: besser geschickt zu verzweifeln denn zu hoffen. Oben., Bav.: *quam;*
möglicherweise auf lat. Abkürzung im Urtext zurückzuführen.

In einem zusammengezogenen Satz mit *et* wird die Schaltung vorver-
legt:
388: *Sed quando fateris peccatum et* lest dennoch nit davon. Ror., Oben.,
Bav.: und.

Die Negationspartikel:
Gelegentlich verzeichnen die Anmerkungen „nicht" für „nit": Nr. 358,
S. 150, Anm. 6 und 7; Nr. 433, S. 187, Anm. 10.

Doppelte Negation wird beseitigt:
421: nie keinen, Bav.: – nie. Ebd.: des Vater unsers ist kein gleich nit. Ror.,
Oben., Bav.: kein gleich unter allen gebeten.
429: nit essen, noch nichts thun. Ror., Oben.: noch sonst etwas anders
thun. Statt „nit" setzen sämtliche Parallelen „weder" wegen „weder-
noch".
(Zu dem Streben nach Konsequenz bei zweigliedrigen Konjunktionen
vgl. auch 518: „und ist sovil erger, *quod tanto maior est* ... Ror., Oben.,
Bav., Clm.: und ist *tanto nocentior hostis, quanto* ...)

7. Der nominativus pendens wird aufgelöst.
365: *Quia promissio*, die steht allweg so. Ror., Oben.: *Quia* die *promissio*
steht ... Ebd. *quia promissio*, die ist hinweg; Ror., Oben.: – die.
369: *Minor*, die heyst *fides*. Oben: *Minor* heyst ...
374: *Novum autem testamentum*, das ist *revelatio veteris*. Die Parallelen:
Novum testamentum autem est ...

Zusammenfassende Übersicht: Von allen Abschreibern „glättet" Rörer
am meisten. Die Handschrift Oben. macht die meisten Änderungen
mit.

Bei der Beseitigung des Sprachwechsels wird fast ausschliesslich ins Lateinische übersetzt. Bei der Übersetzung sind Zwillingsformeln äusserst selten; ich habe nur den Beleg „*offendit et impedit*" für „hindert" (oben unter 1 a, Nr. 434).

Wenn die Sprachmischung bestehen bleibt, macht sich bei den Änderungen ein Streben nach grösseren sprachlichen Einheiten bemerkbar: einzelne lateinische Wörter werden zu Wortgruppen erweitert, in Nebensätzen und Teilbögen wird sprachliche Geschlossenheit hergestellt (vgl. unter 4). Bei einer vergleichenden Zählung der Arten des Sprachwechsels würde die Gruppe „einzelne Wörter" am meisten zusammenschrumpfen[1].

Wo durch Übersetzung ins Lateinische eine Sprachmischung erst hergestellt wird, werden nie kleinere Einheiten als syntaktisch zusammengehörige Wortgruppen ins Lateinische übersetzt. Es lässt sich bei dieser Gruppe die Möglichkeit nicht ausschliessen, dass hier Veit Dietrich bei seiner Reinschrift der ursprünglichen Niederschrift ins Deutsche übersetzt hat; die Handschrift X kann ja von der ursprünglichen Niederschrift abhängig sein. Man kann z. B. Nr. 417 (oben unter 5), wo VD. „yhm himel" gegen „*in coelo*" dreier Parallelen hat, mit Schlaginhaufens Nr. 1524 vergleichen: „so bleibtt doch mein frumkeitt *in coelo*." Andererseits wirkt in Nr. 443: „denn den bauren, *quibus dat tam bonum vinum*" zweifellos echter als die allgemeinere lateinische Umschreibung: „*quam impiis in mundo divitibus*."

Die gesprochene Sprache wird der Schriftsprache angeglichen. (Vgl. die Beseitigung der doppelten Negation, oben unter 6, die Auflösung des nominativus pendens, unter 7, und das Streben nach Konsequenz bei mehrgliedrigen Konjunktionen, unter 6.)

Zu beachten ist, dass keinerlei Konsequenz herrscht: was einmal geändert wird, kann ein andermal stehenbleiben.

Im Gegensatz zu Dietrich kam es Rörer sichtlich nicht darauf an, Luthers Worte dem Wortlaut nach getreu wiederzugeben. Ihm lag es nur am Sinn und an der guten äusseren Fassung.

Das Verhältnis der Weimarer Ausgabe der Tischreden zu den Handschriften

Über die Editionsgrundsätze erfahren wir folgendes[2]:
die Interpunktion wurde nach den Grundsätzen der Herausgeber geregelt;

---

[1] Vgl. unten S. 44 ff.
[2] TR Bd. 1, S. XIII f.

Abkürzungen und einzelne Buchstaben wurden aufgelöst und ausgeschrieben, ohne dass in den kritischen Anmerkungen darauf hingewiesen wurde;

in den lateinischen Texten wurde die moderne Orthographie durchgeführt, „auch in den Buchstaben u, v und w, e, ae und oe".

Zur Orthographie der deutschen Texte:

> Im Innern der Wörter haben wir nirgends etwas geändert, nur lassen wir stets vnd und vnser drucken ... In den Ausgängen der Wörter haben wir die Verdoppelung der Endkonsonanten aufgegeben, wo sie ... nur eine Spielerei ist oder als Füllsel dient; beibehalten haben wir sie aber, wo auch nur der geringste Zweifel bestehen kann, ob das Wort mit einem oder zwei Konsonanten gemeint ist, so bei hat und hatt.

Grosse Anfangsbuchstaben:

> In den Anfängen der Wörter haben wir nur die eine Änderung vorgenommen, dass wir alle Hauptwörter mit Ausnahme der Eigennamen und gewisser Wörter wie Gott, Herr Gott, Gottes Sohn, Heiliger Geist, Engel, Teufel u. dergl. grundsätzlich mit kleinen Anfangsbuchstaben setzen lassen.

Wir erfahren nichts darüber, ob der Unterschied in der Typographie, den die WA zwischen deutschem und lateinischem Text macht, in der Handschrift durch einen Unterschied der Schreibung begründet ist.

Die Handschrift selbst war mir leider nicht zugänglich. Ich habe jedoch den Abschnitt VD. S. 131–148[a], (WA TR Bd. 3, Nr. 320–Mitte 369) mit einem Mikrofilm verglichen, den die Nürnberger Stadtbibliothek von dem zugrundegelegten Text der Handschrift VD. anfertigen liess.

Die Handschrift.

Schreibung. Der Film zeigte, dass die Handschrift keinen Unterschied in der Schreibung deutscher und lateinischer Wörter machte. So wissen wir ja auch, dass Luther selbst lateinische und deutsche Texte mit den gleichen Buchstaben, in einer Schrift schrieb[1]. Für die Wörter der sprachlich neutralen Schicht (vgl. unten S. 56 f.) hätte sich sonst hier ein Kriterium gefunden, wann ein Wort als lateinisch und wann als deutsch aufgefasst wurde. In der WA war bei der Setzung solcher Wörter die Auffassung der Herausgeber massgeblich.

Interpunktion. Die Handschrift verwendet diakritische Zeichen nur spärlich und kennt nur Punkt und Komma; gelegentlich kann man im Zweifel sein, ob statt des Kommas eine Virgel gemeint ist. Mitunter

---

[1] O. Brenner, Luthers Handschrift im Lichte der deutschen Schriftentwicklung. In: Lutherstudien 1917. S. 67.

steht ein Zeichen an unmotivierter Stelle, vgl. VD. 135[b] (WA Nr. 337):
,,Es sey ymer schad das ein solch hund / so edel wildbrett sol essen."
Ganze Satzgefüge können ohne Interpunktion stehen, wie in folgendem
Beispiel, wo nur ein grosser Anfangsbuchstabe den Anfang eines neuen
Gedankenganges verzeichnet:

Sic ambo duces haben ein augen wasser 'das hilfft' wenn sie es geben
'*sive causa morbi sit calida sive frigida*' Ein *medicus* dorffts nit geben[1].
Zur Interpunktion bei Luther vgl. Arndt:

> Zum Beispiel konnte ein Komma ausreichen, um das Ende eines Satzes
> zu bezeichnen, wenn dann der nächste Satz mit einem grossen Anfangs-
> buchstaben begann. Umgekehrt konnte ein Punkt auch im Satz selber nur
> eine grössere Redepause ... bedeuten. Luthers Satzzeichen sind in erster
> Linie wirkliche Redehinweise und dienen der rhythmischen Gliederung des
> gesprochenen Vortrags, wobei der Punkt einen grösseren Einschnitt be-
> zeichnet als das Komma[2].

Zitate sind durch kein diakritisches Merkmal vom übrigen Text
unterschieden; vgl.: $\overset{:H}{Sed\ hic\ horum\ est\ regnum\ coelorum}$ ' $\overset{:V}{vult\ dicere\ vos}$
adulti estis diaboli filii ' seydt aus der kindheit gefallen. (VD. 145, WA
365[3]).

Der Punkt wird in der HS häufiger verwendet als die WA zeigt.
Diese setzt oft statt dessen ein Komma (vgl. unten S. 38).

Abkürzungen. Die lateinischen Texte der HS sind reich an Abkürzungen. Es stehen die gewöhnlichen Zeichen[4] für *con-, pro, per, prae-,*
-us, -um, enim, id est etc. Häufig vorkommende Wörter wie: Jesus
Christus, *scriptura sacra, remissio peccatorum* erscheinen meistens ab-
gekürzt; ebenso $\overline{pnt} = possunt,$ $\overline{stia} = scientia,$ $\overline{mgratum} = magistratum,$
$oes = omnes,$ $\overline{aut} = autem$ usw. Dagegen werden *sic, sed* und *quia* meistens
ausgeschrieben.

In deutschen Texten sind Abkürzungen selten. Am häufigsten findet
sich u. H. G. = unser Herr Gott. Einen deutschen Satz einleitende *sic,*
sed und *quia* sind ausgeschrieben (mit wenigen Ausnahmen). Dagegen
steht in deutschem Text das lateinische Zeichen für *id est* und in seltenen
Fällen & für ,,und".

Wo in deutschem Text Zeichen für *et, sed* und *quia* stehen, ist ungewiss,
ob sie für das lateinische Wort oder seine deutsche Entsprechung stehen:

---

[1] Die Interpunktion der WA habe ich hier wie in den folgenden Beispielen über
den Text gesetzt.

[2] S. 137 f.

[3] Die Ziffern bezeichnen die Seite der HS, bzw. die Nummer der WA.

[4] Vgl. A. Cappelli, Lexicon Abbreviaturarum. Leipzig. 1928[2].

„... wo er uns gefellt, *β* das er unser Meyster sol sein ... (VD. 141ᵇ, WA 356); ,, 𝔮ᴸ es nham sich der gantz orden mein an" (Vd. 134, WA 326); die WA löst diese Zeichen lateinisch auf. Doch hat Dietrich selbst bei seiner Reinschrift gelegentlich 𝔮ᴸ mit „denn" aufgelöst: ich zitiere nach der Handschrift VD. 139ᵇ, WA 349: „*Ibi non variant circumstantiae,* Denn in Christo kann man nit feylen." Laut TR S. 142, Anm. 27, haben vier Parallelen, d. h. Abschriften, *quia* statt „Denn", was sich nur dadurch erklären lässt, dass die ursprüngliche Niederschrift hier das lateinische Abkürzungszeichen hatte. (Vgl. auch oben S. 32, unter *sed.*)

Grossbuchstaben. Die HS ist sparsam in der Verwendung grosser Anfangsbuchstaben. Völlige Konsequenz herrscht nur im Gebrauch grosser Buchstaben am Anfang eines Stückes oder Abschnitts. Nach einem Punkt steht meistens ein grosser Buchstabe, doch kann auch ein kleiner stehen; auch kommt Grossbuchstabe nach Komma vor.

Vgl. Arndt: Doch noch immer blieben die grossen Anfangsbuchstaben ein Hinweis auf die Betonung der Wörter; denn wo ein Substantiv nicht betont wurde, z. B. wenn es zum zweiten Mal genannt wurde, schrieb es Luther nach wie vor gerne klein ...[1].

Eigennamen werden meist gross geschrieben, doch kommt auch kleiner Buchstabe vor: Moses durchgehend gross (VD. 136ᵇ, 137ᵇ, 138, 147ᵇ); dagegen: Ab abrahamo (VD. 145), A christo (ebd.); Namen von Völkern und Städten meist klein: compostell (135ᵇ), *leges persarum* (139), pickarden (137ᵇ); dagegen: Turken, *Turca* (134ᵇ). *Diabolus* und „teuffel" werden für gewöhnlich klein geschrieben (VD. 132, 139, 140ᵇ, 143, 145), „Satan" bald gross, bald klein (VD. 139, 140ᵇ bzw. 143).

Häufig wird ein grosser Anfangsbuchstabe am Anfang eines Zitates gesetzt: „*Cum dicit ad Judam. Abi Baptisa,* ..." (VD. 136, WA 342); „*Ideo Christus dicit. Audite eos*" (VD. 137, WA 342); „*Sicut dicit Blasphemastis nomen meum*" (ebd.). Doch herrscht auch hier keine Konsequenz.

Kritische Bemerkungen zur Weimarer Ausgabe

Zur Schreibung in Fraktur bzw. Antiqua[2]. Bei den Wörtern der sprachlich neutralen Schicht (vgl. unten S. 56 f.) herrscht keinerlei Konsequenz: ein *theologus* (Schlag. 1605), ein Theologus (626), ein yeder theologus (136), zu einem theologo (149); im Plural Antiqua: allen *theologis* (9), den *theologis* (483, 1421 Schlag.), wir *theologi* (1364 Schlag.), wir *theo-*

---

[1] S. 137.
[2] In der WA in Antiqua Gesetztes wird hier kursiviert.

logici (ebd.). Symbolum: mein *symbolum* (610) gegen am Symbolo (122). Biblia: die biblia (1877 Schlag.) gegen die *biblia* (4025 LbTb); Biblia ist ein buch (2313 Cord.). Prior: *prior* (461) gegen prior (445). Doctor: im Singular mit Grossbuchstaben in Fraktur (347, 369), im Plural klein in Antiqua: *doctores* (3669, 1861 Schlag., 1539 Schlag.); u. a. m.

Ebensolches Schwanken herrscht bei biblischen Namen: Trotz *Petro, Paulo, Mosi* (81), gegen: Paulus hat Danielem wol gelesen (625); *Gabriel* ist mein knecht, Raphael mein furman (81); Fraktur überwiegt: Moses, Mosen (349, 369; 342, 356); Adam (10, 388); Cayn, Joseph, Ephraim (10); Cayphas, Herodes (372); Maria (434); Paulus (376, 456, 14); Judas (342, 605); aber dann unmotiviert: *Petrus* hatt ... (141); *Iudae* (342); der Genitiv im letzten Beleg kann nicht als Erklärung dienen, denn „S. Stephani" steht in Fraktur (117).

Auch bei den lateinischen Namen, sowohl den Namen der Kirchenväter als auch den latinisierten von Zeitgenossen, herrscht heilloses Durcheinander: *Originem* hab ich schon in bann gethan. *Chrisostomus* gillt ... nichts ... *Basilius* taug gar nichts ... *Ambrosius* auch (252), aber: Ambrosius (18), Origines (ebd.), Thomas (280); Augustinus (18) gegen *S. Augustinus* (347), S. Hieronymum (445) gegen *S. Hieronymus* (347;) *Heliud* ist der Zinglius (142; Zinglius auch in Nr. 626) gegen *Zinglio* (352).

Anm. Die gleiche Inkonsequenz findet sich auch in den Briefen: *Pater noster* bzw. *pater noster* in Nr. 3760, 3779, 3780, gegen Fraktur in Nr. 3724, 3733; „eine *disputatio*" (3737) gegen „die Reformatio" (3744); „seind auch Magistro Georgio Rorer ... 12 taler worden" (3747) gegen „bey einem fromen *Magister* George Mayer" (3766) u. a. m. (Sämtliche Briefe aus Bd. 10.)

Zur Grosschreibung. Die WA ist nicht konsequent. Bisweilen bleibt der Grossbuchstabe der Handschrift den Editionsgrundsätzen entgegen stehen, vgl. oben Symbolo, Theologus.

Zur Orthographie. Unverständlich ist mir, warum man sich bei der Auflösung der Abkürzung „u. H. G." für die Schreibung „unser Herr Got" entschlossen hat (VD. 137[b], WA Nr. 346; VD. 140, WA 352; VD. 142[b], WA 358). Die HS hat auf S. 138[b] und 146[b] dagegen ausgeschrieben: „unser Herr Gott". Einmal wird sogar das „unser Herrgott" der HS zu „unser Herr Got" geändert (VD. 136[b], WA 343). Auf S. 143, WA 360, ist das „H. Gs." der HS in „Herr Gots" aufgelöst, auf VD. 140, WA 351 die gleiche Abkürzung in „Herr Gotts".

Die HS setzt bei der Abtrennung von Wörtern am Zeilenschluss keinen Bindestrich. Das hat die WA zu der Schreibung „ver heissen" verführt (VD. 145, WA Nr. 365). Aus dem gleichen Grunde hätte man dann fünf Zeilen weiter unten „*de vorabat*" schreiben müssen, und auf S. 145^b der HS „einan der".

Zur Interpunktion. Auf dem Gebiet der Interpunktion war selbstverständlich das Durchführen moderner Grundsätze notwendig, wenn nicht das Verständnis des Textes erschwert werden sollte. Ich habe nur wenige Anmerkungen. M. E. hätte man nicht unnötigerweise ändern sollen. So verstehe ich nicht recht, warum man in den folgenden Fällen den Punkt der HS in ein Komma geändert hat:

Der Bapst ist yhm ampt.$^{\cdot d}$ Da habt yhr pickarden und wir unser ampt von. (VD. 137^b, WA 342^1.)

Principio Augustinum vorabam, non legebam.' $\overset{s}{Sed}$ da mir in Paulo die thur auff gieng, ... (VD. 137^b, WA 347.)

Sic signa sunt subinde facta minora.' $\overset{r}{Res}$ autem et facta subinde creverunt. (VD. 145, WA 365.)

Die Beispiele liessen sich beliebig vermehren. Andererseits ist unnötigerweise ein Komma in einen Punkt verwandelt worden:

In particularibus wirds als *varium*,$\overset{D}{\cdot}$ dennoch mus man es nit lassen. (VD. 140, WA 349.)

Iam habetis aureum saeculum,$\overset{s}{\cdot}$ *sub monachis* hat *ecclesia* nit konnen muken. (VD. 134^b, WA 331; Antithese.)

Im folgenden Satz dagegen ist ein Komma getilgt, wodurch die beiden Sätze zu eng miteinander verbunden werden, was ihr Verständnis erschwert:

welchs ich offt verlorn hab,$\overset{0}{,}$ und mehr denn 100 nacht in einem schweysbad gelegen bin. (VD. 132^b, WA 320.)

Da die Sätze den Regeln der modernen Grammatik nicht folgen, lassen sich Interpunktionsregeln, die auf die moderne Sprache gemünzt sind, nicht ohne weiteres anwenden.

Zahlwörter. Wo die Handschrift Ziffern hat, ist die WA bei der Wiedergabe nicht konsequent; bald werden die Ziffern abgedruckt, bald Zahlwörter dafür gesetzt, ohne dass sich ein System erkennen liesse:

Nr. 369: die WA hat *primum praeceptum*, wo der Text statt *primum* „1" hat[2]; dagegen steht im gleichen Text auf Zeile 26 bzw. 27: „2 *prae-*

---

[1] Wie oben folge ich der HS und setze die Abweichungen der WA über den Text.
[2] S. 160, Anm. 11.

ceptum", „2 *praecepto"*. In Nr. 406 wird „zehen" für das „10" der Vorlage gesetzt[1], in Nr. 605 „drey" für „3"[2].

Ausgangspunkt für die Untersuchung

Textunterlage. Gegenstand der Untersuchung sind sämtliche Mischtexte Veit Dietrichs, die Aussprüche Luthers festhalten. (Verzeichnis s. u.) Die einleitenden Rahmen, die erst nachträglich geschrieben wurden, werden nicht beachtet. Die Nummern 157 und 533–569, die nachweislich Rörers Nachschriften sind[3], scheiden aus. Dagegen wird Nr. 3669 hinzugezogen, da meine Untersuchung (s. u. S. 47 ff.) gezeigt hat, dass wir es hier mit einem von anderer Hand reingeschriebenen Stück Dietrichs zu tun haben.

Um festzustellen, was an der Sprachmischung für die TR allgemeingültig, und was für VD. charakteristisch ist, wird zum Vergleich Schlaginhaufens Sammlung in extenso herangezogen. Ferner werden Stichproben bei den übrigen ältesten Schreibern gemacht — am wenigsten jedoch bei Rörer und Cordatus (vgl. oben S. 17 f.). Wo die Befunde voneinander abweichen, wird dies verzeichnet.

Um ferner die Authentizität der in den TR vorliegenden Sprachmischung beurteilen zu können, wurden Luthers Briefe und seine handschriftlichen Notizen zur Bibelübersetzung auf Mischtexte durchgesehen. Die WA der Briefe ist leider wissenschaftlich nicht ganz zuverlässig[4], auch sind manche Briefe das Erzeugnis einer gemeinsamen Arbeit von Luther, Melanchthon, Jonas u. a., welches von Schreiberhand zu Papier gebracht worden ist. Dagegen sind die handschriftlichen Bibelnotizen zuverlässig. Es wurden die ersten drei Bände durchgesehen. Verwertet wurden die Mischnotizen in den ersten beiden Bänden, wobei ich die lateinischen Abkürzungen nach Möglichkeit aufgelöst habe (im 3. Band fanden sich solche nicht; sie müssen vom Herausgeber stillschweigend aufgelöst worden sein). Im 3. Band wurden die Mischnotizen in Luthers Handexemplar des deutschen und lateinischen Psalters (S. LIII–LXII) sowie die handschriftlichen Eintragungen ins alte Testament verwertet (S. 167–577). Alle 15 Bände der Bibelübersetzung durchzusehen war im Rahmen dieser Arbeit nicht möglich und auch nicht notwendig, da das

[1] S. 175, Anm. 16.
[2] S. 285, Anm. 9.
[3] Freitag, S. 184 ff., u. TR Bd. 1, S. XXXI f.
[4] Vgl. H. Rückert, Die Weimarer Lutherausgabe: Stand, Aufgaben und Probleme. In: Lutherforschung heute. Berlin 1958. S. 112 f.

in drei Bänden gewonnene Material bereits ein Urteil über die Übereinstimmungen bzw. Abweichungen von den TR ermöglicht. Am Schluss der Arbeit wird noch eine Predigtnachschrift Rörers verglichen, deren Abdruck in der WA direkt auf Rörers ursprünglicher Niederschrift fusst. Parallelen werden ferner gezogen zu 1. der Sprachmischung in modernen Texten, wobei Beispiele aus sowohl deutschen wie englischen, französischen und schwedischen Texten angeführt werden, 2. zu einem schwedischen Mischtext aus dem Ende des 16. Jahrhunderts, 3. zu althochdeutscher Mischprosa (Notker und Williram).

Fehlerquellen. 1. Das lateinische Abkürzungssystem. Vgl. Meyer:

Doch wie Rörer beim Nachschreiben der deutschen Predigten Luthers des schnellen Schreibens halber sehr Vieles mit lateinischen Worten schrieb, so scheint beim Nachschreiben solcher mündlichen Äusserungen auch manches deutsch Gesprochene lateinisch aufgeschrieben worden zu sein; denn es ist z. B. nicht zu glauben, dass Luther in den Trostreden an Lukas Kranach oder gar an seine sterbende Muhme Lene lateinische Sätze gemengt habe[1].

M. E. geht hier Meyer etwas zu weit: so wie Käthe als ehemalige Nonne lateinisch sprechen konnte[2], war auch Muhme Lene aus ihrer Klosterzeit her mit dem Lateinischen vertraut[3]; und besonders in der Sterbestunde war wohl das Latein, als „heilige" Sprache, als Sprache der Liturgie von besonderer Autorität, Feierlichkeit und Weihe[4], gut angebracht. Und warum soll Cranach kein Latein verstanden haben? Gewiss hatte das Lateinische eine Art Stenographie, doch lösten die Nachschreiber bei ihrer nachträglichen Reinschrift die Abkürzungen auf. Bei ihren anerkannten Bemühungen um Texttreue ist es ihnen zuzutrauen, dass sie oft wiederkehrende lateinische Abkürzungen für deutsche Wörter ins Deutsche übertragen hätten, wenn sonst ein unnatürliches Sprachgewand herausgekommen wäre. Vorsicht ist jedoch m. E. bei der Beurteilung lateinischer Partikeln in deutschem Text geboten: Abkürzungen für *et, quia, sed, quam* etc. sind in deutschem Text anscheinend für ihre deutsche Entsprechung gebraucht worden[5] und

---

[1] S. 4 f. Vgl. auch H. Wernle, Allegorie und Erlebnis bei Luther. Bern 1960. S. 69. Anm. 3.—S.TR Nr. 4787, 6445.

[2] Vgl. TR Nr. 4860, wo Mathesius ausdrücklich bemerkt: „*uxor latine dixerat*".

[3] Vgl. TR Nr. 2589 (Cord.); über „Muhme Lene" ferner: E. Kroker, Katharina von Bora. Leipzig 1908. S. 135. Dass Lateinkenntnisse auch bei Frauen u. Mädchen nichts Seltenes waren, schreibt auch I. Weithase, S. 62.

[4] Vgl. oben S. 10 f.

[5] Vgl. oben S. 35 f.

bald deutsch, bald lateinisch aufgelöst. Dass bei der Auflösung überhaupt Schwanken bestehen konnte, scheint mir darauf hinzudeuten, dass sich die lateinischen Partikeln sehr wohl in einen gesprochenen deutschen Satz eindrängen konnten; doch braucht dies nicht in dem Ausmass der Fall gewesen zu sein, wie es besonders bei Dietrich zutage tritt[1].

2. *Zahlwörter.* In der Urschrift standen Ziffern; es ist nicht immer eindeutig zu ersehen, ob die Ziffer für das deutsche oder das lateinische Zahlwort steht; die Schreibart der WA ist nicht immer massgeblich[2].

3. *Die nachträgliche Überarbeitung.* Hierbei ist höchstwahrscheinlich etliches eingeebnet worden[3]. Je öfter ein Text abgeschrieben wurde, desto reiner wurde die Sprache. So wie Aurifaber bei seiner Bearbeitung das Lateinische übersetzte, scheinen auch andere Schreiber dies gelegentlich getan zu haben. So steht z. B. in Nr. 3544 (Lauterbachs und Wellers Sammlung) ein rein deutscher Abschnitt, der plötzlich reich mit Synonymen durchsetzt ist[4]. Die Synonyme sind aber in diesen Texten typische Übersetzungsprodukte, wie sie sich auch bei Aurifaber nur dort finden, wo er Lateinisches der Vorlage übersetzt[5].

Arbeitshypothese. Ich gehe davon aus, dass die Sprachmischung, wie sie uns in den zuverlässigeren Nachschriften von Luthers Tischreden vorliegt, die gebildete Umgangssprache im Alltagsmilieu der damaligen Zeit widerspiegelt[6]. Diese Annahme ist begründet 1. in der zweisprachigen Situation des damaligen gebildeten Menschen, wie sie oben S. 8 ff. beschrieben wurde; 2. in der Übereinstimmung im äusseren Sprachgewand der besten Nachschriften; 3. in der Aussage eines Zeitgenossen, Luther habe „*nunc latine nunc germanice*" gesprochen[7].

Es ist dabei von keiner Bedeutung, ob Luther genau die Worte gebraucht hat, die uns der Nachschreiber überliefert. Dass die Aufzeichnungen nicht so zuverlässig sein können wie ein Tonband, liegt auf der Hand. Da die Tischgenossen ebenso zweisprachig waren wie Luther, kann kein unechtes Sprachgewand herausgekommen sein; ob eine

---

[1] Vgl. unten S. 159 f.

[2] Vgl. oben S. 38 f.

[3] Vgl. oben S. 28 ff.

[4] Bd. 3, S. 396, Z. 15 ff.

[5] Vgl. oben S. 20.

[6] Vgl. H. Brinkmann, Hochsprache und Mundart. In: WW Sammelband 1. 1962. S. 113: „Angehörige der Hochsprache ... gehen zur Umgangssprache über ..., wo sie sich im vertrauten Kreise gehen lassen."

[7] Vgl. oben S. 14.

Formulierung auf Luther oder Dietrich zurückgeht, spielt für unsere Untersuchung keine Rolle.

Die vorliegende Arbeit bietet somit auch einen Beitrag zur Geschichte der gesprochenen deutschen Sprache.

Verzeichnis der untersuchten Texte Dietrichs.

Nr. 2, 5, 9, 10, 11, 13, 14, 17, 18, 19, 20, 22, 23, 24, 27, 30, 32, 33, 34, 35, 36, 37, 39, 40, 41, 44, 45, 46, 47, 48, 49, 51, 55, 59, 60, 61, 68, 69, 71, 76, 78, 80, 81, 83, 89, 90, 94, 101, 102, 105, 108, 110, 112, 113, 115, 117, 118, 119, 120, 122, 127, 128, 130, 131, 132, 133, 134, 135, 136, 137, 138, 140, 141, 142, 143, 145, 146, 147, 148, 149, 151, 153, 155, 158, 161, 162, 169, 173, 179, 182, 184, 185, 186, 188, 190, 192, 193, 195, 199, 200, 201, 202, 203, 205, 206, 207, 209, 211, 212, 214, 216, 218, 219, 222, 226, 228, 229, 230, 232, 233, 235, 237, 238, 243, 245, 246, 247, 248, 249[1], 250, 252, 255, 257, 259, 260, 261, 265, 266, 267, 269, 271, 272, 273, 274, 277, 278, 279, 280, 282, 284, 285, 286, 289, 290, 291, 293, 294, 296, 300, 301, 302, 303, 305, 306, 308, 310, 311, 312, 313, 314, 315, 316, 317, 319, 320, 322, 323, 324, 325, 326, 327, 328, 330, 331, 332, 333, 334, 335, 336, 338, 339, 341, 342, 343, 344, 347, 349, 350, 351, 352, 355, 356, 357, 358, 360, 361, 362, 363, 364, 365, 366, 367, 369, 370, 371, 372, 374, 375, 376, 377, 379, 380, 382, 383, 384, 385, 386, 388, 389, 390, 391, 392, 393, 394, 395, 396, 400, 401, 402, 403, 406, 407, 408, 411, 414, 415, 416, 417, 418, 420, 421, 424, 425, 426, 427, 428, 429, 430, 433, 434, 435, 437, 438, 439, 440, 442, 443, 444, 445, 446, 447, 448, 449, 450, 451, 452, 453, 456, 458, 459, 461, 462, 463, 465, 466, 467, 468, 469, 473, 475, 476, 477, 480, 481, 482, 483, 484, 485, 487, 488, 489, 491, 492, 493, 494, 495, 496, 498, 499, 500, 501, 502, 505, 506, 507, 508, 510, 511, 512, 514, 515, 517, 518, 519, 521, 522, 523, 525, 526, 527, 528, 531, 532, 571, 573, 574, 577, 581, 582, 583, 584, 585, 586, 587, 588, 590, 591, 593, 594, 596, 597, 600, 603, 604, 605, 606, 608, 610, 611, 612, 613, 614, 615, 616, 617, 620, 622, 624, 625, 626, 629, 630, 636, 639, 640, 641, 642, 644, 648, 649, 650, 652, 653, 656, 3669.

Als *Vergleichsmaterial* wurden folgende Texte Schlaginhaufens herangezogen:

Nr. 1232, -33, -34, -36, -37, -38, -39, -40, -41, -42, -44, -45, -46, -48, -49, -50, -52, -53, -55, -58, -59, -60, -61, -67, -69, -72, -75, -76, -77, -78, -79, -80, -81, -82, -83, -84, -85, -86, -87, -88, -89, -91, -92, -93, -94, -97, -99, 1300, -1, -2, -4, -5, -6, -7, -9, -10, -11, -13, -14, -15, -16, -17, -18, -19, -20, -21, -22, -23, -24, -25, -26, -27, -28, -29, -30, -32, -33, -35, -40, -41, -42, -43, -44, -46, -47, -48, 51, -52, -53, -54, -55, -56, -57, -58, -59, -61, -62, -64, -65, -66, -67, -69, -70, -71, -72, -73, -76, -77, -79, -80, -81, -82, -84, -85, -86, -87, -89, -90, -91, -92, -94, -96, -97, -98, -99, 1400, -1, -4, -5, -6, -7, -8, -10, -11, -12, -13, -14, -15, -16, -18, -19, -20, -21, -24, -25, -27, -28, -29, -30, -33, -34, -36, -43, -46, -50, -51, -52, -55, -58, -61, -62, -65, -67, -68, -69, -70, -71, -72, -73, -74, -77, -79, -81, -82, -84, -85, -88, -89, -90, -91, -92, -93, -94, -99, 1500, -1, -6,

---

[1] Nur die 4 letzten Zeilen.

-9, -10, -15, -18, -19, -20, -22, -23, -24, -25, -30, -34, -35, -36, -37, -39, -40, -43, -45, 47, -48, -50, -51, -52, -53, -54, -56, -57, -58, -59, -60, -63, -64, -65, -67, -68, -69, -71, -74, -75, -82, -83, -85, -86, -87, -89, -91, -94, -95, -97, -98, -99, 1600, -1, -2, -3, -5, -7, -9, -10, -11, -13, -14, -15, -16, -17, -18, -19, -20, -21, -23, -26, -27, -28, -31, -32, -33, -34, -35, -36, -37, -38, -40, -41, -42, -44, -45, -46, -47, -48, -49, -51, -54, -56, -57, -59, -60, -67, -73, -75, -76, -77, -78, -79, -80, -81, -82, -84, -86, -90, -91, -94, -98, -99, 1700, -1, -3, -4, -5, -7, 12, -13, -14, -15, -17, -18, -20, -21, -23, -24, -27, -32, -33, -35, -38, -41, -42, -44, -45, -46, -47, -50, -52, -53, -56, -57, -59, -60, -63, -64, -68, -70, -71, -73, -74, -77, -81, -83, -84, -85, -87, -93, -95, -97, -98, 1801, -2, -3, -4, -7, -8, -9, -10, -12, -13, -14, -15, -16, -17, -18, -19, -20, -21, -22, -26, -28, -30, -31, -32, -33, -34, -36, -39, -41, -42, -43, -44, -54, -46, -48, -49, -51, -54, -55, -56, -57, -58, -59, -61, -62, -68, -70, -71, -73, -74, -80, -81, -84.

Dabei sind nur solche Stellen verwertet worden, die wirklich Lutherworte wiedergeben, da man bei diesen die grösste Treue erwarten kann. Notizenhafte Etymologien (z. B. Nr. 1454) und Psalmenauslegungen (z. B. 1570) wurden nicht verwertet. Zur Urheberschaft vgl. die Diskussion Freitags (S. 179) und Krokers (TR Bd. 6, S. XVII).

Grundsätze für die Schreibung.

Ich setze durchgehend u für den Vokal, v für den Konsonanten in den TR. An Diphthongen (aw, ew) wurde nicht geändert.

Es wurde durchgehend die Schreibung „unser Herr Gott" gesetzt (vgl. oben S. 37).

Einleitendes ss, ß, sß (z. B. sßo, Nr. 320 u. a.) wurde zu s vereinfacht.

Von der WA aufgelöste Abkürzungen (z. B.: VD.: „H. G."=WA: „H/erzog G/eorg") wurden ohne besonderen Vermerk ausgeschrieben (=„Herzog Georg").

Sprachlich neutrale Wörter (vgl. oben S. 36 f. u. unten S. 56 f.) wurden gesperrt gedruckt, wo eine Zuordnung zu der einen oder der anderen Sprache unmöglich war.

Terminologie und Einteilung des Materials. Um einen Ausgangspunkt zu gewinnen, betrachten wir einen zusammenhängenden Textabschnitt aus einem längeren Stück Dietrichs:

Die eusserlichen anfechtung machen mich nur stoltz und hoffertig, *sicut videtis in libris meis, qui contemno adversarios.* Ich halte sie fur narren. *Sed quando ipse venit,* so ist er *dominus mundi* und gibt mir ein gut *posuisti,* denn Christus hat uns gesetzt *contra potestates aeris, non contra carnem et sanguinem.* Herzog Georg und allen juristen und theologen will ich trotz bieten, *sed* wenn die gesellen kommen, *spirituales nequitiae,* da mus *ecclesia* mit fechten. *Christianus* fraget nit nach ungluck, *quia scit,* das Christus uns will dort helffen. *Sed* Sathan will jhenes leben haben, das ewig ist. (518)

Der Text zeigt, dass die Sprache häufig gewechselt wird:

1. zwischen unverbundenen ganzen Sätzen,

2. zwischen Haupt- und Nebensätzen und in der Satzverbindung,

3. innerhalb eines Satzes werden a) Wortgruppen[1] und b) einzelne Wörter eingeschaltet.

Eine besondere Rolle spielen die lateinischen Konjunktionen, die einen deutschen Satz einleiten (vgl. oben S. 35 f.); auf sie wird noch verschiedentlich zurückzukommen sein.

Ich spreche im folgenden bei den unter 1. und 2. aufgeführten Fällen von „Umschaltung"[2], bei den unter 3. aufgeführten von „Einschaltung"[3]. Als übergeordneten Begriff verwende ich „Sprachwechsel". (Ein Vergleich mit angelsächsischer Terminologie wird unten S. 292 durchgeführt.)

In der grammatischen Terminologie wird vorwiegend der Duden–Grammatik gefolgt.

Die Frequenz der verschiedenen Arten des Sprachwechsels

Wenn wir die verschiedenen Arten des Sprachwechsels in dem oben angeführten Textabschnitt Dietrichs zählen, erhalten wir: für Gruppe 1: 3 Fälle; für Gruppe 2: 4 Fälle; für Gruppe 3a: 3 Fälle, für Gruppe 3b: ebenfalls 3 Fälle; ausserdem 2 Fälle einer lateinischen Konjunktion, die einen deutschen Satz einleitet.

Um einen allgemeinen Überblick über den Charakter des Sprachwechsels bei den verschiedenen Schreibern zu gewinnen, habe ich eine solche oberflächliche Zählung an einer Reihe von Texten verschiedener Schreiber durchgeführt. Das Resultat lässt sich an der Tabelle unten S. 48 ablesen.

Anm. Die Tabelle gibt keinen Aufschluss über die Reinheit der Sprache (vgl. unten unter Rörer). Ungenauigkeiten ergaben sich bei der Unterscheidung von Satzverbindungen und einzelnen Sätzen, da mitunter aus-

---

[1] Ich unterscheide zwischen Wort und Wortgruppe nach rein formalen Kriterien, so dass alle Verbindungen von mehr als einem Wort zur Wortgruppe gezählt werden. Über Abgrenzungsschwierigkeiten bei der Verwendung anderer Kriterien vgl. O. Funke, On the System of Grammar. In: AL 6. 1954. S. 17 f.

[2] Von „Umschalten" spricht auch Braun (u. a. S. 122), jedoch in weiterer Bedeutung; daneben spricht Braun bei diesen Fällen von „Sprachschichtung" (ebd.); dieser Terminus scheint mir jedoch nicht glücklich zu sein, da er eher den Eindruck eines Übereinanders als den eines Nacheinanders erweckt.

[3] „Einschaltung" verwendet auch Schuchardt (S. 82), ohne den Terminus zu definieren; Braun spricht in den entsprechenden Fällen von „Sprachmischung".

schliesslich die Interpunktion ausschlaggebend war, diese aber das Werk der Herausgeber ist. Die hieraus entstehenden Uneigentlichkeiten gleichen sich jedoch wieder aus, da die gleiche Schwierigkeit für sämtliche Texte besteht[1]. Semikolon habe ich meistens als Punkt gewertet, doch fanden sich auch Fälle, wo die Wertung als Komma angebrachter war. — Es wurde ferner in der Zählung kein Unterschied gemacht, ob nach einer am Satzende eingeschalteten Wortgruppe der nächste Satz in der Sprache der Wortgruppe fortfährt, oder ob wieder zurückgeschaltet wird; d. h. die Wortgruppe wird nur einmal als Einschaltung gewertet, nicht eventuell zweimal als Hin- und Rückschaltung. Umfangreiche Teilbogen werden als Teilsätze bewertet. Ansprüche mathematischer Exaktheit dürfen somit an die Tabelle nicht gestellt werden, doch ergibt sich m. E. ein recht aufschlussreicher erster Überblick.

Gezählt wurden:

Dietrich (VD.) Nr. 320, 342, 349, 388, 518.

Schlaginhaufen (Schlag.) Nr. 1305–1327 (ausgenommen: 1308, 1316 bis Zeile 15, und 1324, Zeile 31 ff.), und 1405–1416 (ausgenommen 1415).

Rörer: sämtliche gemischten Stücke unter Nr. 533–569[2] und 657–677[3].

Lauterbachs Tagebuch (LbTb) Nr. 3722–3729; 3788–3798 (Ausnahmen: 3723 bis Z. 25, 3725, u. d. letzte Abschnitt von Nr. 3778, S. 609, Z. 8 ff.).

Lauterbachs und Wellers Sammlung (Lb + W) Nr. 3514–3518, 3468–3487, 3543 A bis S. 390, Z. 18 (Ausnahmen: Nr. 3517, Z. 10 f., 3475, 3480, 3473 a bis Zeile 16).

Die Sammlung „Veit Dietrich und andere" (VD. u. a.) Nr. 685–798[4]) (Ausnahme: Nr. 783).

Als die Untersuchung soweit gediehen war, ergab sich ein deutlicher Unterschied zwischen Dietrichs Stücken und den übrigen: bei VD. überwiegt die Gruppe 2 bei weitem die Gruppe 1, (44 %: 29 %), während das Verhältnis bei den übrigen Schreibern umgekehrt ist. Bei Schlag. und in LbTb sind die Unterschiede zwischen Gruppe 1 und 2 nicht so gross, doch überwiegt Gruppe 1. Besonders dominiert Gruppe 1 in der Sammlung Lb + W und bei Rörer. Ausserdem haben die zahl-

---

[1] Vgl. A. Schwarz, Über den Umgang mit Zahlen. München 1952[2]. S. 65, und die Diskussion bei I. Ljungerud, Deskriptive Sprachforschung und normative Grammatik. In: SN 35. 1963. S. 121–140. Bes. S. 126, 138 ff.

[2] Über Rörer als Nachschreiber dieser Stücke vgl. Freitag, S. 185 f., und Kroker in TR Bd. 1, S. XXXI f.

[3] Die restlichen Stücke Nr. 678–684 „sind Entwürfe, gehören also nicht hierher", s. Freitag, S. 187 u. Krokers Anm. zu diesen Stücken.

[4] Im 2. Abschnitt der WA TR als „Dietrichs und Medlers Sammlung" gedruckt; dass statt Medler jedoch Rörer u. a. beigetragen haben, schreibt Kroker in TR Bd. 6, XVI f., nach Freitags Untersuchungen.

reichen lateinischen Konjunktionen und Konjunktionaladverbien, die
bei VD. einen deutschen Satz einleiten, in den anderen Sammlungen
keine Entsprechung. Ich gebe hier ein Verzeichnis der Partikeln, die in
den ausgezählten Stücken gebucht wurden:

VD.: *sed*: 12, *quia*: 9, *sic*: 5, *ergo*: 3, *econtra*, *ideo*, *sicut*, *item*, *alioqui*:
jedes 1 mal; Summe: 34;

Schlag.: *ideo*, 1 mal.

Rörer: *deinde*, *ideo*, *sed*, jedes 1 mal, und alle in Nr. 672;

LbTb: keine Partikeln;

Lb + W: keine Partikeln;

VD. u. a.: *ideo*: 1 mal, *sed*: 1 mal; Summe: 2.

Die geringe Anzahl der Partikeln in der Sammlung VD. u. a. erklärt
sich aus der Mitarbeit der ,,anderen" und daraus, dass diese Sammlung
aus Abschriften von Abschriften besteht[1]. Bei dem Abschreiben wurden
die Partikeln häufig übersetzt (vgl. oben S. 31 f.).

Dass sich bei Rörer die einzigen Partikeln in einem und demselben
Stück befinden, lässt darauf schliessen, dass Rörer hier eine Vorlage
Dietrichs hatte. (Vgl. auch unten S. 148 f.)

Ein weiteres Kriterium für Dietrichs Schriften, welches sich nicht direkt
aus der Zählung, sondern nebenbei ergab, ist der durchgehende Gebrauch
der Negation ,,nit". Bei Rörer, in Lauterbachs Tagebuch und in der
Sammlung VD. u. a. steht dagegen durchgehends ,,nicht". Ich führe
auch die Negation in einer besonderen Tabelle mit auf.

Charakteristische Besonderheiten weist nicht nur Dietrich, sondern
auch Rörer auf. Wie bereits oben bemerkt wurde, spielt die deutsche
Sprache in seinen Schriften eine untergeordnete Rolle. Allein von den
Stücken Nr. 533–569 sind folgende rein lateinisch: 533, 533a, 534, 536,
537, 538, 539, 543, 544, 545, 546, 549, 550, 551, 554, 559, 560, 561, 562,
563, 565. Obwohl ich seine gesamte Überlieferung ausgezählt habe, ergaben sich nur mässige Ziffern. Besonders markant ist bei ihm das
Überwiegen der ersten beiden Gruppen über die übrigen. Aus dem Überwiegen der Gruppe 3b über 3a dürfen bei der Spärlichkeit der Belege
keine bindenden Schlussfolgerungen gezogen werden. Rörers Sammlung
weist Übereinstimmungen mit der Sammlung Lb + W auf in dem grossen
Überwiegen der Gruppe 1 und dem Abstand zwischen 2 und 3.

Ferner zeigt es sich, dass in den Handschriften, die Abschriften von Abschriften sind, einzeln eingeschaltete Wörter immer mehr verschwinden[2].
Die Abschreiber streben nach immer grösseren sprachlichen Einheiten.

---

[1] TR Bd. 1, S. XXXVII.

[2] Vgl. oben S. 31 u. 33. Abschriften von Abschriften sind ausser VD. u. a. noch
die Stücke in Lb + W, vgl. TR Bd. 3, S. XVIII.

Bestimmung des Nachschreibers von Nr. 3669 und
Nr. 570–656

In der Überlieferung befanden sich Stücke, als deren Nachschreiber Dietrich in Frage kam, von den Herausgebern der WA jedoch angezweifelt wurde. Es sind die Nummern 3669 und 570–656.

Nr. 3669. Kroker setzt als Nachschreiber Weller an und druckt das Stück im Anschluss an die Sammlung Lb + W ab. Er schreibt dazu:

> Über die Herkunft dieser Stücke haben wir zu Nr. 3669 bei Ludovicus Rabus in seinen Historien der Martyrer (1570) Bd. 2 S. 280 die späte, aber doch bemerkenswerte Überlieferung, dieses lange Stück ... sei von Veit Dietrich nachgeschrieben. Der Zeit nach wäre das ja auch möglich, aber in Dietrichs eigenen Nachschriften VD. fehlt das Stück; dagegen steht es in Hieronymus Wellers gesammelten Werken (Teutsche Schriften (1702) 2, 262 ff.), und ebenda steht das ebenfalls in VD. fehlende Stück Nr. 3677 ... Weller hat beide Stücke einem Amtsbruder gesandt, der gleich ihm von heftigen Anfechtungen beunruhigt wurde. Es liegt deshalb die Vermutung nahe, nicht Dietrich, sondern Weller, der viel angefochtene Mann, habe diese Stücke nachgeschrieben[1].

Freitag dagegen schreibt das Stück in, wie mir scheint, recht kategorischer Weise Rörer zu[2], wie auch schon Koffmane früher die Autorschaft Rörers vermutet hatte[3].

Nr. 3677 hat nur wenige Aussprüche Luthers und kommt für unsere Untersuchung nicht in Betracht, aber das lange Stück Nr. 3669 ist ein ausgesprochener Mischtext. Es liegt deshalb in unserem Interesse, die Identität des Nachschreibers zu ermitteln. Die Vermutungen von Kroker und Freitag sind m. E. zu schwach unterbaut[4].

Die Stücke 570–656. Kroker schreibt dazu:

> In den vier abhängigen Handschriften ... stehen diese Stücke bemerkenswerterweise in allen vier Handschriften nicht unter den übrigen Abschriften aus Dietrichs Heft VD., sondern mitten zwischen den Abschriften aus der grossen Sammlung, die wir im zweiten Abschnitt als Dietrichs und Medlers

---

[1] TR Bd. 3, S. XXVI.

[2] S. 187 f.

[3] G. Koffmane, Die handschriftliche Überlieferung von Werken D. Martin Luthers. Liegnitz 1907. S. XXIII.

[4] Zur prinzip. Frage d. Autorenbestimmung nach stilistischen Kriterien vgl. A. Ellegård, Who was Junius? Stockholm 1962. S. 97 ff.; und dens., A statistical Method for determining Authorship. Göteborg 1962. Prinzipien für statistische Untersuchungen sprachlichen Materials auch bei Kaj B. Lindgren, Die Apokope des mhd. -e in seinen verschiedenen Funktionen. AASF B: 78, 2. Helsingfors 1953

Sammlung veröffentlichen werden; vielleicht haben also schon zu den Nrn. 533–656 neben Dietrich auch andere Tischgenossen, besonders Medler, beigetragen[1].

Dass nicht Medler, sondern Rörer zu dem 2. Abschnitt beigetragen hat, ist bereits hervorgehoben worden[2]. Es galt also festzustellen, ob diese Stücke noch eindeutig Dietrich zugeordnet werden können, oder ob sie schon zu den Texten „VD. u. a." zu zählen sind.

Die fraglichen Stücke wurden ausgezählt und auch auf Partikeln und Negation untersucht. Dabei war Nr. 3669 besonders zu vergleichen mit VD., Rörer (wegen Freitags Vermutung) und Lb + W (wegen Krokers Zuordnung zu Weller); Nr. 570–656 mit VD. und der Sammlung „VD. u. a.".

	VD.	%	Schlag.	%	Rörer	%	LbTb	%	Lb + W	%	VD. u.a.	%	570–656	%	3669	
1	72	29	51	39	39	41	68	39	78	51	59	38	96	28	49	3
2	107	44	49	37	34	36	62	35	52	34	64	41	149	44	57	3
3 a	45	18	22	17	8	9	26	15	16	10	28	18	58	17	31	2
3 b	21	9	9	7	13	14	19	11	7	5	3	3	39	11	18	1
Summe	245	100	131	100	94	100	175	100	153	100	154	100	342	100	155	1

| Part. | 34 | | 1 | | 3[a] | | — | | — | | 2 | | 23 | | 10 | |

Neg:	nicht	nit	nicht	nit	nicht	nit	nicht	nit	nicht	nit	nicht	nit	nicht	nit	nicht	
			10	5					20	2					16	
	%	%	%	%		%		%	%	%		%			%	%
	—	100	66	33	100	—	100	—	91	9	100	—	—	100	62	

[a] Vgl. S. 46 u. S. 148 f.

Wie sich aus der Tabelle ablesen lässt, stimmt Nr. 3669 zu VD. im Überwiegen der Gruppe 2 über Gruppe 1 und dem Gebrauch zahlreicher Partikeln. Für Dietrich spricht ausserdem das Vorkommen der Negation „nit" neben „nicht" (10 mal gegen 16). Dass Rörer als Nachschreiber dagegen nicht in Frage kommt, zeigt schon allein die hohe Frequenz des

[1] TR Bd. 1, S. XXXII.
[2] Vgl. oben S. 45, Anm. 4.

Sprachwechsels (155 Fälle, während in Rörers sämtlichen übrigen Stücken im ganzen 94 mal gewechselt wird). Die Sammlung Lauterbach und Weller dagegen weicht charakteristisch ab durch das starke Überwiegen der Gruppe 1 (51 % gegen 31 % in Nr. 3669).

Der sprachliche Befund spricht also dafür, dass die Überlieferung recht hatte und Dietrich der Nachschreiber ist. Dass sich das Stück nicht in Dietrichs, sondern in Wellers Sammlung findet, erklärt sich daraus, dass Dietrich seine Urschrift an Weller weitergab, noch bevor er sie reingeschrieben hatte. Weller hat dann Dietrichs Nachschrift zusammen mit seinen eigenen Texten reingeschrieben. Dabei hat er für Dietrichs „nit" „nicht" gesetzt, jedoch nicht konsequent[1]. Die Abweichungen, die Nr. 3669 von VD. zeigt, sind eben darauf zurückzuführen, dass nicht Dietrich selbst sondern eine andere Hand die Reinschrift besorgt hat. Dass sich ein vereinzeltes Stück Dietrichs nicht in der Sammlung VD., sondern in anderen Sammlungen findet, kommt auch sonst gelegentlich vor, s. z. B. die Stücke 735 und 1061 und die Anmerkungen dazu.[2]

Für die Mischtexte in Nr. 570–656 ergibt die Tabelle die eindeutige Zuordnung zu Veit Dietrich. Die Tabellen stimmen erstaunlich gut überein. Die Sammlung VD. u. a. weicht von VD. und von Nr. 570–656 ab durch grösseres Gewicht der Gruppe 1, Geringfügigkeit der Gruppe 3b, geringe Anzahl Partikeln und Ausschliesslichkeit der Negation „nicht".

Bemerkungen zu den verschiedenen Arten des Sprachwechsels

In allen untersuchten Texten bis auf Rörers (der wegen der Spärlichkeit der Belege nicht repräsentativ ist) stehen die einzeln eingeschalteten Wörter an letzter Stelle. Dies hängt teilweise damit zusammen, dass einzelne Wörter einer anderen Sprache, die oft benötigt werden, durch Angleichung an die Flexion der Muttersprache „eingeebnet" werden, wodurch die sprachliche Geschlossenheit gewahrt bleibt. Dies gilt besonders für lateinische Verben (s. u. S. 116), die mittels der Endung „-ieren" der deutschen Sprache einverleibt werden. Bei syntaktisch zusammenhängenden Gruppen fällt diese bequeme Möglichkeit fort; sie müssen eingeschaltet werden, wie sie sind. Doch ist diese Tatsache nicht allein ausschlaggebend; es scheint allgemein ein Bestreben zu herrschen, lieber ganze Satzteile miteinander wechseln zu lassen, als einzelne Wörter.

---

[1] Vgl. oben S. 32.

[2] Wellers Tätigkeit als Nachschreiber ist überhaupt äusserst hypothetisch, s. TR 3, S.XV.

Braun spricht von einem „Trieb zur sprachlichen Geschlossenheit", d. h. von einem Bestreben, „den ganzen Satz dem psychologisch wichtigsten Wort sprachlich anzugleichen". Er beschreibt die Sprache einer deutsch-russischen Dame, die gewöhnlich russisch zu sprechen anfing, bis ein deutsches Wort dazwischen kam; dann ging es deutsch weiter, bis ein russisches Wort ein Zurückschalten brachte[1].

Eine psychologische Erklärung dieses „Triebes" bringt Epstein:

C'est que toutes les expressions d'une langue sont solidaires; tout mot est rattaché par d'innombrables liens associatifs à la langue tout entière, et il s'ensuit que quand un certain nombre de séries ou phrases de cet idiome ont été reproduites, tous les souvenirs verbaux se rapportant à celui-ci sont subexcités et rapprochés du seuil de la reproductibilité. Chaque langue forme chez le polyglotte un réseau spécial, ou constellation, de représentations verbales qui monte tout entière vers la conscience quand quelques-unes de ses composantes se sont élevées au-dessus du seuil de la production.[2]

In diesen Zusammenhang gehört wohl auch Porzigs Problem der „wesenhaften Bedeutungsbeziehungen"[3] und was Selz zu der „phasenweisen Formulierung" sagt (vgl. u. S. 290), nämlich: „dass die schon fixierten Bestandteile der Rede die zulässigen Sprachmittel für die noch zu fixierenden Gedanken bedingen"[4].

K. Bouda[5] zitiert einen Brief aus baskischem Gebiet (Département des Basses-Pyrénées), in dem die baskische Sprache mit der französischen wechselt. „Wir haben hier eine höchst lebendige Sprachmischung nicht eines zweisprachigen Gebildeten, sondern einer in der Muttersprache allein wurzelnden illiteraten Persönlichkeit."[6] Auch hier „wechseln ganze Satzteile in der Muttersprache der Briefschreiberin und in der Staatssprache, die sie zuerst in der Volksschule regelmässig gesprochen hat, ab"[7]. Der Sprachwechsel geschieht überwiegend zwischen Haupt- und Gliedsatz und bei „und". Nur einmal steht ein einzelnes Wort in anderssprachigem Kontext.

Es zeigt sich also, dass es in einem Text gewisse Stellen gibt, an denen sich ein Sprachwechsel besonders häufig einstellt; ich nenne diese Stellen im folgenden „Bruchstellen". Solche Bruchstellen finden sich vorwiegend an Stellen, wo die WA Komma oder Punkt setzt.

In diesem Zusammenhang möchte ich die Figur heranziehen, die

---

[1] S. 129. S.u. S. 253.

[2] S. 49.

[3] W. Porzig, Wesenhafte Bedeutungsbeziehungen. In: PBB 58. 1934. S. 70 f.

[4] O. Selz, Über die Gesetze des geordneten Denkverlaufs. Bonn 1922. Bd. 2. S. 346.

[5] Zur Sprachmischung. In: ZfPhuaS 1. 1947. S. 65–67.

[6] S. 67.

[7] S. 66 f.

Boost[1] benutzt, um die Spannungsverhältnisse in einem Text graphisch darzustellen. Ich bringe sie hier in etwas vereinfachter Form. Die Fugen zwischen den Spannungsbogen sind mit unseren Bruchstellen identisch, wo es sich um Abschnitte, ganze Sätze und Teilsätze handelt.

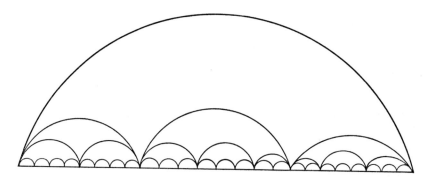

Wir haben oben gesehen, dass ... der Bereich eines Satzes vom Verbum hergestellt und bestimmt wird. Es ist dabei gleichgültig, ob es sich um einen Satz (relativer) Selbständigkeit (Hauptsatz) oder (relativer) Unselbständigkeit (Gliedsatz) handelt. Stossen nun zwei derartige Spannungseinheiten zusammen — und das ist bei jeder Satzverbindung und bei jedem Satzgefüge der Fall — so entsteht an den Stellen, wo beide Bereiche sich berühren, ohne weiteres eine Unterbrechung des glatten Ablaufs. Wir konstatieren eine Pause, mindestens ein neues Anheben, und wir brauchen gar nicht die Vielzahl der Möglichkeiten (Haupt- und Hauptsatz, vorangehender, nachfolgender, eingeschobener Gliedsatz, Gliedsätze gleichen und ungleichen Ranges usw.) im einzelnen zu untersuchen, die Verhältnisse liegen überall gleich[2].

Wir müssen dazu feststellen: eine Unterbrechung des glatten Satzablaufs begünstigt einen Sprachwechsel, ein Spannungsverhältnis hemmt ihn. Man vergleiche Haugens Beobachtung: „Such switches rarely occur within a single breath group; it is generally necessary to break the breath group by a pause."[3] Haugen führt ebd. ein Beispiel an: „He ends his first switch in the middle of a sentence: 'But when it comes right down to it — nårst ae baest for maei'."

Wie sich die Verhältnisse innerhalb des Satzes gestalten, wird im ersten Abschnitt des Hauptteils näher untersucht.

---

[1] K. Boost, Neue Untersuchungen zum Wesen und zur Struktur des deutschen Satzes. Der Satz als Spannungsfeld. Berlin 1959. S. 16.

[2] Ebd. S. 78.

[3] 1953 Bd. 1, S. 65.

HAUPTTEIL

I. SPRACHWECHSEL INNERHALB DES SATZES

Einleitende Bemerkungen

Die Entscheidung der sprachlichen Zugehörigkeit eines Satzes

Es tritt jetzt die Frage an uns heran: wann haben wir es mit einem deutschen Satz zu tun, der lateinische Anleihen macht, und wann mit einem lateinischen, der deutsche macht? Und: gibt es Sätze, die in gleichem Masse deutsch und lateinisch sind? Wo ist die Grenze zu ziehen, und welche Kriterien hat man?

> ... speakers have not been observed to draw freely from two languages at once, aside from abnormal cases. They may switch rapidly from one to the other, but at any given moment they are speaking only one, even when they resort to the other for assistance[1].

Für gewöhnlich wird als Kriterium für die Sprachzugehörigkeit die Grammatik benutzt. Ich zitiere hier nur einen Vertreter dieser Auffassung:

> ... That no amount of lexical penetration can dislodge the grammatical barriers is marvelously illustrated by the Latinized style in English ... ,,*The* indissoluble connection *of* civil *and* ecclesiastical affair*s has* compell*ed and* encourag*ed me to* relate *the* progress, *the* persecution*s, the* establishment, *the* division*s, the* final thriumph, *and the* gradual corruption *of* Christianity.''
> (Gibbon, *Decline and Fall of the Roman Empire*, Chapter 37, first sentence.)
> Change the grammaticalia to their French equivalents, adjust the word-order and the congruences, and the sentence will be French[2].

Doch machte schon 1885 Schuchardt auf das Unzureichende der Grammatik als Kriterium aufmerksam:

> Haben wir eine solche Sprache, in der also das Lexikon von dieser, die Grammatik von jener Seite entnommen ist, als A oder als B zu bezeichnen? Meistens wird man sich, da das Grammatische weit weniger leicht wechselt als das Lexikalische, für das Letztere entscheiden. Indessen nicht ausnahms-

---

[1] Haugen 1953, Bd. 2. S. 362.

[2] H. M. Roberts, The Problem of the Hybrid Language. In: JEGPh 38. 1939. S. 37.

los ... (folgen Beispiele von spanischen Zigeunern). Aus dem Gesagten wird sich ergeben, dass eine Sprache A ganz allmählich, durch fortgesetzte Mischung, in eine von ihr sehr verschiedene B übergehen kann; für die Beantwortung der Frage aber ob sie an einem bestimmten Entwickelungspunkt noch A oder schon B zu nennen ist, fehlt es uns gänzlich an Kriterien[1].

Eine andere Möglichkeit der Entscheidung schlägt Haugen vor:

> The real question is *whether a given stretch of speech is to be assigned to one language or the other.* If this cannot be settled by the purely linguistic criteria of phonology and morphology, the only resort is to appeal to the speaker, or to several of them. Pragmatic experience has shown that speakers are themselves uncertain at times concerning the proper assignment of given items ...[2].

Für unseren Text ist keines dieser Kriterien zulässig. Es gibt Sätze, in denen die Grammatik sowohl mit den Mitteln der einen wie der anderen Sprache arbeitet, wo z. B. Substantive mit ihrer Deklination, Adjektive mit ihrer Flexion und Konjunktionen der einen Sprache angehören, Verben mit ihrer Konjugation, Präpositionen und Negation der anderen[3]. Von Haugens Rat, in Zweifelsfällen den Sprecher zu fragen, halte ich nicht viel, ganz abgesehen davon, dass dies für uns nicht möglich ist. Die Antwort wird immer subjektiv ausfallen, und, wie Haugen selbst sagt, oft ist der Sprecher selbst unsicher. Um ein objektives Kriterium zu gewinnen, gehen wir an unseren Text heran und studieren eine Reihe problematischer Sätze:

1. *iustitia* neeret, *fortitudo* wehret, *prudentia* regiert alles (32)
2. *Ergo* mus *fides in hac carne infirma* sein (122)
3. *In administratione oeconomiae et politiae* mus *lex* sein (315)
4. *Spiritus Sanctus* sezt *mortem* ein *ad poenam* (186)
5. *In articulo remissionis peccatorum* ligt die *cognitio Christi* (252)
6. *Pueri in lege* haben *circumcisionem* angenommen *ex verbo illo* (365)
7. *Sic seditiosus* sundigt *contra magistratum* (342)
8. *deinde mundi* erhalten *papatum corporaliter* (1673)
9. *sacramentarii* nemen *opus et sacramentum* hinweg (1828)
10. (die den Turken fressen) und *de imperiis mundi* tractirn *sicut Daniel* (311)
11. *Pater igitur* sol *pater* bleyben (415)
12. *Econtra secundum praeceptum* bleybt *in hac vita* (369)
13. das *gratia iustificans* sey *mera remissio, imputatio* (434)
14. *Sic papa* verbeut *verbum* nit (342)

---

[1] S. 10.

[2] Haugen 1956, S. 39 f.

[3] Vgl. auch Weinreich, S. 68: „A methodological problem arises, however, when the grammar itself is mixed.“

In allen diesen Sätzen überwiegt quantitativ und inhaltsmässig das Lateinische. Das wichtigste Element des Satzes jedoch, der Satzkern, die Satzintention, nämlich das finite Verb, ist deutsch[1]. Es wäre eine unsinnige Vorstellung, anzunehmen, der Sprecher wolle lateinisch sprechen, käme aber für gewisse Wörter in Verlegenheit und müsse für das grammatische Satzzentrum Anleihen bei der deutschen Sprache machen. Besonders in den Sätzen Nr. 2, 3, 10, 11, 12 und 13 bestände nicht die geringste Veranlassung, die deutsche Sprache zu bemühen. Die Erklärung muss vielmehr sein, dass der Sprecher die Absicht hat, deutsch zu sprechen; der Kern des Satzes, und damit seine Struktur, ist deutsch; für alles übrige jedoch wird lateinisches Material benutzt. Das letzte, was eine Sprache aufgibt, ist die verbale Flexion. ,,Wo sind je entlehnte Verben mit ihren fremden Flexionsendungen gebraucht worden?"[2] Man vergleiche Nr. 10: ,,*tract*irn": die lateinische Endung hätte dem ganzen Nachsatz lateinisches Gepräge gegeben[3].

[1] Die zentrale Bedeutung des Verbs für den deutschen Satz ist von der Forschung allgemein anerkannt; eine Übersicht über die einschlägige Literatur findet sich bei J. Erben, Grundzüge einer Syntax der Sprache Luthers. Berlin 1954. S. 13. Anm. 3. Ich nenne ausserdem noch: J. Fourquet (spricht vom Verb als ,,Knotenpunkt des Satzes"), Zur neuhochdeutschen Wortstellung. Jetzt in: Das Ringen um eine neue deutsche Grammatik. Hrsg. v. H. Moser. Darmstadt 1962. S. 365 f. H. Brinkmann, Die deutsche Sprache. Düsseldorf 1962. S. 463. H. Glinz, Der deutsche Satz. Düsseldorf 1957. S. 59. Als erster hat m. W. W. v. Humboldt diesen Sachverhalt erkannt und mit folgenden Worten dargestellt: ,,Alle übrigen Wörter des Satzes sind gleichsam tot daliegender, zu verbindender Stoff, das Verbum allein ist der Leben enthaltende und Leben verbreitende Mittelpunkt." (Über die Verschiedenheit des menschlichen Sprachbaues und ihren Einfluss auf die geistige Entwicklung des Menschengeschlechts. (1830–35). Akademieausgabe, Berlin 1907. Bd. 7:1. S. 214.)

[2] Gneuss, S. 19. Vgl. auch Haugen 1956, S. 57: ,,For the Indo-European languages, at least, there is a characteristic difference between verbs, which are always given native inflection, and nouns or adjectives, which may also import foreign inflections or lose their inflections entirely." S. auch Oksaar 1963, S. 12 und Moser 1963, S. 530; einen erstaunlichen Ausnahmefall bildet Mosers Beleg ,,Ein Tief moves heran" (S. 528). — Wegen dieser Zähigkeit der verbalen Endung möchte ich in L. Bloomfields Beispiel ,,Ich habe einen kalt gecatched" (Language. London 1933. S. 462) lieber die Schreibung ,,gecatcht" ansetzen; eine Form ,,catched", die als solche übernommen werden könnte, liegt ja nicht vor, sondern das englische ,,catch" wird als Rohmaterial übernommen und mit den formalen Kennzeichen ,,ge....t" des deutschen Partizips ausgestattet, wie Schuchardts Beispiel ,,gepuckt" von Tschechisch ,,pukati" (S. 64). Umgekehrt dagegen in Hennigs Beispiel ,,They have liefert arms.." (S. 56) die Schreibung ,,liefered"; in dem Beispiel ebd. ,,we must miet a garage" kann man womöglich schon Lehnbedeutung des englischen ,,meet" ansetzen.

[3] Es gibt einen ähnlichen Beleg im Schwedischen: eine amtliche Beglaubi-

Wir vergleichen dagegen folgende Sätze:

15. *sicut ego bibo* ein starcken trunck birs (17)
16. Mit den keglen schiben *est planissima figura magistratus* (261)
17. *Deus enim semper habuit in mundo* sunder person und stet (505)
18. *nam mox fiunt discordiae et* unnutze meuler (1657)
19. Vom anfang der welt *nullus rex sua industria potuit regere mundum* (1802)

Hier handelt es sich um lateinische Sätze mit deutschen Elementen.

Für unseren Text ergibt sich also als Kriterium für die Sprachzugehörigkeit eines Satzes: das Prädikat. Unter Umständen kann die verbale Flexion allein den Ausschlag fällen („*tract*irn", Nr. 10).

Ich spreche im folgenden von *deutschen Mischsätzen*, wo der Satz ein deutsches Prädikat und lateinischen Einschlag hat; ein *lateinischer Mischsatz* hat dementsprechend lateinisches Prädikat. Es wird sich im folgenden zeigen, dass lateinische Mischsätze selten sind (ich habe bei VD. insgesamt 32 Belege, bei Schlag. 29). Daneben gibt es ganz seltene Fälle, in denen das Kriterium uns im Stich lässt und keine Sprachzugehörigkeit entschieden werden kann (z. B. „*si vellem legem ... urg*irn" (349)).

Es muss dabei betont werden, dass es uns hier nicht um den Sprechvorgang zu tun ist, sondern um das Resultat dieses Vorgangs, wie es uns in einem Satz vorliegt.

Das Problem des „fremden Wortes"

Solange ein Wort ganz und gar als ausländisches Sprachgut empfunden wird, ist es ein fremdes Wort ... wenn es schon zum geläufigen Sprachschatz gehört und dementsprechend in einem oder dem anderen Punkte schon der heimischen Aussprache angeglichen ist, nennen wir es ein Fremdwort ... ist es vollständig in den heimischen täglichen Sprachgebrauch übergegangen, so sprechen wir von einem Lehnwort[1]. Sobald die grammatische Endung angeglichen wird, ist der ersten Regung des Sprachgefühls genug geschehen. Ehe die grammatische Anpassung erfolgt, haben wir es nicht mit Fremdwörtern, sondern mit fremden Wörtern zu tun, z. B. Modes et Robes, die Verba ... Die Angleichung genügt ... nur den allerersten Bedürfnissen des Sprachgefühls; es ist eine teilweise Angleichung, die wir, soweit es sich um deutsche Vorgänge handelt, Andeutschung nennen können. Diese teilweise Angleichung ist kennzeichnend für alle Wörter gelehrten Ursprungs[2].

---

gungsformel lautet: „*Vidim*eras *ex officio*"; die schwedische Passivendung eignet den ganzen Ausdruck der schwedischen Sprache an.

[1] E. Richter, Fremdwortkunde. Leipzig u. Berlin 1919. S. 7 f.
[2] Ebd. S. 75.

Der Terminus „fremdes Wort" scheint mir nicht glücklich zu sein; während einerseits mit der Unterscheidung „fremde Wörter–Fremdwörter" gearbeitet wird[1], wird andererseits „das fremde Wort" als übergeordneter Begriff für alle Stadien einschliesslich der Lehnwörter gebraucht[2]. Andererseits kommt auch wiederum „Lehnwort" als übergeordneter Begriff für sowohl „Fremdwort" wie „assimiliertes Lehnwort" vor[3], wobei offenbar „Fremdwort" = „fremdes Wort" (unassimiliertes Wort) ist. Die schwedische Philologie arbeitet mit dem Terminus „Zitatwort" (citatord)[4]; dieser scheint mir zweckmässiger zu sein als „fremdes Wort", da eine Verwechselung mit „Fremdwort" ausgeschlossen ist. Auch ist „fremdes Wort" zu allgemein. Betont wird, dass die Grenzen zwischen dem Zitatwort und dem Fremdwort fliessend sind[5].

Fliessende Grenzen aber machen immer Schwierigkeiten. Für unsere Arbeit gilt, dass man nur von einer „Einschaltung" sprechen kann, solange ein Wort als ausländisches Sprachgut empfunden wurde. Was aber hat man für ein Kriterium für das Empfinden der damaligen Menschen? Es geht uns also um die Unterscheidung von Zitatwort und Fremdwort. Um auf Elise Richters Definition des Fremdwortes zurückzugreifen: wir haben viele ursprünglich lateinische Wörter, die dem „geläufigen Sprachschatz" angehören, ohne darum „in einem oder dem anderen Punkte schon der heimischen Aussprache angeglichen" zu sein.

Als Kriterium für das Empfinden des Sprechers benutzt O. Funke die Flexion: er unterscheidet zwischen „gelehrten Lehnwörtern", wo sich das lateinische Wort nach der englischen Flexion richtet, und „Fremdwörtern", wo die lateinische Flexion mit herübergenommen wird: „Das Wort scheint somit noch deutlich als ein Fremdkörper empfunden zu werden"[6]. Aber auch in der Unterscheidung zwischen Fremdwort und Lehnwort herrschen geteilte Meinungen und Unklarheiten in der Forschung. So stellt z. B. L. Mackensen fest: „Fremdwörter hat

---

[1] S. Krüger, Zum Wortschatz des 16. Jh.s: Fremdbegriff und Fremdwort in Luthers Bibelübersetzung In: PBB 77. Halle 1955. S. 402 ff., unter Hinweis auf F. Seiler, Die Entwicklung der deutschen Kultur im Spiegel des deutschen Lehnwortes. Halle 1925 ff.; Bd. 1. S. V.

[2] Magenau, S. 100; vgl. auch ebd. S. 125.

[3] Betz 1959, S. 128.

[4] K.-H. Dahlstedt, G. Bergman, C. I. Ståhle, Främmande ord i nusvenskan. Stockholm 1962. S. 11.

[5] Ebd. S. 14.

[6] O. Funke, Die gelehrten lateinischen Lehn- und Fremdwörter in der altenglischen Literatur. Halle 1914. S. 44.

Luther nur sparsam gebraucht; vgl. z. B. *Pestilenz* ..., *Person* ..., *Exempel* ..., *Artikel* ..."[1]. Diese Wörter wären nun nach Funkes und Betz' Einteilung Lehnwörter, nach Richters wohl am ehesten „Andeutschungen". Die Unterscheidung zwischen Fremdwort und Lehnwort verwirft Gneuss ganz[2].

M. E. ist der Flexion als Kriterium nur ein begrenzter Wert beizumessen, und zwar nur der eingedeutschten Flexion: ein Wort mit eingedeutschter Flexion ist keine Einschaltung von fremdem Sprachmaterial mehr, da die sprachliche Geschlossenheit gewahrt wird. Dagegen ist m. E. die beibehaltene fremde Flexion von keiner grossen Bedeutung; wer von uns würde heutzutage das Wort „Verb" einmal als Fremdwort, einmal als Lehnwort einstufen, je nachdem ob man als Pluralform „die Verben" oder „die Verba" sagt? Für die TR führe ich als Beispiel hier nur das Wort „*argumentum*" an (vgl. die Belege unten S. 65). Es findet sich bereits mit abgeworfener vokalischer Endung: Argument. In der überwiegenden Anzahl der Belege folgt es jedoch der lateinischen Deklination. Der einzige klare Fall von Einschaltung ist hier der artikellose Beleg in Nr. 467: der sprachliche Zugriff geschieht aus der Sicht der lateinischen Sprache heraus. Wenn nun ein Wort bereits eine solche angedeutschte Nebenform hatte, wird auch sein lateinisches Äquivalent nicht als „fremd" empfunden worden sein. Der Gebrauch der lateinischen Endung hing grösstenteils vom Geschmack des Schreibers oder Sprechers ab und war somit eine Stilfrage. Die Humanisten hatten ja für bereits eingedeutschte Wörter wieder die lateinische Form eingeführt[3], und für Luther ist diese „humanistische Neigung zur lateinischen Endung eines lateinischen Wortes" bezeugt[4].

M. E. muss man für diese Wörter eine sprachlich neutrale Schicht ansetzen, wohin auch die Eigennamen[5] gehören: sie sind in beiden Sprachen heimisch.

Vgl. Haugen: We need to recognize that for certain items a linguistic overlapping is possible, such that we must assign them to more than one language at a time[6].—There is no hard and fast criterion short of complete integration that permits us to say when an item has become part of the

---

[1] L. Mackensen, Deutsche Etymologie. Bremen 1962. S. 119.

[2] S. 19. Weitere Literatur ebd. Anm. 2.

[3] Rosenfeld 1959, S. 352.

[4] Krüger, S. 441.

[5] Zur Sonderstellung der Eigennamen vgl. H. Ammann, Vom doppelten Sinn der sprachlichen Formen. Heidelberg 1920. S. 3 ff., u. ders., Die menschliche Rede. Teil I. Lahr 1925. S. 67 ff.

[6] Haugen 1956, S. 40.

language. The borders of a language are bound to be ragged, since the language itself is no longer quite the same after the introduction of a loan[1]. Die Sprachforscher dürfen nicht damit rechnen, dass sie irgend ein Kriterium besitzen, wodurch sie sicher entscheiden können, ob ein Wort „als ausländisches Sprachgut" empfunden wird oder nicht[2].

Für unsere Untersuchung kommen in erster Linie Zitatwörter in Betracht; sie stellen wirkliche Einschaltungen dar. Lehnwörter dagegen gehören nicht hierher, da bei ihnen die sprachliche Geschlossenheit gewahrt wird; sie werden jedoch dann aufgeführt, wenn sie neben einem Zitatwort stehen. So wird z. B. die ganze Reihe „*biblia* — die *biblia* — Bibel (ohne Artikel) — die bibel" angeführt, da dadurch der Prozess der sprachlichen Aneignung beleuchtet wird.

Was die Wörter der sprachlich neutralen Schicht betrifft, habe ich mich hier dazu entschlossen, lieber zu viel als zu wenig zu bringen. Man vergleiche z. B.: „Die *cognitionem adumbr*irn" (252) und: „das a r g u m e n t u m *solv*irn" (320). Der Unterschied zwischen beiden Ausdrücken besteht in der Häufigkeit: während das erste Beispiel eine Gelegenheitsbildung ist, ist das zweite so geläufig, dass es sicher nicht mehr als Material einer fremden Sprache empfunden wurde. Aber auch was schon als sprachlich neutral anzusprechen ist, hat das Stadium eines Zitatwortes durchgemacht und kann den Prozess der sprachlichen Aneignung beleuchten.

Anm. Durch die Heranziehung anderer Nachschreiber liesse sich das Verzeichnis einzelner Wörter beträchtlich erweitern. Hier werden jedoch nur die bei VD. befindlichen zugrunde gelegt und ihr Vorkommen bei anderen Schreibern, soweit ich bei Schlag. und bei Stichproben in den übrigen Sammlungen Belege gefunden habe, angeführt. Es handelt sich hier ja um keine Fremdwörterliste, sondern um das sprachliche Geschehen bei der Benutzung und eventuell Aneignung fremden Gutes. Verzeichnisse über die in dieser Zeit geläufigen Fremdwörter existieren bereits[3].

Die bei Dietrich so zahlreichen lateinischen Konjunktionen und Konjunktionaladverbien, die einen deutschen Satz einleiten, werden nicht in diesem Abschnitt behandelt, sondern unten im Abschnitt über die Grammatik (S. 143 ff.). Durch ihren vorwiegend grammatischen Gehalt und ihre Funktion als selbständiger Denkschritt nehmen sie eine Sonderstellung ein.

---

[1] Ebd. S. 58.

[2] Ch. Møller, Zur Methodik der Fremdwortkunde. In: AJ V:1. 1933. S. 9.

[3] D. Malherbe, Das Fremdwort im Reformationszeitalter. Diss. Freiburg 1906. Ein ausführliches Verzeichnis gibt auch Rosenfeld in der bereits genannten Arbeit „Humanistische Strömungen". Vgl. ferner E. Valli, Über den Fremdwortgebrauch in der mittelalterlichen Bibelverdeutschung. AASF 84. Helsingfors 1954. S. 629 ff; Mackensen 1962, S. 84–119; Krüger, a. a. O.

1. Einzeln eingeschaltete Wörter

A. Lateinische Wörter

1. Substantive und substantivierte Ausdrücke

a. Substantive der 1. Deklination

α. Feminina:

accidentia:
Allein man laß die *accidentia* sein (3669); Er will der *accidentia* so vill schicken (3669);
> (mit dt. Artikel; casus rectus statt obliquus).

allegoria[1]
das war nit *allegoria* (335).

astrologia
So heist *astrologia* auch *primus motus* bei yhm (155).

biblia, bibel[2]
Bibel lest sich nit ausstudiren (596); (dagegen: hat man die bibel nie so gehabt (383); wenn er in die bibel geradten wer (192)); und hatt dannest kein *biblia* gehabt (1552, Schlag.); Ich hab ... die *biblia* ausgelesen, und wenn die bibel ... were (1877, Schlag.); und die *biblia* lassen faren (4025, LbTb); *Biblia* ist ein buch (2313, Cord.); (ein *doctor bibliae*, 46, *in biblia*, 311).
> (In Nr. 1552, 1877 u. 4025 casus rectus statt obliquus.)

blasphemia[3]
Als bald die *blasphemiae* kommen (102); wie die zung on glauben redet eitel *blasphemias* (439).

causa
das die *causa* mus und sol bleiben (130); sonst weys ich kein *causam*, darauff wirs wagen (615).

ceremonia
Wer ein *ceremoniam*, sie sein so gering, alls sie woll, anfechten will (430).

columna
Die munchen sind des bapstthums *columnae* gewesen (226).

comoedia
das man ein *comoediam* daraus macht (467).

conscientia
so kan ich gar kein *conscientiam* nit leyden (252); was wird den armen geplagten *conscientiis* sein (1491, Schlag.);
> (Dagegen: fur der conscientz[4], 402; bose gewissen, 388; bei Schlag. steht „conscientz" in Nr. 1362 u. 1715.)

---

[1] Vgl. Malherbe, S. 62: *Allegoria.* „Ungemein häufig in der kirchlichen Literatur, im Pl. mit deutscher Endung versehen, ebenso erscheint oft im Sing. *Allegori*".

[2] Ebd. S. 65: „*Biblia*, ungemein häufig, in verschiedener Gestalt auftretend."

[3] Ebd. S. 65: „*Blasphemie*, ... selten gebraucht."

[4] Vgl. Rosenfeld 1959, S. 347: „Auch die partizipialen Abstrakta auf -*entia*, -*antia* werden gern entlehnt und werfen dann ebenfalls ihre Endung ab".

consequentia
das die *consequentia* recht wer (184).

creatura[1]
Creatura ist zuvor (320).

dialectica
Ich hab meine *dialecticam* auch gelernt (3669); *Dialecticam* hab ich gewust (1545, Schlag.); *Dialectica* spricht (1698, Schlag.); Wenn ich *dialecticam* solt lesen (ebd.).

doctrina
Weyl wir *doctrinam* haben (122); sie wollen die *doctrinam* dempffen (94); *In vita* haben sie die rechten *doctrinam* nit getriben (118); fellt ... die *doctrina* (122); die sonst kein *doctrina* vermag (352); *Staupicius* hat die *doctrinam* angefangen (526).
    (Vgl. ein gewisse lahr und gewisse person, 505.)

ecclesia
Sub monachis hat *ecclesia* nit konnen muken (331); *ideo* hat er *ecclesiam* eingesezt (469); hett *ecclesia* friden (481); da mus *ecclesia* mit fechten (518); *tamen* bin ich yhn *ecclesia* bliben (574); so können wir nicht *ecclesiam* lassen (5088b, Math. L.); die da *ecclesias* und *scholas* lereten (5238, Math. L.).
Bei VD. steht *ecclesia* nur ohne deutschen Artikel; bei anderen Schreibern finden sich Belege mit deutscher Präposition oder deutschem Adjektivattribut + Artikel:
und hab mitt der *ecclesia* zu schaffen (5284, Math. L.); mit den *ecclesiis* haben sich ... geschlagen (3854, LbTb.); da solte eine schone *ecclesia* folgen (4014, LbTb).
    (Vgl. dagegen „kirche": unter der kirchen zu Rom, 516; wurfft *papa* die leut ... in die kirchen, 574.)

experientia
Die selb *experientia* macht mir die schrifft gewiss (448).

fortuna
sed mundus heyst Gott *fortunam* (414).

gratia
und allein auf die *gratiam* sterbe (117); so vertrett es unser Herr Gott mit seiner *gratia* (590).
    (Vgl. dagegen: gnad: versehet euch gnad zu mir, 502; aus gnaden selig werden, 514.)

hora (= Stundengebet)
sammlet ich mein *horas* offt ein gantze woch (495); spart oft acht tag mein *horas* zusamen (1253, Schlag.); *horas* nicht petten (1351, Schlag.).

invidia
Invidia wil *iustitia* sein (382).

iustitia
iustitia neeret (32); *Invidia* wil *iustitia* sein (382); Mit andern kompt er mit der *iustitia* (141).

---

[1] Zu Luthers Gebrauch von „Creatur" bzw. „Geschöpf" in der Bibelübersetzung vgl. Krüger S. 453.

lingua
>er hab das mayst *lingua* gethan (604).

lucta
>Das sind *luctae* (3669).
>(Dagegen „kampf" zweimal im gleichen Stück.)

natura
>*Natura* kan nit hoher (411).

patientia
>Da geht aller erst *patientia* an (367); Unser Herr Gott mus aber *patientiam* hie haben (1571, Schlag.).
>(Vgl. Briefe Bd. 6, Nr. 1978: solche *patientia* und solche *consolatio*.)

patria
>kan es noch wol feylen, das *patriae* geholffen wer (620).

persona[1]
>das nur ein *persona* sey ... (269).
>(Vgl. dagegen: Ein person redts ... 279; *Sunt enim distinguenda* ampt und person, 342; ein gewisse lahr und gewisse person, 505.)

poena[2]
>wenn *poena* angehet (597);
>(sezt *mortem* ein *ad poenam*, 186).

potentia
>Das ist ein sonderliche grosse *potentia* gewesen (482).

practica
>aber mit der *practica* wil es nit hernach (81).
>(Vgl. dagegen: Kompt yhr auch in die practiken, 228.)

prophetia
>*sed* ich lass mir kein *prophetia* sein (424).

prosopopeia[3]
>Der Teuffel kan gute, starcke *prosopopeias* machen (588).

prudentia
>*prudentia* regiert alles (32).

rhetorica
>Das heist man darnach *rhetoricam* (467); An dem tag solt man eitel *rhetoricam* predigen (494); Da kan er die *rhetoricam* so meysterlich (612).

sapientia
>Wie kompt man aber zu der *sapientia* (39; casus rectus statt obliquus).

sophistica
>Ich hab mussen die *sophisticam* lernen (143).

statura
>das wir gleich gross *statura* sein werden (305).

substantia
>die machen *substantiam* falsch (349); biß er *substantiam* krieg (3669); *Substantia* bleybt (439); *Substantiam* muß man sezen (574);
>mit Artikel nach Präposition und casus rectus statt obl. (oder Abl.):
>Mitt der *substantia* must ir euch trösten (3669).

---

[1] Zu Luthers Gebrauch von „Person" vgl. Krüger S. 444.
[2] Zu *poena* vgl. Rosenfeld 1959, S. 352.
[3] Malherbe bringt auf S. 85 weitere Belege bei Luther.

terra

so ists *terra* nit allenthalb gleich (315).

theologia

Darumb ist es gar ein ander ding, *theologia* und iuristerei (320); Ich hab mein *theologiam* nit auff ein mal gelernt (352); der ... nit so vil *theologiam* hatt (3669); *Theologia* get nichts gern ein (1366, Schlag.); Die juristen mussen die *theologiam* lassen oben ansitzen (1419, Schlag.); *Theologia* geht mit Gott umb (1421, Schlag.).

mit casus rectus statt obliquus:

wie ich auch der *theologia* schaden wolt thun (320); Sonst die hohe *theologia* kan man nit ausfechten (514).

tristitia

Das ist die hochst *tristitia* (461);

mit cas. rect. statt obl.:

Darumb hutt euch ... fur der *tristitia* (461).

vita

es sey *vita*, wie es woll (316); so kan *vita* dennoch zu recht kommen (624); (*in vita*, 118).

β. Maskulina:

heremita

das es so solt ein *heremita* sein (147).

homicida

Unser Herr Gott sagt zu keinem *adultero* noch *homicida* (642);

(cas. rect. statt obl.; die Parallelen korrigieren zu *homicidam*.)

Iurista

Iuristae, die so auff die *leges* buchen (349);

(Dagegen „juristen", vgl. unten S. 64 unter „*theologus*".)

papa

Subjekt ohne Artikel:

Papa ist allein bliben (18); *Papa* hat sich ... uber das *verbum* gesezt (606); so hett *papa* alls verderbt (461); *Sic* wurfft *papa* die leut ... in die kirchen (574); *Papa* kans auch nicht erheben (1385, Schlag.).

Vgl. auch: *sic papa* verbeut *verbum* nit (342).

Subjekt mit Artikel:

Der *papa* hat mir nie weh gethun (491); *Hac ratione* ist der *papa* auch auff den bann kommen (510).

Objekt: Artikel und cas. rect. statt obl.:

so ists dem *papa* ein grosse schand (491); will es dahin gereichen und fur den *papa* kommen (491).

(Dagegen: bapst, mit Artikel, in Nr. 206, 218.)

papista[1]

Papistae haben uns bose gedancken gemacht (365).

(Dagegen: die Papisten, 94.)

---

[1] Vgl. F. Lepp, Schlagwörter des Reformationszeitalters. In: Qu. u. D. 8. Leipzig 1908. S. 70: „Das Wort Papist ... hat Luther 1520 gebildet und ihm in seiner Flugschrift (Von den neuen Eckischen Bullen) sogleich weiteste Verbreitung

poeta

und ist *poeta* … worden (369).

propheta[1]

David und *Prophetae* sind die sparren (429); wie sie inn ein ander gehn, die *prophetae* (46).

b. Substantive[2] der 2. Deklination

α. Maskulina auf *-us*:

adversarius

da Gott einen andern *adversarium* geben hat (352); das er hatt konnen alle *minas* verachten seiner *adversariorum* (1777, Schlag.).

articulus

wie ein notiger *articulus* das ist (141); Ich wollt besser alle *articulos* umb stossen (518).

baptismus[3]

Baptismus gibt sovil als *circumcisio* dort (365); er mocht denn *baptismum* haben angesehen (502).

(Dagegen: die tauff, 342, zur tauff eylen, 365.)

catechysmus, catechismus[3]

dies ist sein *catechismus* (438); Also bleybt der *catechysmus* herr (122); Es mus es *catechismus* thun (379).

christianismus[3]

quia das ist der recht *christianismus* (141).

christianus

Da mus *christianus* kommen (501); *Christianus* fraget nit nach ungluck (518).

(Vgl. das Spiegelbild: Christ *est, qui habet* …, 376; ein christ, 136, 522; christen, 608.)

electus

Das heyssen *electi* (501).

(Vgl. Briefe Bd. 6, Nr. 2049: welche alle *electi* und Christen … wären.)

Epicurus

das ich ein *Epicurus* mocht werden (583).

haereticus

Itzt mussen wir *haeretici* sein (629).

---

gesichert". J. H. Baxter, Ch. Johnson, Medieval Latin Word-List, London 1934, verzeichnet lat. *papista* für 1523.

[1] Malherbe S. 85: „*Prophet* wird ausnahmsweise durch *Propheta* abgelöst."

[2] Auch subst. Adj.

[3] Vgl. Rosenfeld 1959, S. 349: „Dagegen scheinen die schon bei den Kirchenvätern häufigen Abstrakta auf *-ismus*, die z. B. Erasmus in seinen lateinischen Schriften gern verwendet und die in England und Frankreich im 16. Jh. stark in die Volkssprache eindringen, in deutschem Text damals noch nicht geläufig zu sein. Nur *Lutheranismus* erscheint gelegentlich im 16. Jh., und *Atheismus* kommt gegen dessen Ende auf."

impius

    quia zu den gedanken werden die *impii* nit kommen (402); Last sich die *impios* furchten (1289, Schlag.); und ja nicht wollen *impius* sein (1690, Schlag.); Und doch erschrickt ein *incredulus* darvor und *impius* (1831, Schlag.); so werden *impii* sagen (1636, Schlag.); Christus schreckt also *impios* und erfreuet *pios* (1831, Schlag.).

locus

    Allein wenn der *locus* kompt (141); das er auff alle *locos* seine *solutio* hab (626); hab ... einen *locum* funden (3858, LbTb); verstehe den *locum* noch nicht (3874, LbTb); der *locus* (5313, Math. L.).

medicus

    ein *medicus* dorffts nit geben (360); die heiligen vetter, die *medici* (1342, Schlag.).

morbus

    das alle fahrliche *morbi* sind des Teuffels schlege (360).

mortuus

    das auch *mortui* sollen herren werden (386).

mundus

    Mundum hat er *generaliter* gefasst (385); das ist *mundus* und *caro* (1553, Schlag.);

    (*in mundo*, 203; dagegen: auff erden, 161, 610; die welt, 161, 205 u. a.).

populus

    das er dem *populo* so leut geben hat (289).

psalmus[1]: zweifelhafter Beleg; die HS hat Abkürzung:

    so nimb ich ein *ps/almum* oder ein *dictum Pauli* fur mich (19).

    (Vgl. dagegen: die lieblichsten pselmlin, 369; noch nie keinen psalm gebet ... lieber denn keinen psalm, 421.)

servus

    die giebt ... dem *patri* seine *affectus*, den *servis* etc. (467).

theologus[2]

    Darnach wiss sich ein yeder *theologus* ... zu richten (136); einer, der ein *Theologus* sein will (626); so wolt ich allen *theologis* zu schaffen machen (9); er wolt den *theologis* zuschaffen machen (483); zu einem *theologo* gehort ein frommer man (149); will ein *theologus* sein (1605, Schlag.); From sein gehort den *theologis* (1421, Schlag.); die juristen konnen nichts, so sagen sie, wir *theologi* kunnen nichts ... Es wird den juristen gen wie uns, den *theologis*. Wir *theologici* ... (1364, Schlag.).

    (Dagegen: allen juristen und theologen will ich trotz bieten, 518.)

thesaurus

    so wurd er bald all *thesauros* wider zu sich bringen (214).

    (Vgl. haben wir den *thesaurum verbi*, 141.)

---

[1] Malherbe S. 85: „*Psalm* schon mhd.“

[2] Vgl. Rosenfeld 1959, S. 350: „Lateinische Wörter auf *-us* behalten im Singular vielfach ihre Endung ... In der ersten Hälfte des 16. Jhs. ist *Theologus* die Regel gegenüber dem Plur. *Theologen*.“ Ähnlich Malherbe S. 89 f.

β. Neutra auf *-um*:

argumentum

der kan mir *argumenta* bringen (518); der so *argumenta* kondt ... auffbringen (518); Da mus man ... andre mehr *argumenta* heraus spunnen
(3669); *Argumentum* ist wie ein leere bruch (467);

dagegen mit Artikel:

Das a r g u m e n t u m find ich (130); Das a r g u m e n t u m ... stosset sie all
(430); Wenn das a r g u m e n t u m nit hilfft (469); Die *argumenta* steht
keiner aus (430); in den geringsten *argumentis* (320); Ich kan yhm das
a r g u m e n t u m selb nit solvirn (320); er hatte auch die *argumenta* ...
fur sich (1585, Schlag.); Der Teufel hat mir nitt ... khunnen die
argumenta solvirn (1557, Schlag.).

(Dagegen: das argument[1], 369; in 518 steht nacheinander: der kan mir
argumenta bringen. Hat mir offt ein argument bracht. Bei Schlag. findet
sich auch: das argument solvirn, 1676, 1801.)

bellum

Bellum nimbt *simpliciter* als hin weg (282); da geht *senatus* und *bellum* an
(435).

centrum

Es ist alles auff das *centrum* ... gezirckelt (388).

concilium[2]

Es wird kein *concilium* denn das (343); ist sovil nicht gehandelt worden ...
in keinem *concilio* (1648, Schlag.).

coniugium

das das liebe *coniugium* einer guten *benedictio* bedarff (209).

contrarium[3]

lest yhm *contraria* sagen (142).

donum

Das *donum* hab ich (3669); Lasts ein gross *donum* sein (3669); Was unser
Herr Gott fur *dona* den leuten gibt (136); Dem vertraut sich Gott selb ...
und all seine *dona* (149); Was aber das für *dona* sein (3999, LbTb.).

(Vgl. *donum autem* kan..., 499.)

exemplum[4]

Ich sihe die *exempla* ungern (408).

evangelium = *evangelion*, s. u. nach *verbum*.

furtum

quia Christus hat yhm nit *furtum* befolhen (605).

---

[1] Laut Malherbe S. 64 ist „Argument" im Reformationszeitalter „ausserordentlich häufig".

[2] Malherbe S. 69: „*Concilium*, auf fast jeder Druckseite zu finden; gewöhnlich
flektiert es lateinisch im Sing.; der deutsche -en Plur. stark vertreten, daneben aber
„concilia".

[3] Ebd. S. 70 hat Malherbe einen Beleg für „*Contraria*" in Luthers Schriften.

[4] Krüger stellt „eine besondere Neigung Luthers für das Fremdwort *Exempel*"
fest, S. 454.

gaudium
sonst meyndt man, es sey *gaudium* (476); Es muss ein gross unaussprechlich *gaudium* seyn (585).

imperium
Gebt uns aber zu vor das *imperium* (349); das ist ein gemacht *imperium*
(386).

membrum
Ob nun euch als unserm *membro* ein wurm ist in das glid kommen (3669).

meritum
Das wort *creator* stosst all *merita* zu boden (424).

ministerium
bringt die armen pfaffen in das *ministerium* (574); anbieten sein *ministerium* (483).
(Vgl. dagegen: ampt, in Nr. 510, 518.)

miraculum[1]
Solt Mose die grossen *miracula* nur 3 jar angetriben haben (324).

negotium
wie iderman in dem *negotio* zu sinn sey (467).

novum
Ich hore die *nova* gern (243).

peccatum
ohne Artikel:
Peccatum thut uns nit so wehe (252); *Peccatum* zeucht unter sich (273);
Peccatum zihet alweg ein last mit sich (1537, Schlag.);
mit Artikel:
So ist das *peccatum* nue so gross und bos (273); wil nit ... das *peccatum*
mehr thun (273); da liess in Gott in das *peccatum* fallen (291).
(Vgl. dagegen: inn die sund gefallen, 388; fur den grossen sunden, 358;
kein sund, 388.)

praeceptum
der hebt am 2. *praecepto* an (369); *Donum autem* kan kein *praeceptum* sein
(499).
Anm. WA: „Greifft in 2. *praeceptum*“ (369) muss wohl für „*in secundum
praeceptum*“ stehen; bei einem deutschen Präpositionalausdruck hätte man
„ins“ erwartet, vgl. unten S. 137 f.

principium
ibi die *principia* konnen nit feylen (312).

probatum
quia man hat sovil *probata* (605).

sacerdotium
sonst wer *sacerdotium* und alls hin weg (385).

---

[1] Malherbe S. 80: „bei Luther gehen 'Mirakel' und 'Wunderwerck' gänzlich
durcheinander; Zwingli zieht bisweilen die vollere Form vor, vgl. I, 96 '*miraculum*';
auch *Miracul* tritt auf“. Vgl. auch Rosenfeld 1959, S. 350.

sacramentum

Ich hab *sacramentum* nit gestifft (574).

(Vgl. dagegen: fur dem sacrament, 137; Wenn man unsers Herr Gott sacrament missbraucht, 221; Ich bin den sacramenten ... nicht feind, 3669.)

sacrificium

und thut im das *sacrificium* (141).

scandalum

so mus man nichts nach den *scandalis* fragen (571).

signum

Ergo zum *signo* beschneyde dich (365).

symbolum[1]

wenn wir nur die ersten drey wort am *Symbolo* hetten (122); Ich hab mein *symbolum* (610).

(Vgl. dagegen: mein Vatter unser ... meinen glauben ... *sed decem praecepta*, 132.)

verbum

ohne Artikel:

Sic papa verbeut *verbum* nit (342); *Verbum* kan man nit verteydingen (465); *quia Diabolus* schlegt eim *verbum* auff den kopff (590);

mit Präposition ohne Artikel:

Ergo sabbatum ist umb *verbi* willen *gebotten* (385);

mit Artikel:

das das *verbum* solt bleyben (385); das das *verbum* blib (385); *Sed* lerne das *verbum* hoch halten (365); haben das *verbum* lassen ligen (257); das ich das *verbum* wider ergreiff (461); Ich habs *verbum* (508); Der kan das *verbum* nit leyden (588);

Präposition + Artikel:

mussen uns ... ans *verbum* allein halten (18); das wir *per negotia* vom *verbo* kommen (18); Es ligt mir ... am *verbo* (365); das man ... bey dem *verbo* bleyb (365); das wir ymmer vom *verbo* hin weg fliegen (365); *Ratio autem illustrata* nimbt alle gedanken vom *verbo* (439); *sed* man sol beym *verbo* bleyben (528); Es steht auff dem *verbo* (574); *Papa* hat sich ... uber das *verbum* gesezt (606).

(Dagegen: wort: Gott heyst Gotts wort, 414; ich habe die wort nicht gemacht (in theologischem Sinn), 3669; in alltäglichem Sinn: 361; *verbum Dei*: 81, 349, 506.)

Sonderfall: *evangelium* steht bei VD. in seiner griechischen Form auf *-ion*: *Evangelion* ist zu Wittenberg, wie der regen ins wasser fellt (496); sol man drumb *evangelion* verleugenen (590); Christus, *evangelion* steht da (612); *In ultimo versu* steht das *evangelion* heymlich (424).

(Vgl. dagegen: so neme man es, *legem* und *evangelium* 5269, Math. L. *vox evangelii*, 386; *ex evangelio*, 612; *per evangelium*, 461.)

---

[1] Malherbe S. 89 verzeichnet *Symbolon* bei Luther.

γ. Maskulina auf -*er*:
adulter
  Unser Herr Gott sagt zu keinem *adultero* noch *homicida* (642).
minister[1]
  das *minister* gar *malus* sey (574); Das geht den *ministrum* nit an (325); *quia* er lohnet seinen besten *ministris* so (272); Muß doch der Turck seine *ministros* haben (1849, Schlag.).

c. Substantive[2] der 3. Deklination

α. Feminina auf -*io*:
abominatio
  So ist die *abominatio* so gross (122).
benedictio
  das das liebe *coniugium* einer guten *benedictio* bedarff (209; cas. rect. statt obl.).
circumcisio
  Circumcisio ist ein befelh (365); *Baptismus* gibt sovil als *circumcisio* dort (365); *Pueri in lege* haben *circumcisionem* angenommen (365);
mit Artikel nach Präposition und cas. rect. statt obl.:
  Abraham habet verbum neben der *circumcisio* (365).
cognitio
  Die *cognitionem* kan er einem darnach also adumbrirn (252).
    (Vgl. Briefe Bd. 6, Nr. 1949[2], mit Artikel u. cas. rect. statt obl.: die zuvor einer *cognitio* bedurfen ... wie die *cognitio* ... zu ordnen sein sollt ... will ... nicht mit dieser *cognitio* zu ton haben.)
consolatio
  das *abominatio papatus post Christum* mein große *consolatio* ist (122); Es wird auch sonst ... kein *consolatio* draus (3669);
mit cas. rect. statt obl.:
  bis einer zu der *consolatio* kompt (141).
    („trost" im gleichen Stück Nr. 141: kein hulff noch trost noch ruge. „trosten" in Nr. 142.)
dilectio
  so mus es nur *dilectio* thun (228; kein Artikel wegen Haplologie?)
disputatio
  Disputationes wehren die freud (494); *Sed* ein christ lest *disputationes* stehn (494); *Sed ius* ist mein *disputatio* (1269, Schlag.);
mit cas. rect. statt obl.: das es so gangen hatt mit der *disputatio* (142); Heut frue hielt der Teufl ein *disputatio* mit mir (1299, Schlag.).
    (Vgl. Briefe Bd. 6, Nr. 1949[3]: Ärgernus und beschwerlich *disputatio* zu meiden, solch *disputatio* zu meiden.)
divisio
  da ist kein *divisio* mehr (312).

---

[1] Vgl. Malherbe S. 79: „nur in der Bed. 'Diener' im 16. Jh.".

[2] Auch subst. Adj.

[3] Von Schreiberhand; Verf. sind ausser Luther noch Bugenhagen, Jonas und Melanchthon.

generatio
Er aber will die *generatio* behalten (429; cas. rect. statt obl.).
iustificatio
so bleibt *iustificatio* nach (18);
mit Artikel nach Präp. u. cas. rect. statt obl.:
wenn dich der Teuffel mit der *iustificatio* anfichtet (122).
occasio[1]
der hatt mir *occasionem* geben (173).
(Vgl. Briefe Bd. 6, Nr. 1945: wo wir solch Occasion faren lassen ... Die
Occasio ist fornen vol hares am kopf.)
praedestinatio
Bei VD. nur mit Präp. + Artikel u. cas. rect. statt obl.:
Von der *praedestinatio* muß man so weyt kommen (365); so kompt man
auff die *praedestinatio* und disputirt (365);
ohne Art. bei Schlag.:
so ist *praedestinatio* schon hinweckh (1820).
promissio
on das er *promissionem* hat geben (590); Die *promissio* *thuts* (365); so
doch uns allein die *promissiones* gehoren (141);
mit cas. rect. statt obl.:
Die *promissio* weys ich (461); und steht auff der *promissio* (365).
propositio
Ist also nur ein *propositio* durch und durch (142); *Propositio* heist ein handl
oder sach (1698, Schlag.).
quaestio[2]
das ist aber ein ander *quaestio* (365);
cas. rect. statt obl. nach Präp.:
Denn mit der *quaestio* vexirt er uns am meysten (141).
Unsicher, ob cas. rect., in der WA zu „*quaestiones*" berichtigt:
da gab mir Thomas wol 100 *quaestio* drauff (280).
religio
Dazu brauchen und halten sie die *religionem* (37).
revelatio
woll hab ich so ein edle zeit erlebet, sovil *revelationes* (193).
solutio
Sonst ist kein *solutio* (574); cas. rect. statt obl.: das er auff alle *locos* seine
solutio hab (626); Aber Gott fand ein *solutio* (1585, Schlag.).
superstitio
Omnes gentes, quae non habent religionem, mussen *superstitionem* haben (371).
tentatio
Tentatio, die leret (448);
mit Artikel oder Pronomen + cas. rect. statt obl.:
Christus hatts auch gehabt, die *tentatio* (272); da hab ich mein lebtag kein
tentatio von gehabt (461); *Iam hac aetate* hab ich kein *tentatio* von den

---

[1] Malherbe bringt auf S. 80 Belege für 'Occasion' aus Luthers Schriften mit der
Bemerkung: „in der Reformationszeit keine Seltenheit".
[2] Malherbe S. 85 verzeichnet Belege für „Question" bei Luther.

leuten (491); die *tentatio* hat niemand denn du (518, demonstrativ); das
er der *tentatio* mussig gehe (642); denn er wird manche schone *tentatio*
gefressen (461); *Ergo* ist es nichts mit unser *tentatio* (141); In der *tentatio*
bin ich offt dahin gangen (141); Ir must diser *tentatio* gewonen (1289,
Schlag.);

Plural: Unterschied im Numerus besteht:

da haben mich meine *tentationes* hin bracht (352); Ob uns aber die *tentationes* ein wenig wehe thun (1289, Schlag.); Was sein es dann fur *tentationes* (1492, Schlag.).

(„Tentation" findet sich nicht bei VD., dagegen bei Schlag.: so wurdet
ir die tentation nicht haben, 1307. Bei VD. findet sich „Anfechtung":
ich wiss kein anfechtung *in fide* von den rotten, 515; Die eusserlichen anfechtung, 518.)

vocatio[1]

Die *vocatio* thut dem Teuffel sehr wehe (90);

mit cas. rect. statt obl.:

Yhr werd meiner *vocatio* halben nit in die hell faren (519).

(Vgl. Briefe Bd. 10, Nr. 3757: Aber das es solt eine *Vocatio* sein ...

„Vocation" bei Schlag. Nr. 1841; auch Briefe Bd. 6, Nr. 2049[2]: wann
gleich der papistische Teil des Rats oder *hostes Evangelii* Eur Vocation nun
leugnen ... Im gleichen Brief: Denn was Er Ägidius *de vocatione* anzeigt ...)

β. Feminina auf *-itas*:

caecitas

Das heist *caecitas* (369).

fraternitas

Es sol heyßen *fraternitas* (510).

qualitas

quia si sind in der *qualitate* verstokt (437); *Qualitas*, wie gar lieblich und
freundlich es ist zugangen (11).

universitas[3]

Ich klopfet zum ersten bey den *universitatibus* an (480).

vanitas

vanitas, die geht under (439).

γ. Maskulina auf *-(t)or*:

amor

Ob er nun *amorem* vorbirgt (3669).

creator

Darumb heyst unser Herr Gott auch *creator* (313); Das wort *creator* stosst
all *merita* zu boden (424); *sed* wenn der *creator* selb kompt (494).

(Vgl. Schlag.: Aber dieses creators hat man so gar vergessen, 1634.)

---

[1] Malherbe S. 75 verzeichnet 1 Beleg für „Vocation".

[2] Als Verfasser zeichnen Luther, Melanchthon u. Jonas.

[3] Malherbe S. 90 verzeichnet „Universitet" bei Luther u. a. Vgl. Rosenfeld
1959, S. 348: „Verhältnismässig gering ist der Zuwachs an Entlehnungen von
lateinischen Wörtern auf *-tas*, die dann regelmässig die Endung *-tet* bzw. *-tät*
zeigen, so z. B. *Irregularitet* (seit 1500), *Curiosität* (seit Mitte des 16. Jhs.), *Subtilitet*
(seit N. v. Wyle und A. v. Eyb ...), *Qualitet*, *Immunität*, *Importunitet*."

doctor

Es ist ein guter Doctor (369). da sind alle *doctores* dagegen (3669); *Sed* es ist keiner aus den *doctoribus* als leydlich (18); und macht doch alle *doctores* damit zuschanden (1539, Schlag.); so weren wir feine *doctores* (1861, Schlag.).

mit cas. rect. statt obl.:

Da hat er ihn zum Doctor gemacht (13); So hab ich keinen Doctor konnen achten (347; die Parallelen ändern zu „*doctorem*");

pastor[1]

Wilt du ein rechter pastor sein (228).

peccator

Ob schon *peccatores* izt sind (608).

praeceptor[2]

das mich mein praeceptor im closter zu lezt drumb strafft (461); do soll der *praeceptor* vom *discipulo* und der *discipulus* vom *praeceptore* zu lernen sich nicht schemen (1353, Schlag.).

prior[3]

cas. rect. statt obl.:

Ich must mich so rein entdecken meinem pfarrher, prior etc. (461); Ich wolt S. Hieronymum nit gern zum prior haben gehabt (445).

salvator

das er warhafftig der *salvator* sei (3669).

(Dagegen: der droben sizt als ein heyland, 437.)

δ. Übrige Substantive der 3. Deklination.

1. Maskulina:

finis

Sed unser Herr Gott wil *finem* machen (522).

latro

wenn ein *latro* den andern ersticht (182); wie einer yn eim walt von einem *latrone* ermordet wurdt (222); wie er einen durch einen *latronem* hinweg richtet (222).

(Vgl. wie der *latro et Paulus*, 122.)

pater

pater igitur sol *pater* bleyben (415); die giebt ... dem *patri* seine *affectus* (467); Wir sein *cum iudicio* uber die *patres* (1469, Schlag.).

(Vgl. Was *pater*, *mater* nit ziehen kan, 415, und ebd.: *Sic verum est proverbium*: Was vatter, mutter nit ziehen konnen ...)

2. Feminina:

faex

wie sollen wir *faeces* dazu komen (363); Es wirt bei den *faecibus* bleiben (3658, L + W).

---

[1] Vgl. Malherbe S. 82.

[2] Vgl. Rosenfeld 1959, S. 350: „Recht häufig ist auch die einfache Übernahme lateinischer Nomina agentis auf -*or* wie *Präzeptor*, ... *Rector* ...“

[3] Vgl. Malherbe S. 84.

fortitudo
> *fortitudo* wehret (32).

haeresis
> und die allten *errores* und *haereses* her fur suchen (269).
> (Im gleichen Stück: kezerey; auch in Nr. 291.)

hypocrisis
> so fiele man ... uff die *hypocrisin* (247).

lex
> *Lex* thuts nit (142); *In administratione* ... mus *lex* seyn (315); Das ist *lex* (461); so treyben sie ... *legem* auff yhn (142); Neben dem gibt er auch *legem* (612); Unser Herr Gott hat das volk ... gefasst *legibus* (385); so soll man im *legem* predigen (1371, Schlag.); so neme man es, *legem* und *evangelium* (5269, Math. L.); was *lex* ist (1258, Schlag.);

Präp. + Artikel; Genus wie deutsch „Gesetz":
> So wolt auch unser Herr Gott uber dem *lege* hallten (289); wenn man da bey dem *lege* bleybt (590); die so auff die *leges* buchen (349).
> („gesetz" in Nr. 501: bleyben bey dem gesetz *et obliviscuntur Christi*.)

mors
> *Spiritus Sanctus* sezt *mortem* ein (186).

virtus
Es ist nicht ein *virtus*, die umb sich schlecht (3669); so sein doch vil grosser *virtutes* da gegen (49).

Sonderfall zu 1. u. 2.:

parens, m. u. f.
> denn *parentes* haben es yhm willen (365).

3. Neutra:

cor
> und erhelt das *cor* (3669).
> (Dagegen: hertz, in 501, 506.)

opus
> Es ligt mir nit am *opere* (365); die kan nit weyter denn *opera* (437); *sed* das yhr *opera* sollen bleyben[1] (499); Es ist schwer aus den *operibus* zu komen (1747, Schlag.); *Papa* gibt im sacrament *operi* zu viel (1828, Schlag.).

regimen
es ist unser *regimen* so (320).
> (Dagegen sonst „regiment"[2], vgl.: das regiment *et divina maiestas*, 369; des papsts regiment, 600; das regiment, ein regiment, kein regiment, 487.)

visibilia, invisibilia (N. Pl.)
> *Res fidei* heissen *invisibilia*; wenn man aber will *visibilia* draus machen (3669).
> (Vgl. Briefe Bd. 6, Nr. 1978: kehren ... den Rucken aber von den *visibilibus*.)

---

[1] Zitatbedingt: „*opera eorum sequentur eos*", Off. 14,13.
[2] Malherbe S. 86: Regiment schon im 15. Jh.

d. Substantive der 4. Deklination

affectus

Solch grosse *affectus* lassen sich nit reden (271); die giebt dem Pamphilo seine *affectus*, dem *patri* seine *affectus* (467); Ich khan meine *affectus* nicht ausreden (1536, Schlag.); und kan keiner den *affectum* aus reden (1536, Schlag.).

casus

In den *casibus* sihet man (209); den in dem *casu* muß ich recht pehalten (1484, Schlag.).

contemptus

ich wolt lieber todt sein denn den *contemptum* so sehen (228).

cultus

das man sol bey dem *cultu* bleiben (40); Man sol keinen *cultum* mit dem sacrament anrichten (344); das heist der grosse *cultus* (493); *spiritualiter* helt sie *cultum* (1673, Schlag.).

magistratus

Magistratus sol gleich wol streng damit sein (222); *Magistratus* ist eben wie ein hammen (1408, Schlag.); also meinet *magistratus* sein sach hinauszufuren (1494, Schlag.); *Sic* gets *magistratui* zu zeitten als fels (1494, Schlag.); das ein *magistratus* das gut gar soll nhemen (350).

papatus

die zwo seulen, da *papatus* auff stehet (113); *Papatus* stehet auff der messe *dupliciter* (1673, Schlag.); Drumb will ich *papatum* wider helfen anrichten (1321, Schlag.).

senatus

da geht *senatus* und *bellum* an (435).

e. Substantive der 5. Deklination

fides

die heyst *fides* (369).

(Dagegen: Ich bin ja noch in dem glauben, *quod* ... 3669.)

res

der hat *res* tractirt (18); so kriegt man *rem* gantz (342); Wan ich auß den *rebus* kom (3654b, L + W); Also mit den *sacramentariis* lernet michs *res*, das ... (3793, LbTb).

(Vgl.: so wurdt er anderst von sachen reden, 523 = *dicere de rebus*.)

f. Sonderfälle

Eigennamen:

Germania

das *Germania* yhm blut badet (206).

Livius

Sonst gebe *historia Iacobi* allein ein ganzen *Livium* (603).

Ninivitas
  Sicut Ionas macht die *Ninivitas* auch heilig (142).

Gebete, Lobgesänge:
benedicite[1], *gratias*[2]:
  Er spricht das *benedicite*, denkt, das yhr das *gratias* dazu sagt (374).
  (Vgl. Bi 3, S. 244: Sie sollen predigen, das *benedicite* und *gratias* beten.)
magnificat[3]
  Unser Herr Gott wirds *magnificat* mit yhn practicirn (306).
paternoster
  Da wolt ich mein sonders *paternoster* zu haben (289).
  (Vgl. das *Pater noster*, 1603, Schlag.; Briefe Bd. 7, Nr. 2122: Ich bete
mein armes *Pater noster* noch immer fest. Dagegen: das Vater unser: 352,
421, 590; des Vater unsers: 421.)

2. Adjektive

activus, passivus:
  Der Teuffel wil nur *activam iustitiam* in uns haben, so haben wir allein
passivam und sollen auch kein *activam* haben. *Passivam* nu will er uns nit
lassen; so hab ich in der *activa* verlorn (141).
certus, incertus
  sed ich lass mir kein *prophetia* sein, sie sey denn gar *certa* (424); Er heists
billich *incertum*, … *Ergo* so heist es *incerta*[4] (39).
infinitus
  Rhetorica in libris Regum, die ist gar *infinita* (467).
liber
  und liessen es sonst *liberum* bleyben (356).
maior, minor (die Voraussetzungen einer Schlussfolgerung):
  Minor, die heyst *fides*; *maior* heyst *verbum Dei* (369).
malus
  Pono casum, das *minister* gar *malus* sey (574).
novus
  so heyssen sie es *novam* (317).
principalis[5]
  Augustinus, der ist *principalis* (18).
secundus
  (*Prima tabula in mundo* ist gar nichts,) *secunda* ist ein wenig in eim ansehen[6] (200).

---

[1] Vgl. Malherbe S. 65: „schon mhd. beneditz“.
[2] Ebd. S. 76: „Danksagung am Tisch, vielfach auftretend.“
[3] Ebd. S. 78 werden 3 Belege bei Luther verzeichnet.
[4] Zitatbedingt: *Incerta et occulta sapientiae tuae manifestasti mihi*, Ps. 51, 6.
[5] Malherbe S. 84. verzeichnet *Principal* = Vorgesetzter; „ausserdem ist es als
Adj. sehr im Gebrauch.“
[6] Unsicherer Beleg. Die HS hat „2.“.

securus

gieng er *securus* dahin (590).

spiritualis

da der Teuffel *ex corporali passione* will *spiritualem* machen (3669).
(Vgl. dagegen: Das unser ding alles geistlich ist, 629.)

varius

In particularibus wirds als *varium* (349).

Vgl. ausserdem:

I, das ein mensch so *promptus* ist *ad docendos alios omnes praeter se ipsum* (339).

Bi 3, 357, wo man an sich Adverb erwarten würde: wie schlestu nur den kopff nidder redist *laetus*.

3. Adverbien

civiliter

Und das mus ein jurist auch *civiliter* thun, nit allein *theologice* (320).

corporaliter

wenn es euch schon ubel geht *corporaliter* (461).

contra

contra mus man wissen (3669).

(Vgl. das Spiegelbild: *tamen habemus orationem dominicam* dagegen, 518.)

generaliter

Mundum hat er *generaliter* gefasst (385).

praecipue

Da geht sie *praecipue* mit umb (467).

primo

Unser Herr Gott hat allweg *primo* angefangen (434).

proprie

Sind *proprie* polsterhund (285); Parfusser munch sind *proprie* leus (301); sein nelicker *proprie* (1705, Schlag.).

simpliciter

Bellum nimbt *simpliciter* als hin weg (282).

secundo

(so wol ich zu yhm sezen mein Vatter unser, ...) *secundo* meinen glauben auch (132).

theologice

Vgl. oben unter *civiliter*.

Vgl. Briefe Bd. 8, Nr. 3300: die Pfaffen machens *vere* zu viel ... Bd. 6, Nr. 1949[1]: Auch redet Paulus *universaliter* uff ebräische Weis. Bi 3, S. 523: Ich wolts gern *impersonaliter* haben. Bi 2, S. 19: hin und widder sagen *alternis*.

---

[1] Vgl. oben S. 68, Anm. 2.

4. *Verben*

Wir hatten oben (S. 53 f.) festgestellt, dass das finite Verb die Sprachzugehörigkeit eines Satzes entscheidet. Daraus ergibt sich, dass ein
lateinisches finites Verb nicht in einen deutschen Satz eingeschaltet
sein kann. Da das lat. Prädikat das Subjektspronomen mit einbegreift,
sind Sätze wie: *ascendit* und nimpt … (386), er trotzet und *dicit* (521),
als zusammengezogene Sätze zu bewerten; das sprachliche Geschehen
ist keine Einschaltung, sondern eine Umschaltung. (S. diese Sätze unten
S. 215 ff.)

Anm. In Luthers Briefen dagegen habe ich zwei Belege gefunden, in
denen man ein lateinisches finites Verb als in einen deutschen Satz einge-
schaltet ansehen muss; hier lässt uns das finite Verb als Kriterium im Stich:
Bd. 11, Nr. 4164, im sonst lateinischen Brief, steht der zusammengezogene
deutsche Satz: Die hackenbuchsen habens gethan und den reysigen zeug
Heintzen *dissipaverunt*.
In Bd. 6, Nr. 1978, in einem deutschen Brief, steht in einem Teilsatz:
und derselben hoffen und warten, wie sie uns *promissa est* und unser wartet.
Siehe zu diesen Sätzen den Abschnitt „Die Bibelnotizen und Briefe", unten
S. 259 ff.

Übrig bleiben für diesen Abschnitt nur einige wenige substantivisch
gebrauchte Verbformen[1].

facere, credere:
    da war das *facere* (590); *Quia* uber das *facere* ist noch das *credere* (590).
Placebo
    So wurdt denn aus dem *dormire, bibere, legere* … ein lauter *Placebo* durch
    und durch (369).
posuisti
    so ist er *dominus mundi* und gibt mir ein gut *posuisti* (518).

5. *Partikeln*[2]

Ich habe nur einen Beleg:
non
    um seines namens willen, *non* umb Ferdinandus willen (332); (*non* ist
    möglicherweise auf die Abkürzung zurückzuführen, vgl. Rörers Predigt-
    nachschrift, unten S. 261 ff.).

---

[1] Vgl. oben S. 74, unter „Sonderfälle". Zum Gerundium *docendo* s.u. S. 142 f.
[2] Die lateinischen Konjunktionen und Konjunktionaladverbien, die einen
deutschen Satz einleiten, werden unten S. 143 ff. behandelt.

B. Deutsche Wörter

1. *Substantive*

Christ
   Christ *est, qui habet talem qualitatem* (376).
      (Vgl. oben S. 63, unter *christianus.*)
Geld
Gellt *est verbum Diaboli* (391).
Stadtrecht, Hausrecht
   Salomon continet stadrecht, *Ecclesiasticus continet* haus recht (367).
Vgl. Bi 2, S. 26: *ut sit loco illius* schatzmeister; Bi 1, S. 530: *sicut ignis in*
reysholtz *et spinis furit multa flamma subito.*
Anm. Nicht bei VD., aber bei anderen Schreibern finden sich deutsche
Substantive mit lateinischer Endung: *Philippi* landtgraf*ii*[1] (3514, L + W;
vgl. Briefe Bd. 2, Nr. 422: *cum* Landgrav*ia Hassiae*); *violentos* schwermer*os*
libenter habeo (1407, Schlag.); *Haec de* schwermer*is* ... *dixit* (1409, Schlag.).

2. *Adjektive*

In den TR[2] kein Beleg. Vgl. jedoch in Bi 1, S. 49:
   non iustior sed feyner.

3. *Adverbien*

eusserlich
   Illis autem in Actis ... *manifestatus est* eusserlich (402).
schon
   sed dialectica superabo, si non schon, *at secundum proverbium* (446).
Pronominaladverb: dagegen
   Tamen habemus orationem dominicam dagegen (518).
Vgl. Bi 1, S. 582: frue *maturat disciplinam.*
Vgl. auch das deutsche Adjektiv mit Adverb: *et dedit mihi Deus utrunque*
sehr groß (518).

---

[1] Vgl. hierzu F. Blatt, Sprachwandel im Latein des Mittelalters. In: HVj 28.
1934. S. 26 f.: „Die den Nationalsprachen entlehnten Gebilde wandern innerhalb
des Mittellateins von Land zu Land ... Es würde sich zeigen, dass in der Verwaltung im weitesten Sinne des Wortes das Einheimische sich am zähesten hält;
die bekanntesten Lehnwörter fallen gerade auf dieses Gebiet ..." (Blatt nennt u. a.
marcgravius).

[2] In Nr. 1265 (Schlag.), was laut Kroker (Anm. 2 zu diesem Stück) keine eigentliche Tischrede, sondern vermutlich erst später eingeschoben ist, findet sich:
et faciet vos keckh *ad quaevis mala toleranda.*

4. Verben

Aus den gleichen Gründen wie den oben S. 76 für die lateinischen Verben angeführten kommen nur substantivische Formen in Betracht. Nur ein Beleg:

quia hoffen *est ex spiritu Dei* (388).

5. Partikeln

aber (substantiviert in Objektstellung)
et tantum addere hanc particulam: Aber (247).
auch
Miror auch, das (604).
Parenthetisch stehen ferner einige Interjektionen:
Wola, *ille sanguis, qui nunc funditur, provocabit Deum* (286).
Vgl. Briefe Bd. 6, Nr. 1940:
Wohlan! wohlan! *Sit sanguis super caput ipsorum* ... Ebd. Nr. 1993, in den lateinischen Brief eingesprengt: ... *quia est vicarius Christi.* Wohlan, *dies ille venit* ...
Ach
qui dixit: Ach, *Christus accusat me* (590).
Ja
Ja, *nihil feci* (141).

2. DER MISCHSATZ

A. Der Hauptsatz[1]

Bemerkungen zur Einteilung des Materials

Erben hat in seiner Luthersyntax ,,die Hauptgliederung des Satzes vom Verb aus, als der zentralen Bezeichnung des Geschehens oder Seins" vorgenommen: ,,Um diesen Kern ... gruppieren sich die anderen ... Redeteile. Je nach Art dieser Gruppierung in ,,Vor-, Mittel- oder Nachfeld" des Verbs erhält der Satz seine besondere Gestalt"[2]. Ich übernehme dankbar Gruppierung und Termini als meinem Material angemessen.

Die Einteilung meines Materiales geschieht wie folgt:

1. Deutsche Mischsätze mit lateinischem Vorfeld.
2. Deutsche Mischsätze mit gemischtem Vorfeld.
3. Spiegelbilder zu 1 (= lateinische Mischsätze).
4. Spiegelbilder zu 2 (= lateinische Mischsätze).

---

[1] Hier werden auch einige Gliedsätze behandelt, vgl. unten S. 86 u. 91.

[2] S. 13. ,,Die Termini 'Vor- und Nachfeld' sind von E. Drach ... übernommen und durch 'Mittelfeld' (das von den Gliedern der verbalen Kerngruppe, etwa Verb + Hilfsverb, umrahmte Satzstück) ergänzt worden." Ebd. Anm. 4.

In entsprechender Weise werden Mittelfeld und Nachfeld behandelt. Einzeln in einen anderssprachigen Satz eingeschaltete Wörter werden dabei in diesem Abschnitt nur mit aufgeführt, wo sie ein Vor-, Mittel- oder Nachfeld füllen. Das diesem Abschnitt entsprechende Material bei Schlag. wird unten S. 115 ff. zum Vergleich herangezogen und verwertet.

I. DAS VORFELD

1. *Deutsche Mischsätze mit lateinischem Vorfeld*

a. *Das Vorfeld ist von einer Partikel besetzt*[1]

Ergo mus *fides in hac carne infirma* sein (122);
Sic hat Christus auch mit sich hinweg gerissen *politiam Iudeorum et imperium Romanum* (102);
Sic kompt man *ex secunda tabula in primam* (388);
Sic zeuh Esau *et* Iacob auch *ad iustitiam* (514);
Sic ist kein gebot *de oratione* (365);
Sic wurfft *papa* die leut *ordinatione illegitima* in die kirchen (574);
ideo hat er *ecclesiam* eingesezt und *ministerium verbi* (469);
Ideo mus er *cum viperis et pharisaeis* anderst reden (521);
Et tamen fichtet er mich da mit an (612);
et tamen sol er sizen *contra templum Dei* (574);
et tamen hellt er nichts davon (342);
tamen rafft er sich wider auff (3669);
Deinde fule ich, das ... (402);
sed lasset mit euch reden *de Christo* (3669);
sed sollen wider keren *ad gratiam* (407).
Vgl. Briefe Bd. 6, Nr. 1806: *ideo* sollen sie mich ... ungeheiet lassen.

b. *Das Vorfeld ist vom Subjekt besetzt*[2]

α. einfaches Subjekt:
Argumentum ist wie ein leere bruch, *sed rhetorica* ... (467);
Baptismus gibt sovil als *circumcisio* dort (365);
Bellum nimbt *simpliciter* als hin weg (282);
Christianus fraget nit nach ungluck (518);
Creatura ist zuvor (320);

---

[1] Sämtliche bei VD. befindlichen Belege dieses Musters wurden hier nicht aufgeführt, da sie Legion sind; bei allen übrigen Beispielen wird jedoch Vollständigkeit angestrebt. — Vgl. Erben S. 16: „Das Vorfeld bietet naturgemäss Raum für einleitende, Ausgang oder Anschluss (an Vorgesagtes) des Geschehens oder Seins bezeichnende Redeteile." — Weitere Belege für die Konjunktionen finden sich unten S. 143 ff.

[2] Vgl. Erben S. 16: „im Vorfeld steht der Träger und Ausgangspunkt des Geschehens".

Disputationes wehren die freud (494);

Evangelion ist zu Wittenberg, wie ... (496);

Invidia wil *iustitia* sein, *superbia veritas* (382);

iustitia neeret, *fortitudo* wehret, *prudentia* regiert alles (32);

Magistratus sol gleich wol streng damit sein (222);

magistratus ist allein, *ubi pater, mater non sunt* (386);

maior heyst *verbum Dei* (369);

Natura kan nit hoher *quam corpus* ... *servare* (411);

Papa hat sich *tanquam spiritualis magistratus* uber das *verbum* gesezt (606);

Papa ist allein bliben *in controversiis iudicalibus* (18);

Papistae haben uns bose gedancken gemacht *de pueris* (365);

Peccatum thut uns nit so wehe als *iustitia propria* (252);

Peccatum zeucht unter sich *ad desperationem* (273);

Substantia bleybt, *vanitas*, die geht under (439).

Vgl. Bi 3, S. 174 (unten): *maritus* hat sie zur hand, ... *servus, ancilla* ist nicht so. Ebd. S. 212: *Puncta* konnen so wol feylen als treffen.

β. subst. Infinitiv:

Doctrinam invadere ist noch nie geschehen (624).

γ. Sonderfall: das Subjekt ist ein Bibelzitat:

Christus descendit ad inferos, heisst schlecht, das er nit heroben sey auff erden (278).

c. *Partikel + Subjekt im Vorfeld*

α. einfaches Subjekt:

Sic anabaptistae werffen die tauff gar hinweg (342);

Sic medicus ist unser Herr Gotts flicker *in corpore* (360);

Sic papa verbeut *verbum* nit (342);

Sic seditiosus sundigt *contra magistratum* (342);

Sic etiam ratio dienet dem glauben (439);

Ergo sabbatum ist umb *verbi* willen *gebotten* (385);

Sed fides ist der teglich todt *veteris Adae* (484);

Sed prima [*tabula*] fichtet einen wenig an (461);

Sed christianus bleybt schnur gleich auff dem Christo (501);

sed mundus heyst Gott *fortunam* (414);

sed nomen bleybt (342);

Quia adversarii haben mich allein verdroßen gemacht (518);

quia Hebrei haben nit vil geschifft (636);

quia proles ist die beste wollen (374);

quia Diabolus schlegt eim *verbum* auff den kopff (590);

quod circumcisio hat vor Christo sollen gehen eben auff die selb gnad (365);

quod Deus heyst hie Gott nit im himel (414).

β. das Subjekt ist ein Eigenname (= sprachlich neutral):

Sicut Ionas macht die *Ninivitas* auch heilig (142);

Sic Bernhardus ist gulden (584);

quia Christus hat yhm nit *furtum* befolhen (605);
quia Christus heisset *hodie et heri* (649).

γ. Subjekt mit nachgestellter Partikel:
Rustici autem komen selten dahin (352);
Donum autem kan kein *praeceptum* sein (499);
Patres igitur haben das empfangen (365);
Pater igitur sol *pater* bleyben (415).

Vgl. Bi 3, S. 301 (unten):
Inpersuabilis autem wird nicht recht faren.

d. *Im Vorfeld steht das Subjekt mit Bestimmung*

α. mit einer Bestimmung:
Primum praeceptum bleybt (369);
Oeconomica ira ist nur unsers Herrn Gotts puppenspil (255);
Humanum cor kan es nit fassen (137);
Nostra fides ist ein wunderlich ding (284);
Vestra cogitatio ist nit Christus (137);
Spiritus Sanctus sezt *mortem* ein *ad poenam* (186);
Unus Latomus ist der feinst *scriptor contra me* gewest (463);
Animus humanus kan nit rugen (508);
Cogitationes intellectus machen nit traurig (491);
Cognitio Christi ist ein gross ding (434);
Scholae fidei heyst mit dem todt umbgehn (310);
Murus sensualitatis ist ein grosser berg (178);
Instinctus divinus kan bald geben, das ... (45);
Remissio peccatorum geht uber hin (590);
Remissio peccatorum thut vil (482);
Res fidei heissen *invisibilia* (3669);
Epistola Iohannis ist leicht (68);
Epistola ad Galatas ist mein epistelcha (146);
Magister Vitus trinkt nit (135);
Fridericus dux sammlet ein mit scheffeln (653);
Pueri in lege haben *circumcisionem* angenommen (365).

Vgl. Bi 2, S. 133:
rex Babylon wirds schnitzen.

β. mit mehreren oder umfangreichen Bestimmungen:
Prima tabula in mundo ist gar nichts (200);
Sequentia in secunda missa nativitatis Christi ... ist mir seer lieb gewest (428);
Praefatio Erasmi in epistolam ad Romanos geht eim Christen durch leyb und leben (500).

γ. mit vorangestellter Partikel:
Econtra secundum praeceptum bleybt *in hac vita* (369);
Sic mater Samuelis wolt schir torheit werden (374);

Sic ambo duces haben ein augen wasser (360);
Sic sola cognitio Christi erhellt mich (252);
Sic dux Georgius ist inn die sund gefallen (388);
quia bonus praedicator muß das dran sezen (453);
sed [ratio] illustrata a Spiritu hilfft judicirn die heylig schrifft (439);
Sic causa Hussi et mea hat sich gehoben uber dem ablas (488).

δ. mit eingeschobener Partikel:
   Ratio autem illustrata nimbt alle gedanken vom *verbo* (439);
   Mera enim lex ist nit nutz (442).

ε. mit der Bestimmung als Teilbogen nachgestellt:
   Dux Albertus, pater ducis Georgii, ist allweg ein schrit nach herzog Ernst ...
      gangen (492);
   et lingua, in quantum lingua, hilfft dem glauben nit (439).

e. Mehrere Subjekte

Vox promissionis et gratia mus vor seyn (434);
pater et mater ist hoher *quam magistratus politicus* (386);
Daniel et Apocalypsis Iohannis gehn fein in einander (332);
Hieronymus et Origenes haben dazu geholffen (335);
Hilarius et Theophilactus sind gut (252);
Terencius, Homerus et similes poetae sind keine munch gewesen (285);
mit vorangestellter Partikel:
Igitur magistratus et doctor mus gewiss sein (518);
sed Erasmus et alii hatts nie keiner mit ernst gemeinet (463).

f. Im Vorfeld steht das Objekt

α. Akkusativobjekt.
1. einfaches Objekt:
   Verbum kan man nit verteydingen (465);
   Substantiam muß man sezen (574);
   Mundum hat er *generaliter* gefasst (385).
2. mit Partikel:
   Incarnationem igitur sol man hoch halten (494);
   Sic decalogum kan man nit aus studirn (369).
3. mit Bestimmung:
   Tertium praeceptum lest er bleyben (369);
   Veros ministros et fideles mus sie wurgen (229);
   Me iuvenem hatt der spruch schir getodt (461).
4. mit Partikel und Bestimmung:
   sed decem praecepta wil ich nit zu yhm sezen (132).
5. zwei Akkusativobjekte:
   signum et promissionem sol man an eynander binden (365).
β. Dativobjekt.
   nur ein Beleg mit Bestimmung:
   Fratris consilio sol man folgen (519).

γ. Präpositionalobjekt:
1. mit Partikel:
> *Ergo cum conscientia* haben die juristen nit zu thun (320);
> *cum verbo autem* bleset mir der Geyst das hertz an (402).
2. mit Bestimmung:
> *De sacramento altaris* ist kein nott gesezt (365).

g. *Im Vorfeld steht eine Umstandsergänzung oder -angabe*[1].

α. Präpositionalgefüge:
> *In prophetis* ist nichts *de peccato originali* (277);
> *In toto evangelio* sihet man, *quod* ... (640);
> *In vita* haben sie die rechten *doctrinam* nit getriben (118);
> *In oratione* haben wir den forteyl (358);
> *In particularibus* wirds als *varium* (349);
> *In omni iure* mus das *debet* sein (581);
> *In omni tentatione* sol man sehen, das ... (407);
> *In articulo remissionis peccatorum* ligt die *cognitio Christi* (252);
> *In ultimo versu* steht das *evangelion* heymlich (424);
> *In administratione oeconomiae et politiae* mus *lex* seyn (315);
> *In psalmis et aliis historiis ut in Hieremia* sihet man, wie ... (408).

Vgl. Bi 1, S. 629: *in aula* gehts zu also; Bi 3, S. 434 (unten): *In Genesi* stehets auff dem propheten gar; Bi 3, S. 454: *In Grecia* ists 600 kronen.
> *Sine practica* kan niemandt gelert sein (352);
> *Secundum spiritum* stirbt man gern (408);
> *Ab aeterno* hat man *praecepta Dei* angriffen (102);
> *Sub monachis* hat *ecclesia* nit konnen muken (331);
> *Super 4 sententiarum* ist er besser den Thomas (280);
> *Pro mea persona* furcht ich kein schwermer (518).

β. mit Partikel:
> *Sic a posteriori* zeucht ers alles an sich (369);
> *sed in fine* werden sie eyns (142);
> *sed in disputationibus* wurds gar ein ander man (584);
> *sicut statim post nostrum saeculum* wirds anderst werden (289).

γ. Ablativ:
> *Hac ratione* ist der *papa* auch auff den bann kommen (510).

Vgl. Bi 3, S. 295 (unten): *paupertate* werden sie mussen *caelibes* sein mussen.

δ. Ablativ mit Partikel:
> *Iam hac aetate* hab ich kein *tentatio* von den leuten (491).

ε. Sonderfall zum Ablativ:
im folgenden Beleg wird der absolute Ablativ als Gliedsatz vorangestellt:
> *Stante illa substantia, inquam, et salva* soll mir das leben ungenummen sein (3669).

---

[1] Vgl. Duden, Grammatik, § 1029.

2. Deutsche Mischsätze mit gemischtem Vorfeld

a. Im Vorfeld steht ein lateinisches Subjekt mit deutschem Artikel

α. bestimmter Artikel:
  Der *papa* hat mir nie weh gethun (491);
  Die *vocatio* thut dem Teuffel sehr wehe (90);
  Das *argumentum*: *Ecclesia iubet*, stosset sie all (430);
  Die *promissio* thuts (365).
β. mit vorangehender lateinischer Partikel:
  Quia die *iustitia nostra seu operum iustitia* hat das hertzleyd (252);
  ibi die *principia* konnen nit feylen (312);
  quanquam die *cogitatio* hat mich lang plagt (446).
γ. unbestimmter Artikel:
  Ein *doctor bibliae* sol sie gar kennen (46).

b. Lateinisches Subjekt mit deutscher Partikel

α. ein Subjekt:
  denn *parentes* haben es yhm willen (365);
  aber *philosophia Aristotelis* heisst (155).
Vgl. Briefe Bd. 6, Nr. 2072: aber *stultus* muß *stulta* reden.
β. mehrere mit „und" verknüpfte Subjekte[1]:
  D a v i d und *prophetae* sind die sparren (429);
  Secunda secundae und *prima primae* wer leydlich (280).
Vgl. folgenden Beleg in den Briefen, wo zwei mit *et* verknüpften lateinischen
Substantiven eine deutsche Partikel vorangeht, Briefe Bd. 6, Nr. 1949:
denn *Sacramentum et verbum* sollten bei einander sein.

c. Lateinisches Subjekt mit lateinischen und deutschen Bestimmungen

  Hoc magnum miraculum mit dem reichstag ist gar vergessen (284).

d. Deutsche Partikel, deutsches Subjekt, lat. Bestimmung

  denn unser Herr Gott *et creator* muss ettwas hoher sein (517).

e. Im Vorfeld steht ein lateinisches Objekt mit deutschem Artikel oder deutscher Bestimmung

α. Akkusativobjekt mit Artikel:
  Das *argumentum* find ich (130);
  Die *argumenta* steht keiner aus (430);
  Die *promissio* weys ich (461);
  Die *tentatio* hat niemand denn du (518, demonstrativ);
  Die *cognitionem* kan er einem darnach also adumbrirn (252).
Vgl. Bi 3, S. 395: die *claudos et caecos* soltu nicht uberwinden.

---

[1] Vgl. oben S. 82, A1e.

β. Präpositionalobjekt mit deutscher Präposition und Artikel:
An einem *peccatore poenitente* ... sol man nit verzweiveln (388).

γ. Sonderfall: das Objekt ist ein deutscher Infinitiv mit lateinischem Objekt und lateinischer Partikel:
sed vota et missam an zu greiffen ... hab ich mich selb nie versehen durffen (113).

f. Im Vorfeld steht eine Umstandsangabe

α. lateinische Umstandsangabe mit deutscher Partikel:
secundum carnem aber heyst es (408).

β. Präpositionalgefüge mit lateinischem Hauptwort, deutscher Präposition und Artikel:
In der *tentatio* bin ich offt dahin gangen (141);
Von der *praedestinatio* muß man so weyt kommen (365);
Ergo zum *signo* beschneyde dich (365).

γ. deutsches Präpositionalgefüge mit lateinischer Bestimmung und lateinischer Partikel:
Sic aus dem spruch *de semine Abrahae* haben sie es alles (386).

3. Spiegelbilder zu 1

In den meisten Belegen aus den TR steht ein deutsches Subjekt im Vorfeld[1].

α. nur deutsches Subjekt:
Gellt *est verbum Diaboli* (391);
Mit den keglen schiben *est planissima figura magistratus* (261);
Krebs augen, ingwer *pulverisentur et bibantur* ... (179).

mit lat. Partikel:
quia hoffen *est ex spiritu Dei* (388).

Sonderfall: mit *et-et*:
unser Herr Gott *et alit et tuetur per scuta illa* (386).

Vgl. Bi 3, S. 397 (unten):
Schelten sich und zurnen unternander *d/icentes*[2] Ich hab recht, du unrecht, *est animi consternatio et dubitatio*.

β. Gleichsetzungsnominativ:
Christ *est, qui habet talem qualitatem* ... (376);

Im folgenden Beleg aus den Bibelnotizen steht eine deutsche Zeitangabe im Vorfeld: Bi 3, S. 434 (unten):
wil Gott, uber ein iar *habebis filium*.

---

[1] Die Bezeichnungen „Vorfeld, Nachfeld" sind für den lateinischen Satz uneigentlich, werden hier jedoch der Einfachheit und Übersichtlichkeit halber beibehalten.

[2] Die Abkürzung „d." der Handschrift wird in der WA mit „*dicimus*" aufgelöst; dies gibt m. E. einen schlechten Sinn. Vgl. unten S. 143 u. 176.

4. *Spiegelbilder zu 2*

Nur zwei Belege:

Lat. Partikel + gemischtes Subjekt:

Quia das recht treffen *seu punctum mathematicum est impossibile* (320).

Lat. Partikel + deutsche Umstandsangabe:

et tamen an yhm selb *non tollit magistratum* (342).

II. DAS MITTELFELD

,,Wird das Geschehen oder Sein durch ein zusammengesetztes Prädikat bezeichnet, so öffnet sich häufig ein Mittelfeld, ein von den beiden Prädikatsteilen umspannter Satzabschnitt."[1] Der Duden spricht von einer verbalen Klammer, ,,die mit Ausnahme des satzeröffnenden Gliedes ... alle übrigen Glieder in sich aufnimmt"[2].

Als satzschliessender Rahmenteil kann dabei auch die Negation funktionieren[3].

Da die Entzweiung des Prädikats der deutschen Sprache eigentümlich ist, finden sich zu diesen Sätzen keine Spiegelbilder (= deutsches Mittelfeld in lateinischem Rahmen).

In diesem Abschnitt werden auch Gliedsätze behandelt, sofern sie ein Mittelfeld mit lateinischem Einschlag haben.

1. *Deutsche Mischsätze mit lateinischem Mittelfeld*

a. *Im Mittelfeld steht das Subjekt*

α. einfaches Subjekt:

da mus *ecclesia* mit fechten[4] (518);

In administratione oeconomiae et politiae mus *lex* sein (315).

β. mit Attribut:

soll *remissio peccatorum* dazu kommen (315);

so geht *Spiritus Sanctus* mit (402);

Vgl. Bi 3, S. 524: ... aus dem Mordbrennen werde *magis gloria Evangelii* folgen.

γ. mit lateinischer Negation:

so soll *ne ungula quidem* dahinden bleiben (3669).

δ. Subjekt mit Raumergänzung:

Ergo mus *fides in hac carne infirma* sein (122);

Es muss *summa probitas* in Abrahamo sein gewest (611).

Vgl. Bi 3, S. 211 (unten), wo das Subjekt ein sprachlich neutraler Eigenname, Umstandsergänzung und Gleichsetzungsnominativ lateinisch sind:

Da muß Christus *in sua carne peccator* werden.

---

[1] Erben 1954, S. 19.

[2] § 1216. Über die ,,Klammer" s. jetzt auch Brinkmann, Die deutsche Sprache. 1962. S. 480 ff., und die dort S. 642 f. angegebene Lit. S. auch u. S. 104 f.

[3] Vgl. J. Erben, Abriss der deutschen Grammatik. Berlin 1961[4]. S. 183 f., und Boost S. 47 ff.

[4] Zu ,,mit" vgl. Erben 1954, S. 15. Anm. 2, und S. 142. Anm. 2.

ε. Zwei mit *et* verknüpfte lateinische Subjekte:
Da ist *desperatio et blasphemia* innen (334).

b. *Im Mittelfeld steht ein Prädikativ*

Invidia wil *iustitia* sein (382);
es mus *regnum iniustitiae* sein, (*quia non attingit punctum mathematicum*)
(320).

c. *Im Mittelfeld steht ein Objekt*

α. einfaches Akkusativobjekt:
Omnes gentes ... mussen *superstitionem* haben (371);
der hat *res* tractirt (18);
Sed ein christ lest *disputationes* stehn (494);
Spiritus Sanctus sezt *mortem* ein *ad poenam*[1] (186);
Sed unser Herr Gott wil *finem* machen *in ultima stultitia*[1] (522);
Sic papa verbeut *verbum* nit (342);
Ich hab *sacramentum* nit gestifft[2] (574).
Vgl. Briefe Bd. 6, Nr. 2072: aber *stultus* muß *stulta* reden.
β. Akkusativobjekt mit Attribut:
das unser Herr Gott hat *illum sexum* erneeren wollen (611);
denn Gott hat *societatem ecclesiae* geschafft (122);
wir mussen *dorsum eius* sehen (342).
γ. Akkusativobjekt + Umstandsangabe:
Huss hat *papam moraliter malum* angriffen (22).
δ. Präpositionalobjekt + Akkusativobjekt:
das er kan *ex evangelio legem* machen (590).
ε. Das Akkusativobjekt besteht aus einem Eigennamen; für die zahlreichen
Fälle gebe ich nur ein Beispiel:
Das hat Oecolampadium getodt (518).

d. *Im Mittelfeld steht eine lateinische Umstandsangabe*

Das geht *cum iubilo* zu (386);
si sind *in fide* erhallten *sicut nostri pueri* (33);
der so *argumenta* kondt *contra me* auffbringen (518);
Nehren und wehren muss *in pastore* bey sammen sein (648);
Sed wer kan *in praesenti tentatione* da hin kommen (590);
Judas ist *in vita sua* nit angefochten (590);
kondts *ex infirmitate* nit erhalten (604).

---

[1] Zum Nachfeld neben dem Mittelfeld vgl. ebd. S. 21, 24, 31, Anm. 4.
[2] Zu der engen Funktionsgemeinschaft zwischen dem Verbum und der Verneinungspartikel vgl. ebd. S. 40.

2. Deutsche Mischsätze mit gemischtem Mittelfeld

a. Im Mittelfeld steht das Subjekt

α. Lat. Subjekt mit deutschem Artikel:
In omni iure mus das *debet* sein (581).

β. Zwei durch „und" verknüpfte lat. Subjekte:
da geht *senatus* und *bellum* an (435).

γ. Lat. Subjekt mit deutschen Adjektiven, während die lat. Umstandsbestimmung der Zeit ins Nachfeld gerückt ist[1]:
Es muss ein gross unaussprechlich *gaudium* seyn *post hanc vitam* (585).

Vgl. Briefe Bd. 10, Nr. 3967, wo deutsche und lateinische Subjekte das Mittelfeld füllen:
Da ist nu Ablaßgeld, Annalen, *Reditus, rapina omnium Ecclesiarum infinita, pecunia tot annis parta* angelegt.

b. Im Mittelfeld steht ein lateinisches Prädikativ

α. Mit deutscher und lateinischer Bestimmung:
Unus Latomus ist der feinst *scriptor contra me* gewest (463).

β. zwei durch „und" verknüpfte Prädikative:
und ist *poeta* und *orator ex Mose* worden (369).

γ. lateinisches Prädikativ mit deutscher Negation:
Donum autem kan kein *praeceptum* sein (499).

Vgl. Bi 3, S. 399 (unten): lat. Prädikativ mit deutschem Artikel: Sind die *executores* gewest.

c. Im Mittelfeld steht ein lateinisches Objekt

α. Akkusativobjekt.
1. mit deutschem Artikel:
Er aber will die *generatio* behalten (429);
Staupicius hat die *doctrinam* angefangen (526);
Ich hab mussen die *sophisticam* lernen (143);
Der kan das *verbum* nit leyden (588);
Sicut Ionas macht die Ninivitas auch heilig[2] (142);
er sol das *punctum physicum* lernen (134).
Vgl. Bi 3, S. 407: haben das *regnum* erhalten wollen; mit unbestimmtem Artikel, ebd. S. 362: es werde ein *ritum* mit einschliessen.
2. ohne Artikel:
er mocht denn *baptismum* haben angesehen (502).
3. in der Inversion; das Vorfeld ist von einem anderen Satzglied als dem Subjekt besetzt, so dass das Subjekt ins Mittelfeld rückt. In fast allen meinen

---

[1] Zur Trennung syntaktisch zusammengehöriger Glieder einer Wortgruppe vgl. ebd. S. 24 f. u. 142.

[2] Zu „heilig" als klammerschliessendem Glied vgl. Boost S. 43; vgl. auch „*sanctificare*".

Belegen ist das deutsche Subjekt ein Pronomen und steht das Objekt ohne bestimmten Artikel:

Ab aeterno hat man *praecepta Dei* angriffen (102);

den hat man *crucem Christi* furgehalten (502);

Ideo hat er *ecclesiam* eingesezt und *ministerium verbi* (469);

da mussen wir *locum et tempus* aus den augen thun (517);

da wil ich nit *remissionem peccatorum* haben (316);

so kan ich nit *unum peccatum veniale* uber winden (141).

4. mit unbestimmtem Artikel:

so nimb ich ein p s a l m u m[1] oder ein *dictum Pauli* fur mich (19);

 (vgl. mit Nr. 141, wo *unum* betont ist).

5. Sonderfall: mehrere Eigennamen als Objekte; ausserdem steht im Mittelfeld noch ein lateinischer Relativsatz:

sondern da kan unser Herr Gott B a l a a m, S a u l, C a i p h a s, *qui prophetarunt ex spiritu Dei*, dahin werffen (34).

β. Präpositionalobjekt.

1. Die Präposition ist deutsch:

Er mus in die *caecos et perversos homines* zeichnen (206).

2. Inversion; das Subjektspronomen ist deutsch:

Ideo mus er *cum viperis et pharisaeis* anderst reden (521).

γ. Mehrere Objekte; wo das Personalobjekt aus einem Pronomen besteht, ist es stets deutsch.

1. deutsche und lateinische Akkusativobjekte:

quia ich hett *scripturam sanctam* und die feder und *ipsorum leges* fur mich (480).

2. deutsches Dativobjekt, lat. Akkusativobjekt; deutsche Negation oder Ergänzung:

quia C h r i s t u s hat yhm nit *furtum* befolhen, *sed officium* (605).

Er nam mir *locum iustificationis* fein aus den augen (141).

3. Lat. Präpositionalobjekt mit deutscher Präp. und deutschem Artikel; dazu deutsches Akkusativobjekt:

quia man mocht wol aus dem *ligno et lateribus* ettwas anderst machen (135).

Papa hat sich *tanquam spiritualis magistratus* uber das *verbum* gesezt (606).

Er hatt mich ein mal mit dem P a u l o *ad Timotheum* geplagt (141).

d. *Im Mittelfeld steht eine lateinische Umstandsangabe*

α. ausserdem deutsches Akkusativobjekt:

quia man mus die nasen *omni momento* haben (511);

und hab kein weyb *in ordine*, so zureden, weder gesehen noch gehoret (518);

und kan es *prae magnitudine* nit glauben (437);

wer wil … sich darnach *in summa pericula* steken (228);

---

[1] Unsicherer Beleg; die Handschrift hat „ps.".

Papa hat sich *tanquam spiritualis magistratus* uber das *verbum* gesezt (606).
Sonderfall: aufs Vorfeld zurückgreifende Bestimmung zum Subjekt („alle")
und aufs Nachfeld weisende Artergänzung („also"):

wir mussen alle also *ad salutem* kommen wie der *latro et* Paulus (122).

β. Inversion.

1. Das Subjekt ist ein deutsches Pronomen:

   so must ich dennoch *per remissionem peccatorum* selig werden (590);

   (Was die heyden sollen haben,) sollen sie *per hoc semen* haben (386);

   Was soll es denn *in scriptura sancta* sein (352);

   so hatt es doch *sub papa* erger gestanden (461).

2. mit deutscher Raumergänzung:

   wer ich in abgrund der hell *per superbiam* gefallen (141).

3. mit deutscher Präposition:

   kan ich zu den andern *secundae tabulae* nit komen (358).

4. lat. Präposition mit deutscher Schreibung[1]:

   tamen bin ich yhn *ecclesia* bliben (574).

5. Das Subjekt ist ein Eigenname:

   Das weys Moses *in Deuteronomio* meysterlich auszustreichen (369);

   Hats Christus *in mundo* nit erheben konnen (363).

6. Das deutsche Subjekt ist ein Substantiv:

   sonst muss der gedancken ymmer *in ratione* bleyben (430);

   Die narrenkappen — *ira Dei* — zeucht der Teuffel *omnibus malis et periculis* an (3669).

7. Eine Sonderstellung nimmt folgender Beleg ein:

   Es wird auch sonst *in talibus periculis* kein *consolatio* draus (3669),

   wo die „Prägung" durch ein Pronominaladverb gestellt wird, bedingt durch die feste Formel: „daraus wird nichts".

e. *Sonderfälle: der zweite Teil des Rahmens besteht aus zwei mit „und" verknüpften Infinitiven, von denen der zweite lateinisch ist*[2]:

1. im Mittelfeld steht ein lateinisches Subjekt:

   da mus *christianus* kommen *et dicere* (501).

2. das Mittelfeld ist deutsch; die Konjunktion ebenfalls:

   sed solt der Teuffel kommen und *causam hanc agere*[3] (349).

III. DAS NACHFELD

„Im Nachfeld haben im allgemeinen Ziel, Bezugsrichtung oder Umstand des Geschehens (bzw. die besondere Art eines Seins) bezeichnende Redeteile

---

[1] Vgl. unten S. 94, Anm. 3.

[2] Vgl. Erben 1954, S. 19 f. Anm. 3: „dabei kann der erste oder zweite Bestandteil des Prädikats mehrfach vertreten oder mehrgliedrig sein ... 'ich hab yhn auch geleßen unnd gehoret'". Wir haben hier eine Übergangsform zu den „zusammengezogenen Sätzen", vgl. unten S. 215 ff.

[3] Zum Sprachwechsel erst nach „und" vgl. die zusammengezogenen Sätze Nr. 388 (u. S. 216), u. 421 (S. 217).

ihren Platz; hier liegt in der Mehrzahl der Fälle auch der Sinn- und Tonakzent, das geistige und klangliche Ziel des Satzes. Es ist natürlich, dass dieses Feld stärker besetzt und gegliedert ist."[1]

In diesem Abschnitt werden auch Gliedsätze behandelt, sofern sie ein Nachfeld haben[2].

1. Deutsche Mischsätze mit lateinischem Nachfeld

a. Im Nachfeld steht das Subjekt

> das nur ein *persona* sey *Pater, Filius, Spiritus Sanctus* (269);
> da ist *materia abundans consolationis* (3669).

Vgl. Briefe Bd. 10, Nr. 3895:
> Zum Widerkauff gehoret *Primo Hypotheca.*

b. Im Nachfeld steht das Prädikativ

> *quia* das ist *medium indivisibile* (320);
> Du bist *fac totum in populo* (636);
> das ist *color* (11);
> odder ist *summa maiestas* (148);
> Das ist *peccatum in Spiritum Sanctum* (388);
> so ists *vera vocatio* (483);
> das ist *vox evangelii* (386);
> das ist *substantia mea* (3669);
> der schwartz schiltt ... ist *simulatio poenitentiae* (301);
> das sind *periculosa tempora* (574);
> Das sind *luctae* (3669);
> das ist *revelatio veteris [testamenti]* (374);
> die ist *factum et executio* (369);
> Sind *novitii in scriptura sancta* (406);
> der ist *principalis* (18);
> es sey *gaudium* (476);
> Unser Herr Gott ist *mirabiliter negligens in descriptione suarum rerum* (603);
> Das war nit *allegoria, sed spiritus et fides* (335);
> Das heist *cognitio Christi* (252);
> *Minor*, die heyst *fides; maior* heyst *verbum Dei* (369);
> das heist *proprie infernus, fovea etc.* (278);
> die heyst *ipsa paradisus* (302);
> Wenn es heist *verbum Dei* (349);
> das Sonnabendt heisse *septimus dies* (356);

---

[1] Erben 1954, S. 17 f. Vgl. zum Nachfeld auch Brinkmann, Der deutsche Satz als sprachliche Gestalt. In: WW. 1. Sonderheft. Düsseldorf 1953. S. 20.

[2] Vgl. Erben 1954, S. 24 f., 26.

das heist *a priori, id est, ex verbo* (369);
das heyst *ratio vel spiritus hominis* (388);
Das heist *caecitas* (369);
das heist *gemitus inenarrabilis* (425);
das heist *iudicare vivos et mortuos*[1] (586);
quia Christus heisset *hodie et heri* (649);
Das heyssen *electi* (501);
Res fidei heissen *invisibilia* (3669).
Vgl. Briefe Bd. 10, Nr. 3895: welches die Juristen heysen *repetitio sortis.*
Bd. 11, Nr. 4207 (an Käthe): das Gott ist *Exauditor precum.*
Bd. 6, Nr. 1933: und ist *personale privilegium.*
Ebd. Nr. 1944: sind *pugnae verborum.*
Ebd. Nr. 1804: Sie sind *sacrilegi.*
Ebd. S. 552: stille ist *tranquillo animo contra mala, expectans deum.*
Ebd. S. 363: so ists *levatio, i.e. oblatio.*

c. *Im Nachfeld stehen Subjekt und Prädikativ*

da heissen *illae res, quas tu urges, accidentiae* (3669);
Das hest Gerson *ducere ad genera generalissima*[1] (312).

d. *Im Nachfeld steht ein lateinisches Fallobjekt*

α. Akkusativobjekt:
Er nimbt *peccata levissima* (141);
ich schweig *Romanum imperatorem* (349);
die machen *affectus inenarrabiles* (467);
und schwechet *principalem articulum* (3669).

β. In den folgenden Beispielen würde man heute statt des Nachfeldes ein Mittelfeld verlangen:
Quia soltt ich nit wissen *centrum cordis impiorum* (484);
die haben nur genommen *tentationes affectuum de amore puellarum* (467);
Es wer nit gut, das wir wussten *pugnam Angelorum pro nobis* (518);
er sol haben *sacramenta, biblia, claves* (574);
Sic hat Christus auch mit sich hinweg gerissen *politiam Iudeorum et imperium Romanum* (102);
Abraham hat mussen glauben *resurrectionem mortuorum* (485).

γ. Dativ- und Akkusativobjekt:
Ich hab glaubt *papae, monachis omnia* (582).

δ. Sonderfall: als Nachtrag zu einem schon im Vordersatz genannten Akkusativobjekt:
Huss hat *papam moraliter malum* angriffen. *Nos concedimus moraliter malum* und greyffen in an *theologice malum*[2] (22);

---

[1] Zitatbedingter Sprachwechsel, vgl. unten S. 170.
[2] Übersetzung: wir sehen von der moralischen Schlechtigkeit ab und greifen ihn an, weil er theologisch schlecht ist.

theologice malum erfüllt hier inhaltsmässig gleichzeitig die Funktionen der Artergänzung und der Begründung.
Mit den Beispielen unter α–δ vgl.:
Briefe Bd. 7, Nr. 2147: laß zürnen *portas inferni*[1].
Bi 1, S. 16: Wie sie yhm fur kamen *robustos et debiles, nobiles et proletarios*.

ε. Präpositionalobjekt.
Mit diesem Abschnitt beginnen die präpositionalen Bildungen, die den weitaus grössten Teil der lateinischen Nachfelder besetzen. „Ausgeklammert werden gewöhnlich das präpositionale Adverbiale, das präpositionale Objekt oder auch das präpositionale Attribut, umsomehr, als diese Fügungen sowohl wegen ihrer inhaltlichen Bedeutung als auch wegen ihrer rhythmischen Schwere den Rahmen sprengen und nach stilistischer Endstellung streben."[2]
Diese Feststellung für die moderne Sprache gilt auch für unseren Text.
Solt auch nit weyter bitten *pro liberatione* (141);
er will mit einem disputirn *de iustitia* (469);
Man mus in distinguirn *ab officio* (605);
so wolt ich eitel lachende meuler finden *de trinitate, sacramento etc.* (484);
Unser Herr Gott hat ein welt gemacht *pro hominibus et alium mundum pro Spiritibus* (517);
sonder hat mussen leyden *ab impiis* (363);
sed lasset mit euch reden *de Christo* (3669);
Greifft *in 2. praeceptum* (369).
Vgl. Briefe Bd. 6, Nr. 1796: Wir reden *de membris Christi et corporis ecclesiastici*.
Bi 2, S. 65: Thu weg *de Ierusale*.

e. *Im Nachfeld steht ein lateinisches Attribut zu einem vor dem Nachfeld stehenden Satzglied*[3]

α. Präpositionalattribut.
1. es bezieht sich auf ein deutsches Glied:
Papistae haben uns bose gedancken gemacht *de pueris, qui moriuntur* (365);
das man yhn allein lass meyster sein *in spiritualibus* (361);
Me iuvenem hatt der spruch schir getodt *in proverbiis* (461);
das man die register alle hinweg lege *de nostris peccatis et meritis* (117).
2. es bezieht sich auf ein lateinisches Glied:
wie ein notiger *articulus* das ist *de iustificatione* (141).

---

[1] Cursus planus; der Satz steht am Ende eines Abschnittes, vgl. Erben 1954, S. 20, 23, 126, 140 Anm. 2, und meine stilistischen Studien zu Hubmaier (masch.) S. 28 ff.
[2] E. Riesel, Stilistik der deutschen Sprache. Moskau 1963². S. 272 f.
[3] Zur Trennung syntaktisch zusammengehöriger Glieder vgl. oben S. 88, Anm. 1.

β. Genitivattribut:
das Doctor Staupiz zu Isleben in der procession trug *corporis Christi* (137).
Vgl. Briefe Bd. 10, Nr. 3807 (S. 175[1]):
was *subiectum* und *finis* sey *Iuris civilis.*
Vgl. auch das prädikative Attribut, Bi 3, S. 426:
Was hat Jerobeam nü gemacht *eradicatus?*

f. Durch die Vergleichspartikel „sicut" oder „quam" eingeleitete Glieder[2]

1. *quam:*
so wurdt er anderst von sachen reden *quam Erasmus* (523);
sed er hatts bas gefasset *quam gentes* (356);
Er wurdt sich auch on zweivel vil bas gestellt haben *quam alii* (605);
werden uns mehr muhe machen *quam reliqui libri* (477);
aber es ist yhm seurer worden *quam vobis et mihi* (141);
das er nit hoher kompt *quam ad curas iuvenum et puellarum* (467).

2. *sicut:*
die den Turken fressen und *de imperiis mundi* tractirn *sicut Daniel* (311);
so hett im unser Herr Gott verzigen *sicut Petro* (604);
oder sie mussen die augen ins kot hinein stecken *sicut sues* (447);
si sind *in fide* erhallten *sicut nostri pueri* (33);
Ich hab mussen die *sophisticam* lernen *sicut Daniel Chaldaicam linguam* (143);
Vgl. Bi 1, S. 629: gibs frey weg *sicut aquam;*
mit „*ut*" statt „*sicut*":
Bi 3, S. 306: Sie ... wird im in der schos gelegen sein, *ut Samson.*

g. Im Nachfeld steht eine Umstandsergänzung oder -angabe

α. Präpositionalbildungen[3].

In:
das das *verbum* blib *in populo* (385);
wenn ich izt wer *in mundo* (203);
allein stehets *in promissionibus* (277);
Papa ist allein bliben *in controversiis iudicalibus* (18);
die ist *in historiis regum* (467);

---

[1] Die Nummerfolge in der WA ist in Unordnung geraten, indem zwei aufeinanderfolgende Briefe die Nr. 3807 tragen.

[2] Vgl. W. Admoni, Der deutsche Sprachbau. Leningrad 1960. S. 249 u. 127.

[3] Die Umstandsergänzungen werden der Präposition nach aufgeführt, nicht inhaltlich in Raum-, Zeit-, Art- und Begründungsergänzung nach Art des Dudens geschieden. Dabei wird die *in*-Gruppe als die umfangsreichste zuerst gebracht, während die übrigen in alphabetischer Ordnung folgen. Bei der *in*-Gruppe ist die sprachliche Zugehörigkeit der Präposition zweideutig. Im Hinblick auf die übrigen Präpositionalbildungen und die Abwesenheit des Artikels (vgl. unten S. 137 f.) habe ich sie der lateinischen Sprache zugeschrieben. Dass die damaligen Sprecher gelegentlich unsicher waren, zeigt die Schreibung hier und da an, s. Nr. 574 (oben S. 90) und Bibelnotizen.

das sie gehengt ist *in futurum Christum* (365);

und sol sein *in templo Dei* (574);

das der Teuffel sol sizen *in ipso throno Dei* (574);

Wenn sie kompt *in res divinas* (430);

Sed unser Herr Gott wil *finem* machen *in ultima stultitia* (522);

Dort fur er herab *in igne et ruinis* (386);

Terencius bleybt *in humilibus et affectibus oeconomiae* (467);

und Gott hat in drumb so hoch tentirt *in homicidio et adulterio* (148);

ee mir das einfellt *in tali lucta* (525);

sed in fine werden sie eyns *in remissione peccatorum* (142);

das man nit stoltz werde und erhebe sich *in donis Dei* (34).

Sonderfall; mit lateinischer Partikel:

das es ein lasst mit zeucht *vel in desperationem vel in praesumptionem* (273).

Vgl. folgende Belege aus den Bibelnotizen:

Bi 3, S. LVI: das leben suchen und sich hie setzen wollen *in securitate quasi nunquam morituri.*

mit deutscher Schreibung: Bi 2, S. 68: sitzen ynn *tuo officio.* Ebd. S. 16: ynn *superbia mea.*

ab:

Man mus in distinguirn *ab officio*[1] (605).

Vgl. Briefe Bd. 10, Nr. 4025:

Ach wir leben ins Teuffels Reich *ab extra*, Darumb sollen wir nicht gutes sehen noch horen *ab extra.*

ad:

sed sollen wider keren *ad gratiam* (407);

das gehet *ad remissionem peccatorum* (142);

sonst wer ich blod gewest *ad tantam pugnam* (480);

Pfu dich, das du nit kecker bist gewest *ad credendum Christo* (203);

Gott schlige *ad sanitatem* (94);

Spiritus Sanctus sezt *mortem* ein *ad poenam*, das er uns sol schrecken, *non ad gaudium* (186);

das alle historien dringen *ad remissionem peccatorum* (388);

Vergilius kompt ein wenig hoher *ad instruendos magistratus et bella* (467);

Geht nit *ad praedestinationem* (514).

Sonderfälle:

1. mit lateinischer Partikel:

quia sie sol allein gehn *usque ad Christum* (365).

2. die Umstandsergänzung bezieht sich auf ein lateinisches Glied im Mittelfeld:

I, das ein mensch so *promptus* ist *ad docendos alios omnes praeter se ipsum* (339).

Vgl. Briefe Bd. 6, Nr. 1978: und der alte Adam zeucht wieder zuruck *ad visibilia.*

Bi 1, S. 155 (Anm. zu 1. Kön. 7,2: Er bawet ... eyn haus) heubt schlos *ad pompam hospitum.*

---

[1] Grenzfall zwischen Präpositionalobjekt und freier Umstandsangabe.

Bi 3, S. 354: Unser herr Gott hat nicht *ferrum* wollen brauchen *ad hoc Sacramentum Circumcisionis.*

ante

das die predig *de semine Adae promisso* grosser gewest sey *ante diluvium* (291).

contra

Es sol auch kein mensch allein sein *contra Sathanam* (469);

sed das yhr *opera* sollen bleyben *contra Diabolum* (499);

Sic seditiosus sundigt *contra magistratum*[1] (342);

et tamen sol er sizen *contra templum Dei* (574);

denn Christus hat uns gesetzt *contra potestates aeris, non contra carnem et sanguinem* (518);

nam praecepta, die gehn *contra superbos, qui contemnunt dona* (499);

Ergo hat Gott wol so fest bey uns gestanden *contra Satanam et sacramentarios* (140).

cum

das es bleyb *cum favore* (386);

da kreucht sie gewisslich hinach *cum corpore* (407):

quia weyl der Turck *ex proprio consilio* so daher feret *cum tanta praesumptione* (243);

da muss man unsern Herrn Gott nit vexirn *cum parvis peccatis* (461).

Vgl. Briefe Bd. 10, Nr. 3934: Wir mussen doch singen *cum illis*[1].

Bi 2, S. 10: Ey man mus bund machen *cum gentibus*[1].

per

sed es ist mir auch sauer worden *per tentationes* (518);

Wenn unser Herr Gott komen ist *per verbum* (296);

wenn unser Herr Gott nit wer drein kommen *per evangelium* (461);

und wolten allein die ehr haben *per nomen Ihesu* (480);

das wir nit fromm werden *per opera, patres etc.* (514);

Sed politica ira, die nimbt weyb und kind hinweg *per caedes et bella* (255).

Sonderfall: mit Partikel:

Unser Herr Gott thut nichts gross *nisi per impetum* (406).

Vgl. Bi 1, S. 633: bleybt *per noctem.*

post

Wir mussen auch ettwas haben *post hanc vitam* (411);

Es muss ein gross unaussprechlich *gaudium* seyn *post hanc vitam* (585).

pro

so sihet sie es an *pro ebrietate* (141).

propter

Sed grosse heyligen mussen grosse sunden thun *propter nos* (376);

das Gott Abraham hat lieb gehabt *propter semen promissum* (289);

Dem ampt geht nichts ab *propter ministri indignitatem* (342);

so leydets gern *propter illam aeternam cordis poenam sublatam in conscientia* (461).

---

[1] Grenzfall zwischen Präpositionalobjekt und freier Umstandsangabe.

secundum

die ... messen es ab *secundum rationem* (352).

sine

das wir all ding anheben *sine oratione et ex praesumptione* (185);
So wollen sie es vor wissen *sine et extra verbum* (403);
Verbum kan man nit verteydingen *sine fiducia divina* (465).

β. Umstandsbestimmung anderer Art als präpositionaler:
1. Ablativ:
   der all ding thut *summo studio* (105);
   Unser Herr Gott hat das volk sunderlich gefasst *legibus* (385);
   die umb sich schlecht *potentia et impetu* (3669).
2. Gerundium:
   das ich unrecht thun hab *docendo* (495).
3. Adverb:
   wenn es euch schon ubel geht *corporaliter* (461).
4. Prädikatives Attribut + Adj. als Arterg̈anzung und präpositionale Raumergänzung:
   Ich komme *meditatus et satis hostiliter ad pugnam* (463).
Vgl. zu 1.: Bi 1, S. 398: fort gehe *executione*.
Bi 3, S. 326: stoltz werden *aliena miseria*.
Bi 1, S. 580: Wer recht hat der redet frey sicher, *bona conscientia et vera fidelis.*
Bi 3. S. 409: Was Gott nicht lieb hat, das stelt sich freundlicher *omnibus gestibus moribus blanditiis quam veri eius filii ut sacerdotes Baal.*
Zu 2: Bi 2, S. 53: erhellt *iurando*.
Bi 3, S. 524: Weil der Gottlose ... grossen ubermut treibt *docendo confidenter, Nocendo superbe.*
Zu 3: Bi 2, S. 19: hin und widder sagen *alternis*.
Zu 4: Bi 2, S. 10: wollen klug sein *contentiosi*.
Ebd. S. 133: *rex Babylon* wirds schnitzen *quasi similis regi Babylonis.*

2. *Deutsche Mischsätze mit gemischtem Nachfeld*

a. *Im Nachfeld steht das Subjekt*

α. Lateinisches Subjekt mit deutschem Artikel:
   In articulo remissionis peccatorum ligt die *cognitio Christi* (252);
   darnach kompt das *verbum dominicum* (320).
Subjekt mit Artikel + lat. Sinnergänzung:
   es gerate der *morbus sive ad vitam sive ad mortem* (3669).
β. Lat. Subjekt ohne deutschen Artikel:
1. mit deutschem Objekt:
   Da hilfft mich *vera theologia* (320).
2. mit deutscher Sinnergänzung:
   Also ist *scriptura sancta* auch gewiss gnug (352).
3. mit sprachlich neutralem Akkusativobjekt und deutschen Bestimmungen:
   Sonst gebe *historia Iacobi* allein ein ganzen L i v i u m (603).

Vgl. Briefe Bd. 6, Nr. 1949: mit lat. Sinnergänzung u. deutscher Partikel:
so bleibt *mala potestas* dennoch *potestas*.

Sonderfall: Das Subjekt ist ein Akkusativ mit Infinitiv, mit deutscher Stütze und deutscher Raumergänzung:
so ist das ein herrlich ding gewest *apostolum omnibus linguis posse docere*, wo er hin komme (435).

γ. Deutsches Subjekt mit lateinischer Bestimmung:
Sic ist kein gebot *de oratione* (365);
In prophetis ist nichts *de peccato originali et resurrectione mortuorum* (277).
("ist" = findet sich)

Vgl. auch Bi 3, S. 395 (unten), wo ein lateinisches Subjekt zu dem im Vorfeld stehenden deutschen durch „sed“ als Gegensatz gestellt wird:
Wir wollen mit dir nicht kriegen, *sed deus noster*.

b. *Im Nachfeld steht ein Prädikativ*

α. lateinisches Prädikativ mit deutschem Artikel:
Das ist das *corpus humanum* (320);
Das ist das *primum praeceptum* gar (369).

Vgl. Bi 3, S. 286 (unten):
Circulus renium ist die *corona sacerdotum et monachorum*.

β. ohne deutschen Artikel, mit deutscher Partikel:
Das ist dann *duplex ieiunium* (141);
Mein Hans ist auch *dominus meorum bonorum* (267).

Vgl. Bi 3, S. 197: Heilig heist hie *metuendus, terribilis, Nora*.

Ebd. S. 216, mit deutscher Negation: Was ich kan das ist nicht *doctrina mea*.

Briefe Bd. 8, Nr. 3305; mit deutscher Bestimmung: Wir sind eitel *Hectores et Achilles*.

In Bi 3, S. 234 wird an ein deutsches Prädikativ ein lateinisches mit „sed“ angeknüpft: Ich bin ia nicht Gott, *sed homo similis vobis*.

γ. Inversion; im Nachfeld steht ausser dem Prädikativ ein deutsches Subjektspronomen:
In particularibus wirds als *varium* (349);
so ist er *dominus mundi* (518);
Das heist alls beydes *peccatum impoenitibile* (273).

δ. lat. Subjekt, lat. Prädikativ, deutsche Umstandsangabe:
So heist *astrologia* auch *primus motus* bey yhm (155).

Hiermit lässt sich folgender Satz vergleichen, in dem der „Satzgegenstand“, über den ausgesagt wird, formalgrammatisch ein Präpositionalobjekt ist:
So wurdt denn aus dem *dormire, bibere, legere* ... ein lauter *Placebo* durch und durch[1] (369).

ε. Das Prädikativ ist deutsch mit lateinischer Bestimmung:
Sed fides ist der teglich todt *veteris Adae* (484);
Sic medicus ist unser Herr Gotts flicker *in corpore* (360);
ist eine zung *ante fidem et post fidem* (439).

---

[1] Vgl. oben S. 90, den Sonderfall Nr. 3669.

deutsches Verbum mit lateinischer Ergänzung:
quia es ist *Deum et creaturam* angriffen (113);
das ist schon *studio amphibola* reden (446).
deutsches Adjektiv mit lateinischer Umstandsbestimmung:
Christus ist *in hac carne* unbegreifflich (272);
Ich war ser fromm *in monachatu* (518).
ξ. zwei Prädikative, das eine deutsch, das andere lateinisch:
das ist das regiment *et divina maiestas* (369);
das ist sein weis *et divina ratio agendi nobiscum* (3669).

c. Im Nachfeld steht ein lateinisches Objekt

α. lat. Akkusativobjekt mit deutschem Artikel:
der trifft das *punctum mathematicum* (349);
Dafur haben wir den *thesaurum verbi* (141).
β. ohne Artikel:
1. mit einem im Mittelfeld stehenden Akkusativobjekt durch „und" verknüpft:
ideo hat er *ecclesiam* eingesezt und *ministerium verbi* (469);
hatt er den schecher am creutz so angenommen und Paulum *post tot blasphemias et persecutiones* (122);
ich wil yhn ein mal sehen, *in novissimo die,* und seine *ignita tela* (122).
2. mit „*et*" statt „und" und deutschem Vergleich:
das er sovil thut *et ea ipsa opera* als Gott (369).
3. mit einem im Mittelfeld stehenden Akkusativobjekt mit „sed" verknüpft:
quia Christus hat yhm nit *furtum* befolhen, *sed officium* (605);
Also griff ehr im paradis Adam nit an, *sed Evam* (3669).
4. lat. Akkusativobjekt mit deutscher Partikel oder Bestimmung:
denn er fasset auch alle *quatuor regna* (34);
ich weys kein besser *exemplum contra traditiones humanas* (613);
die haben noch *obiectum misericordiae* (461);
Ich hab auch schir kein grossers *signum ultimi diei* schir denn das (462);
Unser Hergott heltt euch wol zu gutt eine gutte, starcke *negationem et blasphemiam* (3669).
γ. Inversion; im Nachfeld steht ein deutsches Subjekt, lat. Objekt, und eventuell deutsche Partikeln oder Bestimmungen:
Da geschwig unser Herr Gott *quinti et sexti praecepti* (596);
da gibt yhm unser Herr Gott auch noch darzu *legem suam* (440);
Darumb hengt er uns an den hals *crucem et ignominiam, mundum et Satanam* (136).
δ. Sonderfall: als Objekt steht ein Akkusativ mit Infinitiv:
so gleub ich doch *Christum adhuc vivere* (3669).
Vgl. zu den lateinischen Fallobjekten Briefe Bd. 2, Nr. 478:
Darumb entbieten wyr freuntlich dem herrn probst *Hec duo.*
Briefe Bd. 6, Nr. 1978: Darumb entzuckt er uns ofte *consolationes rerum.*
ε. lateinisches Präpositionalobjekt:
1. mit deutscher Präposition:
das es lige am *definire et dividere vocabula* (193).

2. mit deutscher Präposition und Bestimmung:
   das sie vergebens bochen auf yhre *leges caesareas* (349).
3. mit lateinischer Präposition, ausserdem deutsche Umstandsangabe:
   Wir lesen nimmer mehr so vleyssig *in novo testamento* (418).
4. deutsches Akkusativobjekt, lateinisches Präpositionalobjekt:
   die machen gar ein schertz *ex verbo Dei* (388).
5. zwei durch „*sed*" verknüpfte lateinische Präpositionalobjekte mit deutscher Präposition; Inversion:
   Es ligt mir nit am *opere, sed* am *verbo* (365).

d. *Im Nachfeld steht ein lateinisches Attribut*

Genitivattribut:
Das ampt ist nit *Iudae, sed Christi* des einigen (342).

e. *Durch eine Vergleichspartikel eingeleitete Glieder*

1. wie:
   und zwar wir mussen alle also *ad salutem* kommen wie der *latro et Paulus* (122).
2. denn:
   denn unser Herr Gott *et creator* muss ettwas hoher sein denn *locus et tempus seu creatura* (517).

nach Negation:
   Ich hab kein grossere gehabt und kein schwerere denn *de praedicatione* (141);
   die kan nit weyter denn *opera* (437);
   das man die wort nit anderst nheme denn *de propria materia* (499);
   das sie yhn sonst nit haben nennen wollen denn *cultum Deum* (40);
   so ist nichts mer dahinden denn *dies iudicii* (332);
   das er nichts kan denn *primum praeceptum* (369).

3. als:
   (*sicut leges Persarum ceciderunt*,) die sind eben sowol constituirt gewesen als *Romanae* (349);
   scilicet das er sovil thut *et ea ipsa opera* als Gott (369).
4. an deutsche Glieder im Nachfeld angefügter Vergleich mit *quam*: so ist kein ander Gott im himel noch auff erden *quam Deus iustificator et salvator* (141);
   pater et mater ist hoher *quam magistratus politicus* (386).
5. mit *sicut*:
   Das neu testament leuchtet in das allt *sicut dies in noctem* (390).

Vgl. Briefe Bd. 10, Nr. 3784:
   Heintz Mordbrenner wirdt Ihnen wohl lohnen und sie widerumb ihrem Heintzen, *Sicut Abimelech Sichemitis et contra*.

f. *Im Nachfeld steht eine Umstandsbestimmung*

α. Präpositionalbildungen:
1. im Nachfeld stehen deutsche Satzglieder und eine lateinische Präpositionalkonstruktion:

In:

Es redt sich nit so *in tentatione* (475);

Es ist das hochst stuk *in vetere testamento* (374);

Es ligt alls *in verbo* (624);

Das sind die besten bucher *in biblia* (311);

Petrus hatt ein fein spruch *in fine* (141);

aber man lase es selten *in scholis* (280);

Da stehets *in verbo Dei* und sonst nirgends (320);

und haben es *in fide* und dennoch noch nit recht *nisi in spe* (629);

Himel heist *in scriptura*, da die vogel inn fligen (303);

In der *tentatio* bin ich offt dahin gangen *in infernum* hinein (141);

und weys nichts mer *in tota vita* (491);

Wir bleyben allein *in facto* (596);

Hat ers nit gnug gesagt *in monte Synai* mit feur, blitz, donner (424);

Ergo so wag es dahin *in nomine Domini* auf sein *benedictio et creatio* (233);

kam mit mir aus der *gratia in disputationem legis* (141);

Judas ist so notig *in numero apostolorum* als sonst drey apostel (605).

mit im Mittelfeld stehender Umstandsergänzung durch *sed* verknüpft:

Ich bin nit in eebruch gefallen, *sed in primam tabulam* wider Gotts wort und ehr (358).

ab:

Es ist keines gestanden noch bliben denn das *ab Abel* (35).

ad:

der gehet zu weilen fein *ad remissionem peccatorum* (252);

Peccatum zeucht unter sich *ad desperationem* oder uber sich *ad praesumptionem* (273).

Vgl. Briefe Bd. 6, Nr. 1978:

Die Gottlosen kehren den Rücken *ad invisibilia irae Dei* ... und die Schnauzen *ad visibilia et apparentia* ... Aber wir mussen uns kehren mit dem Angesicht *ad invisibilia gratiae et non apparentia solatii.*

contra:

so trinck ich ein kendlin bir *contra Diabolum* (593).

cum:

so treybt mich der Teuffel *cum uno peccato* (252).

Vgl. Briefe Bd. 10, Nr. 3788:

Wie gar ists nichts *cum hominibus in isto seculo perdito.*

ex:

das geht alles *ex evangelio, ex baptismo* (612).

ex und *in:*

Sic kompt man *ex secunda tabula in primam* (388);

So bringt er sich *ex secundo praecepto in primum* (369).

per:

und furet yhn *per omnia maria et hospitia* (475);

Sic wurfft *papa* die leut *ordinatione illegitima* in die kirchen, *per* ἀντιπερίστασιν (574);

Ein bosewicht schweret auch *per nomen Domini* (574).

propter:

Ich wolt nit, das mir unser Herr Gott so gnedig wer *propter doctrinam* als yhm (316).

sine:

> *Sed* man sol beym *verbo* bleyben und den leuten nit eynreumen den geyst
> *sine verbo* (528);
> richten es nach der *ratio sine verbo Dei* (352).

2. mit deutscher Präposition; in meinen sämtlichen Belegen folgt deutscher
Artikel oder deutsches Pronomen:

auf:

> Ich hab mein predigt gesezt auffs *vocale verbum* (76).

aus und *in*:

> kam mit mir aus der *gratia in disputationem legis* (141).

mit:

> Mit andern kompt er mit der *iustitia* (141).

nach und *sine*:

> richten es nach der *ratio sine verbo Dei* (352).

über und *in*:

> Bernhardus ist uber all *doctores in ecclesia* (584).

In den Briefen und Bibelnotizen findet sich „von“:

> Bd. 6, Nr. 1978: den Rucken aber [keren] von den *visibilibus*.
> Bi 3, S. 180: Er wird ein gros *exercitum* gehabt haben von den 3 *fratribus*.

β. Umstandsergänzungen anderer Art als präpositionaler:

1. lat. Adjektiv:

> *Rhetorica in libris Regum,* die ist gar *infinita* (467).

2. Ablativ; ausserdem deutsche Raumergänzung:

> *Sic* wurfft *papa* die leut *ordinatione illegitima* in die kirchen (574).

Ablativ + lateinische Raumergänzung:

> Also zoch mich unser Herr Gott *vi quadam ab illa carnificina orandi* (495).

Vgl. folgenden Beleg aus den Bibelnotizen, wo an einen deutschen Präpositionalausdruck ein lat. Glied mit „*sed*“ angeknüpft wird; dies kann sowohl
als Dativ (regiert von „mit“) als auch als ablativus instrumenti aufgefasst
werden: Bi 3, S. 280: und nicht mit zweien fussen .... hupffet auf erden *sed
omnibus quattuor.*

Dort findet sich auch ein Beleg mit Gerundium: ebd. S. LV:

> Befelh dem herrn deine sach *addendo fidutiam.*

3. *Spiegelbilder zu 1*

a. *Im Nachfeld steht das Subjekt*

> *Magistratui quoque ... succedit* der Teuffel (415);
> *Sunt enim distinguenda* ampt und person (342).

b. *Im Nachfeld steht ein deutsches Prädikativ*

> *an deberem caesarem vocare* allergnedigsten herrn (120).

Vgl. Briefe Bd. 2, Nr. 458:

> *me offendebat verbum, quod Caesarem cogor appellare* Meyn allergnedigster
> herr, *cum sciat ...*

c. *Im Nachfeld steht ein deutsches Objekt*

α. Akkusativobjekt:

Salomon continet stadrecht, *Ecclesiasticus continet* haus recht (367);
Sicut ego bibo ein starcken trunck birs (17);
Sed nos habemus ein grossen vorteyl (371).
Vgl. Bi 3, S. 264: *non habetis* ein regirer Christum

β. Dativobjekt:

Sicut respondi dem Hondorff (360).

γ. Deutsches Präpositionalobjekt.
Keine Belege.

d. *Deutsches Attribut*

Deutsches Attribut findet sich nicht, weder präpositionaler noch anderer Art.

e. *Deutsche Umstandsergänzung*

α. Präpositionalbildungen:

aus:

Haec omnia faciebat aus eigenem berueff (483).

bis auf:

et decumbebam bis auff den todtt (495).

mit:

sed adhuc quotidie illa disco et oro mit meinem Hansen und meinem Lenichen (81).

zu:

Sic etiam faciebat zu Orlemund[1] (483).

β. Umstandsergänzungen anderer Art als präpositionaler:

deutsches Adverb:

Illis autem in Actis post etiam manifestatus est eusserlich (402).

Durch die Vergleichspartikeln „als", „wie" oder „denn" eingeleitete Vergleiche kommen nicht vor.

4. *Spiegelbilder zu 2*

a. *Im Nachfeld steht ein deutsches Subjekt*

Non est levis res ein regiment zu reyssen (487).

b. *Im Nachfeld steht ein deutsches Prädikativ*

in meinem einzigen Beleg besteht die Sinnergänzung aus einem lateinischen
und einem deutschen Adjektiv:

cum essem sic tristis und erschlagen (518).

---

[1] Ortsangabe, vgl. unten S. 104, unter e α.

c. *Im Nachfeld steht ein deutsches Objekt*

1. Lateinische und deutsche Objekte:
   Porto enim totum mundum, keyser, bapst (453);
   saepe confessus sum non de mulieribus, sed die rechten knotten (518).
2. Deutsches Objekt mit deutschem Attribut:
   Deus enim semper habuit in mundo sunder person und stet (505).

d. *Im Nachfeld steht ein deutsches Attribut*

Keine Belege.

e. *Deutsche Umstandsangaben*

α. Präpositionalkonstruktionen:
neben:
Abraham habet verbum neben der *circumcisio* (365).
In den Briefen findet sich „von"; vgl.:
Bd. 8, Nr. 3136: *Ideo ego soleo vivos poscere* von den *coquis* in der Welt.
Ebd. Nr. 3277: *Semel accepi literas tuas cum libro Antischenitiano* vom Stadhalter.
Dort finden sich auch Präpositionalkonstruktionen bei Ortsangaben, vgl.:
Bd. 10, Nr. 4018: *Altera die per Quercetum* zur Eiche (*si poterit via esse*) *ad Bornam venturus.* (Zum Vorwerk Eicha vgl. ebd. S. 579, Anm. 9.)
Ebd. Nr. 3940: *Mittet enim Equos suos et currus ad Avehendas reliquas arbores* auf der leynen, *dum arridet aura et iter.* (Die Leine = ein Wald, vgl. Anm. 3 zu diesem Stück.)
β. Umstandsergänzungen anderer Art:
deutsches Adverb:
et dedit mihi Deus utrunque sehr groß (518);
tamen habemus orationem dominicam dagegen (518).

B. Eingeleitete Gliedsätze

Bemerkungen zur Einteilung des Materials

„Bei Luther wie im modernen Nhd. erhält der Gliedsatz im allgemeinen seine besondere Struktur durch den aus einleitender Partikel (konjunktionales oder pronominales Anschlußstück) und satzschliessendem Verbum gebildeten Rahmen."[1]
Der Duden spricht von einer „Gliedsatzklammer", in die er das Subjektspronomen mit einbezieht[2], während Brinkmann den Terminus „Klammer" dem Hauptsatz vorbehält: „Die ‚Klammer' ist auf Sätze mit eigener Satzintention

---

[1] Erben 1954, S. 22.
[2] § 1220.

beschränkt; sie besteht nicht in Sätzen, die durch Endstellung der Personalform als Glied eines anderen Satzes charakterisiert sind."[1]

Glinz arbeitet dagegen mit dem Begriff der „Spannung" und nennt die eingeleiteten Gliedsätze „Spannsätze"[2].

Admoni gebraucht wie Erben den Terminus „Rahmen", will ihn jedoch als von Subjekt und Prädikat gebildet ansehen[3]. Diese Auffassung wird von meinem Material nicht gestützt; möglicherweise kann man in den Sätzen, in denen das Subjekt aus einem persönlichen Pronomen besteht, als erstes Glied des Rahmens die satzeinleitende Partikel *und* das Personalpronomen ansehen[4] (vgl. die oben angeführte Auffassung des Duden).

Ich schliesse mich der Auffassung und Terminologie Erbens an und spreche von einem „Gliedsatzrahmen". M. E. haftet einem „Rahmen" keine so starke zusammenhaltende Spannkraft an wie einer „Klammer". Konjunktion oder Pronomen und endgestelltes Verbum sind verschieden betreffs Art und Aufgabe und darum nicht so eng miteinander verbunden wie zwei Glieder einer zusammengesetzten Verbalform.

Gliedsätze mit Mittelfeld und Nachfeld sind bereits oben behandelt worden. Dagegen lässt sich in Gliedsätzen von keinem Vorfeld sprechen, da ja die Zweitstellung des Prädikates zugunsten der Endstellung aufgegeben ist.

1. *Deutscher Rahmen mit lateinischer Füllung*

a. *Im Satzinneren steht ein lateinisches Subjekt*

da *papatus* auff stehet (113);
wenn *tentatio* kompt (141);
wenn *poena* angehet (596);
was *clamor cordis* sey (444);
was *iustificatio fidei* ward (347);
mit negiertem Rahmen:
Was *pater, mater* nit ziehen kan (386).
Vgl. Briefe Bd. 10, Nr. 3959: Der *Homo peccati* ist und *filius perditionis* wol geziemet.
Bi 3, S. 211: als *iustitia Abrahae* ist gewesen.

b. *Im Satzinneren steht ein lateinisches Prädikativ*

das *fides in Christum* heist (3669).

---

[1] Brinkmann, Die deutsche Sprache. S. 480. (Zur „Satzintention" ebd. S. 463 u. 479.)

[2] H. Glinz, Die innere Form des Deutschen. Bern u. München 1961[2]. S. 96 ff., 422 ff. u. a.

[3] 1960, S. 248, und: Die umstrittenen Gebilde der deutschen Sprache von heute. In: Muttersprache 72. 1962. S. 166.

[4] S. u. unter 1. und 2 a.

c. *Im Satzinneren steht ein lateinisches Objekt*

das *patriae* geholffen wer (620).

d. *Im Satzinneren steht eine lateinische Umstandsergänzung*

Präpositionalgefüge:
die *in infernum* faren (141).

e. *Sonderfall; kein Rahmen, sondern ein Gliedsatzgerüst:*

quod hoc nesciunt, das *gratia iustificans* sey *mera remissio, imputatio* (434).

2. Deutscher Rahmen mit gemischter Füllung

α. Ausser dem Rahmen ist das Subjektspronomen deutsch.
1. lateinisches Prädikativ:
   das es *dona Dei* sein (141);
   das es *ultima monarchia* sol sein (279).
2. lateinisches Objekt:
   das er *iustitiam legis* ernidder legt (514);
   das sie *verbum Dei* haben hoch gehalten (505).
mit negiertem Rahmen:
   So ir *istas cogitationes* nit solt fulen (3669).
3. lateinische Umstandsbestimmung (Präpositionalgefüge):
   Das man *in statu et re propria* bleyb (499);
   was man *in sensu* fulet (39);
   das man *in ecclesia* sey (3669);
   den er *per suam doctrinam* thun hat (445);
   je mer er *cum natura* handlet (352).
β. Lateinisches Subjekt:
1. mit deutschem Prädikativ:
   Das *absolutio et sacramentum* recht sey (325).
2. mit deutscher Partikel oder deutschem Adverb:
   das *minister* gar *malus* sey (574);
   Ob nun *cogitationes Diaboli* dagegen sind (3669);
   Ob schon *peccatores* izt sind (608).
3. mit deutschem Artikel:
   das die *causa* mus und sol bleiben (130);
   in welchem die *membra vera corporis* sein (320);
   Wenn das *argumentum* nit hilfft (469);
   als die *apostoli in veteri* gelesen haben (418).
Vgl. Bi 3, S. 286: wie die *monachi* ire *conversos* bescheren.
4. mit gemischtem Prädikativ:
   das *abominatio papatus post Christum* mein große *consolatio* ist (122).

5. mit deutschem Akkusativobjekt:

das *credens homo* kondt sovil bucher schreyben (430);

das es *vel lex vel evangelion* uns in die hend getriben hat (312).

6. mit deutschen Umstandsbestimmungen:

das *politia, oeconomia et religio* auff ein neues an einem ort sey angericht (290).

γ. Deutsches Subjekt[1] mit lateinischen Satzgliedern; der lateinische Anteil an den Sätzen schrumpft mehr und mehr.

1. lateinische Umstandsbestimmungen (Präpositionalgefüge):

das wir *per negotia* vom *verbo* kommen (18);

das ir nit gern *ex ecclesia* weret (3669)

das man sie so *secure sine offensione* het lesen konnen (383);

weyl der Turck *ex proprio consilio* so daher feret (243);

das die predig *de semine Adae promisso* grosser gewest sey (291);

da mir *in Paulo* die thur auffgieng (347);

wenn einer *in theologia et verbo Dei* ehr wil suchen (136);

wo *in Genesi* von einem altar stehet (290).

2. lateinisches Objekt, ev. mehrere Objekte:

der so *argumenta* kondt *contra me* auffbringen (518);

ee Gott *populum suum* bracht (102);

Das wir aber *tempus, locum, personam* bestimmen wöllen (3669);

das ander leut auch von dem *articulo tentationes* gehabt haben (237);

da der Teuffel *ex corporali passione* will *spiritualem* machen (3669).

3. deutsche und lateinische Objekte:

Wenn ich dem Teuffel, *peccato et conscientiae* einen zorn kan ausstehn (255);

die den Turken fressen und *de imperiis mundi* tractirn[2] (311);

das er einem ein gutte, starck infirmitet, ja *blasphemiam et negationem* nicht konde zu gutt halten (3669).

4. mit lateinischem Prädikativ findet sich in meinem Material ausser den unter α 1 angeführten Beispielen kein Beleg, vgl. jedoch den folgenden aus den Bibelnotizen, Bi 3, S. 197:

Daher auch der selb berg M o r i j a *timor reverentia cultus Dei* heisst.

5. Sonderfälle.

a. Zwei mit „und" verknüpfte Nebensätze, in denen „*quando*" auch für den Nachsatz gilt:

quando Christus non est in corde und der Teuffel yhn *sine Christo in scripturam sanctam* furet, *ad legem et facta*[3] (495).

b. Der Rahmen ist unvollständig, indem in zwei nachgetragenen Nebensätzen das Verbum „sag" (oder *dicat?*) zu ergänzen ist:

deinde fingit, was der vatter dazu sag, *quid servus, quid* die freundtschafft (467).

---

[1] Deutsche Subjektspronomen, die das einzige deutsche Element ausser dem Rahmen bilden, sind bereits oben unter 2 *a* behandelt worden.

[2] Betrachtet man nur den Nachsatz, ergibt sich der Rahmen „und ... tractirn" mit lateinischer Füllung.

[3] Für den Nachsatz ergibt sich formell der Rahmen „und ... furet".

Im folgenden Satz fehlt das Verbum ganz:
> *Daniel omnia regna pingit forma bestiarum,* on das er *de regno Romano*
> (spricht? Die WA ergänzt „*dicit*"; 20).

3. Gemischter Rahmen

a. *Deutsche Konjunktion oder deutsches Pronomen, lateinisches Verb*

et videbis, was *verbum Dei est et possit* (515).
Vgl. Schlag.:
> das er bitt, das *in quatuor annis non pluat* (1642);
> wie Campanus *et ceteri arbitrantur se scire* (1430).

b. *Lateinische Konjunktion, deutsches Verb*

Bei VD. findet sich nur ein Beleg in Nr. 3669, die nicht von ihm selbst
reingeschrieben ist. Dies lässt darauf schliessen, dass Dietrichs ursprüngliche
Niederschriften gemischte Rahmen dieser Art enthalten haben, die er beim
nachträglichen Reinschreiben getilgt hat. Ich führe deswegen sämtliche
Belege bei Schlag. und einige aus anderen Sammlungen hier an.

Aber da musset ir wissen ..., *quod hae cogitationes* nicht euer sind (3669).
Vgl. bei anderen Schreibern:
> *quod papam, missam et monachos* also sturtzest (1310, Schlag.);
> *Quando* Sathan mir eingibt (1311, Schlag.);
> *si rusticus aut nobilis* uns krum ansihet[1] (1857, Schlag.);
> *Si adolescentia* nicht so thumb wer (5157, Math. L.);
> *ut in unitate fidei* ... also bleib (5096, Math. L.);
> *cur canonici* die feltkloster hassen (3656, Lb +W).

Mit Hauptsatzfolge finden sich bei VD. *sicut-* und *quod*-Sätze mit deutschem
Prädikat (vgl. unten S. 153). Hiermit lassen sich die folgenden *quod*-Sätze bei
Schlag. vergleichen:
> *quod in baptismate* im wasser soll ein heimliche kraft sein (1745);
> *quod papa et rex Gallorum* laden uns den Durckhen ins landt (1574);
> *quod fides nostra* soll *erecta* sein (1389);
> Was frage ich darnach, *quod usurarii, nobiles, rustici, cives avari* halten
>   mich fur ein dreck[1] (1854);

Vgl. Bi 3, S. 212: *Certum est quod* Judas hat mussen weide haben.
Bi 2, S. 14: *Sicut* Ein knabe der ruten entwechst.
Bi 1, S. 94: *sicut* ym regen bogen don.

4. Spiegelbilder zu 1: lateinischer Rahmen
mit deutscher Füllung

Eine solche Konstruktion wäre theoretisch möglich (über den lateinischen
Gliedsatz s. u. S. 160 ff.), doch habe ich keinen Beleg. Lateinisches

---

[1] Affektgeladener, bildhafter Ausdruck, vgl. unten S. 170.

Gliedsatzgerüst kommt jedoch mitunter vor, wenn auch nicht bei Dietrich: *quod* schwaden *sit* himelprot (1396, Schlag.).

Vgl. Briefe Bd. 6, Nr. 1852: *qui* Meuchler *vocatur* zu Dresden.

C. Der Teilbogen

Einleitende Bemerkungen

Es handelt sich in diesem Abschnitt um eine Übergangszone zwischen Satzglied und Satz[1].

Folgende Möglichkeiten finden sich:

1. Deutscher Mischsatz mit lateinischem Teilbogen.
2. Deutscher Mischsatz mit gemischtem Teilbogen.
3. Lateinischer Mischsatz mit deutschem Teilbogen.
4. Lateinischer Mischsatz mit gemischtem Teilbogen.

Zu 4. habe ich keine Belege.

Den weitaus grössten Teil meiner Belege bilden deutsche Mischsätze mit lateinischem nominativus pendens. Erben erwähnt in seiner Luthersyntax diese Konstruktion kurz und gibt eine Definition: „der nominativus pendens (Hervorhebung eines affektgeladenen Redeteils durch isolierte „Spitzenstellung" in der Formkategorie des Nom. und Wiederaufnahme durch ein Formwort)"[2].

1. Deutsche Mischsätze mit lateinischem Teilbogen

a. Der Teilbogen ist vorangestellt

Nominativus pendens.

1. Im Teilbogen steht das Subjekt:

vanitas, die geht under (439);

Doctrina mea, die besteht (316);

Turcae deus, der hilfft nit mehr (437);

Prima tabula decalogi, die ist gar des Teuffels (212);

Minor, die heyst *fides* (369);

Tentatio, die leret, was Christus ist (448);

Aetas Alexandri et Augusti, das thuts (406);

Distinctio de lege et evangelio, die thuts (590);

Rhetorica in libris Regum, die ist gar *infinita* (467);

Oboedientia carnis erga spiritum, die heyst *ipsa paradisus* (302);

Solus articulus iustificationis, der muss es thun (430);

Iohannes Evangelista, der hebt am 2. *praecepto* an (369).

Das Subjekt ist ein Verb (Imperativ bzw. Infinitiv):

Oboedite, audite, das heist der grosse *cultus* (493);

Hominibus servire et gratis et illis, qui sunt ingrati, das ist ein man (450).

---

[1] Vgl. Duden, § 1037.

[2] S. 125. Über die thematische Funktion des Nominativs vgl. Ammann 1920, S. 19 ff.

2. Partikel + Subjekt:

Sed sapientes, die nhemen sich drumb an (352);

Sed politica ira, die nimbt weyb und kind hinweg (255);

sed voluntatis cogitationes, die thun es (491);

sed prima tabula, die schertzt nit (461);

sed rhetorica, die gibt dem Pamphilo seine *affectus* (467);

Sed cogitationes Sathanae, die kosten mich mehr (19);

sed rhetorica seu eloquentia, die bleset die schweinsbloßen auff[1] (467);

quia Cicero, der hatts sagen wollen (155);

quia ratio, die hat kein ruge (484);

Quia promissio, die steht allweg so (365);

quia evangelista, der rhumets (640);

quia promissio, die ist hinweg (365);

Nam praecepta, die gehn *contra superbos* (499);

Sic ego, ich lass die gedanken auch nimmer mer faren (228);

Sic Iudei, die warffen Mosen nit hinweg (342);

Gentiles autem, die haben nur genommen *tentationes affectuum de amore puellarum* (467);

Novum autem testamentum, das ist *revelatio veteris* (374);

Speculativa igitur theologia, die gehort in die hell zum Teuffel[2] (153).

Das Subjekt ist ein Infinitiv:

Sed defendere errorem, das ist der Teuffel[2] (395);

sed de doctrina agere, das ist der gans an kragen grieffen[1] (624);

sed desperare de gratia, das ist *maius peccatum* (273);

Et verum praedicatorem agere, das ist ein gross ding (228).

Sonderfall zu 2.

Im folgenden Beleg geschieht die Wiederaufnahme des Subjekts, um nach dem eingeschobenen Relativsatz den Faden wieder aufzunehmen:

Certe blasphemiae, quibus sacramentarii saevierunt, die werden yhn den hals brechen (102).

3. Im Teilbogen steht ein Objekt:

Ministerium verbi, magistratum et coniugium, die drey hat unser Herr Gott ... wider zu recht wollen bringen (433).

4. Partikel + Objekt:

sed theologus, dem vertraut sich Gott selb (149).

In den folgenden Fällen steht der Teilbogen syntaktisch frei; er liesse sich nicht, wie in den obigen Belegen, durch Auslassung des Kommas und des Pronomens in den Satz einbeziehen:

Omnes autem gentes, sie sind so wild sie wollen, so haben sie ein Gotts dienst (451);

sed S. Hieronymus, wenn der lebt, solt er wol dawider schreyben wie ein ander parfusser munch (316);

Sic caesar, wenn ein *latro* den andern ersticht, so sihet ers gern (182);

sic in oratione, was gemacht ist *et non fluit*, das hat weder hend noch fuss (427).

[1] Bild.

[2] Affekt.

Im folgenden Beleg wird der vorangestellte Teilbogen nicht durch „dies"
wieder aufgenommen („dies" weist auf das Folgende hin), sondern durch
das Pronomen „sein":

> *Summa Thomae contra gentiles*, dies ist sein *catechismus, ibi dicit fidem*
> *infusam posse stare cum peccato mortali* (438).

Sonderfälle:

> *Mensura*, wie lang, *pondus*, wie gros, *numerus*, wie vil es werden sol (293);
> *Qualitas*, wie gar lieblich und freundlich es ist zugangen (11).

Anm. Der nominativus pendens, der bei VD. so häufig ist, tritt bei den
anderen Nachschreibern zurück. Bei Schlag. habe ich nur 7 Belege. Dass er
beim nachträglichen Abschreiben oft beseitigt wurde, ist oben (S. 32) festgestellt worden.

b. *Der Teilbogen ist nachgestellt*

α. Das Subjekt wird nachgetragen, nachdem es im vorangehenden Satz
durch ein Pronomen vertreten worden ist:

> Yhr wisst nit, was sie sein, *virtutes animorum* (323);
> *quia* es thet sonst nicht so wehe, *morbus vel flagellum* (3669);
> Das sind die rechten drey secten, *affirmantium, dubitantium et negantium*
> (593);
> der zwei eins mus triumphirn, *lex ad desperationem, evangelion ad salutem*
> (626).

Das Subjekt ist ein Infinitiv:

> aber es hellt doch ja den stich nit, *opponere meam cogitationem verbo Dei*
> *et Spiritui Sancto* (237).

Vgl. Briefe Bd. 10, Nr. 3859:

> Denn es ia billich und Gottlich ist, *Emeritis militibus honorem debitum*
> *haberi.*

β. Das Objekt wird nachgetragen:

> Lasts ein groß *donum* sein, *illam cognitionem* (3669).

In den folgenden Beispielen hat der Teilbogen die Form einer Wortreihe;
sie ist wohl ausgeklammert worden, weil sie so umfangreich ist. Im vorangehenden Satz werden die Objekte durch „alles" vertreten:

> *Bellum* nimbt *simpliciter* als hin weg, was Gott geben kan, *religionem,*
> *politicam, opes, dignitatem, studia etc.* (282);
> *hoc non volo habere, sed* ee alles hin werffen, *sacerdotium, regnum et meam*
> *etiam legem* (502).

γ. Eine Apposition wird nachgetragen.

1. zum Prädikativ:

> Die rottengeyster sind eitel junge leut, *Icari et Phaetontes* (406).

2. zum Objekt:

> wolt also den ganzen Teuffel auff mich schutten, *homicidium et mendacium*
> (571).

δ. Nachgetragene Umstandsbestimmungen; in den meisten meiner Belege
wird der Teilbogen mit einer Konjunktion eingeleitet:

> da haben sie gar verlorn, *etiam civiliter* (320);
> Wir sollen stets frolich sein, *sed cum reverentia* (148);

Ich knie wol nider, *sed propter reverentiam* (344);

machts aber heimlicher, *cum reverentia quadam et sollicitudine* (148);

sic tauff ist nit mehr denn wasser, *sed verbo circumdata aqua* (365);

und der Teuffel yhn *sine Christo in scripturam sanctam* furet, *ad legem et facta* (495);

den der Teuffel kein leid thut, *nec sine causa* (3669);

wen mans schon nit fulet, das man *in ecclesia* sei, *in fide* (3669).

Vgl. Briefe Bd. 6, Nr. 1824:

Es will und muss doch gelitten sein, *sive intus sive foris.*

ε. Zwei Teilbogen:

Sie helffen beyde einander wurgen, *hic corpore et gladio, ille doctrina et spiritu* (330).

Sonderfall: der zweite ,,Teilbogen" ist ein eigener Satz:

So erhellt ers, *non per gladium, sed mittit nos in gladios* (506).

c. *Der Teilbogen ist eingeschoben*

α. Appositionen:

wenn die gesellen kommen, *spirituales nequitiae*, da mus *ecclesia* mit fechten (518);

Die narrenkappen — *ira Dei* — zeucht der Teuffel ... an (3669);

Wer kan nu die zwey, *summam saevitiam, summam licentiam et indulgentiam (ut rationi videtur)* zusamm reymen (587).

β. Umstandsangaben:

Das Gott so barmherzig ist, *non in meis operibus, sed in Filio suo*, das will nit ein gehn (388);

Ich ways, ich wil yhn ein mal sehen, *in novissimo die*, und seine *ignita tela* (122).

γ. Ein satzwertiger Infinitiv als Attribut:

Wenn der Teuffel die kunst kan, *ex Christo facere iudicem et obscurare Christum*, so kan er mehr (9).

2. *Deutsche Mischsätze mit gemischtem Teilbogen*

a. *Der Teilbogen steht vor dem Satz*

Sed das Jhesus Christus fur mich gestorben ist *et articulus remissionis peccatorum*, das thuts (352).

b. *Der Teilbogen ist nachgestellt*

α. Das Subjekt wird nachgetragen.

1. Lateinisches Subjekt mit deutschem Artikel:

wie sie inn ein ander gehn, die *prophetae* (46).

2. Zwei mit ,,und" verknüpfte Subjekte:

Darumb ists gar ein ander ding, theologia und iuristerei (320).

β. Nachgetragenes lateinisches Objekt mit deutschem Artikel:
das fasse ich, Gott lob, das *primum praeceptum* (461);
Christus hatts auch gehabt, die *tentatio* (272).

γ. Nachgetragene Apposition:
dem vertraut sich Gott selb, seinen himel und all seine *dona, iustitiam, remissionem peccatorum* und alles (149).

mit „als" angeknüpft:
per miracula, die sonst kein *doctrina* vermag, als *excitare mortuos, eiicere daemonia etc.* (352).

Sonderfall: Zwei Teilbogen, der erste lateinisch, der zweite deutsch, bei denen der deutsche die Interpretation des lateinischen ist:
Denn der nam sol falsch sein: *omnipotens et creator*, der es als geb (185).

δ. Nachgetragene Umstandsangabe; zweigliedriger Teilbogen:
denn das betten ... macht einem ein frolich hertz, *non per dignitatem operis, sed* das wir mit unserm Herr Gott geredt (122).

3. Lateinische Mischsätze mit deutschem Teilbogen

a. Vorangestellter Teilbogen

kein Beleg.

b. Nachgestellter Teilbogen

deutsche Erläuterungen in Form einer Apposition:
Oecolampadius vocavit coenam Thyestis, fleisch fresser, blut sauffer (94);
Actio sunt fructus, die volgen (11).

c. Eingeschobener Teilbogen

qui me absente deserebat arcem, seinen predig stuel, *et occupabat meum* (483);
Secunda autem est aliquomodo (so zu rechnen) *nostrarum cogitationum sine Satana* (212).

BEMERKUNGEN ZU I

DIE ZUSAMMENARBEIT GRAMMATISCHER UND SYNTAKTISCHER KATEGORIEN IN EINEM SATZ

Einleitende Problemdiskussion

Es handelt sich in diesem Kapitel um die nicht-lexikalischen Elemente in einem Satz: Artikel, Konjunktionen, Präpositionen, Pronominaladverbien, Hilfsverben; Flektion, Rektion und Wortfolge[1].

---

[1] Eine Übersicht über Terminologie und Literatur gibt S. Ullmann, The Principles of Semantics. Glasgow 1957². S. 58 ff. Vgl. auch C. Fries, The Structure of

... stellt der Sprachforscher fest, dass ein ganz bestimmter Teil des Sprachschatzes sich für die Entlehnung nicht eignet: es sind Fürwörter, Zahlwörter, Binde-, Umstands-, Vorwörter, die Wörter, deren der einfachste Satzbau nicht entraten kann. Sie sind am innigsten mit dem ganzen Sprachbau verwoben und bleiben daher am zähesten in der Überlieferung; nach ihnen (den Formwörtern) sowie nach den Ableitungssilben (den Formen) beurteilt man die Zugehörigkeit einer Sprache zu dem oder jenem Sprachstamm; sie machen den grundlegenden Teil der Sprache aus und werden infolgedessen nur unter besonderen Umständen durch etwas Fremdes ersetzt. Hingegen wird der Wortschatz selbst sehr leicht gewechselt[1].

Eine Grenze zwischen lexikalischen, syntaktischen und grammatischen Elementen ist nicht immer scharf zu ziehen:

The location of the dividing line between lexical and syntactic function is largely a matter of opinion. The two extremes stand out with sufficient clarity: substantives and verbs on the one hand ..., pronouns and conjunctions on the other. There may be some doubts about the status of adjectives ...; and the category of adverbs may well be cut into two by this criterion: 'beautifully' would seem e.g. to qualify for full word status, whereas 'there' is obviously an 'empty' word. The whole problem lies thus astride the borderline of lexicological and syntactic semantics[2].

Wie sich diese besagten Sprachmittel bei intersprachlicher Beeinflussung verhalten, ist ein umstrittenes Problem. Weinreich gibt eine Übersicht über die verschiedenen Ansichten der Forscher im Kapitel „Grammatical Interference". Während einige Forscher den Einfluss verschiedener grammatischer Systeme aufeinander kategorisch verneinen, wollen andere keine Grenzen für solche Beeinflussung anerkennen. Weinreich sieht die Ursache dieser Gegensätze in der Uneinheitlichkeit der Terminologie und Begriffe: „To this day, there is little uniformity in the drawing of lines between morphology and syntax, grammar and lexicon."[3] Doch gibt Weinreich Beispiele für die Übertragung von „so highly bound morphemes" wie die verbale Flexion; auch Präfixe, Suffixe und Artikel werden übertragen[4]. Die Möglichkeit grammatischer

---

English. New York 1952. S. 87 ff., das Kap. über „function words". Kritik bei: O. Funke, Form und „Bedeutung" in der Sprachstruktur. In: Festschrift A. Debrunner. Bern 1954. S. 144–150; K. Hansen, Wege u. Ziele des Strukturalismus. In: ZfAA 6. 1958. S. 361 ff. R. Berndt, Strukturalismus — Der Weg zu einer neuen „wissenschaftlichen" Grammatik? In: ZfAA 7. 1959. S. 270–280.

[1] E. Richter, S. 60.

[2] Ullmann, S. 60. Vgl. auch J. Fourquet, Strukturelle Syntax und inhaltsbezogene Grammatik. In: Festschrift Weisgerber. Düsseldorf 1959. S. 142.

[3] S. 29.

[4] S. 32 u. 33, Anm. 15; Vgl. auch H. Paul, Prinzipien. S. 400 und E. Wessén,

Beeinflussung zweier Sprachen aufeinander lässt sich also nicht kategorisch verneinen. Die Bedingungen dafür liegen laut Weinreich in
der Struktur der gebenden und der nehmenden Sprache begründet;
auch spielt die syntaktische Verknüpfung eine Rolle:

> it stands very much to reason that the transfer of morphemes is facilitated
> between highly congruent structures; for a highly bound morpheme is so
> dependent on its grammatical function (as opposed to its designative value)
> that it is useless in an alien system unless there is a ready function for it[1].

Sicheres und Eindeutiges ist bisher noch nicht festgestellt worden:

> It may be possible to range the morpheme classes of a language in a
> continuous series from the most structurally and syntagmatically integrated
> inflectional ending, through such „grammatical words" as prepositions,
> articles, or auxiliary verbs, to full-fledged words like nouns, verbs, and
> adjectives, and on to independent adverbs and completely unintegrated
> interjections. Then this hypothesis might be set up: The fuller the integra-
> tion of the morpheme, the less likelihood of its transfer. A scale of this type
> was envisaged by Whitney in 1881 ... and by many linguists since. Haugen
> ... discusses it as the 'scale of adoptability', without, perhaps, sufficiently
> emphasizing its still hypothetical nature as far as bilinguals' speech is con-
> cerned. It should be clear how much painstaking observation and analysis
> is necessary before this hypothesis can be put to the test[2].

Weinreich betont die Notwendigkeit, „the flowing speech of bilinguals"
zur Untersuchung heranzuziehen, nicht nur die „fixed languages",
um diese Probleme zu beleuchten[3].

Wir wenden uns jetzt unserem Text zu, der dem „flowing speech of
bilinguals" so nahe wie möglich kommt, und stellen folgende Fragen:
1. Gibt es Elemente im Satz, die vorwiegend der einen oder der anderen
   Sprache entnommen werden?
2. Wie arbeiten die Elemente beider Sprachen zusammen? Sind sie in
   ihren Funktionen austauschbar?

Gibt es Elemente im Satz, die vorwiegend der einen oder der anderen Sprache entnommen werden?

Wir haben bereits oben (S. 53 f.) festgestellt, dass die deutsche verbale
Flexion zu den zähesten sprachlichen Ausdrucksmitteln gehört und nir-

Om det tyska inflytandet på svenskt språk under medeltiden. Stockholm 1956[2].
S. 20 ff. — Zu den „leeren Wörtern" vgl. auch O. Jespersen, Growth and Structure
of the English language. Oxford 1960[9]. S. 71.

[1] Weinreich, S. 33.
[2] Ebd. S. 35.
[3] Ebd. S. 33, 35 f.

gendwo durch eine lateinische Entsprechung ersetzbar ist. Dabei verhalten sich Konjugations- und Deklinationsendungen grundsätzlich verschieden: lateinische Substantive können in einem deutschen Mischsatz ihre lateinische Endung beibehalten; der erste Schritt der Andeutschung ist in unserem Material nicht die Beigabe einer deutschen Endung, sondern die Beigabe des deutschen Artikels (vgl. unten S. 126). Lateinische Verben dagegen werden durchgehend mit der Endung -ieren versehen[1]. Dabei schreckt man sogar vor Bildungen wie: Die *cognitionem* adumbrirn (252) nicht zurück. Die Sonderstellung des Prädikates wird besonders deutlich, wo ein ursprünglich lateinisches Verb in festen Verbindungen steht und sein Objekt oder seine nähere Bestimmung nach sich zieht: distinguirn *ab officio* (605); appliciren *ad rem* (1545, Schlag.); judicirt *secundum vitam* (1846, Schlag.); wie ich abrogiren will *communionem illam privatam* (4176, LbTb). Vgl. auch in den Briefen: includirt *patriam potestatem* (Bd. 8, Nr. 3301); mus der Vater ... *in integrum* restituirt ... sein (Bd. 10, Nr. 3959); *secundum iura publica* ir recht prosequirn (Bd. 8, Nr. 3258, S. 290).

Zu dieser Tatsache lässt sich Verschiedenes anführen:

1. Es gab die für alle Verben geeignete und bequeme Möglichkeit der Andeutschung mit -ieren, wozu sich im Deklinationssystem keine Entsprechung fand.

2. Zwischen der lateinischen und der deutschen Konjugation besteht der fundamentale Unterschied, dass im lateinischen Prädikat das Subjektspronomen mit enthalten sein kann.

3. Das Lat. kennt im Aktiv keine zusammengesetzten Zeitformen mit „werden" und „haben". Hat der Sprecher begonnen und schon eine Form von „haben" gebraucht, kann er die lateinische Verbform nicht einfach herübernehmen; z. B.: der hat *res* tractirt, (18). Da eine Bildung wie: der hat ... *tractavit* schlechterdings unmöglich ist, da ja sowohl „der" wie „hat" bereits in „*tractavit*" einbegriffen ist, bleibt dem Sprecher, ist das „hat" einmal ausgesprochen, gar nichts anderes übrig, als das Verb mehr oder weniger gewaltsam der deutschen Konjugation als Perfekt Partizip anzugleichen. Beispiel für Futurum: Unser Herr Gott wirds *magnificat* mit yhn practicirn (306). Entscheidend jedoch für die besondere Behandlung der Verben ist die bereits hervorgehobene Tatsache, dass das finite Verb der Kern des ganzen Satzes ist und die Sprachzugehörigkeit determiniert. Die geringe Anzahl lateinischer Mischsätze

---

[1] Zur Endung -ieren vgl. A. Rosenquist, Das Verbalsuffix *-ieren*. AASF XXX. 1934. S. 587 ff. — Malherbe, S. 47 f. Fausel, S. 27. — Vgl. Haugen 1950, S. 218.

(vgl. unten S. 120 f.) stimmt zu dem Befund der Forschung, dass es vorwiegend die Muttersprache ist, die mit fremden Elementen durchsetzt wird, während die fremde, besonders die sozial höher stehende Sprache, möglichst rein erhalten wird (vgl. oben S. 12).

Um eine Übersicht über die „grammatischen" Wörter zu gewinnen, habe ich die deutschen Mischsätze, in denen das Deutsche weitgehend „Rückzugsgebiet" ist, zusammengestellt. (Die verhältnismässig wenigen lateinischen Mischsätze werden für sich behandelt.) Es zeigte sich dabei, dass sich eine Begrenzung auf rein „grammatische" Wörter nicht durchführen liess, denn selbst „lexikalische" Verben („sundigt") können die gleiche Position behaupten wie die Hilfsverben[1]. Doch sind sie im Verhältnis zu den Hilfsverben vereinzelt.

1. *Nur deutsches Verb in lateinischem Kontext:*

Substantia bleybt (439); *Primum praeceptum* bleybt (369); *Pater igitur* sol *pater* bleyben (415); Terencius bleybt *in humilibus et affectibus oeconomiae* (467); *Econtra secundum praeceptum* bleybt *in hac vita* (369); *In administratione oeconomiae et politiae* mus *lex* seyn (315); *Ergo* mus *fides in hac carne infirma* sein (122); *Invidia* wil *iustitia* sein, *superbia veritas* (382); *Omnes gentes, quae non habent religionem,* mussen *superstitionem* haben (371); *Sic seditiosus* sundigt *contra magistratum* (342); *Spiritus Sanctus* sezt *mortem* ein *ad poenam* (186); *Pueri in lege* haben *circumcisionem* angenommen *ex verbo illo* (365); *sed* sollen wider keren *ad gratiam* (407).

2. *Verb + Negation:*

Sic papa verbeut *verbum* nit (342); *Sub monachis* hat *ecclesia* nit konnen muken (331).

3. *Verb + Subjektspronomen:*

mit gerader Wortfolge: Ich hab glaubt *papae, monachis omnia* (582); Das ist *peccatum in Spiritum Sanctum* (388); das heyst *ratio vel spiritus hominis* (388); die heyst *ipsa paradisus* (302); die gehn *contra superbos* (499); die machen *affectus inenarrabiles* (467); die ist *factum et executio* (369); mit „es" als Vorläufer des Subjekts + Verb: Es muss *summa probitas in Abrahamo* sein gewest (611).

---

[1] Ullmann zählt die Hilfsverben zu den grammatischen Wörtern, S. 58. Vgl. auch M. Sandmann, Substantiv, Adjektiv-Adverb und Verb als sprachliche Formen. In: IF 57. 1940. S. 96: „Es ist kennzeichnend für das Verb, dass es seine formalen Eigenschaften um so stärker hervorkehrt, je schwächer es mit Bedeutung im anschaulichen Sinne belastet ist. Gerade bei den Hilfsverben zeigt es sich, dass sie in dem Masse geeigneter werden, reine Repräsentanten der Form zu sein, als sie an Bedeutungspräzision verlieren." — Zu den logisch-grammatischen und kommunikativ-grammatischen Kategorien des Verbs vgl. Admoni 1960, S. 145 f. — Für die „grammatischen" Wörter schlägt Ullmann den Terminus „pseudo-words" vor (S. 58).

Inversion: *Ab aeterno* hat man *praecepta Dei* angriffen (102); *Sic* kompt man *ex secunda tabula in primam* (388); *Mundum* hat er *generaliter* gefasst *per legem naturae* (385); *In prophetis* ist nichts *de peccato originali et resurrectione mortuorum* (277); *In particularibus* wirds als *varium* (349); *et tamen* sol er sizen *contra templum Dei* (574).

4. *Hilfsverb + Ergänzung:*

Porro pater et mater ist hoher *quam magistratus politicus* (386); *magistratus* ist allein, *ubi pater, mater non sunt aut deficiunt* (386); *Vox promissionis et gratia* mus vor seyn (434);
mit Pronominaladverb (bei Luther noch getrennt) als Ergänzung:
Da ist *desperatio et blasphemia* innen (334).

4 a. *ebenso + Negation:*

Natura kan nit hoher *quam corpus et valetudinem et bonos mores animi servare* (411).

5. *Verb + Artikel vor unmittelbar darauf folgendem lateinischen Substantiv:*

In articulo remissionis peccatorum ligt die *cognitio Christi* (252); *In omni iure* mus das *debet* sein (581).
Vgl. Bi 3, S. 286: *Circulus renium* ist die *corona sacerdotum et monachorum.*

6. *Verb + satzeinleitende Konjunktion:*

das *gratia iustificans* sey *mera remissio, imputatio* (434); und *de imperiis mundi* tractirn *sicut Daniel* (311).
Vgl. Briefe Bd. 10, Nr. 3807; einleitendes Pronomen: was *subiectum* und *finis* sey *Iuris civilis*; einleitende Konj.: Bd. 6, Nr. 2072: aber *stultus* muß *stulta* reden.

6 a. *dazu mit Subjektspronomen:*

das es *ultima monarchia* sol sein (279); Das man *in statu et re propria* bleyb (499).

7. *Verb + inhaltsschwache Partikel:*

Sic zeuh *Esau et Iacob* auch *ad iustitiam* (514);

7 a. *ebenso, mit Gliedsatzrahmen:*

Pono casum, das *minister* gar *malus* sey (574).

8. *Gliedsatzrahmen, Possessivpronomen, Adjektiv:*
das *abominatio papatus post Christum* mein große *consolatio* ist (122).

9. *Verb + Reflexivpronomen, Präposition + Artikel:*
Papa hat sich *tanquam spiritualis magistratus* uber das *verbum* gesezt (606);

9 a. *ebenso, doch mit Subjektspronomen statt Reflexivpron.:*
Er mus in die *caecos et perversos homines* zeichnen (206).

Ein Studium dieses Verzeichnisses reizt einen dazu an, ein Gegenstück, sozusagen ein Negativ, zu Haugens „scale of adoptability" aufzustellen[1]. Obwohl auf den ersten Blick die lateinischen Substantive dominieren, ist es doch sofort klar, dass wir nicht die „Grammatik" der deutschen Sprache, das „Lexikon" dagegen der lateinischen zuschreiben dürfen: ist die Konjugation deutsch, so ist die Deklination überwiegend lateinisch; kommen Fälle mit deutschem Artikel vor (5), so überwiegt doch andererseits die artikellose Form der lateinischen Substantive; von den 'leeren' grammatischen Wörtern kommen zahlreiche Präpositionen, Konjunktionen (besonders *et*) und Konjunktionaladverbien auf das Konto des Lateinischen.

Haugen hat hervorgehoben, dass in seinen Lehnwörterverzeichnissen Artikel und Pronomen fehlen[2]; ebenso hat Whitney bereits 1881 festgestellt:

Whatever is more formal or structural in character remains in that degree free from the intrusion of foreign material. Thus, of the parts of speech, the pronouns and articles, the prepositions and conjunctions, continue to be purely Germanic[3].

(Whitneys Feststellungen gelten der englischen Sprache nach 1066.)

Wenn wir für unseren Text eine „Skala der Unaustauschbarkeit" aufstellen wollten, muss an erster Stelle das Prädikatsverb, unter Umständen die verbale Flexion stehen[4]. Danach kommen die Wörter, die eng mit dem Verb zusammengehören[5]: notwendige Ergänzungen, Negationspartikel, unterordnende Konjunktionen und Pronomen, die zusammen mit dem Verb den Gliedsatzrahmen bilden; das Subjektspronomen[6] (besonders in der Inversion). Danach kommen solche grammatischen Wörter, die in unmittelbarer Nähe des Verbs stehen: in den Fällen mit Artikel (oben unter 5) bewirkt das Verb, dass das folgende Substantiv aus der Sicht der deutschen Sprache heraus gefasst

---

[1] Haugen 1950. S. 224.

[2] Ebd.

[3] W. D. Whitney, On Mixture in Language. In: TAPA 12. 1881. S. 14. — Wessén (s. oben S. 114 f., Anm. 4) bringt Beispiele für aus dem Plattdeutschen eingeführten deutschen Artikel, der jedoch nur in der Schriftsprache ein kurzes Dasein fristete (S. 28.) Das Schwedische hatte keinen Bedarf daran (vgl. Weinreich, oben S. 115).

[4] Betz hat als Eigentümlichkeit des frühdeutschen Lehnwortschatzes besonders den geringen Anteil von Verben hervorgehoben (1959. S. 145).

[5] Zur Verbindung sprachlicher Elemente mit dem Verbum s. Brinkmann 1962 (D. d. S.), S. 467; auch Boost, S. 39 ff.

[6] Über die sog. „prädikative Beziehung", die Subjekt und Prädikat verbindet, siehe unten S. 123.

wird; in sämtlichen übrigen Belegen (ausser denen nach deutscher Präposition, unter 9) dominiert die lateinische artikellose Form.

Man kann danach alle Stadien durchgehen und das Lateinische mehr und mehr von Deutschem ersetzt werden lassen: die inhaltsschwachen Formwörter, die Präpositionen, die Adjektive vor lateinischen Gliedern usw. (Im nächsten Abschnitt werden alle Satzglieder einzeln behandelt.) Was zuletzt an lateinischem Einschlag übrigbleibt, zeigt der Abschnitt der einzeln eingeschalteten Wörter: vorwiegend lateinische Substantive behaupten sich einzeln in deutschem Text. Ich führe hier nur zwei Beispiele an: In den *casibus* sihet man, das das liebe *coniugium* einer guten *benedictio* bedarff (209), und: Wilt du ein rechter pastor sein, so mus es nur *dilectio* thun (228). Dieser Befund in unseren Texten stimmt zu der Tatsache, dass in Lehnwörterlisten das Substantiv stets an erster Stelle steht[1].

Die Erklärungen, die die Forscher für diese Tatsache gefunden haben, sind verschiedenartig. Haugen sagt zu seiner „scale of adoptability", sie sei „somehow ... correlated to the structural organization"[2]. Weinreich meint dagegen, der Grund sei „probably of a lexical-semantic, rather than a grammatical and structural nature. In the languages in which borrowing has been studied, and under the type of language and culture contact that has existed, the items for which new designations were needed ... have been, to an overwhelming degree, such as are indicated by nouns. Under different structural or cultural contact conditions, the ratio might be different"[3]. Vogt dagegen setzt für das seltene Auftreten gewisser Wörter strukturelle Gründe an, wie Haugen, und präzisiert diese Gründe etwas deutlicher: „In comparative grammar it is common knowledge that there are words which are seldom borrowed—the reasons given being either of a statistical or a psychological nature. For linguists it is perhaps more natural to look for the reason in the fact that these words very often are integrated in relatively coherent semantic structures."[4]

Um auf diese Gründe näher eingehen zu können, ist eine gründlichere Untersuchung nötig, wie wir sie im nächsten Abschnitt (unten S. 122 ff.) durchführen werden.

Lateinische Mischsätze. Die lateinischen Mischsätze bieten ein anderes Bild als die deutschen. Das Deutsche wird nicht in den lateinischen Satz eingestreut, sondern befindet sich entweder am Satzanfang (8 Belege; S. 85 f.[5]) oder am Satzende (22 Belege; S. 102 ff., 113; darunter befinden sich 2 Teilbogen). Die einzigen Belege, in denen die deutsche Sprache mitten in einem lateinischen Satz erscheint, sind zwei eingeschobene Teilbogen (S. 113).

---

[1] Weinreich, S. 37.   [2] 1950, S. 224.   [3] S. 37.   [4] S. 370.
[5] Satzeinleitende „*quia*" und „*et tamem*" sind nicht berücksichtigt.

Der deutsche Anteil an den Sätzen besteht meist aus Satzgliedern substantivischer Art, mit oder ohne Ergänzungen. Kern und Anglieder[1] bilden eine sprachliche Einheit.

Es finden sich:

Substantive (mit oder ohne Bestimmungen):	6 Subjekte
	8 Objekte
	1 Prädikativ
Substantivierte Infinitive:	3 Subjekte
	1 Objekt
Präpositionalkonstruktionen:	5 Umstandsbestimmungen
Adjektive:	1 Prädikativ
Adverbien	2
Pronominaladverbien:	1

Dazu ein gliedsatzeinleitendes Fragepronomen und eine Partikel (,,*Miror* auch").

Die Wortstellung des einzelnen deutschen Satzgliedes entspricht der seiner lateinischen Entsprechung: ,,*Illis autem in Actis post etiam manifestatus est* eusserlich" (402), nicht: ,,eusserlich *manifestatus est*". (Vgl. oben S. 102 f., die Belege Nr. 120, 17, 360. Zu den zusammengehörigen Wortgruppen vgl. unten S. 164.)

Zusammenfassung. Als Antwort auf unsere erste Frage ergibt sich: vorwiegend der deutschen Sprache werden Verben entnommen und solche grammatischen Wörter, die in enger Funktionsgemeinschaft mit dem Verb oder in grosser Nähe zu ihm stehen. Die deutsche Konjugation ist das zäheste Element der deutschen Sprache.

In einen deutschen Satz werden vorwiegend lateinische Substantive eingeschaltet[2]; diese behalten ihre lateinische Flexion auch nach deutschem Artikel und deutscher Präposition. (Einige Ausnahmen s. u. S. 166 f.) Sie werden überwiegend ohne Artikel gebraucht.

Auch in einen lateinischen Satz werden vorwiegend substantivische deutsche Glieder eingeschaltet.

Die Rolle als Satzglied, die das Substantiv spielt, ist dabei von keiner Bedeutung.

---

[1] Vgl. Erben 1954, S. 28 ff.

[2] Vgl. A. Meillet, Linguistique historique et linguistique générale. Paris 1921. Bd. 1, S. 84: ,,... une langue qui, comme le français, a des substantifs sans flexion, mais une conjugaison compliquée, emprunte volontiers des substantifs, mais relativement peu de verbes." Da das Verhältnis in unserem Material das gleiche ist, obwohl das deutsche Deklinationssystem kompliziert ist, kann der Unterschied nicht auf der verschiedenen Kompliziertheit der Systeme beruhen.

Präpositionalausdrücke werden beiden Sprachen entnommen und mit grosser Leichtigkeit in einen anderssprachigen Satz eingeschaltet. Dabei besteht der Unterschied zwischen den Sprachen, dass eine lateinische Präposition nur zusammen mit lateinischem Hauptwort eingeschaltet werden kann, während sich eine deutsche Präposition + Artikel auch vor lateinischem Glied behaupten kann (unten S. 137 ff. weiter ausgeführt).

Adjektive können prädikativ beiden Sprachen entnommen werden; attributiv steht lateinisches Adjektiv nur vor lateinischem Hauptwort.

Beiden Sprachen kann ferner die Konjunktion „und" bzw. „*et*" entnommen werden.

Wie arbeiten die Elemente beider Sprachen zusammen?
Sind sie in ihren Funktionen austauschbar?

Das Prädikat

a. *Das geteilte Prädikat.* Wie schon oben hervorgehoben wurde, kennt das Lat. im Aktiv keine zusammengesetzten Zeitformen; auf eine deutsche Form von „haben" oder „werden" muss auch ein deutsches Partizip[1] oder deutscher Infinitiv folgen.

Dagegen hat das Lateinische Modalverben + Infinitiv: deutschem „muss sein" entspricht lateinisches „*debet esse*". Trotzdem sträubt man sich gegen Bildungen wie „*muss-esse*", auch in Sätzen, wo der Infinitiv so weit von seinem Modalverb getrennt ist wie im Beleg: *Ergo* mus *fides in hac carne infirma* sein (122). Man kann von einer zusammenhaltenden Kraft des deutschen geteilten Prädikates sprechen[2]. Diese erstreckt sich jedoch nicht auf den zweiten Teil eines zusammengezogenen Satzes: solt der Teuffel kommen und *causam hanc agere* (349); Yhr must verzweyveln *et Deo dare gloriam et dicere* (502). Ebenso im Perfektum: David hatt es gesehen *et credidit* (148). Ist das Modalverb lateinisch, ist die zusammenhaltende Kraft nicht so stark; es kann in seltenen Fällen ein deutscher Infinitiv folgen: *si vellem legem* ... urgirn (349). Vgl. auch Bi 3, S. 365: *non solet ut ceterae domi* auffm polster sitzen.

Anm. Bei Schlag. finden sich zwei lat. Mischsätze mit deutschem Infinitiv am Satzende, beide mit dem gleichen Verb:
sed oportet me Sathanam vincere et textum per interemptionem negare et

---

[1] Vgl. dagegen unten S. 280.

[2] In Lauterbachs Tagebuch habe ich eine Ausnahme gefunden: den die *grammatica* soll nicht *regnare super sententias* (3794). Auch in den Briefen: Bd. 10, Nr. 3933. Freilich wollen wir gar gern *istis porcis suos furfures relinquere*.

iustitiam aufbringen (1821), und: *Si papa potuisset unum argumentum contra me* aufbringen (1269).

Im ersten Belege ist das Verb ein mit *et* angeknüpfter Infinitiv im zusammengezogenen Satz und lässt sich mit den zusammengezogenen Sätzen bei VD. vergleichen. Der zweite Beleg stimmt zu dem Befund bei VD., dass die zusammenhaltende Kraft des geteilten Prädikates nicht so stark ist, wenn das Modalverb lateinisch ist.

In beiden Beispielen fand Luther offensichtlich keine lateinische Entsprechung, die das mühsame Auffindigmachen und als Verteidigung im Kampf Gebrauchen schlagkräftig genug zum Ausdruck brachte[1].

b. *Subjekt und Prädikat.*

... in Wirklichkeit ist das syntaktische Verhältnis zwischen Subjektsnominativ und Prädikatsverb nicht einseitig, sondern gegenseitig und wechselseitig. Nicht nur das Prädikatsverb wird dem Subjektsnominativ zugeordnet, sondern auch der Subjektsnominativ dem Prädikatsverb. Die Hauptsache besteht hier eben darin, dass ein vom formellen Standpunkt aus unabhängiges und herrschendes Glied in den Satz doch nur zu dem Zweck eingeführt wird, um mit dem von ihm abhängigen Glied in Verbindung zu treten. Auch dem Subjektsnominativ ist hier also eine obligatorische Fügungspotenz eigen, aber von sehr eigenartiger Natur. Gerade diese gegenseitige (dabei nicht von lexikaler Semantik hervorgerufene) Zuordnung unterscheidet die prädikative Beziehung von allen anderen Arten der unterordnenden syntaktischen Beziehungen[2].

Ein deutsches Prädikat funktioniert ohne Schwierigkeit zusammen mit einem lateinischen Subjekt (mit Ausnahme der Subjektspronomen, vgl. unten S. 129). Dabei wird die Flexion des Prädikates durch die lateinische Subjektsflexion entschieden; wo das lateinische Subjekt im Vorfeld steht, hat es überwiegend keinen deutschen Artikel, an dem sich der Numerus ablesen liesse (vgl. S. 79 ff., S. 84).

Das sprachliche Verhältnis ist umkehrbar[3] (vgl. die Belege S. 85).

c. *Prädikat und Objekt.* Die Objektbeziehung „entsteht zwischen dem Verb und den vom Verb abhängigen Satzgliedern, die die Gegenstände bezeichnen, auf welche die vom Verb ausgedrückte Handlung gerichtet

---

[1] Zu der Bedeutung der Ausdruckskraft einer Wendung vgl. Elwert, S. 333 f.

[2] Admoni 1960, S. 200. Vgl. auch Brinkmann, D.d. S., S. 457 f. — Dänische Sprachforscher arbeiten mit dem Begriff „Neksus" (nach Jespersen; s. P. Diderichsen, Elementær Dansk Grammatik. Gyldendal 1957. S. 142 ff., 160 ff. — P. Jørgensen, Tysk grammatik. Del I. Kopenhagen 1953. S. 4 f.); dieser Begriff ist jedoch, besonders bei Jørgensen, so umfangreich und komplex (u. a. besteht ein „Neksus" auch zwischen Subjekt und Prädikativ, Jørgensen S. 5), dass ich damit nicht arbeiten konnte.

[3] Da lat. Mischsätze selten sind, sind umgekehrte Verhältnisse nur spärlich belegt.

ist ... diese Beziehung ist ... syntaktisch einseitig, wenn das Verb semantisch vollwertig ist"[1]. Ein deutsches Prädikat funktioniert ohne Schwierigkeit mit einem lateinischen Objekt; dies gilt sowohl für Fallobjekte wie
für Präpositionalobjekte (vgl. S. 82 f., 84 f., 87 ff., 92 f., 99 f., 106 f.).
Dabei richtet sich die Flexion des lateinischen Objektes nach dem
deutschen Verb. Ausnahmen sind gelegentlich Präpositionalobjekte: An
einem *peccatore poenitente* ... sol man nit verzweiveln (388). (Zu dem
Ablativ nach deutscher Präposition vgl. unten S. 139 ff.)

Das sprachliche Verhältnis zwischen Prädikat und Objekt ist umkehrbar (S. 103 f.); doch habe ich keinen Beleg für deutsches Präpositionalobjekt.

d. *Prädikat und Prädikativ.* Ein deutsches Prädikat funktioniert ohne
Schwierigkeit zusammen mit einem lateinischen Prädikativ (S. 87 f.,
91 f., 98 f.). Das sprachliche Verhältnis ist umkehrbar (S. 102).

Substantivische Glieder

a. *Der Infinitiv.* Für den substantivierten Infinitiv[2] gilt, was oben
über Subjekt, Objekt und Prädikativ gesagt ist. Das sprachliche
Verhältnis ist umkehrbar. Wenn der Infinitiv ein Objekt bei sich hat,
steht dieses meist in der Sprache des Infinitivs: Das heist *iudicare vivos
et mortuos* (586); *Doctrinam invadere* ist noch nie geschehen (624); Mit
den keglen schiben *est* ... (261); das recht treffen ... *est* ..., (320); *ut*
einen wurffel in den andern werffen (355); doch kommt auch die andere
Sprache vor: *vota et missam* an zu greiffen ... hab ich ... (113); die
heuptspruch *interpretari*, das ist ... (1609, Schlag.). Vgl. auch folgenden
Satz aus den Briefen, wo ein deutscher Infinitiv mit Objekt bzw. Adverb
als Block in einen lateinischen Satz eingeschaltet wird: *Non enim satis*
keyn unrecht thun, *Sed requiritur &* wol thun *& ei* seyn recht thun *non
requiritur.* (Bd. 2, Nr. 467.)

b. *Das substantivierte Adjektiv.* Lateinische substantivierte Adjektive
können einzeln in einen deutschen Satz eingeschaltet werden. Für sie
gilt das oben für Subjekt, Objekt und Prädikativ festgestellte (vgl.

---

[1] Admoni 1960, S. 201.

[2] Zum subst. Inf. im Lat. vgl. H. P. V. Nunn, An Introduction to Ecclesiastical
Latin. Eton 1952. S. 54 ff. Zum deutschen Infinitiv: C. Biener, Veränderungen am
deutschen Satzbau im humanistischen Zeitalter. In: ZfdPh 78. 1959. S. 72–82; bes.
S. 74 f. — R. Körner, Tysk språkbruk I. In: Moderna språk 57. 1963. S. 144–160.

S. 63 f. unter: *christianus, electus, impius*[1], *mortuus*). Dagegen habe ich keinen Beleg für deutsche subst. Adjektive in lateinischem Kontext (auch nicht in Schlag.s Sammlung).

    c. *Substantivische Attribute.*

    1. *Im Genitiv.* Nachgestellte lateinische Genitivattribute finden sich vereinzelt: der teglich todt *veteris Adae* (484); zu einem ursprünglich lateinischen Hauptwort: in der procession trug *corporis Christi*[2] (137); Eigennamen mit lateinischer Genitivendung: das ampt ist nit **Iudae**, *sed* **Christi** des einigen (342). Vgl. auch folgenden Beleg aus Lauterbachs Tagebuch: so bring ich stinckende pech und Deuffels dreck *murmurationis et impatientiae* (3798).

Bei Schlag. dagegen findet sich lat. Gen. attrib. nur zu lat. oder sprachl. neutr. Hauptwort: das er hatt konnen alle *minas* verachten seiner *adversariorum* (1777); das er *pontifex* und *episcopus* sey *animarum nostrarum* (1679); Last **Davidem** ein groß exempel sein *divinae misericordiae* (1370).

Dagegen habe ich für deutsches Genitivattribut nach lateinischem Hauptwort bei VD. keinen Beleg. Es findet sich jedoch einer bei Schlag.: *cum illa morte* des hofmeisters *ab* Haubitz (1378)[3].

    2. *Präpositionalattribut.* Ein lateinisches Präpositionalattribut kann sich auf ein deutsches Hauptwort beziehen (oben S. 85, 93). Belege bei Schlag.: wen mir Michel Stiffl ein wort sagt *ex evangelio* (1305); *Apostoli* haben sovil gedanckhen gehabt *de Sathana et contra mundum* als *de Deo* (1720). Für das umgekehrte Verhältnis habe ich keinen Beleg.

    3. *Das substantivische Attribut als Apposition zu einem Pronomen.* Vereinzelt findet sich lat. substantivisches Attribut zu deutschem Pronomen: wir *faeces* (363); Wir *theologici*, wir *theologi* (1364, Schlag.); für umgekehrtes sprachliches Verhältnis habe ich keinen Beleg.

Der Gebrauch des Artikels

„Der Artikel gehört zur Ausstattung der Wortart, wie Genus und Numerus."[4] Da die lateinische Sprache über keinen bestimmten Artikel verfügt, ist die Beigabe eines deutschen Artikels zu einem lateinischen

---

    [1] *impius* scheint besondere Durchschlagskraft zu haben, vgl. Schlag. Nr. 1636, 1831 (2 Belege), 1289.

    [2] Zur Wortstellung vgl. das Beispiel aus „An den christl. Adel ..." bei Erben, 1954. S. 21: „Sie sein auch die heubter geweßen dißes iamers zu Costnitz." Vgl. auch Erben, ebd. S. 142, unter cβ, und Francke, S. 74.

    [3] Vgl. oben S. 77, Anm. 1.

    [4] Brinkmann, D. d. S., S. 51.

Substantiv ein Kriterium dafür, dass der sprachliche Zugriff, um mit Weisgerber zu reden, aus der Sicht der deutschen Sprache her erfolgt; sie ist der erste Schritt der Andeutschung.

Die deutsche Sprache eignet sich lateinische Substantive in vier Stufen an:
1. Das lateinische Substantiv wird ohne Artikel mit seiner Flexion dem deutschen Satz einverleibt. In den Fällen, wo ein entsprechendes deutsches Substantiv Artikel verlangt hätte, kann man schon von „Lehnsyntax" sprechen („Bibel lest sich . . .", 596).
2. Das Substantiv erhält deutschen Artikel.
3. Das Substantiv erhält deutschen Artikel und in allen Fällen im Singular Nominativendung.[1]
4. Die vokalische Endung wird abgeworfen (-atio — -a(t)z usw.) oder eingeebnet (-tio — -tion; n aus den obliquen Fällen).
Im folgenden werden die Stufen 1 und 2 behandelt. Stufen 3 und 4 s. unten unter „Flexion" (S. 165 ff.).

Da es sich zeigte, dass ein Attribut den Artikelgebrauch beeinflusst (vgl. unten S. 128), habe ich zunächst die einzeln eingeschalteten lateinischen Wörter untersucht[2].
Der Einfluss der Leistung und der Stellung im Satz. Das Resultat der Untersuchung lässt sich an der folgenden Tabelle ablesen.

	Mit Artikel			Ohne Artikel	
	Erststellung	Übrige		Erststellung	Übrige
Subjekt	5	19 + 3 Teil-bogen	Subjekt	34	22
Objekt	7	45 + 1 Teil-bogen	Objekt	3	27
Prädikativ	—	1	Prädikativ	—	2

Anm. In dieser Tabelle sind auch die unter 1 A aufgeführten Belege bei Schlag. mitgezählt (oben S. 59 ff.).

Es zeigt sich, dass in erster Linie die Leistung des Substantivs als Satzglied von ausschlaggebender Wirkung ist: Subjekte stehen überwiegend ohne Artikel, Objekte überwiegend mit Artikel. Für die Prädikative

---

[1] Dies gilt hier besonders für Feminina auf -ia und -io, vgl. unten S. 166 f.

[2] Nicht berücksichtigt wurden Substantive mit deutschem Attribut oder in Präpositionalverbindungen; ebensowenig der unbestimmte Artikel; unter „ohne Artikel" sind nur Belege berücksichtigt worden, die im Deutschen Artikel erfordert hätten.

habe ich so wenige Belege, dass sich keine Schlussfolgerungen ziehen lassen[1].

Daneben ist die Stellung im Satz von Bedeutung: ein Subjekt am Satzanfang hat überwiegend keinen Artikel (vgl. die Belege oben S. 79 ff. mit S. 84), während sich im Satzinneren Belege mit und ohne Artikel die Waage halten. Bei dem Objekt dagegen überwiegt auch in dieser Stellung die Form mit Artikel (vgl. oben S. 82 mit S. 84). Dass auch die Nähe zum Verb eine Rolle spielt, haben wir oben (S. 119 f.) festgestellt.

Dass der deutsche Artikel beim Subjekt vorwiegend fehlt, beim Objekt vorwiegend gebraucht wird, zeigt, dass das Bedürfnis bestanden haben muss, den Objektskasus stärker zu bezeichnen als nur durch die lateinische Kasusendung. Besonders machte sich dieses Bedürfnis natürlich bei den Substantiven geltend, die im casus rectus statt obliquus standen.

Die gleiche Tendenz bei der Behandlung des Artikels machte sich in der Übersetzungsliteratur geltend; vgl. B. Strauss: „... vielmehr sind artikellose Begriffe sehr häufig selbständige Träger des Satzes, Subjekte. Abstrakta bilden ... die Hauptmasse"[2]. „Die Casus obliqui ... scheinen dabei den bestimmten Artikel besonders benötigt zu haben."[3]

Daneben spielt aber auch die Art des Substantivs selbst eine Rolle: *verbum* z. B., das sich im Nom. u. Akk. gleich ist, steht überwiegend mit Artikel; die einzigen drei Belege ohne Artikel sind jedoch alle Objektfälle (vgl. oben S. 67). Dagegen gibt es Substantive, die sich der Beigabe des Artikels widersetzen: *ecclesia, lex, vita, substantia, papatus, circumcisio*; Ausnahmen sind Fälle nach deutscher Präposition oder deutschem Adjektivattribut. Es handelt sich überwiegend um abstrakte Begriffe (vgl. den oben zitierten Befund bei Wyle). Besonders bei *ecclesia* mochte sich die Abstraktheit des Begriffes im Gegensatz zum Kirchengebäude geltend gemacht haben.

Auch der Grad der „Eingedeutschtheit" kann bei den Wörtern der sprachlich neutralen Schicht eine Rolle spielen: *theologus* steht nur mit Artikel, *argumentum* mit Artikel in den meisten Fällen. Die einzige Ausnahme ist ein Subjekt an der Satzspitze. Doch ist dieser Befund nicht eindeutig: während sich hauptsächlich bereits die eingedeutschte Form „Sacrament" findet, steht der einzige Beleg für *sacramentum* als

---

[1] Die geringe Anzahl der Belege beruht darauf, dass ein Substantiv als Gleichsetzungsnominativ überwiegend mit Attribut steht.

[2] B. Strauss, Der Übersetzer Nicolaus von Wyle. Bln. 1912. S. 109.

[3] Ebd. S. 106.

Objekt ohne Artikel (S. 67). Dagegen das weit seltenere *sacrificium* als Objekt mit Artikel (ebd.).

Eine sprachpsychologische Erklärung für die Tatsache, dass die Spitzenstellung des Subjekts einer Beigabe des Artikels entgegenwirkt, wird unten (S. 289 ff., 295 f.) versucht.

Der Einfluss eines Attributes auf die Beigabe des Artikels. Geht einem lateinischen Substantiv ein deutsches Attribut voran, ist deutscher Artikel oder deutsches Pronomen die Regel. (Beispiele für das Subjekt s. *ecclesia*, S. 60; *coniugium*, S. 65; für Objekt: *conscientia*, S. 59, *doctrina*, 60; zum Gleichsetzungsnominativ: *gaudium*, S. 66; *christianismus*, S. 63)

Lateinisches Attribut dagegen, sowohl voran- wie nachgestelltes, wirkt einer Beigabe des Artikels entgegen. Dies ist besonders am Satzanfang der Fall (vgl. S. 84 unter 2 aα und eα; dagegen die artikellosen Belege für Subjekt und Objekt, S. 81, 82). Für das Mittelfeld habe ich nur einen Beleg mit Objekt + Artikel (S. 88, Nr. 134). Die verhältnismässig grösste Anzahl findet sich im Nachfeld: 2 Subjekte, 2 Prädikative, 2 Objekte (S. 97 ff. unter 2 aα, bα, cα); im Nebensatz ausserdem 1 Subjekt (S. 106, Nr. 320); im nachgestellten Teilbogen 1 Objekt (S. 113 unter b 2 β, Nr. 461).

Nach einer deutschen Präposition kann sich dagegen die lateinische artikellose Form auch nicht bei einem lateinischen Attribut durchsetzen; vgl. S. 89, unter β[1], Nr. 206; S. 85, Nr. 388; S. 102, Nr. 76. Ebenso bei mehreren lateinischen Substantiven, vgl. S. 89, Nr. 135; S. 98, unter bδ, Nr. 369; S. 99, Nr. 193. Weiteres unten S. 137 ff.

Das Genus[1]. Der deutsche Artikel richtet sich vor einem lateinischen Substantiv im Regelfall nach dem lateinischen Genus. So sind Wörter auf *-io* Fem., die auf *-us* Mask., die auf *-um* Neutr. (Vgl. ausser dem Verzeichnis lateinischer Substantive auch den Abschnitt „Teilbogen", S. 109 ff.) Dies ist auch der Fall, wenn das entsprechende deutsche Wort abweichendes Genus hat: das *donum* (3669), gegen „die Gabe"; das *peccatum* (273, 290), gegen „die Sünde"; der *baptismus* (502), gegen „die Taufe"; der *morbus* (3669), gegen „die Krankheit"; *ira*, die ... (255), gegen „der Zorn". Bei den abstrakten Feminina auf *-(i)a* findet sich meist keine deutsche Entsprechung, sondern ein eingedeutschtes Fremdwort, welches das lateinische Genus behält: die *rhetorica*, die *biblia*, die *doctrina* usw. In sehr vielen Fällen stimmen deutsches und lateinisches Genus überein: die *ecclesia* — die Kirche; die *gratia* — die Gnade.

---

[1] Zum Genus bei Fremdwörtern s. Møller, S. 46, und Moser 1959, S. 204 f.

Abweichungen von der Regel, d. h. Fälle, wo deutsches Genus ausschlaggebend war, finden sich vereinzelt, doch nicht zu den grossen Gruppen auf *-us, -io, -um*. Ich verzeichne zwei Fem. auf *-a*, die statt dessen neutrales Genus haben: 's *terra* (315; bei FB. mit „das Erdreich" übersetzt), und: es sey *vita*, wie es woll (316). Bei VD. ausserdem noch ein Fem.: *lex*: uber, bzw. bey dem *lege* (289 bzw. 590); *ut sit alia lex*, so heyssen sie es *novam* (317). In LbTb findet sich noch 's *res* (3793, bei FB. mit 's Recht übersetzt.) Es handelt sich also durchweg um Sachbezeichnungen, die im Lat. feminin sind.

Gebete und Lobgesänge sind Neutra: das *benedicite*, das *gratias*, 's *magnificat*, das *paternoster* (vgl. S. 74).

Deutscher Artikel in lateinischen Mischsätzen. In meinem Material steht ein deutsches Substantiv in lateinischem Mischsatz mit seinem Artikel, wo es deutschem Sprachgebrauch nach einen solchen verlangt (S. 102 f.).

Pronomen

In unserem Verzeichnis über einzeln eingeschaltete Wörter befindet sich kein einziges Pronomen. Darin stimmt es mit den gewöhnlichen Lehnwörterverzeichnissen überein (vgl. oben S. 119). Deutsches Subjektspronomen steht nur zusammen mit deutschem Verb (vgl. S. 117 f.), lateinisches nur mit lateinischem.

Über die enge Verbindung zwischen Verb und Subjektspronomen vgl. Schuchardt: „Demjenigen Tschechen der das Deutsche nur aus lebendem Munde erlernt, wird anfänglich das tonlose Subjectspronomen als integrirender Theil der Verbalform selbst erscheinen. Nun ist dasselbe entweder enklitisch oder proklitisch ... die proklitische Stellung, als die der meisten Aussagesätze, ist die regelmässige, thatsächlich aber herrscht die andere in der Unterhaltung vor."[1]

Ausnahmen in meinem Material: In den Bibelnotizen findet sich ein demonstratives Pronomen: Jhene *rident te fortiter* (Bd. 2, S. 69). Ein indefinites Pronomen findet sich bei Schlag.: Schwaden *colligit* man *mane cadente rore* in ein siebe (1396). Das Beispiel bei Schlag. mit enklitischem indefiniten Pronomen als Subjekt nach lateinischem Verb steht so allein da, dass ich hier einen Schreib- oder Lesefehler, hervorgerufen durch das darauf folgende *mane*, ansetze. (Der Schreiber des Paralleltextes 937, dem offensichtlich Schlag.s Text zur Verfügung

---

[1] S. 100 f.

stand, glättet zu: Schwaden samlet man des morgens *cadente rore* in ein siebe.)

a. *Lateinische Pronomen.* Ein lateinisches Pronomen in deutschem Mischsatz steht stets in syntaktischer Verbindung mit einem anderen lateinischen Wort.

1. *Persönliche Pronomen.* Im Vergleich, mit *quam* angeknüpft: es ist yhm seurer worden *quam vobis et mihi* (141). In einer Präpositionalkonstruktion: grosse heyligen mussen grosse sunden thun *propter nos* (376). *Contra me*, zweimal, beidemal noch durch ein lateinisches Substantiv gestützt: der so *argumenta* kondt *contra me* auffbringen (518), und: ist der feinst *scriptor contra me* gewest (463).

2. *Possessive Pronomen.* Nur in attributiver Verwendung bei lateinischem Substantiv: *Filium suum* (435); *populum suum* (102); *vestra cogitatio* (167); *dorsum eius* (3669). In lateinischen Präpositionalverbindungen: *Pro mea persona* (518).

3. *Demonstrative Pronomen. Ipse* und *ille* vor lateinischem Subst.: *ipsorum leges* (480); *illum sexum* (611), u. a. m. In lateinischer Präpositionalverbindung: *in ipso throno Dei* (574).

4. *Indefinite Pronomen*[1]. Als Subjekt zusammen mit anderem lateinischen Subjekt: *sed Erasmus et alii* hatts nie keiner mit ernst gemeinet (463). Mit lateinischem grammatischen Wort angeknüpft: *quam alii* (605); *et omnia* (517; vgl. oben unter persönl. Pron.). In attributiver Verwendung nur vor lat. Subst.: *omni momento* (510).

b. *Deutsche Pronomen.* Während lateinische Pronomen in attributiver Verwendung nur bei einem lateinischen Substantiv stehen, können in deutschen Mischsätzen deutsche Pronomen attributiv ein lateinisches Substantiv bestimmen:

1. *Possessive Pronomen*: mein *horas* (495, 1253, Schlag.); mein *theologiam* (352); unser *regimen* (320).

2. *Indefinite Pronomen.* Hier sind besonders die zahlreichen ,,ein'' und ,,kein'' zu nennen, vgl. oben S. 59 ff.. Ferner: alle *minas* (1777, Schlag.); alle *articulos* (518); alle *locos* (626); all *merita* (424); ein ander *quaestio* (365); u. a. m. Vgl. hiermit die adjektivischen Attribute, unten.

In *lateinischen Mischsätzen* kommen deutsche Pronomen nur in deutschen syntaktischen Verbindungen vor; ich habe nur zwei Belege,

---

[1] Indefinite Pronomen sind Grenzfälle, vgl. Duden, § 420: ,,... wenn man sich nicht entschliessen will, diese Pronomen den Zahlwörtern zuzuordnen.'' Vgl. auch ebd. § 484. Admoni will sie eher zu den Adjektiven zählen (1960, S. 134 f.). Vgl. auch H. Renicke, Grundlegung der neuhochdeutschen Grammatik. Berlin 1961. S. 132 f.

beide in Präpositionalverbindungen: *et tamen* an yhm selb *non tollit* ...
(342); ... *disco et oro* mit meinem Hansen und meinem Lenichen (81).
Selbständige deutsche Pronomen finden sich nicht, vgl. jedoch das oben
zitierte Beispiel aus den Bibelnotizen (Jhene *rident* ...).

3. *Relativpronomen.* Diese nehmen dadurch eine besondere Stellung
ein, dass sie mit dem Verb zusammen den Gliedsatzrahmen bilden[1].
Ist das Verb im Gliedsatz deutsch, so ist es das Relativpronomen
ebenso (vgl. die Belege S. 105 ff.). Gemischte Gliedsatzrahmen kommen
fast nur bei konjunktionalen Gliedsätzen vor (vgl. S. 108 u. unten S. 160).

Adjektive und ihr Hauptwort

Im deutschen Mischsatz stehen lateinische Adjektive attributiv häufig
bei lateinischem Substantiv (vgl. bes. die Belege S. 81 u. 91). Ich
führe hier nur an: er mus in die *caecos et perversos homines* zeichnen (206).

Dagegen stehen keine lateinischen Adjektive attributiv vor deutschem
Substantiv, etwa ,,*caecos Menschen". Vgl. hiermit die attributiv verwendeten Pronomen.

Prädikativ können lateinische Adjektive dagegen ein deutsches Hauptwort bestimmen, doch stehen sie meistens bei lateinischem Substantiv
(vgl. die Belege S. 74 f.); wo sie ein deutsches Wort bestimmen, ist dies
meist ein Pronomen; dies kann sich wiederum auf ein lateinisches Substantiv beziehen, so das ,,es" in: so heyssen sie es *novam* (317), auf *lex*.

Ein deutsches Adjektiv kann attributiv vor lateinischem Substantiv
stehen: der feinst *scriptor contra me* (463); kein grossers *signum ultimi diei*
(462); ein sonderliche grosse *potentia* (482); gute, starcke *prosopopeias* (588);
u. a. m. Die Belege sind zahlreich.

Einzeln eingeschaltete lateinische Adjektive stehen entweder prädikativ (oben S. 74 f.), oder man muss ein ausgelassenes lateinisches Substantiv
aus dem Vorangegangenen ergänzen: da der Teuffel *ex corporali passione*
will *spiritualem* (=*passionem*) machen (3669).

Für einzeln in einen lat. Mischsatz eingeschaltete deutsche Adjektive habe ich in den TR keinen Beleg (S. 77).

Die Feststellungen über das adjektivische Attribut gelten auch für
das Partizip; Beispiel: das *credens homo* kondt ... (430). Die Belege bei
VD. sind spärlich.

---

[1] Renicke zählt die Relativpronomen zu den Konjunktionen (S. 138, 140). In
unseren Texten unterscheiden sie sich jedoch deutlich von den Konjunktionen
durch ihre Abhängigkeit vom Prädikatsverb. Vgl. unten S. 160.

Das Fehlen fremdsprachiger Adjektive vor deutschem Hauptwort ist auch aus dem Deutschbrasilianischen bezeugt[1]. Fausel bringt dafür eine psychologische Erklärung: „Es fehlen auch meist die Adjektive. Das deutet wohl darauf hin, dass der Deutschbrasilianer in seinem Geschmacks- und Werturteil sich doch vorwiegend an die deutschen Eigenschaftswörter hielt … Der Deutschbrasilianer liess sich also für viele Arten der Tätigkeit, sowie für Gegenstände, Einrichtungen und Sachbegriffe die Namen vom Luso-brasilianer liefern, während er sich die Wertung selber vorbehielt." Vgl. auch Moser: „Lehnadjektive sind überall verhältnismässig wenig zahlreich: im Bereich der Wertung ist das heimische Wort herrschend geblieben."[2]

Diese psychologische Erklärung wird jedoch von unserem Material nicht gestützt. Es spricht dagegen die Tatsache, dass ja deutsche Adjektive in lateinischem Text in meinem Material noch seltener sind als umgekehrt, und dies, obwohl in deutschen Mischsätzen deutsches Adjektiv sehr wohl vor lateinischem Substantiv stehen kann. Wenn die Wertung vorwiegend mit muttersprachlichen Mitteln ausgedrückt wird, müsste man deutsche Adjektive in grosser Zahl in lateinischen Mischsätzen erwarten; dies ist aber nicht der Fall. Auch unterscheiden die Lehnwortverzeichnisse nicht zwischen attributiven und prädikativen Adjektiven. Unsere Belege zeigen, dass ein wesentlicher Unterschied im Gebrauch dieser beiden Kategorien besteht. Unser Befund stützt dagegen die Auffassung Vogts, der den Grund für die Seltenheit gewisser Wortkategorien in den Lehnwörterverzeichnissen darin sieht, dass diese Wörter sehr oft einen integrierenden Bestandteil einer syntaktisch zusammengehörigen Struktur bilden[3]. Es ergibt sich aus der Tatsache, dass in deutschem Mischsatz deutsches Adjektiv vor lateinischem Substantiv stehen kann, doch nicht umgekehrt, die Folgerung: man kann den Kern einer zusammengehörigen syntaktischen Gruppe der fremden Sprache entnehmen, jedoch nicht die Anglieder allein[4]. (Diese Feststellung gilt selbstverständlich für den Regelfall; Ausnahmen werden immer vorkommen.) Das gleiche ist oben von den attributiv verwendeten Pronomen festgestellt worden.

Was Moser und Fausel übersehen haben, ist dass auch die Adverbien in den Bereich der Wertung gehören; besonders im Deutschen ist der Unterschied zwischen Adverb und Adjektiv nicht immer klar[5].

---

[1] Fausel, S. 51.
[2] Moser 1959, S. 209.
[3] Vgl. oben S. 120.
[4] Zu „Kern" und „Anglieder" vgl. oben S. 121, Anm. 1.
[5] Vgl. Glinz 1957, S. 121 ff., bes. S. 127 f.

Substantivierte Adjektive drücken ebenfalls eine Wertung aus. Diese funktionieren aber wie die Substantive (vgl. z. B. S. 64, *impius*). Mitunter werten auch Substantive (Papstesel!)[1].

Adverbien

Eine besondere Durchschlagskraft has das lat. Adverb *proprie*, bei dem der Schritt zum Adjektiv mitunter nicht weit ist: Parfusser munch sind *proprie* leus (301), und: Sind *proprie* polsterhund (285). Auch bei Schlag. findet sich *proprie* bei einem deutschen Substantiv, hier nachgestellt: *Flores Saracenici* . . . sein nelicker *proprie* (1705). Dagegen zu deutschem Verb: *Sinus* heisst *proprie* ein bosem (1635). Auch bei Math. L.: aber *proprie* redt er (5240).

Im übrigen können lateinische Adverbien ohne Schwierigkeit ein deutsches Verb näher bestimmen, s. die Belege oben S. 75. Ich führe noch folgende Belege aus Schlag.s Sammlung an:

Papatus stehet auff der messe *dupliciter*: *Spiritualiter* helt sie *cultum*, *deinde mundi* erhalten *papatum corporaliter* (1673). Ir must *perpetuo* frumb sein (1524); das sie so *constanter* gesagt (1244). Vgl. auch den Beleg in LbTb: Hett der cardinal zu Augspurg *modestius* gehanndelt (3857).

Das Verhältnis ist umkehrbar, doch steht deutsches Adverb nur selten bei lat. Verb; vgl. die Belege oben S. 77. Aus Schlag.s Sammlung führe ich noch an:

Sectae anabaptistarum kindisch[2] *dicunt* (1717); Schwerlich *isti admittunt adhuc magistratum* (1717); Weitter *dicit Deus ad me* (1820).

Negation

Deutsche Verben werden nur deutsch negiert, lateinische nur lateinisch[3]. Beispiele für deutsche Negation finden sich reichhaltig überall im Text, während die Beispiele für lateinische Negation in Mischsätzen selten sind[4]. Ich habe folgende Belege für lateinische Negation bei lateinischem Verb: *Sic seditiosus* sundigt *contra magistratum et tamen*

---

[1] Vgl. Lepp.

[2] Nr. 1717 ist zweifelhaft; die WA hat Schlag.s schlechten Text nach Ror. korrigiert, vgl. Anm. 1 zu diesem Stück.

[3] Vgl. oben S. 87, Anm. 2.

[4] In Übereinstimmung mit dem Befund, dass lateinische Mischsätze selten sind.

an yhm selb *non tollit magistratum* (342); im zusammengezogenen Satz: was gemacht ist *et non fluit* (427).

Bei der sprachlichen Gebundenheit des *non* bzw. „nicht" an sein Verb spielt auch die Wortstellung eine Rolle: im deutschen Hauptsatz steht das „nicht" hinter der finiten Verbform, das *non* steht jedoch unmittelbar vor seinem Verb.

Lateinische Substantive können durch „nit" verneint werden:

Christus hat yhm nit *furtum* befolhen, *sed officium* (605); da wil ich nit *remissionem peccatorum* haben (316); Das ampt ist nit *Iudae, sed Christi* des einigen (342); so kan ich nit *unum peccatum veniale* uber winden (141) u. a. m.

Vgl. Briefe Bd. 6, Nr. 1800: Ich werde ja nicht *unus omnium omnia negotia et solus subito et simul* ausrichten.

Auch eine lateinische Präpositionalverbindung kann durch „nit" in Abrede gestellt werden: Geht nit *ad praedestinationem, sed* allein, das ..., (514)[1].

Für lateinisches Adverb habe ich folgenden Beleg mit deutscher Bestimmung: (Und das mus ein jurist auch *civiliter* thun,) nit allein *theologice* (320).

Wie aus den obigen Beispielen hervorgeht, eignet der Konstruktion „nicht – sondern" keine sprachzusammenhaltende Kraft: „nit – *sed*" kommt häufig vor, auch wenn die Fortsetzung nach dem *sed* deutsch ist. Dagegen gibt es bei VD. kein „non – sondern"[2].

Bei Schlag. findet sich: „nicht ... noch ..., *sed* ...": Es ist nicht *in sublimi genere* noch *in humili, sed in nullo* (1539). Bei ihm auch: „weder ... noch" vor lateinischen Gliedern: weder *pro arbitro* noch *pro consule* (1506).

Lateinisches Pronomen wird bei Schlag. einmal lateinisch negiert: und lob *non me ipsum* (1450). Für deutsch negiertes selbständiges lateinisches Pronomen habe ich in meinem Material keinen Beleg.

Non. Für *non* + deutsches Wort habe ich zwei Belege: 1. in lateinischem Mischsatz, in der Konstruktion „*si non — at*": sed *dialectica superabo, si non* schon, *at secundum proverbium:* Alber fest (446).

---

[1] Vgl. Behaghel, Deutsche Syntax, IV, S. 239: „Die Verneinung eines nicht verbalen Satzgliedes ist aus der beim Verbum stehenden Verneinung hervorgegangen, die unter Umständen sich zugleich auch auf die Bestimmungen des Verbums erstreckt. Es ist daher nicht immer mit Sicherheit zu entscheiden, ob die Negation tatsächlich nur dem einen Satzglied gilt."

[2] Ich habe einen Beleg bei Lb + W: *non dicimus: post dres dies*, sondern: Am dritten tage (3659). In der Satzverbindung findet sich bei Schlag. „*non* ..., sondern wenn ..., so ..." (1361, 1753). Vgl. unten S. 150.

2. in deutschen Kontext eingestreut: um seines namens willen, *non umb Ferdinandus willen* (332). In diesem Fall ist wahrscheinlich die lateinische Abkürzung verantwortlich zu machen (vgl. unten die Probe aus Rörers Predigtnachschrift, S. 261 ff., in der *non* häufig in deutschem Kontext steht). Bei Schlag. findet sich kein Beleg für *non* vor deutschem Wort. Stichproben bei anderen Schreibern verliefen negativ.

Kein. Vor einem lateinischen Substantiv steht „kein" bei VD. hauptsächlich dann, wenn dies einzeln in einen deutschen Mischsatz eingeschaltet ist. (Belege s. S. 59 ff., unter: *biblia, causa, conscientia doctrina, prophetia, adulter, concilium, praeceptum, consolatio, divisio, tentatio, cultus*.) Mit nachfolgendem deutschen Adjektiv im Komparativ steht es mitunter vor lateinischem Substantiv mit lateinischer Bestimmung: kein grossers *signum ultimi diei* (462); kein besser *exemplum contra traditiones humanas* (613).

Auch bei Schlag. steht „kein" vor lateinischem Glied hauptsächlich, wenn dies ein einzelnes Wort ist, doch habe ich eine Ausnahme: kein *perpetua vita* (1597). Vgl. dagegen folgenden lateinischen Mischsatz, wo die Schaltung mit der Negation vor sich geht: Vor 30 jaren *nullus doctor theologiae habuit biblia* (1552). Vgl. auch die oben angeführten Belege mit „nit *unum* ...", „nicht *unus* ..." vor mehreren lateinischen Wörtern, statt Negation mit „kein", möglicherweise durch „einzig" verstärkt.

Eine entsprechende lateinische Verneinung eines deutschen Substantivs, etwa mit *nullus*, ist nicht belegt.

Nichts. „Nichts" findet sich einmal vor lateinischer Bestimmung: *In prophetis* ist nichts *de peccato originali et resurrectione mortuorum* (277). Für eine entsprechende lateinische Konstruktion, etwa *nihil* mit deutscher Bestimmung, habe ich keinen Beleg.

Vergleichspartikeln und die durch sie eingeleiteten Satzglieder

Komparativ + als, denn, bzw. quam. Auf einen deutschen Komparativ kann ein mit *quam* angeknüpfter lateinischer Vergleich folgen (s. die Belege S. 94, 100). Doch kann auch „denn" bzw. „als" vor den lateinischen Gliedern des Vergleichs stehen (Belege S. 100). Dies ist besonders nach negiertem Vordersatz der Fall (s. u.).

Weder bei VD. noch bei Schlag. habe ich einen Beleg für an einen lateinischen Komparativ anknüpfenden deutschen Vergleich. Bei meinen Stichproben in anderen Sammlungen fand sich ein solcher Beleg bei Math. L.: *sed prodire in contionem, multo est praestantius* den zum sacrament gehen (5288).

Eine einzelne lateinische Vergleichspartikel in rein deutschem Kontext oder deutsche in lateinischem kommt nicht vor.

Während „denn" vor lateinischen Gliedern des Vergleichs stehen kann, findet sich *quam* nicht vor deutschen Gliedern.

Wie, bzw. sicut. An einen deutschen Satz kann ein lateinischer Vergleich mit *sicut* angeknüpft werden (Belege S. 94 u. 100). Für „wie" vor lateinischen Glieder habe ich nur einen Beleg (S. 100, Nr. 122). Für einen an einen lateinischen Satz mit „wie" angeknüpften deutschen Vergleich findet sich bei VD. kein Beleg, jedoch bei Schlag.: *Contra illam securitatem ego quotidie oro catechismum* wie mein Hensichen (1727). Dieses Beispiel zeigt sehr schön, wie ein emotionaler Faktor sich auswirkt, so dass eine Schaltung auch dort vor sich geht, wo sie in sachlicher Sprache für gewöhnlich nicht erfolgt. (Vgl. unten S. 170.) — Stichproben ergaben noch einen Beleg bei Cordatus: *quorum opera Deus utitur* wie der leute, der er nicht mag geraten (2832a). Bei Schlag. kommt ein „wie" isoliert in lateinischem Kontext vor: *Ego adhuc aliquid scio, quod discipuli mei non sciunt,* wie Campanus *et ceteri arbitrantur se scire* (1430). Auch findet sich bei Schlag., im Gegensatz zu VD.s Text, ein *sicut* vor deutschen Gliedern; es ist durch vorangehende lateinische Glieder gestützt: ist nitt zwungen und gnedigt *per regulas, sicut* des fincken gesang (1258). Doch ist dieser Beleg eine Ausnahme. Im Regelfall muss *sicut,* wie *quam,* von dem Glied, das es anknüpft, sprachlich gestützt werden. So können sich z. B. eine lat. Vergleichspartikel und ein Pronomen gegenseitig stützen und das Nachfeld eines deutschen Satzes füllen (vgl. *quam alii, quam vobis et mihi*); auch ein Eigenname[1] reicht zu einer solchen Stütze aus (*quam Erasmus, sicut Daniel, sicut Petro,* vgl. S. 94), sofern er nicht rein deutsch ist; für solche Namen habe ich keinen Beleg.

Ebenso wie „wie" kann „als" vor lateinischen Gliedern stehen (S. 100, 1 Beleg). Hier spielt die Konstruktion „so–als" eine Rolle, vgl. ausser dem obigen Beleg bei VD. noch die beiden bei Schlag.: das Gott gleich so vil zu schaffen hatt *annihilando* als *creando* (1259), und: *Apostoli* haben sovil gedanckhen gehabt *de Sathana et contra mundum* als *de Deo* (1720). Bei Schlag. habe ich sonst keine Belege für „als" vor lateinischem Wort.

Da „denn" hauptsächlich nach negiertem Vordersatz, „als" hauptsächlich in der Konstruktion „so–als" vor lateinischen Gliedern steht, macht sich hier eine gewisse sprachzusammenhaltende Kraft bemerkbar, die z. B. der Konstruktion „nicht–sondern" fehlt (vgl. oben S. 134).

---

[1] Zu den Eigennamen vgl. oben S. 57.

Belege für „*denn*" vor lateinischen Gliedern sind bei Schlag. selten; ich habe drei; nach negiertem Vordersatz: wenn ich kein argument hett *contra papam* den *de facto* (1269); Es ist kein verwegner volck auf erden den *nautae in mari* (1452); nach positivem Vordersatz: das *caput repletum* mer geschickht ist mit dem Teufl zu disputirn den *ieiunum* (1299).

Bei den mit *quam* angeknüpften lateinischen Vergleichen ist das Verhältnis umgekehrt: von den 8 Belegen bei VD. stehen nur 2 nach negiertem Vordersatz. (Bei Schlag. nur 2 Belege, beide nach positivem Vordersatz: Christus ist besser *quam omnes fratres* (1352), und: die sich besser nehren *quam in matrimonio* (1598; vgl. auch LbTb Nr. 3683, 3804).

Präpositionalgefüge

Lateinische Präpositionalgefüge werden mit grösster Leichtigkeit in einen deutschen Satz eingeschaltet. Dies gilt besonders für die Umstandsbestimmungen im Nachfeld (s. bes. die Belege S. 93 ff., 101 f.). Den lateinischen Präpositionalgefügen als Ganzheit eignet grosse sprachliche Durchschlagskraft.

Das Verhältnis der Sprachen zueinander ist umkehrbar (S. 85 f., 103 f.); da die Belege bei VD. spärlich sind, führe ich hier noch die 7 bei Schlag. an:

Si nomen Domini non esset im missbrauch (1745); *Eccius quando venit* ins gewesch (1267); ja *passim fit* in allen stifften (1713); *ille contemnendo proiecit* hinder die thier (1620); *Sic in Iudae multi reges perierunt* vor Jerusalem (1269); *Tandem Sathan veniens porrexit calceos vetulae* an einer langen stangen (1429); *qui exhortationem fecit et encomium matrimonii in hospitali* unter den alten weibern (1322).

Eine deutsche Präposition kann sich mit lateinischen Gliedern zu einer Präpositionalkonstruktion zusammenschliessen (s. die Belege S. 85, 89, 102 und unten). Dieses Verhältnis ist nicht umkehrbar: eine lateinische Präposition steht nicht bei deutschem Substantiv[1]. Dies hängt u. a. mit dem Gebrauch des deutschen Artikels zusammen.

Wenn eine deutsche Präposition mit lateinischem Hauptwort ein Präpositionalgefüge bildet, bekommt der lateinische Kern deutschen Artikel oder deutsches Pronomen (vgl. die oben angeführten Belege)[2].

---

[1] Einzige Ausnahme: *cum illa morte* des hofmeisters *ab* Haubitz (1378, Schlag.). Hier steht die lat. Präposition vor deutschem Eigennamen; dadurch fällt die Schwierigkeit mit dem Artikel fort.

[2] Meine einzige Ausnahme: *sabbatum* ist umb *verbi* willen gebotten (385).

Dies ist besonders bemerkenswert bei den lateinischen Substantiven mit lateinischer Bestimmung, die sonst überwiegend keinen Artikel haben (vgl. S. 127). Auch gibt es lateinische Substantive, die nur in Präpositionalgefügen oder nach deutschem Attribut deutschen Artikel haben (z. B. *ecclesia, lex*). Die Erklärung dafür ist die enge Verbindung zwischen der Präposition und dem Artikel, die oft zu Verschmelzungen führt[1], vgl.: es ligt mir nit am *opere, sed* am *verbo* (365). Eine deutsche Präposition kann sich auch in lateinischem Mischsatz vor lateinischem Glied behaupten; auch hier zieht sie den Artikel nach sich: *Abraham habet verbum* neben der *circumcisio* (365).

Zu der festen Verbindung lateinischer Präpositionen mit ihrem Hauptwort vgl. die Beobachtung, die Schuchardt machte:

> Da die Präpositionen in Hinsicht auf Selbständigkeit von den Suffixen sich wenig unterscheiden, so dürfte folgende Beobachtung nicht am unrechten Platze sein. Es sagte mir neulich ein Italiener: *er wohnt nella Heinrichstrasse;* derselbe würde nicht sagen: *sie ist nella Küche, ich bin nella Stadt gewesen.* Er flicht *nella* nicht schlechtweg in die deutsche Rede ein; er nimmt es nur in Verbindung mit einem Localnamen herüber, indem er auch auf italienisch sagt: *abita nella Heinrichstrasse*[2].

Man vergleiche mit diesem Befund die Ausdrücke in der heutigen Amtssprache: „das Honorar pro Druckbogen", „die Beförderung geschieht per Eisenbahn"[3]. Auch hier sind *per* und *pro* nicht als isolierte Fremdwörter der lateinischen Sprache entlehnt: das nachfolgende Substantiv kann keinen Artikel haben, d. h. die Präposition zieht die grammatische Struktur des lateinischen Präpositionalgefüges mit herüber; sie wird dann mit deutschem lexikalischen Inhalt vervollständigt. Das Verhältnis der beiden Sprachen zueinander ist hier umgekehrt.

Es zeigt sich also, dass sich eine Präposition nicht verselbständigen, d. h. aus der grammatischen Struktur des Präpositionalgefüges lösen lässt[4]. Vgl. das oben S. 132 über Kern und Anglied einer Wortgruppe Festgestellte.

Die Durchschlagskraft der Präpositionalgefüge spiegelt sich noch heute, besonders in der wissenschaftlichen Sprache, ab (vgl. unten S. 281 f.). Erstarrte Ausdrücke wie: *a priori, cum grano salis, in extenso,*

---

[1] Vgl. Duden, § 236.
[2] S. 9.
[3] Die Beispiele sind Behaghel, Bd. 1. S. 133, entnommen.
[4] Zu den Präpositionen und ihrem lexikalischen und grammatischen Bedeutungsgehalt vgl. Admoni 1960, S. 126 f.

ad absurdum u. a. m. haben sich bis heute gehalten, obwohl die lateinisch-deutsche Zweisprachigkeit längst nicht mehr besteht.

Bei dieser Durchschlagskraft spielt eine besondere Eigenart der Präpositionalgefüge eine Rolle, nämlich ihre Unfähigkeit zur Einverleibung in eine fremde Sprache durch rein formale Mittel; diese kommt besonders deutlich dort zum Ausdruck, wo sie zusammen mit weiterem lateinischen Sprachmaterial übernommen werden (ich verweise auf die Belege auf S. 116 u. S. 281 f.). Während man ein Substantiv oder ein Verb mittels der Flexion dem System einer anderen Sprache anpassen kann, gibt es diese Möglichkeit bei der Präpositionalverbindung nicht. Sehr gut lässt sich dies an dem Beleg bei Bühler (unten S. 281) ablesen: ,,wenn *ad hoc* ... zwei K o m p o n e n t e n ... o p o n i e r t werden sollen``. Man muss also entweder zur Lehnübersetzung greifen, was bei einer syntaktisch zusammengehörigen Gruppe ein umständlicher Prozess ist, oder man kann die Präposition durch eine deutsche ersetzen; dabei ändert dann aber das ganze Gefüge seinen Charakter, indem die Präposition den Artikel nach sich zieht. Wenn man sich an lateinkundige Menschen richtet, geht man deshalb häufig allen Schwierigkeiten aus dem Wege, indem man die Konstruktion so übernimmt, wie sie ist.

Wir kommen jetzt zu einer Eigenschaft der Präposition, die sie wesentlich von den Suffixen unterscheidet (vgl. oben das Zitat Schuchardts): sie bestimmt den Kasus des nachfolgenden Kernwortes; dabei hat sie als eigenständiges Wort Selbständigkeit und Unveränderlichkeit.

Die Kasusrektion in den deutsch-lateinischen Präpositionalgefügen[1]. In vielen Fällen herrscht Übereinstimmung zwischen beiden Sprachen im Gebrauch des Kasus. Der Akkusativ stimmt mit beiden Sprachen überein bei:

IN + Angabe der Richtung: in das *ministerium*; in das *peccatum*;

AUF + Angabe der Richtung: auff alle *locos*; auff das *centrum*; uf die *hypocrisin*; auff die *leges*; auf die *gratiam*;

AN + Angabe der Richtung: ans *verbum*;

ÜBER + Angabe der Richtung: uber das *verbum*; uber die *patres*.

Unterschiede bestehen jedoch: im folgenden Beleg hätte die lateinische Sprache präpositionslosen Ablativ oder *a* + Ablativ verlangt. Das deutsche ,,DURCH`` setzt jedoch den Akkusativ durch (vgl. dagegen unten unter ,,von``: von einem *latrone*!): durch einen *latronem*.

Bei ,,IN`` + Angabe der Lage verlangt die deutsche Sprache den Dativ,

---

[1] Wörter auf *-a*, *-ia* und *-io*, die im casus rectus statt obliquus stehen, werden hier nicht berücksichtigt; vgl. unter ,,Flexion``, unten S. 166 ff.

die lateinische den Ablativ. Da in der 2. Dekl. Sing. und in allen Dekl. im Plural Dativ und Ablativ zusammenfallen, lässt es sich in diesen Fällen nicht entscheiden, ob deutscher oder lateinischer Regel gefolgt wird, d. h., die beiden sprachlichen Systeme kommen nicht in Konflikt miteinander:

Dativ oder Ablativ: in den … *argumentis*; in keinem *concilio*; in dem *negotio*; in den *casibus*;

AN + Lageangabe, Dativ oder Ablativ: am 2. *Praecepto*; am *symbolo*; am *verbo*[1];

BEI + Lageangabe, Dativ oder Ablativ: bey den *universitatibus*; bei den *faecibus*; bey dem (beym) *verbo* (2 mal);

AUF + Lageangabe, Dativ oder Ablativ: *auff dem* verbo;

VON: Dativ oder Ablativ (entsprechendes lateinisches *de* regiert den Ablativ): vom *verbo* (2 mal);

AUS: Dativ oder Ablativ (entsprechend lat. *de*, vgl. oben unter ,,von‘‘): aus den *doctoribus*; aus den *operibus*; aus den *rebus*;

NACH, Dativ oder Ablativ: nach den *scandalis* (fragen; vgl. *quaero de re*).

In den übrigen Deklinationen, wo ein Unterschied besteht, wird durchgehend der Ablativ gebraucht:

IN: in der *qualitate*; in dem *casu*;

AN: am *opere*; an einem *peccatore poenitente*;

BEI: bey dem *lege*; bey dem *cultu*;

VON: vom *praeceptore*; von einem *latrone*;

ÜBER + Lageangabe: uber dem *lege*.

Eine andere Rolle spielt ,,ZU‘‘: die deutsche Präposition verlangt den Dativ, entsprechendes lateinisches *ad* den Akkusativ; ,,ZU‘‘ setzt den Dativ durch: zu keinem *adultero*[2]; zu einem *theologo*; zum *signo*.

Anm. Bei Schlag. findet sich ein Beleg für ,,mit‘‘ + Akkusativ: Es gehet itzt zu mit den *canones* (1713), wo man *canonibus* erwarten würde. Vgl.: mit den *ecclesiis* (3854, LbTb), Dat. oder Abl.; mitt der *ecclesia* (5284, Math. L.), Abl. (oder casus rectus?), mit den *regalibus* (3778, LbTb), Dat. oder Abl.; mit den *sacramentariis* (3793, LbTb), Dat. oder Abl.; mit sein *coelibatu* (5316, Math. L.), Abl.

Besonderes Interesse verdient die Kombination: deutsche dativheischende Präposition + deutscher Artikel im Dativ + lateinisches Substantiv im Ablativ. Sie zeigt, dass die deutsche Präposition und ihr

---

[1] Hier kann man Ablativ ansetzen wegen der Parallelität mit ,,am *opere*‘‘: es ligt mir nit am *opere*, *sed* am *verbo* (365).

[2] Die Parallelen ,,glätten‘‘ zu *adulterum*; der lateinische Kasus wurde also als korrekter empfunden.

lateinisches Äquivalent gleichzeitig im Sprachbewusstsein funktionierten. Dabei können diese deutschen Präpositionen ihren Dativ nicht gegen lateinischen Ablativ durchsetzen, sie beeinflussen lediglich den mit ihnen eng zusammengehörenden Artikel. Möglicherweise hängt dies mit dem häufigen Zusammenfall von Dativ und Ablativ in der lateinischen Deklination zusammen, der ein Gefühl der Äquivalenz hervorgerufen haben mochte. Dafür spricht, dass akkusativheischende deutsche Präpositionen ihren Akkusativ gegen lateinischen Ablativ behaupten können, vgl. „durch einen *latronem*" gegen „von einem *latrone*"; auch kann „zu" den Dativ gegen lateinischen Akkusativ behaupten.

Lateinische Konstruktionen, die keine deutsche Entsprechung haben, in deutschem Mischsatz

a. *Der Ablativ*. Lateinischer Ablativ kann anstelle eines deutschen Adverbs oder Präpositionalgefüges einen auf Deutsch ausgedrückten Sachverhalt modifizieren; Belege für abl. modi oder instrumenti u. a. S. 97, 102; S. 112, Nr. 330; ferner: er hab das mayst *lingua* gethan (604); *Hac ratione* ist der *papa* auch auff den bann kommen (510). Belege aus anderen Sammlungen: der thutt alles *bono animo et conscientia* (1841, Schlag.); Drumb kunde ichs *autoritate episcopali* aufflösen (5274, Math. L.); Also ist unser Herr Christus *illa figura* fein abgemalet (3853, LbTb).

Doch sind die Belege spärlich; im allgemeinen zog man die Verbindung mit einer Präposition vor[1] (vgl. z. B. S. 96 die Belege Nr. 407, 243, 461, unter *cum*; ferner: Das geht *cum iubilo* zu (386); treybt mich der Teuffel *cum uno peccato* (252).

Ablativus temporis steht bei VD. nur zweimal, beidemal durch eine lateinische Partikel gestützt: *Iam hac aetate* hab ich ... (491); *Singulis noctibus fere*, wenn ..., so ... (469). Auch in den anderen Sammlungen finden sich nur vereinzelte Belege; für Schlag. ist einer bereits oben S. 129 angeführt; ferner findet sich *anno* (1253), und: Es get uns ubel *istis temporibus* (1842). In der Sammlung Lb + W: Weil diese leut leben *nostro saeculo* (3589 b). In LbTb findet sich auch ein Beleg für abl. causae: Es ist mir lieb, das er bey seinem leben zuschanden wirdt *suis fallaciis inenarrabilibus* (3779).

Der ablativus absolutus ist bei VD. selten; er nimmt den Platz eines deutschen Gliedsatzes im Satzgefüge ein: *Stante illa substantia, inquam,*

---

[1] Vgl. H. Beeson, A Primer of Medieval Latin. Chicago, Atlanta, New York 1924. S. 25. Mom. III; H. P. V. Nunn, S. 6.

et salva soll mir das leben ungenummen sein (3669); *salva illa veritate,* so mus jenes weichen (3669).

Dass die beiden einzigen Belege in Nr. 3669 vorkommen, lässt darauf schliessen, dass VD. diese Konstruktion bei seiner Reinschrift zu „glätten" pflegte[1]. Vgl. dagegen folgende Belege aus anderen Sammlungen:

> aber *mortuo fratre Carolo* wird er nichts sein werden (1633, Schlag.); so wolt ich *complicatis manibus* sagen (1815, Schlag.); Der grob Teuffel sol alhie *discipulos* bekum *nobis viventibus* (3699, LbTb); so weit ist es kummen *nobis viventibus* (4002, LbTb); *Sub papatu, regnante superstitione,* mustens wöllen und herinne hembde sein; *nunc libertate evangelica* mus es eittel seide und sampt sein (3784, LbTb); sie namen das hutlein von ihm und satztens einem andern auff *omnibus tribus reiectis* (3877, LbTb); *vino autem abundante* konten sie es nicht bestreitten (3878, LbTb); Was hat er in frembden heusern *absentibus maritis* zuthuen (3489, Lb + W).

b. *Akkusativ mit Infinitiv.* Gelegentlich steht ein Akkusativ mit Infinitiv anstelle eines deutschen dass-Satzes; ich habe folgende Belege:

> so gleub ich doch *Christum adhuc vivere* (3669); so ist das ein herrlich ding gewest *apostolum omnibus linguis posse docere* (435); denn Gott hat bschlossen *se velle remittere peccatum* (273).

Diese Konstruktionen stehen bereits auf der Grenze zum Satzgefüge; der folgende Beleg zeigt, wie ein verkürzter deutscher Nachsatz (vgl. die „zusammengezogenen" Sätze, unten S. 215 ff.) an einen Akkusativ mit Infinitiv anknüpft; das Subjekt ist dabei dem vorangehenden Akkusativobjekt zu entnehmen: *ideo videmus etiam Christum violare sabbathum,* und lest allein die zwey bleyben, 369[2]. Vgl. auch unten S. 208.

> Vgl. die Belege aus anderen Sammlungen: ich kan mich … der gedancken nicht entschlaen *Ferdinandum esse fatale et pestem Germaniae* (3764, LbTb); wie P e t r u s *in Actis* sagt *morbos esse vincula Diaboli* (3580, Lb + W); und man denckt *fidem in nobis haerere ut colorem in pariete* (5245, Math. L.).

c. *Gerundium.* Belege bei VD. siehe S. 95 (unter *ad*), 97 (*docendo*); (S. 102 noch ein Beleg aus den Bibelnotizen;) ausserdem in dem unvollständigen Satz: die hefft im weysen feldt *ad significandam clementiam* (127).

> Belege aus anderen Sammlungen: Der hatt ein hart schneblichen *corripiendo impios* (1355, Schlag); das Gott gleich so vil zu schaffen hatt *annihilando*

---

[1] Deutet dies darauf hin, dass der abl. abs. vorwiegend des Schnellschreibens halber entstand? Die Zeitersparnis ist hier besonders gross. Vgl. oben S. 40 f.

[2] Zu dem Umbrechen der Konstruktion des Gliedsatzes in die eines Hauptsatzes vgl. Erben 1954, S. 142.

als creando (1259, Schlag); last uns leschen *orando* (3728, LbTb); Ich hab im genug gethan *privatim et publice monendo* (3855, LbTb).

d. *Lateinisches prädikatives Attribut.* Beispiel: *Me iuvenem* hatt der spruch schir getodt (461). Ich habe nur diesen einen Beleg. Stichproben bei anderen Schreibern verliefen negativ. Mit einem deutschen Wort, z. B. **mich iuvenem,* findet sich kein Beleg.

e. *Partizip.* Ein substantiviertes lateinisches Partizip steht einmal im nominativus pendens: *Desiderans episcopatum,* den hindert nit (483). Ich habe nur diesen Beleg.

Participium coniunctum: werden wir uns anspeyen *dicentes* (203 und Schlag. 1386)[1].

Belege aus anderen Sammlungen: *sed in aere* must er sterben *pendens in cruce* (1859, Schlag.); warumb die vetter weilannd in die closter gelauffen *videntes mundum tam inconstabilem* (3778, LbTb).

Konjunktionen[2]

Einleitende Bemerkungen. Es wird unterschieden zwischen echten und unechten Konjunktionen[3]: die echten Konjunktionen beanspruchen nicht den Platz vor dem finiten Verb, sie nehmen überhaupt „keine eigene Stelle im deutschen Satz ein. Wenn sie an der Satzspitze stehen, folgt ihnen das finite Verb nicht unmittelbar."[4] Die Konjunktion steht „als eigenständige Verkörperung eines besonderen Denkschritts … koordinierend zwischen dem Vorangegangenen und Folgenden"[5]. Brinkmann spricht von „Satzbrücken"[6]: „Sie erwecken eine bestimmte Erwartung oder nehmen auf eine Erwartung des Hörers Rücksicht; sie lenken die Aufmerksamkeit." Eine ältere Metapher findet sich bei Bühler:

Ich nehme ein Bild der griechischen Grammatiker wieder auf und sage: das Band der Sätze ist da und dort wie mit *Gelenken* versehen. Denn so ist es, dass zwischen je zwei aufeinander folgenden Sätzen ein Feldbruch liegt; … Wo kein Feldbruch vorliegt, beginnt kein neuer Satz. Wenn nun ein

---

[1] Da dies der einzige Beleg bei VD. ist, liegt die Vermutung nahe, dass VD. hier von Schlag. abgeschrieben hat: die Sätze lauten bei beiden Schreibern gleich.

[2] Vgl. auch die Konjunktionalsätze, unten S. 185 ff.

[3] Vgl. Duden, § 591.

[4] Admoni 1960, S. 192.

[5] Erben 1954, S. 17, Anm. 2. Siehe hierzu bes. E. Drach, Grundgedanken der deutschen Satzlehre. Frankfurt/M. 1940. S. 35 f.

[6] D. d. S. 1962. S. 492; dort weitere Literatur.

solcher Feldbruch durch Gelenkwörter oder auf andere Weise überbrückt wird, entsteht parataktisch oder hypotaktisch ein Satzgefüge[1].

Wir halten für unsere Untersuchung besonders folgende Aspekte fest:
1. die Konjunktion ist ein „selbständiger Denkschritt";
2. sie bildet eine „Brücke", ein „Gelenk", hat also eine Verbindung sowohl rückwärts wie vorwärts.

Dabei erhebt sich für uns die Frage: ist sie sprachlich vollkommen unabhängig, d. h. kann sie einzeln in einem anderssprachigen Kontext stehen? Falls sie von gleichsprachigem Kontext gestützt werden muss: ist sie sprachlich stärker an das Vorangegangene oder an das Folgende gebunden?

Bei den unechten Konjunktionen tut sich folgendes Problem auf: nimmt eine lateinische Konjunktion, die anstelle einer unechten deutschen steht, den ersten Platz vor dem deutschen Verb ein?

Wir beginnen mit den echten Konjunktionen.

Nebenordnende Konjunktionen

„UND" bzw. et[2]

Einleitende Bemerkung. Es ist anzunehmen, dass bei der ursprünglichen Niederschrift auch für das deutsche „und" das Zeichen & verwendet wurde. Wir müssen also unsere Schlussfolgerungen weitgehend aus der Auflösung dieses Zeichens ziehen, welche bei der Reinschrift erfolgte; diese Auflösung wird jedoch in Übereinstimmung mit dem Sprachgebrauch erfolgt sein. In seltenen Fällen steht jedoch das Zeichen & noch in der Handschrift VD. in deutschem Text (vgl. oben S. 35). Es ergibt sich hier eine Fehlerquelle, da die Herausgeber bei der Auflösung dieses Zeichens keinen Vermerk im Apparat gemacht haben.

Wir unterscheiden zwischen satzverknüpfendem und wortverknüpfendem „und" bzw. et[3].

Satzverknüpfend. Für gewöhnlich steht die Konjunktion in der Sprache des Satzes, den sie einleitet (vgl. unten S. 215 f., 218). Dies gilt sowohl für „und" als auch für et. Doch finden sich auch vereinzelte Beispiele, in denen der vorangehende Satz ausschlaggebend ist und die Schaltung erst nach der Konjunktion erfolgt (vgl. unten die Sonderfälle S. 216 ff.)[4].

---

[1] K. Bühler, Das Strukturmodell der Sprache. In: TCLP 6. 1936. S. 7 f.

[2] -que, atque spielen in meinem Material keine Rolle.

[3] Zu „sachbündelndem" und „satzkettendem" „und" vgl. K. Bühler, Sprachtheorie. Jena 1934. S. 318. — Über die Sonderstellung des „und" im Vergleich zu den übrigen Konjunktionen s. G. Schubert, Über das Wort „und". In: WW. Sammelband 1. Sprachwissenschaft. 1962. S. 166 ff.; dort weitere Literatur.

[4] Bei Schlag. finden sich keine solchen Belege; Stichproben in LbTb verliefen

Dies ist besonders im „zusammengezogenen Satz" der Fall. In der Satzverbindung habe ich sonst nur einen Beleg für *et*: *Econtra Deus separat,
quando filia mea sine mea voluntate nubit, et* wenn sie mein willen weys,
so weys si Gotts willen (414). Ferner findet sich in meinem Material
noch ein Beleg für *et* vor deutschem Hauptsatz: *Ergo* heysts ymmer
betten: Vater, hilff etc. *Et* es sol niemadt mit dem Teuffel kempfen ...
(590). Für „und" in entsprechender Verwendung habe ich keinen Beleg.
Möglicherweise sind die beiden angeführten Belege für *et* vor deutschem
Satz auf die Abkürzung & zurückzuführen.

Ich habe noch einen vereinzelten Beleg, wo *et* vor einem lateinischen
Substantiv an der Spitze eines deutschen Mischsatzes steht: *quod circumcisio* hat vor Christo sollen gehen eben auff die selb gnad, *quae est in
baptismo, et baptismus* hernach auff die geschehne gnad (365).

Vgl. ausserdem *et tamen*, unten unter „unechte Konjunktionen".

Durch die starke sprachliche Abhängigkeit von dem Satz, den sie
einleitet, unterscheidet sich *et* auffällig von *sed* und *quia*, vgl. unten.

Wortverknüpfend. Am unvergleichlich häufigsten steht *et* in deutschem
Mischsatz, wenn es zwei lateinische Glieder miteinander verbindet. Ich
zähle bei VD. 49, bei Schlag. 29 Belege. Sie hier alle aufzuführen erübrigt
sich (vgl. z. B. die Belege oben S. 82, e). Dagegen finden sich für „und"
in dieser Stellung nur wenige Belege; ich habe bei VD. 3, bei Schlag.
ebenfalls 3. Dietrichs Belege: und ist *poeta* und *orator ex Mose* worden
(369); *Secunda secundae* und *prima primae* wer leydlich (280); da geht
senatus und *bellum* an (435). (Bei Schlag. in Nr. 1553, 1649, 1679.)
Ferner zwischen einem biblischen Eigennamen und lateinischem Hauptwort: David und *prophetae* sind ... (429).

Stichproben bei anderen Schreibern ergaben ebenfalls vereinzelte
Belege: uber dem *signato* und *lumine* (5276, Math. L.); *Romana curia* und
epicurismus (3795, LbTb). Bei Rörer verbindet das „und" einmal zwei
lateinische Zitate: Und das ende vom lied heisst: *Vanitas vanitatum* und
Soli Deo sapientia (547).

Dieses sprachliche Verhältnis ist nicht umkehrbar: für *et* zwischen
deutschen Gliedern habe ich keinen Beleg, weder bei VD. noch Schlag.
Stichproben in anderen Sammlungen verliefen ebenfalls negativ. Möglicherweise kann dies jedoch auf der relativen Seltenheit lateinischer
Mischsätze beruhen.

Verknüpft die Konjunktion zwei sprachlich verschiedene Glieder,

---

ebenfalls negativ. Einen Beleg für die Schaltung erst nach der Konjunktion habe
ich sonst nur bei VD. u. a. gefunden: Ich wil an meinem Christo hangen und *serio
ac simpliciter de eo loqui* (811). Drei Parallelen glätten hier zu *et.*

gibt meistens das nachfolgende den Ausschlag (Belege z. B. S. 99 unter ξ u. cβ2. S. 100, Nr. 517); hier führe ich noch an:

auff die kappen *et alia opera* (501); bei Schlag.: aber hurentreiber *et vexati libidine* sollen fasten (1299); Es wechst auf keim zweig *et herba* (1396); das das gesang *et musica* gutt sei (1563).
Ein Beleg aus Luthers Briefen: Bd. 6, Nr. 1907: Es ist gewisslich das hellisch feuer *et halitus ipsissimi Satanae*.
In den Bibelnotizen steht &: Bi 2, S. 48: Capelln altar kertzen & *omnibus*.
Bi 2, S. 77: braut stim ist die pfeiffe und paucke & *omnia talia*[1].
Mit umgekehrter Sprachfolge: *cum essem sic tristis* und erschlagen (518); ... und all seine *dona, iustitiam, remissionem peccatorum* und alles (149); *Ego iam cogor esse oboediens meae uxori* und den verzweifelten buben und schelcken (1287, Schlag.); *sed resignare* und zehn ausbrechen *sunt intolerabilia* (3726, LbTb).

Doch kann „und" auch vor lateinischem Glied stehen, wenn das vorangehende Glied deutsch ist:

quia ich hett *scripturam sanctam* und die feder und *ipsorum leges* fur mich (480); Und doch erschrickt ein *incredulus* darvor und *impius* (1831, Schlag.). Vgl. Bi 2, S. 78: stifft und *cultus tuos quos illi volunt perpetuos*. Ebd. S. 187: sie solten lernen fasten und *abstinentia*.

Zu diesen recht vereinzelten Belegen kommen noch einige, bei denen das zweite Substantiv als sprachlich neutral angesehen werden kann: den schecher ... und P a u l u m (122); um die beicht und a b s o l u t i o (1289, Schlag.); ein feine edle kunst und e x e r c i t i u m (1300, Schlag). Ein *et* hätte diese Wörter gänzlich in die lateinische Sprache hinübergezogen.

Noch vereinzelter sind Belege mit *et* vor deutschem Glied; ich habe insgesamt zwei, je einen bei VD. und Schlag.: Yhr, *papa et* fursten, herrn, ... (491); *nam mox fiunt discordiae et* unnutze meuler (1657).

Es zeigt sich also: auch bei der Annahme, dass in der ursprünglichen Niederschrift vorwiegend & für sowohl *et* als auch „und" gestanden haben sollte, zeigen die verschiedenen Schreiber bemerkenswerte Übereinstimmung in der Auflösung dieses Zeichens. Die Konjunktion ist dabei sprachlich am stärksten von dem nachfolgenden Glied abhängig, *et* in noch höherem Masse als „und".

Eine Anknüpfung mit „und" bzw. *et*, sowohl wort- wie satzverbindend, scheint die Spannung des Satzes aufzulockern[2]: sie begünstigt einen

---

[1] Die Abkürzungen oib9, oia habe ich aufgelöst.
[2] Zur Satzspannung vgl. Boost S. 16 u. S. 75 f.

Sprachwechsel (vgl. oben S. 50 f.), sie durchbricht die sprachzusammenhaltende Kraft zwischen Hilfsverb und Infinitiv (vgl. oben S. 122) und lockert den Gliedsatzrahmen auf (vgl. S. 107, Nr. 495).

„ABER" bzw. *sed*[1]

Bei VD. ist „aber" ungewöhnlich. Als Einleitung eines Mischsatzes steht es im ganzen dreimal, in Belegen, wo das Latein erst am Satzende auftritt (in allen drei Belegen ist der vorangehende Satz lateinisch): Aber ich predige es izt *et scribo etiam* (522; zus. gez. Satz); aber man lase es selten *in scholis* (280); aber es ist yhm seurer worden *quam vobis et mihi* (141).

Für nachgestelltes „aber" habe ich zwei Belege; hier ist es nicht gegen *sed* austauschbar: das ist aber ein ander *quaestio* (365), und: Er aber will die *generatio* behalten (429).

Für „aber" vor lateinischen Gliedern habe ich bei VD. nur einen Beleg: aber *philosophia Aristotelis* heisst ... (155).

Bei Schlag. hat „aber" eine stärkere Stellung und steht auch vor lateinischen Gliedern: aber *mortuo fratre C.* wird er nichts sein werden (1633); Aber *ministerium verbi Dei* muss bleiben (1849); aber *profunditatem* habt ir nicht (1369). Vgl. auch den Beleg aus Luthers Briefen, oben S. 84 unter b α. Sogar vor lateinischem Satz: Aber *invidia Diaboli intravit mors in mundum* (1379). Ein ebensolcher Beleg findet sich bei Math. L. (TR Bd. 5): Aber *de Augustino et Ambrosio nihil dubito* (5316).

Bei VD. ist dagegen *sed* an der Spitze eines deutschen Mischsatzes ausserordentlich häufig. (*Sed* steht auch häufig statt „sondern", vgl. unten S. 150 ff. u. 220.) Vor lateinischem Glied ist es bei VD. die Regel (als Belege verweise ich z. B. auf S. 80 u. 82 f.). Bei Schlag. sind die Belege mit *sed* vor lateinischem Glied in deutschem Mischsatz ungefähr doppelt so häufig wie die für „aber". *Sed* kann jedoch auch vor deutschen Gliedern stehen. Bei Schlag. und anderen Schreibern ist es dabei von einem vorangehenden lateinischen Satz abhängig:

(sed rex est ad destruendum Diabolum et salvandum homines,) sed er stelt sich gar nerrisch darzu (1378); (*aqua est aqua.*) *Sed* wie komen sie hieher? (1396); (*Spiritus libenter vellet credere,*) *sed* die kluge ratio (1571). Vgl. Briefe Bd. 11, Nr. 4123: *Nepos tuus Georgius ostendit mihi picturam papae, Sed* Meister Lucas ist ein grober maler.

---

[1] Vgl. auch die Adversativsätze, unten S. 219 ff. Zu „aber" vgl. Brinkmann, D. d. S., S. 493 f.

In der folgenden Bibelnotiz geht der Notiz ein Mischtext voran: Bi 3, S. 328
(zu 5. Mose 19:3): *Certam tibi facies viam, i.e.* geleit, sicher reiten ... *sed*
das der weg nicht zu fern sey.

Bei VD. ist *sed* von keinem Kontext abhängig, es kann sogar rein
deutsche Sätze verbinden: so ists mit uns aus. *Sed* Got hab lob (122);
Die sind inn den yrrthumb gefurt *sed* nit darinn bliben (118). Dies sind
nicht etwa Ausnahmefälle; ich greife hier nur einige Stücke heraus, in
denen sich weitere Belege finden lassen. Da der Text leicht zugänglich
ist, erübrigt es sich, hier alle aufzuführen: Nr. 278, 352, 358, 365, 369,
374, 376, 388, 402, 408, 483, 508, 501, 502, 514, 518 (viermal), 581.

Alles in allem leitet *sed* nach einer flüchtigen Zählung bei VD. gegen
80 mal einen deutschen Satz oder Mischsatz ein[1]. Von diesen Fällen
kommt sicher eine Anzahl auf das Konto der lateinischen Abkürzung
(vgl. oben S. 35 f.); ein Beispiel für nachträgliche deutsche Auflösung
des Zeichens β findet sich in Nr. 34: ... wurden wenig selig, sondern da
kan unser Herr Gott Balaam, Saul, Caiphas ... dahin werffen: vier
Parallelen haben hier *sed* statt „sondern", FB. dagegen hat „aber".
Dies lässt sich nur so erklären, dass in der ursprünglichen Niederschrift
β gestanden hat. Doch kann man nicht durchgehend die Abkürzung
verantwortlich machen. Die Belege in den Bibelnotizen und Briefen
beweisen, dass *sed* vor deutschen Gliedern gebraucht wurde. Eine
Entsprechung des bei VD. so häufigen freistehenden *sed* in deutschem
Kontext habe ich jedoch nirgendwo in anderen Texten gefunden.

Anm. Eine Ausnahme bildet Nr. 672, die Rörer zugeschrieben wird:
Du meinst, du wollest uns teuschen, *sed* du hast Gott geteuschet. Wir haben
bereits oben (S. 46) die Wahrscheinlichkeit dargelegt, dass Rörer hier von
VD. abgeschrieben hat. Diese Wahrscheinlichkeit erhärtet sich jetzt. Der
Befund des *sed* in rein deutschem Kontext, zusammen mit den anderen
beiden lateinischen Konjunktionen vor deutschem Text in diesem kurzen
Stück ist so auffällig und weicht von dem sonstigen Befund bei Rörer der-
massen ab, dass man hier eine Erklärung benötigt. Über diese Texte im
„Anhang zum 1. Abschnitt" schreibt Kroker, dass diese 28 Reden in den
Parallelhandschriften „an mehreren Stellen zwischen Dietrichs Nach-
schriften stehen, in Dietrichs Heft VD. aber fehlen und auch nicht von
Dietrich nachgeschrieben sein können"[2]. Leider motiviert Kroker seine
letztere Behauptung nicht; sie trifft gewiss für die überwiegende Anzahl der
Stücke zu, braucht aber nicht für alle zu stimmen. Die enge Zusammenarbeit Dietrichs und Rörers und das Abschreiben Rörers aus Dietrichs

---

[1] Hier ist *sed* = sondern mitgezählt, doch nicht die Fälle, in denen die Konjunktion vor lateinischen Satzgliedern steht.

[2] TR Bd. 1, S. XXXIII.

Heften ist von verschiedenen Forschern bezeugt[1]. Rörer schrieb sich vorwiegend theologische Dinge ab; Nr. 672 behandelt eine theologische Frage. Dass das Stück in Dietrichs Heft fehlt, hat dabei nichts zu besagen; das gleiche ist für Nr. 3669, 735 u. 1061 der Fall, die alle auf Abschriften Dietrichs zurückgehen (vgl. oben S. 49).

Dass das deutsche „aber" sich nur schwer in der Konkurrenz mit einer fremden adversativen Partikel behauptet, hat schon Schuchardt beobachtet und die materielle Beschaffenheit des fremden Wortes dafür verantwortlich gemacht:

So spielt die materielle Beschaffenheit eines Wortes hier keine unwesentliche Rolle. Kurze Wörter schlüpfen leichter mit hinüber als lange; mancher Laut drückt fester durch als ein anderer. Man wird bemerken dass die Italiener, wenn sie deutsch sprechen, von keinem Worte ihrer Muttersprache sich so schwer trennen wie von *ma*; ich habe es als die einzige italienische Einschaltung von Leuten vernommen, denen das Deutsche kaum mehr Mühe macht, als das Italienische[2]. Hingegen vertauscht ein Deutscher der italienisch zu reden beginnt, sofort und endgültig sein *aber* mit *ma*; es werden andere deutsche Wörter sein die er beständig versucht ist einzumengen, wie z. B. das fragende *so* ... Woher kommt das? Der dehnbare und mit geschlossenem Munde gesprochene Consonant vor dem kurzen vollen Vocal erscheint zum Ausdruck eines plötzlichen Abschwenkens ebenso wie eines zögernden Ablenkens ... bestens geeignet. Es macht sich das Onomatopoetische des Wortes geltend ... Auch im Tschecho-deutschen ... ist die Adversativpartikel, ohne die oben gerühmten Vorzüge der italienischen zu besitzen, das beliebteste Wort[3].

Vergleichen wir Schuchardts Befund mit unserem und das *ma* mit *sed*, so müssen wir die Schlussfolgerung ziehen: entscheidend ist nicht so sehr das Onomatopoetische der fremden Partikel, sondern die Beschaffenheit des einheimischen Wortes: *sed* hat wohl die Kürze, aber nicht die Klangfarbe des *ma*, ebensowenig wie die tschechische Adversativpartikel *ale*, wie ja Schuchardt selbst zugibt. „Aber" ist länger, schwerer und in jeder Beziehung umständlicher zu sprechen (und zu schreiben) als *sed*. Für die unbetonte Stellung, die die Partikel einnimmt, ist es ganz einfach schlecht geeignet. *Sed* dagegen „schlüpft leichter mit hinüber" seiner handlichen Kürze wegen; es behauptet sich auch gegen das umständlichere „sondern", vgl. unten.

Abschliessend müssen wir also den Befund notieren, dass „aber" sich schlecht in der Konkurrenz mit *sed* behauptet, und dass *sed* weit un-

---

[1] Freitag, S. 183; Koffmane S. XXIII.
[2] Dies stützt den Befund des alleinstehenden *sed* bei VD.
[3] S. 82 f.

abhängiger von den darauf folgenden Gliedern ist als *et.* Vgl. dazu Drachs Feststellung: „Am deutlichsten wird die Verselbständigung des logischen Aktes bei *aber.*"[1] Wenn von einer Abhängigkeit des *sed* von lateinischem Kontext die Rede sein kann, ist *sed* am ehesten von den vorangehenden Gliedern abhängig.

Anm. In der gleichen Verwendung wie *sed* = aber, jedoch, habe ich noch einen Beleg für *quamquam*, vor deutschem Mischsatz: *quanquam* die *cogitatio* hat mich lang plagt (446).

„SONDERN" bzw. sed[2]

„Sondern" ist in Dietrichs Texten selten. Vor einem Mischsatz habe ich nur folgenden Beleg: Hats Christus *in mundo* nit erheben konnen, sonder hat mussen leyden *ab impiis* (363).

Nach lateinischer Verneinung ist bei VD. *sed* die Regel; ich habe nur eine Ausnahme, wo ein dass-Satz zwischen die Negation und den sondern-Satz eingeschoben ist: *non hoc vult,* das ein *magistratus* das gut gar soll nhemen, sonder allein beschweren (350).

Vor rein deutschen Sätzen findet sich „sondern" bei anderen Schreibern nach lateinischer Negation: *non dicimus: Post dres dies,* sonder: Am dritten tage (3659). *Non enim hoc est officium Dei,* sonder wen er die handt weckh nimbt, so frist der Teufl auf (1361, Schlag.) Vgl. auch Nr. 1753 (Schlag.) u. 3477 (L + W). Bei Schlag. steht „sondern" einmal vor lat. Satz: *Diabolus autem* wolt nicht allein, das ubel brennet, sonnder *velit omnino extinctum* (1270).

Sed = sondern behauptet sich bei VD. auch in rein deutschem Kontext: sie nhemen sichs nit, *sed* fallen widerumb davon (501). Für diese Verwendung habe ich bei Schlag. und anderen Schreibern keine Entsprechung gefunden[3]; in der Sammlung „VD. u. a." findet sich noch ein Beleg, der wohl auf Dietrich zurückzuführen ist: und hat das kartenspil nicht mher in seiner handt, *sed* hats von sich geben (797). Laut Anm. ändert hier eine Parallele zu „sundern", die andere streicht *sed.* In den Bibelnotizen findet sich ein Beleg für *non -sed* vor deutschen Gliedern: Bi 2, S. 84: *non* freud *sed* angst, furcht.

„DENN" bzw. quia[4]

Für „denn" bzw. *quia* gelten die gleichen Verhältnisse wie für „aber" bzw. *sed.* Nur ist *quia* nicht so häufig wie *sed.* „Denn" steht in lateini-

---

[1] S. 36.

[2] Vgl. auch oben S. 134.

[3] Bei Schlag. müssen jedenfalls lateinische Glieder vorangehen, vgl. Es wechst auf keim zweig *et herba, sed* felt im tau (1396).

[4] Vgl. oben S. 36, unten S. 222 ff., und S. 232, Anm. 1.

schem Mischsatz vorwiegend vor deutschen Gliedern. Vor lateinischem Glied habe ich bei VD. nur einen Beleg: ... *ante baptismum*, denn *parentes* haben es im willen (365). Im folgenden Beleg aus Luthers Briefen (Bd. 6, Nr. 1978) steht „denn" vor einem lateinischen Zitat: Denn *ea, quae videntur, temporalia sunt*, spricht St. Paulus. (Vgl. die Anführungssätze, unten S. 172 ff. Ein weiterer Beleg aus den Briefen für „denn" vor lateinischen Gliedern in einem deutschen Mischsatz oben S. 84, unter b β.)

Vor lateinischem Satzglied ist *quia* die Regel (Belege z. B. S. 80 ff.).

In lateinischem Mischsatz steht *quia* auch vor deutschem Glied (s. S. 85 f.).

Ebenso wie *sed* kann sich *quia* auch in rein deutscher Umgebung behaupten: *Et tamen* haben wir ein forteyl fur der welt, *quia* das ampt ist unser (510); ... so weys si Gotts willen, *quia* Gott hat gesagt (414). Während sich für diesen Gebrauch des *sed* Belege nur bei VD. fanden, habe ich für *quia* auch einen aus LbTb: Warumb man sich ... nheret? *Quia* das wasser ist elter den der wein (4325). Vgl. auch die Bibelnotiz, Bi 3, S. 226: *Quia* Wir alten narren essen mit den kindern. Nicht sie mit uns.

Quia steht nicht einen deutschen Nebensatz einleitend für „weil".

Im ganzen steht *quia* bei VD. rund 50 mal vor deutschem Satz oder im Mischsatz vor deutschen Gliedern. Da die Dinge hier ebenso liegen wie bei *sed*, erübrigt es sich, näher auf sie einzugehen. Auch bei *quia* können einige Fälle auf der lateinischen Abkürzung beruhen, doch nicht alle.

Bei anderen Schreibern tritt *quia* sehr zurück. Bei Schlag. habe ich im ganzen 2 Belege: *quia* ir gedenckht im *hereditatem* zu lassen (1801), und: *quia sanguis innoxius* hatt wider in geschrien (1530).

Stichproben bei anderen Schreibern ergaben nur spärliche Befunde.

„Denn" findet sich bei Schlag. im Gegensatz zu VD. auch vor lateinischen Sätzen: wie wir das unser vernarren, den *nos sumus insipientes* (1341); wie vor 2000 jaren, denn *verbum Dei ad similia tempora cadit* (1401). Sogar nach lateinischem Satz: ... *misericordiam eius*. Den *Deus iuvat* ..., denn ... (1270; möglicherweise Schreibfehler.)

Stichproben bei anderen Schreibern wiesen den Gebrauch des „denn" vor lateinischem Satz besonders bei Math. L. nach (nach deutschem Satz s. die Nrn. 4915, 4917, 5047; nach lateinischem Satz: 5015). In Nr. 4915 steht „denn" einmal für *quia*, einmal für *quam*: Denn *quis nos hodie servavit in tantis periculis* denn *oratio ad Christum*. — Für Belege in LbTb s. die Nrn. 3807 und 3827.

Auffällig ist der Befund, dass sich die Vergleichspartikel „denn" besser gegen ihren lateinischen Konkurrenten behauptet als die homonyme Konjunktion (S. 100, e 2; 135 ff.). Dies hängt damit zusammen, dass *quam*, als Glied einer syntaktisch zusammengehörigen Gruppe, ebensowenig wie eine lateinische Präposition isoliert in einem deutschen Satz stehen kann, während die Konjunktion, als „freier Denkschritt", von ihrer Umgebung weit unabhängiger ist; das gibt der konkurrierenden lateinischen Konjunktion grössere Durchschlagskraft.

„ODER" bzw. vel

Sowohl satz- wie wortverknüpfendes „oder" und seine lateinischen Entsprechungen sind in meinen Texten selten.

Satzverknüpfendes „oder" behauptet sich gegen seine lateinische Entsprechung (vgl. die disjunktiven Sätze, unten S. 225). Für „oder" vor lateinischem Satz oder *vel* vor deutschem habe ich keinen Beleg.

Wortverknüpfendes „oder" kann auch ein lateinisches Glied anknüpfen: ein *psalmum* oder ein *dictum Pauli* (19).

Für *vel* habe ich in den TR nur Belege vor lateinischen Gliedern: das heyst *ratio vel spiritus hominis* (388); ein trunck brandter weyn *vel malvaticum* (179).

In den Bibelnotizen findet sich häufig *vel* vor deutschen Gliedern, wo es eine andere Übersetzungsmöglichkeit anknüpft:

Bi 2, S. 156: mude *vel* sat; ebd. S. 14: *Sicut* Ein knabe der ruten entwechst, *Vel* die schul fur den ars schlahen; ebd. S. 20: *Vel* auff der heyde Aroer; ebd. S. 31: *Vel* das nicht heymsuchung widder yhn geschehe; ebd.: *vel* an yhrem gewechs; Bi 1, S. 444: *Vel* wo mans verdienet.

Hier scheidet die Sprachschaltung Luthers „private" Äusserung vom „offiziellen" Text (vgl. die Anführungssätze, unten S. 172 ff.).

Bei Schlag findet sich für *vel* in deutschem Mischsatz kein Beleg. Stichproben bei anderen Schreibern verliefen negativ.

Unterordnende Konjunktionen

Die deutschen unterordnenden Konjunktionen bilden zusammen mit dem finiten Verb den Gliedsatzrahmen; sie sind dadurch sprachlich enger an den Satz, den sie einleiten, gebunden, als die nebenordnenden Konjunktionen. Bei VD. findet sich kein Beleg für eine deutsche unterordnende Konjunktion vor lateinischem Satz (vgl. oben S. 108), ebensowenig wie in den Briefen oder Bibelnotizen, die ich eingesehen habe. Bei Schlag. habe ich im ganzen 2 Belege, einen mit „dass" und einen mit „wie" (ebd.).

Lateinische Konjunktion steht dagegen etwas häufiger vor deutschem Gliedsatz; doch scheint sich besonders VD. vor dieser Konstruktion gesträubt zu haben (ebd.). Es findet sich bei ihm nur *quod* für „dass", (3669), vor lateinischen Gliedern. (*Quod* + Hauptsatzfolge s. S. 80.)

In den Bibelnotizen habe ich Belege für *sicut* vor deutschem Nebensatz (ebd.). Bei VD. zieht dagegen satzeinleitendes *sicut* Hauptsatzfolge nach sich: *Sicut* Ionas macht die Ninivitas auch heilig (142); *sicut* herzog Georg kan nit auffhoren (518); *sicut statim post nostrum saeculum* wirds anderst werden (289)[1].

In allen drei Sätzen ist der vorangehende Satz lateinisch. Hier sind also *sicut* und „wie" nicht austauschbar. (Ähnlich ist *sic* mitunter ⧺ „so", vgl. unten S. 154). Die Hauptsatzfolge ist eigenartig, da Luther in den wie-Sätzen Gliedsatzfolge hat[2] und auch seine lateinischen *sicut*-Sätze in ihrer Wortfolge häufig mit dem deutschen wie-Satz übereinstimmen (Belege unten S. 199). Wir müssen diesen Befund mit dem des Gliedsatzrahmens bei VD. zusammenhalten: Endstellung des deutschen Verbes verlangt bei VD. deutsche einleitende Partikel. Die übrigen Schreiber sind mit den unterordnenden Konjunktionen nicht so streng (jedoch mit den einleitenden Relativpronomen); ich habe Belege für *quod, quando, si, cur* und *ut* bei deutschem Verb (S. 108). Die *sicut*- und *quod*-Sätze mit Hauptsatzfolge bei VD. lassen sich mit den *quod*-Sätzen mit Hauptsatzfolge bei Schlag. vergleichen (ebd.).

Unechte Konjunktionen[3]

„so"[4] bzw. *sic*

„So" nimmt stets den Platz vor dem Verb ein (Belege oben S. 59 ff. unter *astrologia, terra, peccatum, abominatio, Placebo,* u.a.m.). Es wird bei VD. oft von *sic* verdrängt.

Sic als unechte Konjunktion. Sic kann als unechte Konjunktion den ersten Platz vor einem deutschen Verb einnehmen (Belege oben S. 79; weitere Belege finden sich u. a. in Nr. 102, 342, 365); es ist dabei von keinem vorangehenden lateinischen Satz abhängig: in den fünf Belegen oben auf S. 79 folgt es im ersten Beleg auf einen lateinischen Satz, im

---

[1] Vor deutschem Teilbogen habe ich ausserdem einen Beleg für *ut* = wie: *et utraque quantitatem non excedant, ut* einen wurffel in den andern werffen, *ut tamen maneant duo* ... (355). Hier ist die deutsche Infinitivkonstruktion als Ganzheit mit ihrer Ergänzung in den lateinischen Text eingeschaltet, vgl. oben S. 124.

[2] Vgl. Erben 1954, S. 117, und unten S. 199.

[3] Vgl. Duden § 591: „Da es Adverbien in der Rolle einer Konjunktion sind, nennt man sie wohl zweckmässig Konjunktionaladverbien."

[4] Gelegentlich zu „also" verstärkt, vgl. Erben 1954, S. 85. Anm. 2–4.

zweiten auf eine lateinische Wortgruppe, in den drei restlichen auf einen deutschen Satz.

Sic als echte Konjunktion. Sic behält oft die Stellung eines selbständigen Denkschritts bei. Dies ist besonders der Fall, wenn das Subjekt lateinisch ist (vgl. oben S. 80, 81 f.), oder wenn ein lateinisches betontes Objekt oder eine lateinische Umstandsangabe ins Vorfeld strebt (Belege S. 83 f.). Hier kann man auch die Möglichkeit nicht ausschliessen, dass der vorangehende Satz von Einfluss ist. Von den 6 Belegen auf S. 80 folgen nur die beiden ersten auf einen deutschen Satz (vgl. oben unter den unechten Konj.); nebeneinander stehen Belege wie: *Sic* wurfft *papa* ... (574), nach deutschem Satz, und: *Sic papa* verbeut ... (342), nach lateinischem Satz; bei Eigennamen: *Sic* zeuh Esau *et* Iacob ... (514), nach deutschem Satz, und: *Sic* Bernhardus ist ... (584), nach lateinischem Satz.

Auch vor deutschen Gliedern im Mischsatz und vor rein deutschem Satz kann *sic* als echte Konjunktion stehen; nach vorangehendem lateinischen Satz: *Sic* was hat Maria dazu gethan (434); *Sic* man falle aus dem schiffe (314. So auch in Nr. 44). Doch ist der vorangehende lateinische Satz keine unbedingte Notwendigkeit (ein Beleg für vorangehenden deutschen Satz findet sich in Nr. 280). Dieser Gebrauch des *sic* als echte Konjunktion vor rein deutschem Satz ist auf VD. beschränkt; bei Schlag. habe ich keinen solchen Beleg gefunden; Stichproben bei anderen Schreibern verliefen negativ.

Bei Schlag. ist *sic* weit weniger häufig. Als echte Konjunktion in deutschem Mischsatz steht es nur vor lateinischen Gliedern (Belege in Nr. 1241, 1299; in beiden ist der vorangehende Satz deutsch); auch gelegentlich vor einem Eigennamen: *Sic* Petrus verlaugnet in (1288); der vorangehende Satz ist lat. Sonst nimmt es den ersten Platz vor dem Verb ein; es ist wie bei VD. von keinem vorangehenden lateinischen Satz abhängig (in dem oben S. 73 angeführten Beleg mit *magistratui* geht deutscher Satz voran) und kann sich auch in rein deutschem Kontext behaupten: ... so ist sie todt. *Sic* denckht ein bauer nicht in jenes leben (1733).

Eine oberflächliche Zählung ergab, dass bei VD. *sic* in etwa der Hälfte der Fälle den Platz vor dem deutschen Verb beansprucht. In den übrigen Fällen ist es nicht mit „so" gleichwertig und gegen eine deutsche unechte Konjunktion austauschbar. In diesen Fällen kann also kein Zweifel an der Authentizität des *sic* bestehen, wie mitunter bei *sed* u. a. Der uneinheitliche Gebrauch unterscheidet die Konjunktionaladverbien von den lateinischen Präpositionalausdrücken im Vorfeld: letztere belegen regelmässig den Platz vor dem Verb und verdrängen das Subjekt (S. 83). Das Schwanken bei den Konjunktionaladverbien erklärt sich aus ihrer doppelten Funktion als sowohl Adverb wie als Konjunktion.

item, ita

Item ist selten. Vor deutschem Satz steht es nur als echte Konjunktion. Ich habe nur drei Belege, alle nach deutschem Satz:
item, das man vleissig sol betten (222); *item* ich wolt lieber todt sein (228); *item* das er dem landtgraffen ... kondt auffpieten (588).

Schlag. verwendet *item* nicht. Dort findet sich jedoch ein Beleg für *ita*, nach lateinischem Satz und vor lateinischem Wort:
Ita hodie gleuben auch nicht bischoff, fursten der lutherischen lehr (1401).

„ALSO" bzw. *ergo* und *igitur*

„Also" gehört zu den Konjunktionen, die „auf der Schwelle des Übergangs von den unechten zu den echten Konjunktionen stehen"[1]. In unseren Texten ist es selten in der folgernden Bedeutung des *ergo*. Wo es vorkommt, steht es an erster Stelle vor dem Verbum[2]: Also bleybt der catechysmus herr (122).

Ergo ist bei VD. häufig. Es verhält sich wie *sic*: es kann sowohl als echte wie als unechte Konjunktion stehen und kann sich in beiderlei Verwendung in rein deutschem Kontext behaupten. Nebeneinander stehen Belege wie: *Ergo mus fides in hac carne infirma* sein (122), und: *Ergo sabbatum* ist umb *verbi* willen gebotten (385), beide nach deutschem Satz. In meinen Belegen steht bei VD. *ergo* ungefähr doppelt so oft als unechte Konjunktionen wie als echte.

Beispiele: unechte Konjunktion, nach deutschem Satz: *Ergo* heist es (407, 3669); *Ergo* heysts ymmer betten (590). *Ergo* ist es nichts ... (141); nach lateinischem Satz: *Ergo* mus er uns so lernen (222); *Ergo* hallt ich (388); *Ergo* ist das beste (518).
Echte Konjunktion: *Ergo* hab ich das oder yhens nit thun, so ... (590)[3]; *Ergo* zum *signo* beschneyde dich (365); *Ergo* Gott heyst Gotts wort (414); alle nach lateinischem Satz. Nach deutschem Satz: *Ergo* Gott hat das leben lieb (252); vgl. auch die Belege auf S. 80 und 83.

In meinen Belegen für die echte Konjunktion vor deutschen Gliedern überwiegt der vorangehende lateinische Satz den deutschen, doch ist er keine zwingende Notwendigkeit.

Bei Schlag. findet sich ein Beleg, wo *ergo* als echte Konjunktion nach einem lateinischen Satz steht (Nr. 1484). Stichproben bei anderen Schreibern verliefen negativ.

---

[1] Duden, § 591.

[2] Vgl. Franke, Bd. 3. S. 288.

[3] *Ergo* steht hier nicht im Vorfeld, da der Satz kein Vorfeld im eigentlichen Sinne hat; wir haben hier eine „Extremform des Hauptsatzes", vgl. Erben 1954, S. 13 f.

Bei VD. kommt noch „*ergo* so" vor, was bei andern Schreibern keine Entsprechung hat[1]:

Ergo so wag es dahin *in nomine Domini* (233); *Ergo* so mus mer hinder yhm sein (507); *Ergo* so hallt den bauch und den kopff voll (141); *Ergo* so solt einer frolich sein (518); *ergo* so sezt als ander gut ... hinach (122); *ergo* so lass es gehn (80); *Ergo* so bist mein (590).

In den beiden ersten Belegen ist der vorangehende Satz lateinisch.

Igitur

Das ebenfalls folgernde *igitur* ist in meinem Material selten und steht nur zusammen mit lateinischem Substantiv. Es kann sowohl vor wie nach diesem Substantiv stehen (Belege S. 81 und 82). Bei Schlag. und anderen Schreibern habe ich keinen Beleg.

„DARUM"[2] bzw. *ideo* (*quare*)

„Darum" nimmt stets den ersten Platz vor dem Verb ein. Es steht selten in Mischtexten, bei VD. nicht vor lateinischem Glied. Bei Schlag. findet sich ein Beleg vor lateinischem Satz, am Anfang eines Abschnitts: Darum *libetque gaudere et laetari* (1492).

Etwas häufiger ist *ideo* vor deutschem Satz oder Mischsatz. Belege:

als unechte Konjunktion, nach lateinischem Satz: *Ideo* mus einer denken (467); *Ideo* mus mir einer ... helffen (3669); *Ideo* muß der Christus alles thun (1310, Schlag.); nach deutschem Satz: *ideo* will ich sie ... verteydingen (518);
als echte Konjunktion, nach deutschem Satz; ein unbestimmter Beleg: *Ideo*, lieber *Turbicida*, seit getrost (1492, Schlag.
Vgl. Briefe Bd. 6, Nr. 1806: ... *sint contra me, ideo* sollen sie mich ... ungeheiet lassen.

Quare. Bei Math. L. findet sich *quare* einmal; eine Parallele ändert zu „darum", laut Anm. 20: *Quare* wer den todt verdienett hat (5219).

„SONST"[3] bzw. *alioqui*

„Sonst" kann bei VD. als echte Konjunktion stehen: Sonst wenn einer wuste, das ... (34). Der vorangehende Satz ist ein von lateinischen Gliedern beschlossener deutscher Mischsatz.

---

[1] Vergleichen lässt sich ein „Darumbso" bei Schlag.: Darumbso bitten wir *in ecclesia* ... (1307). — Ich behandele „darum" zusammen mit *ideo*, vgl. unten.

[2] Vgl. oben unter *ergo*.

[3] „Sonst" findet sich im Duden: 1. als demonstratives Pronominaladverb des

In deutschem Mischsatz: Sonst die hohe *theologia* kan man nic ausfechten (514). Vor lateinischem Satz (der vorangehende ist deutsch): Sonst *si facit in sua iustitia*, so ist er des Teuffels (577). Für gewöhnlich steht es jedoch als unechte Konjunktion (Belege s. oben S. 69, 95, 97; weitere finden sich in Nr. 518, 577; in Nr. 102 und 577 ist der vorangehende Satz lateinisch). Es behauptet sich gegen *alioqui*, für das ich bei VD. nur einen Beleg habe, als echte Konjunktion nach lateinischem Satz: *Alioqui* wie kondt der bapst sundigen (342). Bei Schlag. findet sich kein Beleg. Meine einzigen weiteren Belege stammen von dem „notorisch unzuverlässigen" Cordatus; dort steht *alioqui* als unechte Konjunktion; die vorangehende Sprache ist lateinisch: *alioqui* wust man ... (2339); *alioqui* kan der bosewichts ... (2353).

Übrige Belege

Im Übrigen habe ich zu den Konjunktionaladverbien nur vereinzelte Belege zu verzeichnen:

deinde: je ein Beleg bei VD. u. Schlag. in Erststellung vor dem Verb: *Deinde* fule ich (402; der vorangehende Satz ist lateinisch); *Deinde* ist darumb so frue ... (1367; der vorangehende Satz ist deutsch).

autem: in einem deutschen Mischsatz kommt *autem* zusammen mit lateinischem Substantiv vor; es behält seine Stellung nach dem Substantiv (Belege S. 81 ff.). Bei Schlag. findet sich folgender Beleg (nach lateinischem Satz): *Christus autem* stest dem vaß den boden aus (1351). Durch die Partikel wird hier der an sich sprachlich neutrale Eigenname der lateinischen Sprache zugewiesen.

praesertim: ein Beleg, selbständig in deutschem Kontext: das er keinen trifft, *praesertim* wenn es junge regenten sind (261).

rursus: ein Beleg, als selbständiger Denkschritt, nach lateinischem Text: *rursus* wenn man den aus den augen lest (141). Vgl. Briefe Bd. 10, Nr. 3933, nach lat. Gliedern eines Mischsatzes: *Rursus* sollen sie uns unsern Herrn *filium Dei* lassen bleiben.

post: ein Beleg als Teilbogen in deutschem Kontext: *post*, so kompt er yhn (597). Vgl. Bi 3, S. 306, adverbial: Es wird ein Stich gewest sein durch sein brust und *post* durch iren bauch.

Bei Schlag. finden sich noch als unechte Konjunktionen:

Grundes (§ 555d), 2. als disjunktive Konjunktion (§ 594b), und 3. als kausale konditionale Konjunktion (§ 599 gδ). „Sonst" in der Verwendung als Konjunktion findet sich, soviel ich sehen kann, weder in Erbens Luthersyntax. noch bei Franke. (Der Beleg in Franke 3, S. 261, ist adverbial.)

saltem (nach lateinischem Kontext): *saltem* greiffen unserm Herr Gott nitt so hart in bart (1419).

licet (in deutschem Kontext): Ein furst bleibt ein furst, *licet* scheis in die wiegen (1712).

In den Briefen findet sich ferner *caeterum* nach lateinischem Satz: *Caeterum* laßt sie in der Kirchen lören und singen (Bd. 6, Nr. 2021).

Zweigliedrige Konjunktionen

Wortverbindend: et–et, an lateinische Glieder gebunden: unser Herr Gott *et alit et tuetur per scuta illa* (386).

Ebenso *vel–vel*: das es *vel lex vel evangelion* uns in die hend getriben hat (312); das es ein lasst mit zeucht *vel in desperationem vel in praesumptionem* (273).

Satzverbindend: quamquam–tamen: nach einem mit *quamquam* eingeleiteten lateinischen Satz besetzt *tamen* zweimal in meinem Material den ersten Platz vor dem deutschen Verb: *quanquam Petrus, Paulus occiditur, tamen* sollen sie herren werden am jungsten tag (386); *Quanquam autem mathematicum punctum est in nulla re, tamen* mus man nach dem zweck schissen und zielen (134).

Doch habe ich auch einen Beleg für *quamquam*-so: *Quanquam ... essent magna scandala*, so hatt es doch ... erger gestanden (461). Hier ist „so" durch „doch" verstärkt.

Etiamsi–tamen so: *Etiamsi non fecisses hoc peccatum, tamen* so mussest du dich ... beruffen (459).

Et–tamen: Et murmurat fortiter, tamen rafft er sich wider auff (3669).

Sonderfall: „sovil–*quod tanto*" an Stelle von „so viel–als viel"bzw. *tanto–quanto*[1]: *Sic Sathan est contra ecclesiam* und ist sovil erger, *quod tanto maior est et potentior duce Georgio* (518).

Anm. Bei Schlag. findet sich „nicht-noch" bzw. „weder-noch" in deutschem Mischsatz vor lateinischen Gliedern: das man hertzog Jergen weder *pro arbitro* noch *pro consule* wil haben (1506); „Nicht-noch, *sed*": Es ist nicht *in sublimi genere* noch *in humili, sed in nullo* (1539).

Bemerkungen zu den nachgestellten Konjunktionen. Lateinische Konjunktionen wie *autem* und *enim*, die nicht an der Satzspitze stehen können, funktionieren nicht durch ihre Stellung als „Brücke" zwischen den Sätzen. Ihre satzverknüpfende Funktion erfüllen sie nur durch seman-

---

[1] Bei Übersetzungen aus dem Lateinischen wurde *tanto-quanto* traditionell mit „so viel — als viel" wiedergegeben, vgl. W. Borvitz, Die Übersetzungstechnik Heinrich Steinhöwels. Hermaea 13. 1914. S. 27.

tische Mittel. Sie können nicht selbständig in einem deutschen Satz stehen wie *sed, sic* etc., sondern sie sind sprachlich von dem vorangehenden Glied abhängig. Ist dieses Glied an sich sprachlich neutral, wird es durch die Konjunktion in deren Sprache hinübergezogen.

Zur Sonderstellung der lateinischen Konjunktionen bei VD.

Da sich auf dem Gebiet der Konjunktionen die grössten Unterschiede zwischen VD. und den übrigen Schreibern geltend machen, sind hier einige Bemerkungen am Platz.

Auffällig ist die grosse Übereinstimmung im Gebrauch des ,,und" bzw. *et.*

Für Lauterbach macht Kroker die Beobachtung, dass dieser sich zwar bemüht, Luthers Worte so getreu wie möglich wiederzugeben, dass sich diese Treue jedoch nicht auf die Konjunktionen erstreckt: er ändert gerne *nam* zu *enim, sed* zu *at, autem* zu *vero* und umgekehrt[1].

Angesichts der häufigen *sed, sic, quia, ideo* usw. vor deutschem Satz bei VD. stellt man sich die Frage: hat Luther so gesprochen, und die übrigen Schreiber haben ,,geglättet" oder waren ungenau, oder gehen diese Partikeln auf Abkürzungen Dietrichs zurück, die falsch aufgelöst wurden?

Dazu müssen wir feststellen: wenn *sic* und *sicut* als echte Konjunktion stehen, sind sie nicht gegen ,,so" bzw. ,,wie" austauschbar. Da die Konstruktion: lateinische Konjunktion vor deutschem Satz, bei mehreren Schreibern und auch in Luthers Briefen vorkommt, muss sie im Gebrauch gewesen sein. Die tatsächlichen Verhältnisse in Luthers gesprochener Sprache werden wohl in der Mitte zwischen den Schreibern zu suchen sein: Luther wird diese Partikeln etwas weniger verwendet haben, als VD. zeigt (sonst wären sie auch bei den anderen Nachschreibern häufiger), jedoch häufiger als die anderen Schreiber zeigen (sonst hätte VD. sie nicht so häufig und sie fänden sich nicht in den Briefen). Der Unterschied zwischen VD. und den übrigen Schreibern ist also entweder in der Technik der Niederschrift zu suchen (in der häufigen Verwendung lateinischer Abkürzungszeichen für deutsche Wörter, vgl. oben S. 35 f. u. 148 f.), oder in der Reinschrift (bei der lateinischen Auflösung dieser Zeichen). Angesichts der Tatsache, dass auch die von anderer Hand reingeschriebene Nr. 3669 zahlreiche Partikeln aufweist, muss wohl die Technik der Niederschrift verantwortlich gemacht werden: hätten

---

[1] TR Bd. 3, S. XXXIII.

andere Schreiber die Gewohnheit gehabt, diese Abkürzungen in deutschem Text durchgehend deutsch aufzulösen, wäre dies auch in Nr. 3669 geschehen.

Der Gliedsatzrahmen

Der Relativsatz. Dem Rahmen eines Relativsatzes eignet grosse sprachzusammenhaltende Kraft: ein lateinisches relatives Pronomen kann nicht zusammen mit einem deutschen Verb stehen (vgl. hiermit den Befund über die übrigen Pronomen, oben S. 129 und S. 131, Anm. 1). Die Bedeutung des abschliessenden Verbes wird an dem unvollständigen Relativsatz deutlich: *deinde fingit,* was der vatter dazu sag, *quid servus, quid* die freundtschafft (467). „*quid* die freundtschafft" ist mein einziger Beleg für ein lateinisches Relativpronomen vor deutschen Gliedern; es kann sich nur behaupten, weil es nicht zusammen mit einem deutschen Verb steht.

Deutsches einleitendes Pronomen steht in meinem Material vereinzelt bei lateinischem Verb (oben S. 108). Das Prädikat hat Endstellung. Ein Beleg von dem Muster: „*was est et possit verbum Dei*" findet sich nicht.

Der Konjunktionalsatz. Wie schon oben (S. 152 f.) festgestellt wurde, sträubt sich besonders VD. gegen gemischte Gliedsatzrahmen.

Bei den unterordnenden deutschen Konjunktionen ist der Befund eindeutig: sie stehen nicht vor lateinischem Satz oder lateinischen Gliedern im Mischsatz. Die einzigen Ausnahmen finden sich bei Schlag.: ein „dass" und ein „wie" vor lateinischem Satz (oben S. 108). Das lateinische Prädikat hat Endstellung.

Hier ist eine Untersuchung über die Stellung des Verbs in den deutschen bzw. lateinischen Gliedsätzen unseres Materials am Platz. Zu diesem Zweck habe ich eine Auszählung an den deutschen dass-Sätzen (unten S. 185 ff.) und den lateinischen *quod-, ut-* und *ne*-Sätzen (unten S. 190 ff.) vorgenommen. Die folgende Tabelle gibt Aufschluss darüber, wie oft das Prädikat unmittelbar auf die Konjunktion folgt (hier im Anschluss an Behaghel[1] „Zweitstellung" genannt), wie oft unmittelbar auf das Subjekt („Hauptsatzfolge"), wie oft es getrennt vom Subjekt aber mit Nachfeld („Mittelstellung") und wie oft in absoluter Endstellung steht.

---

[1] Vgl. unten S. 163, Anm. 3.

	Zweit- stellung		Hauptsatz- folge		Mittel- stellung		Endstel- lung		Summa	
Dass	—	—	12	13 %	14	15 %	65	72 %	90	100 %
Quod, ut, ne	26	45 %	11	19 %	6	9 %	16	27 %	59	100 %

Anm. Ausgeschieden wurden bei der Zählung Sätze ohne ausgedrücktes Prädikat (dass-Satz Nr. 20) und solche, die nur aus Subjekt + Prädikat, bzw. nur aus lateinischem Prädikatsverb ausser der Konjunktion bestehen (das sie wehren, das sie nehren (386), *quod dixerunt* (130), *ut dicant* (402, u. a. m.). Im ganzen schieden 7 dass-Sätze, 4 *quod*-Sätze und 6 *ut*-Sätze aus.

Eine Sonderstellung nehmen die deutschen dass-Sätze mit geteiltem Prädikat ein, indem bei Luther die finite Form des Verbs vor der infiniten steht, z. B. ,,das mich unser Herr Gott wolt verdammen" (403). ,,das ers dem keyser wolt heim stellen" (357)[1]. Diese Belege zählen zur Endstellung. Modale Hilfsverben streben jedoch nach vorne: 7 meiner 12 Belege für die ,,Hauptsatzfolge" sind Sätze mit Subjektspronomen + modalem Hilfsverb vom Muster: ,,das man sol bey dem *cultu* bleiben" (40). — Vergleichsmaterial wurde nicht mitgezählt.

Meine Auszählung an dieser Stelle kann nur einen allgemeinen Überblick verschaffen; eine gründliche Untersuchung wäre wünschenswert; im Rahmen dieser Arbeit ist sie leider nicht möglich.

Die Tabelle zeigt einen grundlegenden Unterschied in der Struktur der deutschen und der lateinischen Gliedsätze: in den deutschen Gliedsätzen dominiert die Endstellung, in den lateinischen die Zweitstellung des Verbs[2]; letztere kommt in den deutschen Gliedsätzen überhaupt nicht vor; sie hängt mit der Eigenart der lateinischen Sprache zusammen, das Subjektspronomen nicht besonders zu bezeichnen; in nur 5 meiner 26 Belege war das Subjekt ausgedrückt (in 3 *ut*-Sätzen und 2 *ne*-Sätzen). Eine Form von ,,*esse*" steht nicht am Satzende.

Auf die deutschen dass-Sätze mit Hauptsatzfolge muss ich hier etwas näher eingehen; über die 7 Belege mit modalem Hilfsverb ist bereits oben gehandelt. Die übrigen sind:

3 Belege mit ,,sein": das alle fahrliche *morbi* sind des Teuffels schlege (360); das er ist allein gewesen (190); das *gratia iustificans* sey *mera remissio, imputatio* (434). In nur 2 der Belege ist das Prädikat ein Vollverb: das alle historien dringen *ad remissionem peccatorum* (388); das es lige am *definire et dividere vocabula* (193). In diesen beiden Belegen macht sich wohl das ,,Gesetz der wachsenden Glieder" bemerkbar[3].

---

[1] Vgl. Erben 1954, S. 23 u. 140, Franke 3, S. 293.

[2] In den wenigen Belegen aus den Briefen dagegen herrscht Endstellung.

[3] Zu Behaghels Gesetz der wachsenden Glieder vgl. Erben 1954, S. 29, 33, Anm. 6,

Die Verschiedenheit im Gliedsatzbau der beiden Sprachen, besonders die Spreizstellung von deutscher unterordnender Konjunktion und Prädikat, wirkt sich offensichtlich hindernd auf den Gebrauch solcher Konjunktionen in lateinischem Mischsatz aus.

Lateinische unterordnende Konjunktionen finden sich dagegen vor deutschem Satz, bei VD. jedoch seltener als bei anderen Schreibern: *quia-*, *quod-* und *sicut*-Sätze haben Hauptsatzfolge (oben S. 150 ff.), und der *quod*-Satz mit Gliedsatzfolge (S. 108) entstammt der von anderer Hand reingeschriebenen Nr. 3669. Die Befunde bei anderen Schreibern und in den Bibelnotizen zeigen jedoch, dass diese Konjunktionen[1] auch vor deutschem Mischsatz mit Gliedsatzfolge gebraucht wurden. Dieser Befund ist zusammen mit der starken Stellung lateinischer Konjunktionen überhaupt in deutschem Text zu sehen: eigenartig ist dabei, dass gerade Dietrich, der lateinische Konjunktionen so oft vor deutschen Hauptsatz stellt, bei Gliedsätzen so restriktiv ist. Bei Schlag. ist besonders *quod* hervortretend. Hauptsatzfolge wechselt mit Gliedsatzfolge, wobei bei *quod* Hauptsatzfolge überwiegt (5 Belege gegen 2).

Im zusammengezogenen Gliedsatz kann an einen lateinischen Vordersatz ein deutscher Nachsatz mit Endstellung des Verbes geknüpft werden (vgl. den Sonderfall oben S. 107, γ 5 a).

Bemerkungen. Ich zitiere F. Blatt: „... the word-order of sub-ordinate clauses in German seems influenced by Latin (als er ihn gesehen hatte / cum eum vidisset / quand il l'avait vu / when he had seen him / da han havde set ham etc.); Doctor Martin Luther, who knew his Latin pretty well, corrected his manuscript so as to follow the Latin word-order in subordinate clauses. (Hier macht der Verf. die Anmerkung: „final position of the verb in German subordinate clauses was optional, before it became obligatory under Latin influence"). The final position of verb may occur elsewhere, but it is nevertheless a striking feature of early, Latin influenced, prose, e.g. Spanish ..."[2] Leider bringt Blatt keine Lutherbelege; es besteht ja auch die Möglichkeit, dass die Korrekturen an Luthers Manuskript nicht von ihm selber, sondern von Rörer, dem „hauptsächlichen Korrektor der Lutherbibel"[3] oder jemand anders vorgenommen worden sind.

Auch E. Hammarström[4] ist der Ansicht, dass die Endstellung des Verbes

---

106, Anm. 2. Zur Wortstellung vgl. auch C. Franke, Zu Luthers Wortstellung. In: PBB 43. 1918. S. 125 ff. S. 134: „Von 1517–31 erlangt aber die schlusstellung des verbs im nebensatze immer mehr das übergewicht."

[1] Ausser *quia*.

[2] 1957, S. 42.

[3] O. Albrecht, Quellenkritisches zu Aurifabers und Rörers Sammlungen der Buch- und Bibeleinzeichnungen Luthers. In: Theol. Studien u. Kritiken 92. 1919. S. 280.

[4] E. Hammarström, Zur Stellung des Verbums in der deutschen Sprache. Diss. Lund 1923.

im deutschen Nebensatz sich unter lateinischem Einfluss, besonders dem Einfluss der Kanzleisprache, befestigt hat[1]. Dass bereits im Ahd. „die germanischen dialekte auf dem wege waren, die schlussstellung des verbums im nebensatze zu einem charakteristikum dieser satzart auszubilden", wird auch festgestellt, und gefragt: „Warum hat die deutsche sprache diesen eingeschlagenen weg fortgesetzt, und warum haben andere dialekte ihn unterbrochen?"[2]

Nun ist dazu zu bemerken, dass ein Abschweifen von einem einmal eingeschlagenen Wege an sich eher der Erklärung bedarf als ein Fortsetzen darauf. Wie wir oben gesehen haben, besteht ein fundamentaler Unterschied zwischen dem deutschen Nebensatz und dem lateinischen, indem im deutschen Nebensatz „dem Verbum finitum im allgemeinen Nichtzweitstellung, d. h. Stellung später als das zweite Satzglied", zukommt[3], während in unserem Text im lateinischen Nebensatz die Stellung des Verbs unmittelbar nach der Konjunktion überwiegt. Für unseren Text gilt, dass ein Einfluss des lateinischen Nebensatzes auf die Wortfolge des deutschen ausgeschlossen ist: warum sollte dann ausgerechnet in den von lateinischem *quod* und *sicut* eingeleiteten deutschen Mischsätzen Hauptsatzfolge dominieren, während in den dass- und wie-Sätzen Nebensatzfolge die Regel ist?

Auf welch schwachen Grund die Theorie des lateinischen Einflusses manchmal gebaut wird, zeigt das folgende Zitat von Maurer; dieser stellt zwar fest: „unter lateinischem Einfluss beginnt man im Nebensatz das Verbum finitum ans Ende zu stellen"[4], steht dann aber auf der nächsten Seite hilflos der Frage gegenüber, wo denn nun dieser lateinische Einfluss eigentlich stattgefunden habe: „Es scheinen nicht in erster Linie die Urkunden zu sein, die hier vermitteln, wie das vielfach in einseitiger Weise angenommen worden ist. Gerade die ersten deutschen Urkunden zeigen weitgehend Nicht-Endstellung und ebenso die lateinischen Urkunden, die dann doch das Vorbild hätten abgeben sollen. Auch die klassischen Schriftsteller der Römer zeigen durchaus nicht als Regel Endstellung des Verbum finitum. Ich möchte hier nur die V e r m u t u n g aussprechen, dass die lateinische Schulgrammatik des Mittelalters die Endstellung des Verbs im Lateinischen fordert. ..."

Fest steht, dass die Hypotaxe vorwiegend in der Schriftsprache heimisch ist, und dass diese von Anfang an unter lateinischem Einfluss gestanden hat[5], wie wir auch sehen werden, dass in unserem Material gewisse Nebensätze überwiegend dem Lateinischen entnommen werden (vgl. unten S. 211 f.). Die dass-Sätze sind jedoch eine Ausnahme; sie wurzeln fest in der deutschen Sprache[6] und überwiegen bei weitem die *quod*-Sätze. Die Wortfolge

---

[1] S. 198 ff.

[2] S. 197. Vgl. zur Verbstellung im Ahd. auch G. Müller–Th. Frings, Die Entstehung der deutschen dass-Sätze. Berlin 1959.

[3] Behaghel IV, S. 44.

[4] F. Maurer, Untersuchungen über die deutsche Verbstellung in ihrer geschichtlichen Entwicklung. Heidelberg 1926. S. 179.

[5] Hammarström, S. 198 f., und Behaghel, zitiert ebd.

[6] Müller–Frings, S. 18 f.: „Alles heute Wesentliche ist ahd. schon da."

muss eher auf einheimischen Traditionen[1] als auf lateinischem Einfluss beruhen.

Die Verankerung der Rahmenkonstruktion besonders in der Umgangssprache hat neuerdings auch Admoni betont: ,,Wenn unsere Behauptung, dass Sätze dieser Art in der Umgangssprache fast ausnahmslos umklammert sind, wirklich richtig ist, so steht damit fest, dass die Rahmenkonstruktion im Deutschen sozusagen nicht 'von oben herab' eingeführt wurde, sondern zum Grundbestand der syntaktischen Gesetzmässigkeiten im deutschen Sprachbau gehört. Es ist der Boden des Wortstellungssystems im deutschen Satz ...''[2]

Rein deutsche Gliedsatzrahmen mit lateinischer Füllung sind keine Seltenheit (Belege oben S. 105 f.). Das Verhältnis der Sprachen ist nicht umkehrbar. Der Grund dafür ist wohl, dass ein lateinisches Verb mit seiner Flexion nicht isoliert nach deutschem Kontext gesetzt zu werden pflegte. Daneben ist, wie wir gesehen haben, ein eigentlicher ,,Rahmen'' in lateinischen Nebensätzen eher die Ausnahme als die Regel.

Die Wortstellung

Wir betrachten zunächst die Satzglieder, die aus mehreren Wörtern bestehen[3]. Sie bilden oft eine sprachliche Einheit (jedoch nicht immer), indem sie als geschlossene ,,Blöcke''[4] einer Sprache entnommen und der anderen einverleibt werden; vgl. z. B. die Präpositionalkonstruktionen (S. 83, 94 ff., 100 ff.), die Substantive mit Attribut (S. 81 f., 91 f., passim) und die mit einer Vergleichspartikel angeknüpften prädikativen Attribute (S. 94, 100). An Hand dieser Belege machen wir die Feststellung: innerhalb eines solchen Blockes herrscht die Wortstellung, die durch die jeweilige Sprache gefordert wird. Hier führe ich nur folgende Beispiele auf: vgl. die Stellung des possessiven Pronomens in den beiden Präpositionalkonstruktionen: ... ist *in vita sua* nit angefochten (590), und: *disco et oro* mit meinem Hansen ... (81).

Konjunktionen nehmen auch hier eine besondere Stellung ein. Die schwankende Stellung lateinischer Konjunktionaladverbien in deutschem Satz und die Unsicherheit in der Wortfolge eines Nebensatzes mit deutschem Verb und lateinischer einleitender Konjunktion sind bereits oben (S. 153 f., 160 ff.) behandelt worden.

[1] Vgl. Hammarström, zitiert oben.

[2] 1962, S. 168.

[3] Vgl. Glinz, IF. 1961. S. 85 ff.; Glinz stellt mit Hilfe der ,,Verschiebeprobe'' den Charakter dieser ,,Blöcke'' als ,,Zwischenglieder zwischen Wort und Satz'' fest und nennt sie ,,Stellungsglieder''.

[4] Ebd. S. 86 f.

Einzeln eingeschaltete Wörter stehen an der Stelle, die die Sprache des übrigen Satzes bedingt (S. 59 ff.).

Die Flexion

Im lateinischen Satz kommt der Flexion ein stärkerer Gehalt zu als im deutschen: die verbale Flexion ist allein Träger von Numerus und Person in den Sätzen, wo das Subjekt nicht besonders ausgedrückt ist; die substantivische Flexion allein trägt Genus, Numerus und Kasus, da kein bestimmter Artikel vorhanden ist.

Wir haben festgestellt, dass die lat. verbale Flexion ihre Funktion nicht ohne weiteres auf einen deutschen Mischsatz erstrecken kann (oben S. 53 ff.); dagegen kann die lateinische Substantivflexion ihre Funktion auch in einem solchen Satze ausüben (S. 123 f.). Doch lässt sie auch ihr Gewicht einschränken und deutschem Gebrauch anpassen, indem einer Beigabe eines deutschen Artikels nichts im Wege steht (S. 125 ff.). Für das starke Gewicht der lateinischen Flexion in einem deutschen Mischsatz bei artikellosem Gebrauch führe ich hier nur das Beispiel an: das *patriae* geholffen wer (620).

Die Funktion der lateinischen Substantivflexion wird sogar dann auf einen deutschen Mischsatz übertragen, wenn ihr kein deutsches Gegenstück zur Seite steht, wie z. B. die Ablativendung (vgl. oben S. 141 f.).

So wie lateinische Einschaltungen im deutschen Satz durch Anpassungen an die Flexion eingedeutscht werden können, können auch deutsche Wörter lateinische Endungen erhalten: landtgraf*ii*, schwermer*os* (vgl. oben S. 77, u. ebd. Anm. 1).

Die lateinische Adjektivflexion funktioniert attributiv nur vor lateinischem Substantiv; zusammen mit diesem kann sie auch in einem deutschen Mischsatz stehen. Sie ist in dieser Stellung nur an ihr Glied gebunden, nicht an die Grammatik des Satzes als Ganzheit. Hier macht sich die starke Übereinstimmung zwischen der Substantiv- und der Adjektivflexion geltend. In prädikativer Stellung, wo die Bindung nicht nur zum Substantiv, sondern auch zum Verb besteht und das deutsche Adjektiv nicht gebeugt wird, kann die lateinische Adjektivflexion auch zu einem deutschen Substantiv in Beziehung gesetzt werden, doch kommt dies selten vor (vgl. oben S. 131 ff.). Das Verhältnis ist nicht umkehrbar[1].

---

[1] Die Undeklinierbarkeit des deutschen prädikativen Attributes macht hier Schwierigkeiten; vgl.: *Afflictorum gemitus* horet der Herr leiss (1270, Schlag. (?)) = auch wenn sie leise sind. Schlag.s Autorschaft ist für dieses Stück nicht sicher, vgl. Anm. 1 zu diesem Stück.

Der lateinischen Adverbendung steht keine deutsche Entsprechung gegenüber. Sie hat demnach in einem deutschen Satz keine Funktion, sondern verschmilzt mit dem lexikalischen Teil des Wortes zu einer Einheit. Ein lateinisches Adverb in deutschem Mischsatz kommt also nicht mit dem deutschen Flexionssystem in Konflikt (ebd.).

Zusammenfassend müssen wir feststellen: im verbalen Bereich schliessen sich die beiden sprachlichen Systeme gegenseitig aus. Im substantivischen Bereich funktionieren sie gleichzeitig und werden auch bei dem Hörer als gleichzeitig funktionierend vorausgesetzt[1]. Die Flexion des attributiven Adjektivs ist an das bestimmte Glied gebunden. Im übrigen gilt die Regel: ein fremdsprachiges flektiertes Glied kann sehr wohl anstelle eines einheimischen unflektierten stehen (lateinische prädikative Attribute in deutschem Mischsatz); das Zuviel an Flexion wird höchstens als überflüssige Genauigkeit aufgefasst; es darf aber kein Zuwenig geben: deutsches unflektiertes prädikatives Adjektiv kann nicht in lateinischem Mischsatz stehen, da dort eine Flexion benötigt wird. (Man vergleiche, wie sehr der Sinn in dem oben S. 165, Anm. 1 angeführten Beispiel durch die Undeklinierbarkeit des deutschen Adjektivs in dieser Stellung verdunkelt wird.)

Der Einfluss des deutschen Artikels oder Pronomens auf die lateinische Flexion[2]

Im deutschen Mischsatz stehen artikellose lateinische Substantive regelmässig in dem ihrer Sprache entsprechenden Kasus. Nach deutschem Artikel oder Pronomen gibt es aber lat. Substantive, die statt in dem erforderten gebeugten Kasus im Nominativ stehen. Es sind vorwiegend Substantive der ersten Deklination (auf -*a* und -*ia*), hauptsächlich Feminina, und Feminina der dritten Deklination (auf -*io*). Das Verhältnis der ge-

---

[1] Vgl. Haugen 1958, S. 772: ,,In the bilingual ... systems may be said to ,,coexist'' ... But it may be questioned whether every bilingual *has* two coexistent systems; the occurrence of interference even suggests that he may have something less than two, though more than one. These are problems which can only be answered by the collection of many kinds of evidence, and by consideration from many points of view.''

[2] Vgl. oben S. 125 ff.

beugten und der ungebeugten Fälle zueinander lässt sich an der folgenden Tabelle ablesen[1]:

	Casus rectus statt obliquus	Casus obliquus
-(i)a	9	16
-io	14	3

Die Belege für -(*i*)*a*, casus rectus, s. unter: *accidentia* (2), *biblia* (3), *prophetia*, *theologia* (2), *papa*; casus obliquus: *blasphemia, causa, ceremonia, comoedia, conscientia* (2), *dialectica, doctrina* (3), *hora* (2), *rhetorica, sophistica, theologia* (2). Belege für -*io*, casus rectus: *benedictio, disputatio, generatio, promissio, solutio* (2), *tentatio* (7), *vocatio*; casus obliquus: *cognitio, promissio, religio.* Vgl. oben S. 59 ff. und 68ff.

Die einzigen Belege für maskuline Substantive sind *papa* und *homicida* (wo die Parallelen zu *homicidam* ,,glätten"); der einzige Beleg einer anderen Deklination steht in Nr. 3669: und erhält das *cor*. Ferner finden sich noch prior und Doctor (oben S. 71), die aber wohl schon als zur deutschen Sprache gehörig angesehen werden müssen.

Nach deutscher Präposition ist deutscher Artikel und Verlust der Kasusendung bei diesen Substantiven die Regel: mitt der *ecclesia*[2], mit seiner *gratia*, mit der *iustitia*, mit der *practica*, zu der *sapientia*, mit der *substantia*, fur der *tristitia*, zu keinem *homicida*, fur den *papa*; neben der *circumcisio*, zu der *consolatio*, mit der *disputatio*, mit der *iustificatio*, von der *praedestinatio*, auff die *promissio*, mit der *quaestio*, mit unser *tentatio*, in der *tentatio*; auch: meiner *vocatio* halben. Die einzige Ausnahme ist: auf die *gratiam*.

Bei den -*ia*-Fällen im casus rectus handelt es sich um einige wenige Wörter, die häufig gebraucht werden. Wie bereits oben (S. 126) festgestellt wurde, ist der Gebrauch des casus rectus an Stelle des obliquus ein Schritt im Eindeutschungsprozess: die Funktion der Kasusbezeichnung wird von der fremden Flexion auf den Artikel verlagert, also ausschliesslich mit deutschen Mitteln analytisch ausgedrückt; der nächste Schritt ist der Verlust der vokalischen Endung überhaupt (,,Bibel", ,,Theologie"). Die Wörter, die im casus obliquus stehen, haben überwiegend gelehrte Prägung.

---

[1] Präpositionalgefüge sind nicht mitgezählt, vgl. unten.

[2] Nach ,,mit" könnte man möglicherweise lat. Ablativ ansetzen (Einfluss von *cum*?), der in dieser Deklination mit dem Nominativ zusammenfällt; vgl. jedoch die 3. Deklination, wo dieser Zusammenfall nicht stattfindet: auch hier steht Nominativ nach ,,mit". — Vgl. oben S. 139 f.

In der -*io*-Deklination ist das Übergewicht des casus rectus über den obliquus besonders auffällig. Auch einige dieser Wörter haben gelehrten Charakter (*disputatio, solutio*).

Im Plural wird der Unterschied im Numerus durchgehend gewahrt[1]. Da die Flexion hier nicht nur den Kasus, sondern auch die Mehrzahl bezeichnet, ist sie bei den Feminina unentbehrlich.

Woronow betont mit Lewkowskaja, ,,dass Deklination ... und Pluralbildung in der gegenwärtigen deutschen Sprache zu unterscheiden seien, weil die Pluralstämme, in die die Pluralsuffixe hineingehören, in allen entsprechenden Kasusformen vorhanden sind, aber diese nicht als Kasus charakterisieren"[2]. ,,Es handelt sich also um die Aussonderung der Pluralsuffixe aus der Kennzeichnung der Deklinationstypen, um die Bestimmung der Kategorie des Numerus als einer morphologisch selbständigen Kategorie, die sich im Laufe der historischen Entwicklung der deutschen Sprache aus dem Deklinationssystem der Substantive ausgegliedert hat."[3] Dieser Ausgliederungsprozess bahnt sich im Laufe des 14.-16. Jahrhunderts bereits an[4]. Zu ihm gehört das allmähliche ,,Verschwinden der -*en*-Flexion aus den obliquen Singular-Kasus bei den Feminina und Ausbreitung dieser Endung auf alle Kasus im Plural. (Dieser Vorgang fängt erst an.)"[5]

Für viele Wörter der in Frage kommenden Deklinationen gab es bereits eine eingedeutschte Form, in der die vokalische Endung abgeworfen oder eingeebnet worden war[6]. Malherbe, bei dem bei der Behandlung der Fremdwörter ,,das dritte Jahrzehnt des 16. Jhs. eine genauere und eingehendere Berücksichtigung erfahren hat"[7], klagt besonders über die Inkonsequenz der Endungen bei den Feminina auf -*ia*:

Am deutlichsten kommt das zum Ausdruck bei den lateinischen -*ia*-Abstrakten wie Allegoria, Historia, Biblia, Materia. Im Nom. Sing. erscheint bald die lateinische, bald die deutsche Form, bald die aus dem Obliquus eingedrungene, schwach flektierende deutsche Lautgestalt ... Im Obliquus erscheint entweder die deutsche schwache, oder starke, oder lateinische Flexion. Die unflektierte lateinische Form begegnet weit häufiger als die flektierte[8]. Im Plural ist die deutsche Lautgebung herrschend, obwohl Ausnahmen vorkommen[9].

---

[1] Vgl. A. Woronow, Die Pluralbildung der Substantive in der deutschen Sprache des XIV. bis XVI. Jahrhunderts. In: PBB 84. Halle 1962. S. 173 ff.

[2] Ebd. S. 173.

[3] Ebd. S. 173 f.

[4] S. 187.

[5] S. 180. — Vgl. J. Sverdrup, Kortfattet tysk sproghistorie. Oslo 1930. S. 117–133.

[6] Vgl. Rosenfeld 1959, S. 347 f.

[7] S. 1 f.

[8] S. 6.

[9] S. 7.

Dagegen werden die -*io*-Substantive bei Malherbe nicht besonders hervorgehoben. Die Eindeutschungen auf -ion werden bei Rosenfeld betont:

Überblickt man das neu aufkommende oder jetzt erst wirklich geläufig werdende lateinische Fremdwortgut nach seinen formalen Elementen, so überwiegt zweifellos die grosse Gruppe der Abstrakta auf lat. -*io* ... Sie erscheinen zumeist in der uns geläufigen Form auf -ion, die vom Akkusativ ausgeht ... Daneben begegnen nicht ganz selten Formen auf -*io*, die auch im Akkusativ unverändert bleiben, aber unterschiedslos auch mit solchen auf -*ion* wechseln[1].

Auffällig ist jedoch bei VD., dass die lateinischen Formen die eingedeutschten wie ,,Vokation, Tentation, Conscientz'' usw. überwiegen (vgl. oben S. 59, 70). Dies stimmt mit der bezeugten humanistischen Neigung Luthers zur lateinischen Endung eines lateinischen Wortes überein (vgl. oben S. 57). Der Eindeutschungsprozess bleibt hier bei einem Einheitskasus im Nominativ Singularis nach deutschem Artikel stehen.

Aus der Tatsache, dass der casus rectus statt obliquus bei den -*ia*-Substantiven zur Ausnahme, bei den -*io*-Substantiven dagegen zur Regel gehörte, kann man wohl den Schlußsatz ziehen, dass der Eindeutschungsprozess bei den letzteren Substantiven weiter fortgeschritten war.

Interessant ist ferner die Tatsache, dass es sich vorwiegend um Feminina handelt. Wie wir oben zitiert haben, fing in dieser Zeit die Ausbreitung der Nom.-Sing.-Endung im Femininum auf die übrigen obliquen Fälle im Singular in der deutschen Sprache an. Inwiefern diese beiden Tatsachen in Beziehung zueinander zu setzen sind, muss ich hier dahingestellt sein lassen. Die Verhältnisse wären einer besonderen Untersuchung wert.

Gründe für den Sprachwechsel im Satz[2]

An erster Stelle ist der Terminologiezwang zu nennen: theologische, juristische u. a. wissenschaftliche Fachausdrücke werden der lateinischen Sprache entnommen und der deutschen einverleibt. Als Beispiele nenne ich hier nur: *remissio peccatorum, tentatio, invidia, superbia; iustitiam legis, latro; allegoria, punctum physicum*; die Hinweise auf Bibelstellen:

---

[1] Rosenfeld S. 347. — Auch E. Skála, Deklination von Fremd- und Lehnwörtern sowie Eigennamen in der Egerer Kanzlei von 1500–1660. In: PBB 84. Halle 1962, S. 199–223, hebt besonders die Eindeutschungen auf -ion hervor (S. 207, 209).

[2] Vgl. unten S. 252 ff.

mit dem Paulo *ad Timotheum, in proverbiis.* Deutsche Ausdrücke in lateinischem Text sind dementsprechend weit seltener; Fachausdrücke sind: Mit den keglen schiben, stadrecht, hausrecht. Vgl. auch oben S. 77, landtgraf*ii,* schwermer*os.*

Ferner macht sich der Zwang zum Zitieren geltend[1]: *an deberem caesarem vocare* allergnedigsten herrn. In meinem Material bewirkt dieser Zwang auch sehr oft eine Umschaltung zwischen ganzen Sätzen und Teilsätzen (vgl. unten S. 252).

Die grössere Ausdruckskraft einer Wendung kann diese in einem anderssprachigen Satz durchsetzen[2]: *sicut ego bibo* ein starcken trunck birs[3]. Besonders beim Affekt macht sich dies geltend[4]: *si rusticus aut nobilis* uns krum ansihet, wollen wir aus der haut (1857, Schlag.); vgl. auch oben S. 108, Nr. 1854 und 5157. Bei VD. und in den Briefen verursacht der Affekt hauptsächlich Umschaltung zwischen Teilsätzen oder ganzen Sätzen (vgl. unten S. 175 u. 241 ff.).

Emotionale Faktoren setzen die deutsche Sprache durch, wenn die Rede auf Luthers Kinder kommt; hier wirkt auch die Koseform des Diminutivs ein[5]: *disco et oro* mit meinem Hansen und meinem Lenichen; vgl. auch das Beispiel bei Schlag., oben S. 136. Zum Diminutiv auch: *Epistola ad Galatas* ist mein epistelcha[6].

---

[1] Vgl. Haugen 1953, S. 65: „... the leading factors in switching are the need of quoting English-speaking people and of using English terms ...“

[2] Über den Einfluss der Ausdruckskraft vgl. Elwert, S. 333 f.

[3] Vgl. L. Traube, Einleitung in die lateinische Philologie des Mittelalters. München 1911. S. 95: „für 'Bier' gab es das alte keltische Wort *cer(e)visia* ... Lange Zeit wurde dafür *sicera* aus der Vulgata ... genommen.“

[4] Dass besonders im Affekt die Muttersprache durchbricht, ist verschiedentlich bezeugt; vgl. Schuchardt S., 82; W. Havers, Handbuch der erklärenden Syntax. Heidelberg 1931. S. 37 ff. Der Befund ist jedoch nicht eindeutig, vgl. Oksaar 1963, S. 5. Auch steht fest, dass in einer fremden Sprache gern geflucht wird, s. H. Geissler, Umvolkserscheinungen bei Jugendlichen in der fremdvölkischen Grosstadt. In: AV 2. 1938. S. 362 f.; Schuchardt S. 80: „Flüche haben ein Passe-partout“. — Nach Elwerts Erfahrung werden Flüche „der Sprache entnommen, ... in der man sich in seiner Vorstellung befindet“ (S. 331, Anm. 1).

[5] Zur Einwirkung des emotionalen Faktors vgl. Weinreich, S. 82; Haugen 1953, S. 9; der letztere zitiert den berühmten Fall des französischen Professors Louis Ronjat, der in seiner Kindheit mit seiner Mutter deutsch, mit seinem Vater französisch sprach: „But in later life it was apparent to him, that the language of his emotions was German, that of his thinking was French.“

[6] Vgl. Fausel, S. 57: „Die Verkleinerung -chen, -che wird ... bedenkenlos rein portugiesischen Wörtern angehängt, die dadurch zu höchst eigentümlichen Gebilden der Sprachmischung werden.“

Emotional betont sind auch die Interjektionen ,,Ach!'' und ,,Wohlan!'',
vgl. oben S. 78.

Diese Gründe können jedoch nicht alle Fälle des Sprachwechsels
erklären[1]; auch wirkt sich z. B. der ,,Terminologiezwang'' nicht einheitlich
aus: neben *verbum* und *verbum Dei* steht ,,wort'' und ,,Gotts wort''
(oben S. 67), neben *tentatio* ,,anfechtung'' (oben S. 70), neben *papa*
,,bapst'' (oben S. 62) u.a.m. Auch ist eigenartig, dass *papistae* mit der
lateinischen Flexion in einen deutschen Satz eindringt, wo doch Luther
,,Papist'' ohne solche Endung bereits 1520 selbst gebildet und in Umlauf
gesetzt hatte (oben S. 62 f., Anm. 1). Ich zitiere hierzu einen Abschnitt
aus der Arbeit von E. Valli, dessen Beobachtungen über die vorlutherische
Bibelsprache auch auf unseren Text passen:

Wie die obigen Beobachtungen erhellt haben dürften, hatte sich in der
mittelalterlichen Bibelübersetzung tatsächlich eine Art Tradition im Gebrauch und Nichtgebrauch der Fremdwörter gestaltet, die nach anfänglichen
tastenden Versuchen meistens sehr bald ziemlich feste Formen annahm.
Einige Wörter werden immer als solche übernommen, während gewisse
andere, die keineswegs immer durch ihre Bedeutung anders bedingt sind,
so gut wie immer verdeutscht werden. Bei einer Anzahl von Wörtern ist
eine Wandlung in der Behandlungsweise vor sich gegangen: die frühere
Verdeutschung oder die früheren Verdeutschungen sind durch ein Fremdwort verdrängt worden. ... Bei einer weiteren Anzahl herrscht Schwanken
im Gebrauch und Nichtgebrauch des Fremdworts die ganze Zeit hindurch,
manchmal auch bei ein und demselben Übersetzer[2].

Vgl. hierzu den Abschnitt über das Äquivalenzverhältnis der Sprachen
und die sprachliche Indifferenz, unten S. 254 ff.

II. SPRACHWECHSEL ZWISCHEN HAUPT- UND GLIEDSÄTZEN UND ZWISCHEN GANZEN SÄTZEN

1. DIE HYPOTAXE

Einleitende Bemerkungen

Im folgenden wird untersucht, wie ein Satzgefüge funktioniert, das den
übergeordneten Satz der einen, den untergeordneten Satz der anderen
Sprache entnimmt.

Zur Terminologie. Der alte, häufig irreführende Terminus ,,Nebensatz'' wird

---

[1] Möglicherweise sind auch einige Fälle auf das schnelle Schreiben zurückzuführen,
vgl. oben S. 40 ff. und 142, Anm. 1.   [2] S. 640.

im Duden (wie auch in Erbens Grammatik) durch „Gliedsatz" ersetzt[1]. Es wird dabei unterschieden zwischen Gliedsätzen in der Rolle eines Satzglieds, solchen in der Rolle eines Attributs, und „Teilsätzen in der Form von Gliedsätzen mit voneinander unabhängigen Sachverhalten (weiterführende Teilsätze)"[2]. Brinkmann dagegen will den Terminus „Gliedsätze" nur für die Teilsätze in der Rolle eines Satzglieds verwenden:

„Um Gliedsätze handelt es sich, wenn „Entfaltungssätze" an Stelle eines Substantives ein Satzglied repräsentieren; um Teilsätze, wenn sie als Attribut, wie sonst ein Adjektiv, zu einem Substantiv ... hinzutreten. Im ersten Falle sind sie unmittelbar mit dem verbalen Kern des Satzes verbunden; im zweiten Falle gehören sie als Teil zu einem Glied des Satzes, sind also nicht unmittelbar in den Prozess des Satzes einbezogen. Gliedsätze sind also Äquivalent eines Substantivs ..."[3].

Brinkmanns Terminologie macht jedoch bei der praktischen Anwendung Schwierigkeiten, da er keinen zusammenfassenden Terminus für den „Nebensatz" im Gegensatz zum Hauptsatz gibt. Ein solcher wird aber oft benötigt. Es erschien mir als zu umständlich, in diesen Fällen wie Brinkmann „Glied- und Teilsätze"[4] zu sagen. Da ich ausserdem Einheitlichkeit in der Terminologie für ein erstrebenswertes Ziel halte, schliesse ich mich der Terminologie des Duden an[5].

A. Gliedsätze ohne Einleitewort

1. *Direkte Rede und indirekte Rede nach verba dicendi, Zitate*[6]

a. *Der Anführungssatz*[7] *ist lateinisch, der Gliedsatz deutsch*

1. Der lateinische Anführungssatz geht voran

α. Die Schaltung ist durch das Angeführte bedingt:

dixi ad eum: Esset yhr auch, wenn euch hungert? (360); *dixi:* Siggel es zu (414); ... *diceret ad me in coena:* Mich wundert, das yhr kondt so frolich sein (491); *Tunc Doctor Staupizius respondit mihi:* Lieber, lernet ihr yhn

---

[1] Duden, § 1053 ff.; Erben, S. 188 ff.   [2] Duden, § 1053 ff. bzw. 1095 ff.

[3] D. d. S., 1962. S. 589.   [4] Ebd. S. 588, passim.

[5] Zum Problem der Abgrenzung des Gliedsatzes vom Hauptsatz, der Hypotaxe von der Parataxe, vgl. A. Rynell, Parataxis and Hypotaxis as a Criterion of Syntax and Style. Lund 1952. R. wendet sich besonders gegen die Anwendung logischer Kriterien und Gesichtspunkte bei der Beurteilung des Satzgefüges. — Vgl. auch L. Weisgerber, Von den Kräften der deutschen Sprache. I. Düsseldorf 1962. S. 401: „... kann man grundsätzlich sagen, dass alle ausserverbalen Satzglieder auch als Gliedsätze realisiert werden können."

[6] Der folgende Abschnitt ist der umfangreichste in meiner Materialsammlung. Auch in den Bibelnotizen und Briefen findet sich reichlich übereinstimmendes Material. — Vgl. auch die dass-Sätze, unten S. 186 f. — Bibelzitate, Sprichwörter und gelegentliche Hinweise auf Kirchenväter sind in der WA vermerkt.

[7] „Anführungssatz" = der einleitende Satz, z. B. *dixi,* „es heisst".

anderst (94); *Ibi Stupicius ad me:* Sihe, ich dacht nit, das ... (147); *Staupicius meus aliquando dicebat:* Ich wolt gern wissen, wie der man wer selig worden (445); *Doctor Proles dixit:* Ich wolt S. Hieronymum nit gern zum prior haben gehabt (445); *Sed Staupicius meus dicebat:* Man mus den man ansehen, der ... (526); *ibi dicebat:* Ich verstehe es nit (518); *Ego respondebam:* Ach, wo sol ich hin? *Ibi dicebat:* Ach, yhr wisset nit, wie es euch so not ist (518); ... *respondisset per indignitatem:* Weyst du sonst nit, wo fur ichs ausgeben hab, so schreyb: Ins hurhaus (487); *Zinglius Marburgi flens dixit:* Nu wiss Gott, das ich niemandt lieber zu freund wolt haben denn die zu Wittenberg (129); *Ibi Fridericus ad Spalatinum:* Es ist ein wunderlichs mendlin (131); *Ibi quidam civis ludens exclamat:* Was macht yhr, yhr buben (137);

Sprichwörter: *quod dicunt in aula:* Fursten brieff sol man drey mal lesen (365); *sicut dicunt:* wen das alter stark und die jugend klug wer, das wer gellts werd (406); *sicut dicunt:* Was *pater, mater* nit ziehen kan, das mus der henker ziehen (386); *Bene dixit ille rusticus:* Der harnisch ist gut, wer in ways zu brauchen (352).

ohne eigentlichen Anführungssatz (e.g. „*dicit*"): (*Porro maledicere non est tam durum Hebreis sicut nobis Germanis;*) *est quasi imprecari mala:* Ei, das dich ein ungluck angehe (71); *Sic verum est proverbium:* Was vatter, muter nit ziehen konnen, das zeucht der Teuffel (415); *ibi canebam hymnum:* Christum wir sollen loben schon (522); *Sententia: ego creo bonum et malum, loquitur de poena, ut sit sententia:* Ich troste und schrecke (426). ... *cum hac voce:* Das hett ich dich noch nit gelernet (247).

β. Die Schaltung braucht nicht durch das Angeführte bedingt zu sein.

1. Bibelstellen:

sicut Paulus etiam de christianis dicit: Si sizen yhm himel nach dem herzen (280); da ich nichts von ways, *nisi quod dicit in evangelio:* Ich bin ein herr (284); *Sic Iudas dicit:* Stehe im namen Jhesus Christus auff (342); *Pater dicit:* Was euch mein Son zusagt, das wil ich thun (448); *Ioh. 8 vult hoc dicere:* Horet, was ich sag, so werdt yhr sehen, was ich bin (641); (*Filium Dei crucifigi,* ist uber alles,) *quod dicit ad Filium natura Deum:* Gehe hin, lass dich henken (372); *quod dicit:* Lasset mich euren Gott sein (612); *dicit:* Yhr bosen buben, habt frid unternander (612); *Ideo dicit:* Es ist von notten, das du mich lieb habest (228); *Deus dicit:* Thue und glaub, was ich dir sage (403); *Et Iob respondet:* Es ist war, ich hab zuvil geredt (142); *Dicit:* Wir mußen so predigen ... (Auslegung eines Pauluszitats; 514);

ohne eigentlichen Anführungssatz:

Contra: Du must ettwas heimlichs auff dir haben (142); *Ibi Iob:* Das klag ich auch (ebd.); *Sic in novo testamento est promissio:* Ich will ewr Gott sein, darauff last euch tauffen (365); *Primum praeceptum continet salutem piorum et perditionem impiorum:* Ich will Gott sein und helffen (369); *Circumcisio ... nihil valet, sed hoc dicit valere:* Glaubt mir und seyd fromm (458);

mit Schaltung auch in der angeführten Rede:

Ibi alii contra dicunt: Du bist ein bub; *alioqui non accidissent tibi haec* (Hiob 4 f.; 142); *Locus Philippo 2: ..., idem est, ac si dicam:* Yhr solt nit willd sein, *sicut nunc est mundus* (527); (*Et deinde addit: Pasce oves meas,*) *quasi dicat:* Wilt du ein rechter *pastor* sein, so mus es nur *dilectio* thun, *qua me amas,* sunst ist es unmuglich (228); *vult dicere:* Gebt yhn schlag, wenn sie es verdienen, und doch gute wort dazu, *ne fiant pusillanimes*[1] und ... (442); *Deinde exponit se Moses et dicit:* Er ging nit mehr zu den rechten (*non sicut antea*), *sed* zum Zinglio etc. (505);

mit Schaltung auch nach dem Zitat: *habemus promissionem et mandatum, quod dicit:* Predigt allen heyden, *quasi dicat: Volo omnium esse Deus* (356).

Vgl. Bi 3, S. 216: ... *sed negat suae virtutis esse* [:] Was ich kan das ist nicht *doctrina mea* ... Got ists, ders durch mich gethan hat. kan dirs auch thun. *Dat gloriam deo nec negat tamen ministerium suum.*

Vgl. auch den Beleg aus Luthers Briefen, Bd. 10, Nr. 3842: *Et ut mutent in Ecclesia verba haec:* der aller Welt ein Tröster ist; *ita ego non composui.*

Eine Erläuterung wird mit *quasi dicat* u. dgl. angeknüpft:

... *loquitur de affectibus, quasi dicat:* Geitz, hass, hoffart bleybt ymmer (328); *Sic etiam dixit in promissione Adae: Inimicitias ponam inter te et semen mulieris, quasi diceret:* Ich wil mit dir zuschaffen haben (211);

mit deutschem Mischsatz: *Idem ergo est, ac si dicat:* Du bist *fac totum in populo* (636).

Vgl. Bibelnotizen: Bi 3, S. 429: *Vult dicere:* Du weisst nicht das ich dich wil zum propheten salben.

mit lateinischem Mischsatz: Bi 3, S. 434 (unten): *Sancti loquuntur cum reverentia de deo:* wil Gott, uber ein iar *habebis filium.*

2. Aussprüche im Bereich der Seelsorge und des inneren Selbstgesprächs im Kampf mit Anfechtungen[2]:

Sic eum consolabatur: Man mus es gewonen (3669); *vere possumus dicere:* Das sagt Gott (505); *Quare cum talem aliquam cogitationem sentis, dic:* Das ist nit Christus (522); *hoc non potest persuaderi nobis, ut dicamus:* Du hast deinen Son nit umbsonst lassen creuzigen (388); *Palpitat enim fides nostra, et suggerit infirmitas:* Ja, wer weys, ob es war ist (81); hat acht tag bestimbt, ist war, *sed tu dic:* Tag hin, tag her, befelh hin, befelh her (365); *Pius autem adolescens initurus coniugium dicat:* O Gott, gib gnad dazu (185); *et dicere:* Ich wills gern annhemen (483); *ut dicamus:* ich armer mensch glaub an dich (3669); Yhr must verzweyveln *et Deo dare gloriam et dicere,* yhr habts nit angefangen (502); *Saepe mihi obicit:* Wol hast sovil leut verfuret (518)[3];

mit deutschem Mischsatz:

... *ut dicat:* da stehets *in verbo Dei* und sonst nirgends (320); *Sic tu dic:* wen es alles dohin ist, so gleub ich doch *Christum adhuc vivere* (3669);

mit Rückschaltung nach dem Zitat:

Sed quod dicunt: Du must es thun, *hic negamus et respondemus:* So hallte es gar (356); Darnach spricht mich der Teuffel auch drumb an *ac saepius me occidisset hoc argumento:* Du bist nit beruffen, *nisi fuissem doctor* (453); *Cum igitur cogitas:* Ich ruff unsern Herrgott an, er will mich aber nicht

---

[1] Zitatbedingte Schaltung, vgl. Kol. 3, 21. (Vulgata.)

[2] Einige dieser Belege werden nicht mit eigentlichen verba dicendi eingeleitet; ich führe sie des inhaltlichen Zusammenhanges wegen trotzdem hier auf.

[3] Anfechtung des Teufels.

hören; *ideo contra eas munias te verbo Dei* (3669); *etiamsi peccassem, dicerem:* Wie denn, sol man drumb *evangelion* verleugenen? Noch nit! *Sed . . .* (590); mit Schaltung auch in der angeführten Rede:

Saepe igitur dixi . . ., ich wiss kein anfechtung *in fide* von den rotten . . . , *quia videbam* (515); *et vult dicere:* yhr must verzweyveln *et Deo dare gloriam et dicere*, yhr habts nit angefangen (502); *Respondeo:* Mutter lieb ist vil sterker denn der trek und der grind am kind; *sic Dei dilectio erga nos fortior est . . .* (437); *Sed hic respondeo:* Unser Herr Gott hat ein wellt gemacht *pro hominibus, et alium mundum pro Spiritibus* (517); *Alii quoque dicunt:* Gott ist mir gnedig, *quia spero*, ich will mich bessern (501); *Sed christianus dicit:* Ich glaub und hallt mich dess, der droben sizt als ein heyland; *si labor in peccatum, resurgo* (437); wenn si denn nit recht wollen, *tunc dicimus:* So lass es, *sed nomen, sacramentum, baptismum non habebis* (510); *respondeo:* Wie denn? *Quid etiam boni ex ea venit?* (612); *Spes deinde addit:* Ist denn das war, so lass uns dran sezen, *quidquid habemus*, und druber leyden, *quidquid possumus*, wenn wir . . . (145); *sed tu mane in hac fide et dic:* Ich hab die wort nicht gemacht, *sed accepi* (3669);

mit Rückschaltung nach der angeführten Rede; im Zitat hebt sich ein weiterer Anführungssatz ab:

nos diceremus: Gehe du hin; will mich wol finden, ich wills thun, *dic me esse*, der es thun will, *ut sit nomen effectus sicut alia: Emanuel etc.* (652).

3. Aussprüche und Argumente von Zeitgenossen:

sed respondit, er woll ee das gleit auffgeben (357; vgl. unten); *et dicebat*, er wolt den *theologis* zuschaffen machen (483); *sed simpliciter dicit:* Das will ich haben, *nulla reddita ratione nec naturali* (624).

Schaltung auch im Zitat:

Sicut dixit cardinalis ille: Es wer nit gut, das wir wussten *pugnam Angelorum pro nobis* (518); *respondit:* Was solt ich den glauben, die yhr gleit nit gehalten haben *et exusserunt libros meos nondum cognita causa* (357); *Illa cogitatio papae et omnium philosophorum:* Bin ich fromm, so hab ich einen gnedigen Gott; *si non, tunc non est Deus*, das heyst sich selb Gott machen (447).

Vgl. Briefe Bd. 10, Nr. 3886, aus der Polemik mit Zeitgenossen, mit Schaltung auch in dem Zitat:

Ita nos violenter in eos dicimus: Wan 10 Huren hie weren, die viel Studenten mit Franzosen verderbten, *hic nemo iudicat, irascitur.*

4. Affekt[1]:

Quando me tentat cum stultis peccatis, dico: Teuffel, gester thett ich auch ein furtz (122); *sed ego nolebam ei respondere et dicebam:* Lecke du mich im a. (248); *tunc facile possum dicere:* Lecke mich im a. etc. (83).

5. Übrige Fälle:

David loquitur, sicut ego nunc ad te possum dicere: Ketha, dir hab ich kein leyd thun (396); *potest dicere:* Ich weys nit, wie mir geschehen ist (349); mit deutschem Mischsatz: *De ministris ecclesiae sic sentiendum:* Das ampt ist nit Iudae, *sed* Christi des einigen (342).

---

[1] Vgl. oben S. 170.

Sonderfall: die Anrede ist lateinisch: *ergo dicet ... ad me: Domine Martine*, yhr
habt von mir predigt *etc.* (615).
Vgl. Bi 3, Nr. 397 (unten), mit Rückschaltung nach dem Zitat:
Schelten sich und zurnen unternander *dicentes*[1] Ich hab recht, du unrecht,
est animi consternatio et dubitatio.

2. Der lateinische Anführungssatz ist eingeschoben

α. Das ganze Zitat ist deutsch:
O, *dicit*, es ist nichts (612).
β. Das Zitat geht nach dem Anführungssatz lateinisch weiter:
ich bins, der ichs thue, *dicit, et nullus alius* (649).
γ. Die Schaltung geschieht erst nach dem Anführungssatz:
Post centum annos, dixit, werdt yhrs horen mussen und werds nit konnen
wehren (488); *Omnem gloriam Dei, inquit*, zeuhe ich auff mich (369).

3. Der lateinische Anführungssatz ist nachgestellt

Ist doch mein fleisch nit eysen, *sicut dicit in textu* (142; Hiob 6, 12)[2].

Sonderfälle zu a: die Schaltung geschieht erst nach Abschluss der Rede

sicut enim Plato nugatur: Omnia sunt non ens et omnia sunt ens, und lests
so hangen (644); *Cum dicit ad Iudam: Abi, baptisa*, so ist er selb der tauffer
und Iudas nit (342); alls Doctor Kraus zu Hall, *qui dixit:* Ach, *Christus
accusat me*, da war das *facere* (590); *Iam quod Christus dicit de Iudeis: Non
possunt credere*, das gehort in den heymlichen kasten (402).
Vgl. Bi 3, S. 560, Notiz zu Ps. 77,3; ohne Anführungssatz:
Ich ringe meine hende tag und nacht, Es wil nicht auffhoren, *non loquitur
de tristicia cordis.*

b. *Der Anführungssatz ist deutsch, der Gliedsatz lateinisch*

1. Der deutsche Anführungssatz geht voran

α. Die Schaltung ist durch das Zitat bedingt.
1. Bibelzitate:
Darumb heysts: *Efficiamini sicut parvuli* (587); *Ergo* heists: *Revelari per
Spiritum Sanctum in coelo* (531); Paulus hat mussen sagen: *Ego unus sum
oppositus omnibus insultibus Sathanae* (522); Es heist: *Lux in tenebris lucet*
(434); denn wer kan denken, was das heist, das er sagt: *Quotidie morior*
(272); der hebt am 2. *praecepto* an und sagt: *Qui honorat me, honorat patrem etc.* (369); So heists denn: *Ubi duo sunt congregati in nomine meo* (3669);
nisi esset divina sententia, die heist so: *Vel poeniteas, vel puniaris* (219).
Sonderfall: Der bapst kan als wenig zum crutz kriechen, als der Teuffel
sagen kan: *Domine Ihesu, miserere mei* (417).

---

[1] Vgl. oben S. 85, Anm. 2.
[2] Vgl. unten S. 199 f.

Vgl. Briefe Bd. 7, Nr. 2116: Christus aber spricht: *Ego vivo et vos vivetis.*
Ebd. Nr. 2125: ... wie Paulus sagt *Sive vivimus, sive morimur* ... (der deutsch
angefangene Brief geht darnach lateinisch zu Ende).

In Luthers deutschen Briefen sind lateinische Bibelzitate häufig; ich führe
hier nur diese beiden Belege an.

Mit Rückschaltung nach dem Zitat:

Es ist kein besser sterben denn S. Stephani, der saget: *In manus tuas com-
mendo spiritum meum,* das man die register alle hinweg lege ... (117);
Vor sagt er: *Versus es mihi in crudelem;* lest mich allein (3669);

Sonderfall: anstatt des Bibelzitates ein a.c.i.: und wenn Christus darff
sagen *illam mulierem incarnatam a Sathana, item Petrus ligatos a Sathana,* solt er denn nicht konnen eim ein aug verderben etc.? (588).

Vgl. Briefe Bd. 6, Nr. 2029:

und heisst sein titel: *Scheblimini, hoc est: Sede a dextris Meis,* und furet
ynn sein stegreiff gegraben: *ponam inimicos tuos scabellum pedum tuorum,*
und oben auff seinem *diadema: Tu es sacerdos in aeternum.*

Ebd. Bd. 10, Nr. 4025 (an Cordatus; hier hebt sich nur der Anführungssatz
von seiner sprachlichen Umgebung ab):

Ubi videmus divitias gloriae et gratiae Dei. Und heisset: *Dominare in medio
inimicorum tuorum. Regnum est* ...

Die Beispiele aus den Briefen liessen sich vervielfältigen. (S. z. B. Bd. 6,
Nr. 1781, Bd. 7, Nr. 2122.)

Bibelzitate ohne eigentlichen Anführungssatz:

... darff ich den spruch nit furen: *Qui Deum diligit, regnum Dei possidebit*
(352); on das er *promissionem* hat geben: *Non tentabit vos supra quam
potestis* (590); Unser Herr Gott wirds *magnificat* mit yhn practicirn:
Deposuit potentes etc. (306); Mein bests recept ist geschriben Johannis 3:
Sic Deus dilexit mundum etc. (266);

mit Schaltung auch nach dem Zitat:

Petrus hat ein fein spruch *in fine: Fraternitati vestrae in mundo,* das wirs
nit allein sein (141); Allein wenn der *locus* kompt: *Deus misit Filium suum,*
so hatt das hertz ruge (141); unser grosste anfechtung ist, das man unsern
Herrn Gott ein lugner heist: *Ubi nunc est Deus eorum? in psalmo,* das Gott
nit glauben hellt (485).

2. Andere Zitate.

Es heist: *Nec omnia nec nihil* (315); Wenn der Teuffel so kan anwerffen,
so heyssets: *Imaginatio facit casum* (522); *ubi cum esset respondendum de
fide in Christum,* da sagt der boswicht: *Ego illa exigua transeo* (468; nur
der Anführungssatz hebt sich ab); Er weys, das mein hertz on unterlass
bettet: *Pater noster etc.* (590); *Ergo* heist es: *Principiis obsta* (407).

Vgl. Briefe Bd. 10, Nr. 3859:

Besser ists aber, Halt was du hast, son lange du kanst, Denn *non eodem
cursu respondent ultima primo.* (Cato, vgl. Anm. ebd.)

β. Die Schaltung braucht nicht durch das Zitat bedingt zu sein:

Also mus ich zu yhm sagen: *Es factus sus* (122); das einer sol allein ein
spil anfangen und sagen: *Vos reliqui omnes errastis* (130); Unser Herr
Gott sagt zu keinem *adultero* noch *homicida: Tu conculcasti sanguinem
Christi* (642); Das ich mus sagen: *Aut nullus est Deus, aut ille est* (583);

Darumb mach man die welt, wie man wil, so sagt si: *Non putaram* (510);
Hat nit weyter konnen kommen, das er gesagt het *propter verbum ignosci*
(433);

nur der Anführungssatz hebt sich von seiner sprachlichen Umgebung ab:
Nemo credit, quam magnus et necessarius locus sit vocatio, das man einem
sagt: *Hoc fac* (518); *sed theologia attingit*, die sagt: *Una est iustitia* (320).

Das Zitat steht ohne eigentlichen Anführungssatz[1]:
so ist der zuschlagk des Teuffels da: *Deus irascitur* (3669); Hebe da an:
Vos non estis solus populus Dei (369).

Auch in der angeführten Rede kommt Schaltung vor:
das man sage: *Verum est, peccavi, sed* wil nit darumb verzweifeln (273);
das man sage: *Qui non habet verbum*, den befelh ich Gottes urteyl (365);
Sed wenn man in abweyset und sagt: *Hic est crucifixus ille pro peccatoribus;*
kennest du den auch? (141);

ohne eigentlichen Anführungssatz: zu den gedanken werden sie kommen: *Tu
habuisti legem; quare non fecisti?* Das soltest du thun haben *etc.* (402).

Hoc modo est de praedestinatione disputandum, quia sie ist schon ausgericht:
Sum baptisatus et habeo verbum, da sol ich kein zweyfel haben *de salute*
(365).

2. Der deutsche Anführungssatz ist eingeschoben

Nur ein Beleg; das Zitat geht nach dem Anführungssatz deutsch weiter:
quando hoc fit, sagt Christus, sol es dem sommer nit weyt sein (193).

In einem Sonderfall geschieht die Schaltung mit dem Anfang der Rede
während sich der deutsche eingeschobene Anführungssatz nicht sprachlich
abhebt: *Altero die redit ad me Pomeranus:* Ich bin recht zornig, spricht er,
ich hab den text allerst recht angesehen (141).

3. Der deutsche Anführungssatz ist nachgestellt

Ihesum noram, Paulum sciebam, wie der Teuffel dort sagt (480);
mit Schaltung auch in der Rede:
Unser Herr Gott ist unser Herr, *ille vocat nos*, so mussen wirs sagen (526).
Vgl. Briefe Bd. 6, Nr. 1978:
Denn *ea, quae videntur, temporalia sunt*, spricht St. Paulus.

4. Die Schaltung geschieht erst nach Abschluss der Rede

Nur zwei Belege, mit vorangestelltem Anführungssatz:
quia Gott hat gesagt: Was yhr mit yhn macht, das macht Gott mit yhn,
sicut in multis locis ex Genesi patet (414); *Patres igitur* haben das empfangen:
Ich will ewr Gott sein, *deinde sunt circumcisi* (365).

Anm. Ein Vergleich mit Schlaginhaufens Sammlung ergab übereinstimmende Befunde.

---

[1] Zu diesen Belegen vgl. oben S. 174, Anm. 2.

Der abhebende Charakter der Anführungssätze kommt besonders deutlich in folgenden Belegen zum Ausdruck:

hats nicht alles auf die scharhansen lassen, *dicens:* Weil ich leb, will ich ... (1358); *Deinde interrogavit Magistrum Ambrosium*, wie es im gienng? *Respondit Caspar Creutziger:* Herr Doctor, er stelt sich gar nerrisch (1377); *quaesitus a consule* Hondorf: Wie gets? *respondit fur:* Wie wirs treiben, so gehets auch (1408).

2. *Übrige Inhaltssätze: nach Verben des Denkens, Glaubens, Hörens oder Fühlens etc.[1]; id est- Fälle*

a. *Der Gliedsatz ist deutsch*

α. Er steht als Objekt:

puto, er hab das mayst *lingua* gethan (604); *Puto autem*, sie haben all bose gewissen (388); *cogitabam:* Was hast du da im sinn? (135); *proponunt sibi*, sie wollen fromm werden (501); *quia spero*, ich will mich bessern (501); *In aliis rebus sciunt:* Das haus bauet sich selb nit (447); *Idem vult Deus:* Wir sollen stets frolich sein, *sed cum reverentia* (148); *quia videbam:* Brot und Gott sein (515); *Quando autem sentis*, es sey unrecht (388); *Agonem illum divitis cum Lasaro existimo*, es sey yhm sterben geschehen[2] (591); *sed cum legimus de sacrificiis, cogitamus*, es sey vor mer geschehen (596); *Mihi credite*, ich wolt wol schaden thun (320); *cogitabam:* Leichnam, will es dahin gereichen (491);

mit einer Stütze im Hauptsatz:

Ex illa primum sic colligo: Teuffel und Gott sind zwen feind (252); *Sic tantum hoc pugnat:* Man sol allein aus gnaden selig werden (514) *Scio causam:* die burger haben in die spiess genomen (24).

Anm. Die relativ zahlreichen Fälle bei VD., in denen ein lat. Verb des Denkens etc. einen deutschen Gliedsatz nach sich zieht, haben bei Schlag. nur eine Entsprechung: Nr. 1727: *arbitrantur*, wenn — so ... Daneben findet sich ein attributiver Satz, mit *illa* als Hinweis im lateinischen Hauptsatz:

Ita Christianus Goltschmidt *in illa speculatione fuit*, er wol ... so vil gewinnen (1340).

β. Der Gliedsatz steht als Gleichsetzungsnominativ.

Die meisten Belege dieser Gruppe stellen die „*id est*-Fälle"; es sind vorwiegend Erklärungen von Bibelstellen. Die lateinische Sprache ist durch das Zitat bedingt, die deutsche dient zur Auslegung und Erklärung:

In sinu Patris, id est, der Son ist des Vatters hertz (630); *Non est arbitratus rapinam, id est*, ich bin Gott, *sed* will es nit sein (527); *Iustificata est sapientia a filiis suis, id est:* Lieben kinder, ich mus bey euch in die schul gehn (616); *Miserebor, cuius misereor, id est*, yhr werdts nit ausrichten on mein vergebung (502); *Locus Pauli* ... (*2 Kor. 10,12*), *id est*, halten niemandt

---

[1] Brinkmann, D. d. S. 1962. S. 595 f., und oben S. 174, Anm. 2.
[2] Statt eines lat. Infinitivs in der a. c. i.-Konstruktion.

gelerter den sich selb (420); *id est*, die Christen sollen nit sein juristen (320); *Id est*, ich bin yhr Christus (365); *ac quanquam de facto concessit, id est*, da man yhm yhn nham, musst ers geschehen lassen (656); *id est*, wenn unser Herr Gott nit wer drein kommen *per evangelium*, so hett *papa* alls verderbt (461).

Vgl. Bi 3, S. 528: gerechtigkeit *non personalis sed realis, i.e.* ich hatte rechte sache;

übrige Belege zum Gleichsetzungsnominativ:

Summa est: Ich frag nit nach dem opfer (424); *Ratio est*, sie haben nit mit dem Teuffel disputirt wie ich (320); *Summa autem Hiob est:* Einem glaubigen menschen sol es so gehn (279); *Quod autem nullum alium cibum dederit eis praeter man, est ratio:* Hett er yhn gutlich gethan, werden sie ymmer drin bliben (370);

mit einer Stütze im Hauptsatz:

Primum hoc certum est, man muss jung leut auffziehen (483).

b. *Spiegelbilder zu a*

Nur wenige Belege: *Igitur magistratus et doctor* mus gewiss sein, *hoc Deus iubet* (518); *Hic textus aperte loquitur de pueris*, denn man kan nit fur uber: *De adultis non loquitur, quia tales iam erant apostoli* (365).

Sonderfälle: lateinischer a. c. i. als Objekt statt eines deutschen Gliedsatzes: so gleub ich doch *Christum adhuc vivere* (3669); denn Gott hat bschlossen *se velle remittere peccatum propter Christum credentibus* (273).

Ein ähnlicher Beleg findet sich auch bei Schlag.:

Ich hab mich genug gegen im erpotten in der vermanung, *me laborem et passiones propter Christum velle habere* (1324; attributiv).

3. *Übrige Gliedsätze ohne Einleitewort*

In meinen übrigen Belegen ist der Gliedsatz deutsch.

α. Konditionalsatz ohne „wenn":

Hat er die wellt konnen machen, *potest etiam plures creare* (517);

auch ein Beleg bei Schlag.:

Kan ich Mosen judicirn und unter mich werfen, *quid essent iuristae?* (1241).

Vgl. Bi 3, S. 363: Bistu nicht from, *peccatum in foribus cubat*, so ruget die sunde in der thur.

β. Modalsatz, mit *sic* als Stütze:

Hanc sic accipiebam: Ich must mich so rein entdecken meinem pfarrher (461).

γ. Konzessivsätze:

Ego absolvo te ab omnibus ludis praeter manifesta peccata ... es sey essen, trinken, tanzen, spilen, was es ist (461); *Ego do propter confessionem, quam audio*, es sey yhm hertz, wie es woll (325).

B. Gliedsätze mit Einleitewort

1. *Relativsätze*

a. *Deutsche Relativsätze*

α. in der Rolle eines Satzgliedes:

sed nos dicimus, was Gott sagt (505); *Sapientem autem vocant*, der sein eigen willen hat (498); *dic me esse*, der es thun will (652); *Sed cum disputo*, was ich gelassen und gethan hab, so bin ich dahin (590).

Vgl. Bi 3, S. 227: das sie sich neeren solten von dem benanten *nec plus rapere* das er inen gegeben hatte.

Durch Relativadverb eingeleitete Umstandsangaben:

sed wo er ein dieb ist, *ibi peccat* (605).

Sonderfall: Der Anschluss geschieht an einen a. c. i.: (*Praeter miracula, quae hodie non habemus,*) so ist das ein herrlich ding gewest *apostolum omnibus linguis posse docere*, wo er hin komme (435).

Anm. Bei Schlag. findet sich zu dieser Gruppe nur ein Beleg; hier steht der Relativsatz in der Rolle des Subjekts; im Hauptsatz findet sich ein Korrelat: aber der das spil hatt angefangen, *ille dilexit veritatem* (1249). Dazu noch ein Sonderfall mit Sprachwechsel nach Abschluss einer direkten Rede:

Wer mir gesagt het, ...: Uber 6 jar wirstu ein weib haben und zu haus sitzen, *non credidissem* (1654).

Stichproben in LbTb ergaben einen vorangestellten deutschen Relativsatz in der Rolle eines Subjekts:

Wer in der heilgen schrifft seine ehr suchen wil, *ille insanit* (3713).

β. in der Rolle eines Attributs.

1. *Adoravi sanctos*, die nie sind geborn worden (515); *Sed nos scimus sacram scripturam esse confirmatam per miracula*, die sonst kein *doctrina* vermag (352); *et utitur eiusmodi verbis et sententiis*, die eim stock narren nit einfielen[1] (466); *sedens, id est, mitis, patiens, placida*, der wol kan verhoren (364); *Sic Iephta vovit filiam*, die er doch nit gemeynet het (374) *Non vult servum*, der sich nit guts zu yhm versehe (122); *quales sunt Zinglius et Oecolampadius*, die die schrifft meystern wollen (232).

2. Der deutsche Relativsatz folgt auf einen lateinischen, der sich wiederum auf einen deutschen Hauptsatz bezieht:

das ich den man sol glauben, *quod sit Filius Dei, qui tamen suspensus est*, den ich nie gesehen ... hab (284); die last sorgen, *qui vivunt securi*, den der Teuffel kein leid thut (3669).

3. Der Anschluss geschieht durch Relativadverbien:

Est insigne exemplum patientiae et magnae tentationis, da er mit Gott zu thun hatt (142); *Solum verbum Dei est et religio*, da er die ehr wil allein bhalten (136); *illae sunt cogitationes melancholicae et tristes*, da man seuffzet und klagt (491).

4. Relativadverb + Präposition:

Est mihi tanquam lapis aliquis in medio mari positus, da ich nichts von ways (284); *Sunt magnae historiae*, darinn man sihet, das ... (289).

---

[1] Affekt.

5. Der deutsche attributive Relativsatz kann in einen lateinischen Satz eingeschoben werden:

Iuristae, die so auff die *leges* buchen, *in hoc errant, quod* ... (349); *sed nos*, die wir gern wolten dem tod entlauffen, *legimus* (594); *Sed nos*, die wir mit yhm zu har ligen, *scimus ei ex gratia Dei resistere* (590); *Intellectus passibilis*, der ... ein ding sol verstehn lernen, *hunc dicit fluere* (135);

Sonderfall: durch Relativadverb eingeleitet, auf den ganzen Satz bezogen:

Si suscitarem mortuos, da mich Gott vor behute, *tamen prae odio in me papistae non crederent* (30).

Sonderfall: der lateinisch angefangene Hauptsatz geht nach drei eingeschobenen Gliedsätzen deutsch weiter: /

Item in tanta abundantia donorum Dei (die ich bekennen und sagen mus, das es *dona Dei* sein, *quia non sunt mea*) wer ich in abgrund der hell *per superbiam* gefallen (141).

6. Bei der Struktureigenart von Luthers Wortgruppenbau[1] ist es oft nicht zu erkennen, ob man es mit einem Relativsatz oder mit einem durch Demonstrativpronomen eingeleiteten Hauptsatz zu tun hat; folgende Belege sind m. E. wegen der inhaltlichen Abhängigkeit als attributive Gliedsätze zu bewerten, obwohl sie Hauptsatzfolge zeigen[2]:

nisi esset divina sententia, die heist so: (219); *Prima sunt praesumptio*, die sagt: Ich darffs nit, *et desperatio*, die sagt: Ich wills nit (642); *Sicut multos vidi morientes*, den hat man *crucem Christi* furgehalten (502); *Invidia et superbia sunt duo vitia*, die schmuken sich, wie sich der Teufel ... kleydet[3] (382).

Anm. Der Befund der deutschen attributiven Relativsätze bei lateinischem Hauptsatz in Schlag.s Sammlung stimmt mit dem bei VD. überein.

Wie ein Bild, der Gedanke an ein Kinderspiel, die deutsche Sprache verursachen kann, zeigt das folgende Beispiel, in dem der deutsche Relativsatz der einzige deutsche Einschlag im Stück ist: *Nos sumus pappi*, die die kinder hinweck plasen, *comparati ad Diabolum* (1233).

Die Parallelität deutscher und lateinischer nachgestellter Relativsätze illustriert folgender Beleg: *sed oportet aliquot esse ossa*, die starkh sein, *qui possunt fere et sustentare carnem* (1307).

---

[1] Vgl. Erben 1954, S. 24 ff.

[2] Vgl. Behaghel III, S. 553 ff. u. S. 766; E. Wessén, Svensk språkhistoria. Bd. 3. Lund 1956, gibt S. 52 Belege aus altschwedischer Zeit für die Übergangsformen zwischen Parataxe und Hypotaxe und betont, dass die Entscheidung, ob man es mit einem Relativsatz oder einem durch Demonstrativpronomen eingeleiteten Hauptsatz zu tun hat, oft unmöglich zu fällen ist. Vgl. auch unten S. 228 ff. Siehe auch Renicke S. 137 f.

[3] Vgl. folgende Belege aus der modernen Sprache: „Da gibt es ... viele Bücher, für die ist einfach kein guter Rezensent zu finden, und da gibt es in jedem Jahr ein paar, ganz wenige, über die wollen alle Mitarbeiter einer Zeitung gern schreiben." (J. Kaiser. Die Zeit Nr. 22/1963. S. 13.) „Es gibt schon wieder eine Generation, die kennt die Schrecken der Vergangenheit nur aus der Literatur." (L. Marcuse. Die Zeit Nr. 39/1963. S. 9.)

b. *Lateinische Relativsätze*

α. In der Rolle eines Satzglieds.

1. Als Subjekt, vorangestellt; mit Korrelat im nachfolgenden Hauptsatz: *qui credit in Christum*, der trifft das *punctum mathematicum* (349); *Quidquid enim publice facimus in ecclesia*, das geht alles *ex evangelio* (612); *qui autem non credunt esse Deum*, die thun es wider den strom (451); *nam qui filium castigat*, der wirds dem knecht nimmer mehr schenken (41); *qui audivit praedicationem meam*, der tritt mich mit fussen (69); *Qui sunt peccatores vere*, die wollen es nit sein; *qui autem sancti*, die wollen es auch nit sein (437); *Ergo qui damnant impatientiam hanc et monent de patientia*, die sind nur *theologi speculativi* (228); *Quae igitur gessit pro hoc officio*, das ist recht gewest (605).

ohne Korrelat:
qui abutuntur nomine Dei, nhemen den namen nit hinweg (342).

2. Als Objekt; vorangestellt, durch Demonstrativpronomen wieder aufgenommen: *Qui non habet verbum*, den befelh ich Gottes urteyl (365).

Sonderfall: anstelle eines Relativsatzes steht ein Partizip, im nominativus pendens: *Desiderans episcopatum*, den hindert nit (483);

nachgestellt, mit Korrelat im Hauptsatz:
Ich bin das, thue das, leyde das, *quod Pater facit, est, patitur* (369)[1]; die last sorgen, *qui vivunt securi* (3669); Last die klagen, *quibus Christus est iocus et ridicula res* (3669); wenn der wil recht haben, *qui peccavit* (388); *sed* hat allein mit yhn zuthun gehabt, *qui opponebant* (514);

ohne Korrelat: Ist denn das war, so lass uns dran sezen, *quidquid habemus*, und druber leyden, *quidquid possumus* (145).

Sonderfall: parallel zu einem deutschen wie-Satz, an einen lateinischen Hauptsatz anschliessend: *quod sola scriptura dicit*, wie es gehet, *quidquid est in re* (594).

Vgl. Bi 3, S. 221: Ioseph verstehet wol *quod Iudas dicit*.

Vgl. auch folgenden Relativsatz in der Rolle eines Gleichsetzungsnominativs:
Briefe Bd. 10, Nr. 3956: Es seind die, *Qui laboratis et onerati estis*. (Mangelnde Kongruenz wegen des Bibelzitats.)

3. Als Raumangabe: *ubi autem non est verbum aut opus*, da sol man yhn nit hallten (257; vgl. das Spiegelbild oben unter aα, Nr. 605).

β. In der Rolle eines Attributs.

1. Nachgestellt:
man muss jung leut auffziehen, *qui discant scripturam* (483); *Sed* eindringen heist als Carlstat, *qui me absente deserebat arcem* (483); Ich wollt nit ... in der fahr stehn ... da Erasmus in steht, *qui me offendit maxime in uno loco* (468); wie eim menschen zu sinn sein mus, *qui serio non sentit esse Deum* (447); Aber dennoch haben wir Christum, *qui venit, ... ut salvet* (141); ich weys kein, der so *argumenta* kondt *contra me* auffbringen, *quae me turbarent* (518); *quod circumcisio* hat vor Christo sollen gehen eben auff die selb gnad, *quae est in baptismo* (365); so mus es nur *dilectio* thun, *qua me amas* (228); Wir glauben nit, das uns unser Herr Gott mehr geben wer denn den bauren, *quibus dat tam bonum vinum* (443); das fasse ich, Gott lob, das *primum praeceptum, quod dicit:* (461).

---

[1] Auch ein Gleichsetzungsnominativ.

Vgl. Briefe Bd. 7, Nr. 2117: und doch sind es blinde Sachen, *quae in suis locis vel definitae sunt vel definiendae fuerunt.*

Ebd. Nr. 2147: Wohlan, *Dominus Iesus Christus* heißt der Mann, und der rechte Mann, *qui militat in nobis, vincit in nobis, triumphat in nobis.*

Bi 1, S. 564 (zu Sprüche 1,10: „die sunder"): frechen büben *qui volunt mavorcii esse.*

Bi 3, S. 524 (unten): das wir *in meis libris* den Bapst ein Boswicht *etc.* wil an tag komen, *quorum gloria perditio etc.*

Der Anschluss geschieht durch Relativadverbien:

Er hatts auch auff dem tag zu Augspurg wol erzeiget, *ubi fuit collectus contra eum furor omnium regum et principum* (284); *Summa Thomae contra gentiles*, dies ist sein catechismus, *ibi dicit fidem infusam posse stare cum peccato mortali* (438).

Vgl. Bi 1, S. 443: er machts schon ... auff dem meer *unde oritur vapor et pl.*

2. Eingeschoben: das wir, *qui ante sumus territi*, uns der harrten spruch annhemen (141); sondern da kan unser Herr Gott Balaam, Saul, Caiphas, *qui prophetarunt ex spiritu Dei*, dahin werffen (34).

Vgl. Briefe Bd. 11, Nr. 4146: E.g. wolten die guten fraw ..., *quae est soror Dominae* Christianisse Goldschmidin, selbs horen.

γ. Weiterführende Relativsätze[1]. Nur wenige Belege:

Es lesst sich einer offt umb einer metzen willen erstechen, *quare non est mirum de anabaptistis* (110); sonder haben gesehen, wie es den leuten gehet, *id quod ignorant monachi* (285); das er auff alle *locos* sein *solutio* hab, *quidquid opponi potest* (626).

Vgl. Briefe Bd. 11, Nr. 4183:

Ich hätte nicht gemeinet, daß solche verzweifelte böse Leute in Meißen wären, *qui quamquam abundant* ...

Anm. Schlaginhaufens Sammlung stimmt im Gebrauch lateinischer Relativsätze bei deutschem Hauptsatz mit VD. überein.

Auch bei Schlag. findet sich ein attributiver lateinischer Relativsatz in einen deutschen Hauptsatz eingeschoben:

Propterea im edlen Thuringer lannd, *quae est foecundissima terra*, da haben die die schalckheitt gelernt (1281).

In Lauterbachs Tagebuch überwiegt der lateinische Relativsatz bei weitem den deutschen. Das gleiche ist in den Briefen und Bibelnotizen der Fall.

2. Indirekte Fragesätze

a. *Der Fragesatz ist deutsch bei lateinischem Hauptsatz*

α. Nachgestellt:

quod sola scriptura dicit, wie es gehet[2] (594); *sed post cogitabam in historiis*, wie schwer es gewesen sey[3] (335); *quam ego sum expertus*, wie wee es

---

[1] Vgl. Duden § 1096.

[2] Über die Berührung der indirekten Fragesätze mit den Inhaltssätzen vgl. Duden § 1071.

[3] Zum Konjunktiv in indirekten Fragesätzen vgl. Franke 3, S. 319.

thut (250); *Ego autem non possum cogitare*, wie eim menschen zu sinn sein mus (447); *De elemento autem non curo*, was man habe (394); *deinde fingit*, was der vatter dazu sag (467); *Primum* ... *considero, an sit de gratia vel de lege*, ... wazu es sich am besten reyme (312).

β. In einen lateinischen Satz eingeschoben:

videri enim illa sic moveri et non cogitare, ob yemandt sey, der es treyb, *est incredibile* (447).

Sonderfall: der deutsche Fragesatz folgt auf einen lateinischen, der an einen deutschen Hauptsatz anknüpft; der Beleg beleuchtet die Parallelität der beiden Sprachen:

das sagt kein Demosthenes noch Cicero, *quomodo terra, vir, femina creata*, wie all ding stehet und gehet (594).

(Der vorangehende Satz hat umgekehrte sprachliche Folge: *quod sola scriptura dicit*, wie es gehet, *quidquid est in re.*)

b. *Der Fragesatz ist lateinisch*

α. Nachgestellt: und zwar es ligt auch alls daran, *an scilicet patrem, matrem esse placeat Deo* (369); Unser Herr Gott zeigt mir darin an, *quid velit* (2).

β. Vorangestellt: *Quos dedisti mihi*, das wissen wir nit (449); *An autem ille vere credat*, da sorg ich nit fur (325).

Anm. Wegen der Spärlichkeit der Belege führe ich hier die entsprechenden bei Schlag. an.

Deutsche Fragesätze bei lateinischem Hauptsatz:

Ego in meis tentationibus saepe miratus sum, ob ich auch itzund ein bis-sichen von meinem hertz leiblich hette (1347).

Lateinische Fragesätze bei deutschem Hauptsatz:

und weis noch nitt, *quare Christus venit in terram* (1605); so wirts sichs wol finden, *quis sim* (1490); so sicht man, *quid possit fides et quid sit* (1753).

3. *Konjunktionalsätze*[1]

a. *Dass-, bzw. quod-, ut-, ne- Sätze*

1. DASS-SÄTZE BEI LATEINISCHEM HAUPTSATZ[2]

α. In der Rolle eines Satzgliedes.

1. Als Subjekt:

Me nonnunquam vexat, das ich unrecht thun hab *docendo* (495); *Possibile est*, das es wol Salomo selb gemacht hab (475); *Est miraculum*, das in

---

[1] Die ob-Sätze sind bereits oben unter den Fragesätzen behandelt worden; vgl. auch unten S. 194.

[2] Zu den dass-Sätzen bei Luther vgl. Franke 3, S. 329 ff. Zur Entstehung der dass-Sätze s. die bereits genannte Arbeit von Müller–Frings. Vgl. auch Brinkmann, D. d. S., S. 588 ff.

sovil buchern kein vers *de Christo* steht (445); *inde venit*, das bauren,
edelleut, amptman, schosser, fursten all des Teuffels sind (393); *Ergo
est summa gratia*, das einer ein text hat, das er kan sagen ... (352); *Ex Augustino apparet*, das er ist allein gewesen (190);
mit einem Demonstrativpronomen als Stütze im Hauptsatz:

Circumcisio non salvat, sed hoc, das sie gehengt ist *in futurum Christum*
(365); *quia hoc maximum est*, das der Teuffel einem die wehr nimpt (590);
dem Hauptsatz vorangestellt, mit Korrelat im lateinischen Satz:

das sie da nit sol erschrecken, *hoc non potest* (388).
Sonderfälle. Als Intensivierung des lateinischen Subjekts sind die beiden
folgenden dass-Sätze aufzufassen:

Ipsa enim vita nostra, das wir noch leben, *testis est nos non scire eam,
quam legimus* ... (112); *Nemo credit, quam magnus et necessarius locus
sit vocatio*, das man einem sagt: *hoc fac* (518).

2. Als Objekt:

Non cogitat, das Gott ettwas hoher ist denn ein mensch (484); *Si scirem*,
das mich unser Herr Gott wolt verdammen (403); *et fateor*, das *abominatio
papatus post Christum* mein große *consolatio* ist (122); *quia scit*, das Christus
uns will dort helffen (518); *sed quando sciunt*, das man unrecht hat, *et
volunt tamen defendere, hoc est nimium* (388); *Sic dixi nuper Micheali
Stifelio*, das er seinem schosser sag, er sol ... (134); *Recte dixerunt de primo
capite Genesis*, das man es nit konne aus predigen (374); *Sic generaliter
existimo*, das alle fahrliche *morbi* sind des Teuffels schlege (360); *Ergo
dicimus et monemus*, das sie zur tauff eylen (365); *Sed ego moneo*, das das
speculirn lasse anstehen (257); *Wormaciae propositum ei*, das ers dem keyser
wolt heim stellen (357); *Christus autem eo loco dehortatur a sectis*, das man
yhn allein lass meyster sein *in spiritualibus* (361); *et probo*, das man die
ceremonias politicas so steiff hellt (222); *De lege autem, ...*, *puto*, das unser
Herr Gott hat *illum sexum* erneeren wollen (611); *Et omnino puto*, das
die predig *de semine Adae promisso* grosser gewest sey (291); *Puto autem*,
das Cains todt auch ein gross geschrey gemacht hab (291); *sed non vult*,
das ich gegen yhm betrubt sol sein (122); *Et Dominus vult*, das sie bey
einander bleiben (202); *sicut Christus in psalmo de eo queritur*, das er ist
zun phariseern gangen (604); *tunc certi sumus*, das die *causa* mus und sol
bleiben (130); *Hoc autem significat*, das unser Herr Gott mit der straffe
kompt (392); *Mysterium Dei vocat Paulus*, das unser sund ein ander tregt
(448). *Sic videmus*, das alle historien dringen *ad remissionem peccatorum*
(388); *Sic videmus etiam in Christo*, das er nichts kan denn *primum
praeceptum*, on das ers auff sich selb zeucht (369); *ut videremus aperte*,
das er auch noch mit ym regiment ist (230); Sonderfall: ein a. c. i. wird
aufgelöst, indem der deutsche dass-Satz die Rolle des Infinitivs übernimmt: *Sic videmus Terencium*, das er nit hoher kompt (467);
mit einer Stütze im Hauptsatz:

Locus in Samuele de iure regis non hoc vult, das ein *magistratus* das gut
gar soll nhemen (350); *Facit autem hoc*, das er sein spotte (440); *Contra
iuristas sic sentio*, das sie vergebens bochen auf yhre *leges caesareas* (349);
quod video id esse rhetoricam, das man ein *comoediam* daraus macht (467);
quod hoc nesciunt, das *gratia iustificans* sey *mera remissio, imputatio* (434).

In manchen Fällen folgt der dass-Satz auf lateinische Objekte; er hat dann oft den Charakter einer Erklärung oder Erweiterung des Vorhergesagten. Man könnte in vielen Fällen *id est* oder „nämlich" davor einsetzen:

Occam solus intellexit dialecticam, das es lige am *definire et dividere vocabula* (193); *quod doctoratus valuit ad universalem potestatem*, das man mich hat predigen lassen (574); *Sicut Paulus dicit: Super omne, quod colitur;* das man sol bey dem *cultu* bleiben (40); Petrus hatt ein fein spruch *in fine: Fraternitati vestrae in mundo*, das wirs nit allein sein (141); (*non hoc vult*, das ...,) *sic ne filias debent rapere, sed tantum ministerium*, das er soll dienst drauf schlagen, das er seinen stand furen mug und sich erneeren (der zweite dass-Satz ist final; 350); *significat enim totum cultum*, das *politia, oeconomia et religio* auff ein neues an einem ort sey angericht (290); allein *quia dicit idem, quod nos*, das die mess der Teuffel sey (424); *Haec sententia mirabiliter multa complectitur:* Das unser ding alles geistlich ist und haben es *in fide* und dennoch nit recht, *nisi in spe*[1] (629);

der dass-Satz knüpft an einen a. c. i. an:

Ego puto multa scripta esse ante Mosen, das es Moses darnach hat genommen und dazu gemacht, was yhm Gott befolhen hatt (291); *econtra vidit Maximilianum esse animo generoso, impatientem contemptus et iniuriarum*, das er wolt unveracht sein (588); *Ego puto esse et significare ipsum Deum cultum*, das sie yhn sonst nit haben nennen wollen denn *cultum Deum* (40).

3. Als Gleichsetzungsnominativ:

Summa eius ars est, das er kan *ex evangelio legem* machen (590); *Mea peccata, de quibus confiteor, sunt*, das ich nit sovil bett, dancke nit so vil (582); sie haben im unrecht thun, *ut impleant visionem, id est*, das sie getrost helffen, dem tropfen das spil ausrichten (384); ... mein Vatter unser, *hoc est*, das ich fur yhn wol betten, *secundo* meinen glauben auch, *hoc est*, das ich wolle glauben, *quod sit victurus* (132);

an einen lateinischen Gleichsetzungsnominativ angeknüpft (vgl. die ähnlichen Fälle unter den Objektsätzen, oben):

In Genesi dicitur: Inspiravit ei spiraculum vitae, id est, spiritum, anhelitum, das man den odem holet (511); *Altera via est, ut vincamus eum contemptu*, das wir die gedancken ausschlagen, wollen nit dran denken[2] (141); *Item potest esse relatio, quod Deus et homo, peccator et iustificator uniuntur*, das er Vater wurdt (11).

Sonderfälle. In den folgenden Belegen hängt der dass-Satz sozusagen in der Luft, da er weder durch ein verbum sentiendi oder dicendi etc., noch durch *id est* eingeleitet wird; man kann sich aber *id est* hinzudenken:

sine murmure, das man nit fluch (527); *Sic in cantico: Gloria plebis tuae, Israel*, das auch *mortui* sollen herren werden (386).

β. In der Rolle eines Attributs[3]:

ergo est spes, das uns unser Herr Gott auch ein mal werde fromme kinder heissen (629); *Est exemplum*, das Gott die hoffertigen heiligen muss demu-

---

[1] *Haec sententia* bezieht sich auf das voraufgehende Bibelzitat.
[2] Oder Nebensatz 2. Grades, konsekutiv zum *ut*-Satz.
[3] In Luthers Schriften sind solche Sätze selten, vgl. Franke 3, S. 336.

tigen (142); *Pono casum*, das *minister* gar *malus* sey (574); *Debet pater significationem aliquam dare*, das man es nit gar verderben wolle (442); *sed si venit dubitatio, sicut necesse est*, das man noch nit hab gnug thun, *ibi trepidant* (437); *ut Deo pro hoc dono agamus gratias, quod nos simus, qui diligimus verbum*, ..., das wir lust zur heyligen schrifft haben (115); *ipsa promissio est substantia:* Das es soll erhört werden (3669); *secundo interrogandi sunt, ubinam habeant mandatum*, das sie sollen *decem praecepta* auf uns Christen treyben (356); *Porro illa phrasis, quod Deum dicunt consuli, est nobis argumento*, das sie *verbum Dei* haben hoch gehalten (505); *Hac ratione saepe obscurissimos locos intellexi*, das es *vel lex vel evangelion* uns in die hend getriben hat (312); *Est autem haec quoque techna Sathanae*, das wir *per negotia* vom *verbo* kommen (18); in einen lateinischen Satz eingeschoben, mit Korrelat: *sed illa dilatatio*, das es so gangen hatt mit der disputatio, *hoc non est factum* (142).

γ. In der Rolle einer Umstandsergänzung oder freien Umstandsangabe.

1. Modalsätze.

„*sic*, dass".

Der Duden reiht die so-dass-Sätze unter die Konsekutivsätze ein[1]. In meinem Material bezeichnet der dass-Satz jedoch nicht so sehr die Folge, als vielmehr die Art und Weise des im Hauptsatz angegebenen Geschehens; er gibt Antwort auf die Frage: wie?

Econtra wenn er mich furet aus der pan, *tunc sic me tentat*, das ichs nit kan nach sagen (518); *consulerem ad secundam ducendam, sic tamen*, das er die andere nit solt lassen (414).

ohne Korrelat: *Ergo est cogitandum*, das man sage: *Verum est* (273);

„ohne dass":

Daniel omnia regna pingit forma bestiarum, on das er *de regno Romano* (*dicit*, in Ror; 20).

2. Konsekutivsätze[2]:

Wola, *ille sanguis, qui nunc funditur, provocabit Deum*, das einer kommen mus, der wird ihn mordens gnug geben (286).

Vgl. Briefe Bd. 6, Nr. 1893: *ut impleant blasphemias suas usque ad summum*, das uberlauffen mus.

Sowohl konsekutiv wie final kann folgender Beleg gefasst werden:

propter hoc ... causas ... ut obiceretur Turcae et nos omnes, das *Germania* yhm blut badet (206).

Sonderfall. Folgendes Beispiel lässt sich nur schwer einreihen:

Et vellem, ut practicaretur cum eis hoc argumentum ad hunc modum: Impius non credit creaturam Dei, ergo impius non habet pecuniam, das man yhn nach der tasschen griff (185).

Man kann darüber diskutieren, ob der dass-Satz hier attributiv zu *hunc modum* oder konsekutiv als Folge des Arguments zu fassen ist. Die letztere Möglichkeit scheint mir am nächsten zu liegen.

---

[1] § 1085. Vgl. unten S. 192, die so-ut-Sätze.

[2] Vgl. Franke Bd. 3, S. 357; auch die bei Franke aufgeführten Belege bezeichnen „die Folge ohne 'so'".

3. Finalsätze:

Ego non vellem totum mundum accipere, das der Fucher oder sonst ein grosser herr ... solt unser Herr Gott sein (216); *habent enim latum podicem et femora*, das sie sollen still sizen (55); *Est exemplum contra superbiam*, das man nit stoltz werde und erhebe sich *in donis Dei* (34); *Imperium sine fide dedi*, das es *ultima monarchia* sol sein (279); *Sic medicus* ist unsers Herr Gotts flicker *in corpore, sicut nos theologi in spiritu*, das wir die sach gut machen, wenn es der Teuffel verderbt hat (360); *Scuta terrae vocat David reges*, das sie wehren, *et Ecclesiasticus: Cultores terrae*, das sie nehren, *ut sint coniuncta haec duo: alere et tueri* (386); *Mundum* hat er *generaliter* gefasst *per legem naturae, suum autem populum etiam per politica*, das das *verbum* solt bleyben (385); *Leges non puniunt principes, quia non possunt, idque ideo*, das es unser Herrgott thue (2); *hic est naturalis iuris, ut sit tutor filii*, das man helff ziehen (415).

4. Kausalsätze[1]:

Sic Hieronymum et Gregorium et alios veneror, das man dennoch fulen kan, das sie geglaubt haben wie wir (584); *Sunt organa Satanae*, das sie so schone wort konnen geben (140); *Fiunt autem huiusmodi exempla*, das uns unser Herrgott damit weysen wil, das der Teuffel ein herr sey (222); *Sed ex hoc peccato ruunt in peccatum in Spiritum Sanctum*, das sie Gott fallen lest, *ut volentes peccent* (388).

Anm. Angesichts der Häufigkeit der dass-Sätze in den Tischreden ist ihr fast gänzliches Fehlen in den Bibelnotizen und Briefen auffällig. Da mein einziger Beleg aus den Briefen ein Konsekutivsatz ist, sich bei VD. aber nur ein einziger sicherer Beleg zu dieser Gruppe findet, führe ich hier die Belege aus Schlag.s Sammlung an:

simplicissimis verbis Christus sapientiam pharisaeorum confuderit, das sie nirgent aus wusten (1330); *Nam Deus exhausto corpori meo subvenit*, das ich gar ander bluet und fleisch hab (1357); *quem fascinavit*, das er ochsen fuß hatte (1425); *Illo conquerente*, das er nicht kunde zukomen, *Proles inspexit rationarium* (1623).

Dagegen fehlen bei Schlag. an ein lateinisches Objekt angeknüpfte dass-Sätze (vgl. oben S. 187), und die Gruppe „*id (hoc) est*, dass ...". Die 12 attributiven dass-Sätze bei VD. haben bei Schlag. nur eine Entsprechung (Nr. 1605). Das korrelative Paar „*sic*-dass" bei VD. hat bei Schlag. die Entsprechungen „*tam*-dass" (1317, 1469) und „*tanti*-dass" (1344). In LbTb findet sich „*ita*-dass" (konsekutiv, 3922).

Im Gebrauch der dass-Sätze als Objekt, der Modal- und Finalsätze bei lateinischem Hauptsatz stimmen VD. und Schlag. überein.

Auch bei Schlag. findet sich ein an einen a. c. i. angefügter dass-Satz; hier übernimmt der dass-Satz die Rolle des Akkusativobjektes, während er in dem Beleg bei VD. die Rolle des Infinitivs übernahm (vgl. den Sonderfall Nr. 467, oben S. 186, unter 2):

praedicavit impium esse, das ein weib irem kindt ein ammen hielt (1322).

---

[1] Vgl. ebd. S. 356 f.

2. *Quod*-SÄTZE

α. In der Rolle eines Satzgliedes.

1. Als Subjekt; mit einem Pronomen als Stütze im deutschen Satz:

Iam quod Christus dicit de Iudeis: Non possunt credere, das gehort in den heymlichen kasten (402); Das hindert die papisten, *quod hoc nesciunt*, das *gratia iustificans* sey *mera remissio, imputatio* (434); *sed post cogitabam in historiis*, wie schwer es gewesen sey, *quod Iosua tali ratione cum hostibus pugnat* (335).

Sonderfall: ein *quod*-Satz als lose angereihtes zweites Subjekt, ohne Stütze:

Filium Dei crucifigi, ist uber alles, *quod dicit ad Filium natura Deum:* Gehe hin, lass dich henken! (372).

Vgl. auch den a. c. i. an Stelle eines *quod*-Satzes:

so ist das ein herrlich ding gewest *apostolum omnibus linguis posse docere*, wo er hin komme (435).

2. Als Objekt:

Denck, *quod per legem non salvaris etc.* (514); das sie geglaubt haben wie wir, *quod ecclesia ab initio crediderit, sicut nos credimus* (584); das ich wolle glauben, *quod sit victurus* (132);

vgl. Bi 3, LX (Notiz zu Ps. CIX, 27): Das sie ynnen werden: *Quod non mea temeritate, sed tua voluntate docui et feci haec omnia;*

mit Stütze im Hauptsatz: so will ich das hinder mir lassen, *quod Christum volo agnoscere pro domino* (518); das man es vergißt, *quod sumus sancti* (437); Wenn sie mirs konnen gewis machen, *quod verbum „est" idem sit in hoc loco quod „significat"* (515);

auf ein deutsches Objekt folgend:

er muss sich sehen lassen, *quod sit mendax et homicida* (291): das ich den man sol glauben, *quod sit Filius Dei* (284);

Präpositionalobjekt:

Sic was hat Maria dazu gethan, *quod est facta mater Christi* (434).

3. Als Gleichsetzungsnominativ:

Es wil gleich wol heissen, *quod multa sunt dissimulanda* (134).

β. In der Rolle eines Attributs:

Das *argumentum* find ich durch und durch in allen propheten, *quod dixerunt: Nos sumus populus Dei* (130); Ich bin ja noch in dem glauben, *quod Christus sit pro me mortuus* (3669); und der Teuffel hat das forteyl, *quod tentat illam infirmitatem* (484); Wenn das *argumentum* nit hilfft, *quod christianus est sine lege et supra legem*, so ... (469); darffst nit mit der hohen *quaestio* an yhn kommen, *quod Christus sit Deus* (369); *quia* man hat sovil probata, *quod Iudas est apostolus* (605).

γ. In der Rolle einer Umstandsangabe.

1. Konsekutivsätze:

Iam si infans est baptisatus a Christo, wie sol ichs yhm nhemen, *quod non sit baptisatus?* (650); *quanquam* die *cogitatio* hat mich lang plagt, *quod abstinui* (446); ... *est nobis argumento*, das sie *verbum Dei* haben hoch gehalten, *quod consideraverunt, non qui loquatur, sed quid loquatur* (505).

2. Kausalsätze:

Sic mater Samuelis wolt schir torheit werden, *quod careret prole* (374); aber er hett mich schir toll gemacht, *quod cupiebam sentire unionem Dei cum anima mea* (644);

3. Sonderfälle; Vergleichssätze: *Sic Sathan est contra ecclesiam* und ist sovil erger, *quod tanto maior est et potentior duce Georgio*[1] (518); Des Teuffels gedanken konnen nit anderst sein, *quam quod cogitat de nobis delendis* (518).

Anm. Da sich bei VD. nur 2 Kausalsätze finden, bringe ich hier die Belege aus Schlag.s Sammlung:

Hertzog Georg hebt alles an, *quod non vult contemni, sed metui* (1489); Ich bin mir selbst feind, *quod non possum ex corde credere* (1490); Wie weidlich wirt der Teufl an mir zu schanden, *quod adversarii ita mentiuntur de me sicut Vicelius* (1701); Pfu dich unsers unglaubens, *quod ita Christum fugimus* (1352).

Während die attributiven *quod*-Sätze bei VD. hauptsächlich ein lateinisches Hauptwort bestimmen (Ausnahmen: glauben, forteyl), ist in den Belegen bei Schlag. das Hauptwort deutsch: mit diesen worten ... *quod* (1286); die ehr ... *quod* (1289); solche exempel ... *quod* (1413); solcher boswicht, *quod* (1557); solch ding ... *quod* (1558).

Im übrigen stimmen die Befunde bei VD. und bei Schlag. überein.

3. *Ut*-Sätze

α. In der Rolle eines Satzgliedes.

1. Als Subjekt; mit Stütze im Hauptsatz:

Das geht yhn allein an, *ut illi ... verum sacramentum exhibeat* (325).

2. als Objekt; mit Stütze im Hauptsatz:

das man es nit haben will, *ut aliquid peccetur* (315);

Vgl. Bi 3, S. 409 (unten): Zundet das feur an und lies ims gefallen *ut pater arridet et blanditur puero;*

nach deutschem Objekt:

Ich weys wol, was der nham Jhesus an mir gethan hat, *ut vere dicatur in psalmo: Ipse est dominus eductionis ex morte* (583).

Präpositionalobjekt; mit Stütze im Hauptsatz:

Es ligt alles daran, *ut distinguas opus Dei ab opere hominis* (650); Wenn einer geschickt ist zum ampt und wartet drauff, *ut vocetur, ille recte facit* (518); *Rustici autem* kommen selten dahin, *ut sic contemnant Deum et religionem* (352); wie sollen wir *faeces* dazu komen, *ut regnemus in hac vita occisis impiis?* (363).

β. In der Rolle eines Attributs:

quia zu den gedanken werden die *impii* nit kommen, *ut dicant: Quare non dedisti mihi Spiritum?* (402).

γ. In der Rolle einer Umstandsangabe.

1. Finalsätze:

Scuta terrae vocat David reges, das sie wehren, *et Ecclesiasticus: Cultores terrae*, das sie nehren, *ut sint coniuncta haec duo: alere et tueri* (386); da ists auch ein gewisse lahr und gewisse person, *ut non fallamur* (505); An dem tag solt man eitel *rhetoricam* predigen, *ut gauderemus de Christo*

---

[1] Vgl. oben S. 158, Anm. 1. Die Parallelen glätten zu: ist *tanto nocentior hostis, quanto* ...

incarnato[1] (494); sie haben im unrecht thun, *ut impleant visionem* (384); Er demutiget sich mehr umb des Teuffels willen denn umb unsert willen, *ut illum superbum Spiritum ludat* (211); und ich wills euch izund beichten, *ut ei non credatis* (518); es wer noch dazu kommen, das man Christum nit nennen wer, *ut sit verum illud: Putas, quod inveniet fidem?* (622); *nos diceremus: ... dic me esse*, der es thun will, *ut sit nomen effectus sicut alia: Emanuel etc.* (652).

Vgl. Bi 3, S. 525: Erbeit und lessts yhm saur werden, doch gern, *ut sua res stet et procedat.*

mit Korrelat:

Darum-*ut:* Darumb warnet uns unser Herr Gott so offt, *ut maneamus cum scriptura sacra* (352); Darumb hat Gott seinen Son sterben lassen, *ut haberemus bonam conscientiam* (402).

ut – so: sic ut sit alia lex, so heyssen sie es novam (317).

Sonderfall: der mit *ut* eingeleitete Satz wird nach einem lateinischen Einschub deutsch weitergeführt:

Sic in cantico: Gloria plebis tuae, Israel, das auch *mortui* sollen herren werden, *ut, quanquam Petrus, Paulus occiditur, tamen* sollen sie herren werden am jungsten tag (386).

2. Konsekutivsätze:

Ob er nun *amorem* vorbirgt, *ut ira appareat,* das ist sein weis (3669); Hat sich nit konnen herumb werffen, *ut diceret:* (596); *Sed* ein *theologus* mus yhn haben und gewiss treffen, *ut dicat:* (320); *Sed ex hoc peccato ruunt in peccatum in Spiritum Sanctum,* das sie Gott fallen lest, *ut volentes peccent* (388); ... das bauren, edelleut, ... all des Teuffels sind; der wehret, das sie nichts ausgeben, *ut ita fame evangelion premat* (393); *et utraque quantitatem non excedant, ut* einen wurffel in den andern werffen, *ut tamen maneant duo et etiam sint unus eadem quantitate* (355); Hab darnach rue gehabt, *ut etiam uxorem ducerem,* so gut tag hett ich (141); *quia bonus praedicator* muß das dran sezen, das yhm nichts liebers ist denn Christus und yhenes leben, *ut amissa hac vita et omnibus dicat Christus: Veni ad me, fili* (453);

mit Korrelat: so – *ut:*

und dennoch sol es der Teuffel so zureissen, *ut nusquam sint odia magis acerba* (185); Wenn unser Herr Gott einen so fallen lest, *ut verbum non putet verbum esse,* den wollen wir nit hallten, sondern gehn lassen (395).

Vgl. Briefe Bd. 8, Nr. 3398:

Ich halt, der Teuffel hat die leut besessen mit der rechten Pestilentz, das sie so schendtlich erschrecken, *ut fratrem frater, filius parentes deserat.*

mit vorangehender lateinischer Partikel:

der in gantzen leib nit so vil theologiam hatt als ich in einem finger, *scilicet ut discam me non posse quidquam sine Christo* (3669); *secunda* ist ein wenig in eim ansehen, *ita ut aliquando transgressores puniantur* (200); da hab ich mit freuden geschriben, *ita ut praeceptor Lichtenbergensis diceret* (491).

Komparative *ut*-Sätze s. unten S. 200.

---

[1] Der Finalsatz kann auch als explikativer Objektssatz aufgefasst werden.

Anm. Der Befund bei Schlag. stimmt mit dem bei VD. überein; lediglich auf dem Gebiet der Konsekutivsätze finden sich geringfügige Unterschiede: die bei VD. häufigste Form, *ut*-Satz ohne Korrelat, ist bei Schlag. nicht vertreten, dagegen spielt der weiterführende *ita ut*-Satz bei Schlag. eine grössere Rolle (ich habe 5 Belege: Nr. 1234, 1340, 1343, 1347, 1382).

4. *Ne*-Sätze

α. In der Rolle eines Satzglieds.

1. Objektssatz nach deutschem Verbum agendi:
   Allein sehe er, *ne blasphemiam sacramentariorum sequatur* (132).

β. In der Rolle einer Begründungsangabe; nachgestellt:
   Gebt yhn ... gute wort dazu, *ne fiant pusillanimes*[1] und sich nichts guts zu euch versehen (442); Er aber will die *generatio* behalten, *ne intereat ecclesia* (429); *sed* ich hallt innen, *ne aperiatur ianua seditioni* (349); Weyl bapst und keyser mich nit konnen dempfen, so mus ein Teuffel sein, *ne virtus sine hoste elanguescat* (141); Der kopf ist yhm ab, *ne possit damnare vel accusare* (138).

Vgl. Briefe Bd. 7, Nr. 2118, wo ein deutsch angefangener Brief mit einem *ne*-Satz ins Lateinische übergeht und lateinisch zu Ende geführt wird:
   damit er zu gnaden bey u. gnädigsten herrn und zu Ruge bey sich selbs kome, *ne tristitia et cogitationibus absorptus per Satanam ... vexetur;*
vorangestellt:
   Sed ne haec fides maneat sine tentatione, fehret mein vatter zu (81).

Anm. Bei Schlag. findet sich nur ein Beleg für den *ne*-Satz, nach einem deutschen Verbum voluntatis; Stichproben bei anderen Schreibern ergaben noch einen weiteren in LbTb. Da die Belege spärlich sind, führe ich sie hier an:
   Unser Herr Gott vermant die junckhern zu hoff, *ne contemnant sacramentum* (1378); Last uns wol fursehen und bitten, *ne intremus in tentationem* (3957).

b. *Wenn-, wo-, ob-, etc.-, bzw. si- (nisi-, etiamsi- etc-), quando-, cum- etc.- Sätze*

1. Wenn-Sätze

Nachgestellt; ohne Korrelat:
   Sic nullus duceret uxorem, wenn er sich recht besunne (406); *Non relinquitur hostia pro peccatis,* wenn wir nit bey dem man bleyben (642); *Ideo nullus iurisconsultus subsistet ... contra Diabolum,* wenn er die *theologiam* nit zu hilf hatt (320);
mit Stütze:
   perarescit igitur hoc in corde, wenn der wil recht haben, *qui peccavit* (388).
vorangestellt; ohne Korrelat:
   Wenn er in die bibel geradten wer, *fuisset sine dubio summus* (192);
mit Korrelat, wenn – *tunc:*
   Wenn wir unsern Herrn Gott haben, *tunc satis habebimus* (305); Wenn

---

[1] Zitatbedingte Schaltung, Kol. 3, 21.

man aber will *visibilia* draus machen, *tunc ingeminamus mala* (3669); *Econtra* wenn er mich furet aus der pan, *tunc sic me tentat* (518); wenn si denn nit recht wollen, *tunc dicimus:* (510); *quia* wenn yhn der fall unter augen gehet, *tunc desperant* (388); Wenn ich von Gott denck, *tunc sic cogito* (517).

2. Wo-Sätze

Primae tabulae peccata afferunt simpliciter desperationem, wo Gott nit bald hilfft (461).

3. Ob-Sätze

Ohne Korrelat:

Ob nun *cogitationes Diaboli* dagegen sind, *distingue et dic:* (3669).

mit Korrelat (vgl. *quamquam-tamen*):

Ob schon *peccatores* izt sind, *tamen verbum non persequuntur* (608).

4. Übrige deutsche Sätze

In meinem Material findet sich noch ein da-Satz mit Korrelat:

da mir die so faul antwurtten, *ibi confirmabar* (480).

Daneben ein da-Satz parallel zu einem *cum*-Satz, einem deutschen Hauptsatz zugeordnet:

Ideo mus einer denken, was David gedacht hab, *cum discerpsit leonem,* da er sich mit Goliad must schlagen (467).

5. *Si*-Sätze

Vorangestellt, ohne Korrelat:

Si ego omnia crederem, wolt ich kein pfarrherr ansehen (376); *Hanc distinctionem si possem retinere,* wolt ich im all stund sagen (590); *si vero patrem occidero,* kan es noch wol feylen (620); *Si hanc haberem perfecte,* wolt ich nimmer traurig werden (626);

mit Korrelat, *si* – so[1]

Si Christum oderunt sui, so darff mans auch Martino Luthero thun (639); *Si igitur vivit Christus,* so wurdt ers wissen (615); *si esset Cocleus,* so solt er nit lebendig auffstehn (614); *Si non fecissem,* so must ich dennoch *per remissionem peccatorum* selig werden (590); *Si fecisti,* so ists gethan (590); Sonst *si facit in sua iustitia,* so ist er des Teuffels[2] (577); *Si accipiunt eum,* so ists *vera vocatio* (483); *si eam ambit aliquis,* so thut sie es (483); *Si non est,* so ist er versucht vom Teuffel (522); *Si hoc non creditis,* so sehet, wie ... (489); *Si postea labimur,* so hat das pferd den reuter aus dem sattel geworffen[3] (27); *si sic velit,* so wol ich zu yhm sezen mein Vatter unser

---

[1] Vgl. Franke Bd. 3, S. 304: „Das 'so' des Nachsatzes wird von Luther sehr geliebt."

[2] Affekt, vgl. unten S. 253.

[3] „Bildhaftigkeitstrieb", vgl. unten S. 253.

(132); *Si ego peccavi*, so anttwort er dafur (141); *Si enim audiret rationes meas*, so giengen die juristen fur 1000 Teuffel dahin[1] (320); *Si urgent sabbathum*, so mussen sie sich auch beschneyden (356); *Si obmisisset sabbathum*, so wer kein pfaff, kein prediger gewest (385); *Si moritur in peccato*, so hab ers yhm (388); *Si enim hoc verum esset*, so schiss ich dem bapst auf die kron[1] (218); *si Christus non est in coelo et regnat*, so bin ich auch unrecht (612); *is si moritur*, so ist er selig (365); *quia si hoc posset*, so wer er yhm himel (417); *quia si est docendus Christus*, so mus man nichts nach den *scandalis* fragen (571).

Vgl. Briefe Bd. 6, Nr. 1806: *Igitur si non sunt contenti hoc nostro iudicio*, so lasset sie selbs richten und herrschen ins Teufels Namen[1]. Ebd. Bd. 7, Nr. 2103: *Si vixero*, so will ich die *defensores* verachten, aber den *defensum* also kämmen, ...[2]

Zwischen dem *si*-Satz und dem Hauptsatz steht ein weiterer Gliedsatz:

Si vellem scribere de oneribus praedicatoris, wie ichs weys und erfaren hab, so wolt ichs alle abschreken (453); *Si scirem*, das mich unser Herr Gott wolt verdammen, so wolt ich ... (403); *Si non adsit aqua in necessitate*, es sey wasser oder bir, so ligt nit dran (394); *Si non sciremus, quod esset Christus*, so hett er doch sein maiestet da wol beweysen (284);

ein lat. a. c. i.: *Si verum est Deum nobiscum in sacra scriptura loqui*, so mus er eintweder ein bub sein, ... odder ist *summa maiestas* (148);

nachgestellt: Ambrosius aber wer wol scherffer gewest, *si fuisset tempore Pelagii* (18); *Ergo* so solt einer frolich sein, *si haberet fratrem* (518); aber die andern wurden auch so sein, *si agitarentur* (369).

6. *Nisi*-Sätze

Vorangestellt, ohne Korrelat:

et nisi Cain ita foede lapsus esset in caedem, solt er die gantz welt verfuret haben (291);

mit Korrelat, *nisi* – so:

Nisi autem fuissem doctor ... so hetten sie mich uberteubt (480); *Ergo nisi sit singularis quaedam remissio peccatorum praeter illam communem, qua omnes indigemus*, so ist er verlorn (316); *Nisi me sic exercuisset Satan*, so het ich ym nit konnen so feind sein (141); *nisi habeant laetitiam ex eo, qui misit eos*, so ists muhe gnug (113);

nachgestellt:

... wer ich in abgrund der hell *per superbiam* gefallen, *nisi fuissent tentationes* (141); Bucercha wird ein mal auch so hin gehen, *nisi poenituerit* (140); sonst wer es unmuglich, *nisi esset divina sententia* (219); *Alioqui* wie kondt der bapst sundigen, *nisi haberet verum nomen Dei et vera sacramenta?* (342); Damit hab ich gewonnen und hab sonst nichts gewonnen, *nisi quod recte doceo* (624); so hat er gewonnen, *nisi adsit Deus* (590); Der teuffel wurd euch auch ein mal bescheissen, *nisi agnoscitis* (582); *sicut* herzog Georg kan nit auffhoren, *nisi me occiderit* (518); da ich nichts von ways, *nisi quod dicit in evangelio* (284).

---

[1] Affekt.

[2] „Bildhaftigkeitstrieb".

Sonderfall; nach deutschem Zitat einen lateinischen Satz weiterführend:
ac saepius me occidisset hoc argumento: Du bist nit beruffen, *nisi fuissem doctor* (453).

7. *Etiamsi*-Sätze

Vorangestellt, ohne Korrelat:
Etiamsi peccasti, wilt du drumb erschreken (142).
mit Korrelat, *etiamsi* – so:
etiamsi mille Saturni pro uno essent, so schisse ich drein[1] (246).
Sonderfall; mit „*tamen* so" als Korrelat: *Etiamsi non fecisses hoc peccatum, tamen* so mussest du dich auff die gnad beruffen (459);
eingeschoben: An einem *peccatore poenitente, etiamsi subinde repetat peccatum,* sol man nit verzweiveln (388);
nachgestellt:
So hat er auch wol gewust, das in Gott wider wurde holen, *etiamsi esset in inferno* (380); an dem artikel feylet es allen rotten geistern, *etiamsi dicant se credere* (388); an dem will ich hangen, *etiamsi pecco* (501).
Vgl. Briefe Bd. 10, Nr. 3821: Wir mussen doch geizig heissen, *etiam si eis montes aureos daremus.* Vgl. auch folgenden verkürzten Satz: Wenn es ernst ist, so ists erhort, *etiamsi non, sicut nos volumus et quando* (358).

8. Übrige Belege mit -*si*

Quodsi; mit Korrelat:
Quodsi Turca eo venit, so ists als schlecht (332).
Quasi; mit Korrelat, also – *quasi:*
Die *cognitionem* kan er einem darnach also adumbrirn, *quasi Deus vellet irasci,* das einer denkt … (252).
Vgl. Bi 3, S. 502, ohne Korrelat: So lesst ers zum ander mal nicht recht machen *quasi errarit.*

8. *Quando*-Sätze

Vorangestellt, ohne Korrelat:
Quando peccat, meyndt sie, es hab keine nott (388);
mit Korrelat, *quando* – so:
Quando sum in politicis et oeconomicis cogitationibus, so nimb ich ein *psalmum* … fur mich (19); *Et post, quando paululum quiddam erratur,* so wil man heuser umbreissen[2] (374); *Quando aliquis loquitur in aurem,* so horet man fur dem odem die wort nit wol (402); *quando hoc habemus,* so trinck ich ein kendlin bir *contra Diabolum* (593); *Sed quando ipse venit,* so ist er *dominus mundi* (518); *quando coram Christo procidis,* so ist sie vergeben (388); *quando incidit cogitatio,* so vertreybs, wo mit du kanst (491); *Quando fui sine verbo Dei* und hab gedacht an Turken …, so kompt er …, *sed quando apprehendo scripturam,* so hab ich gewonnen (518); *Quando forte negotiis impedior, quod orandi horam negligo,* so ist mir den ganzen tag darnach ubel (122); *praesertim quando Christus non est in corde, …,* so hatts

---

[1] Affekt; der Kraftausdruck ist der einzige deutsche Einschlag in diesem Stück.
[2] Hyperbolisches Bild.

muhe und arbeyt (495); *Econtra quando video ipsum, qui vocavit me,* so
wolts ich auch nit nhemen (113);

mit „da" als Korrelat: *Quando igitur de divinitate cogitamus,* da mussen wir
locum et tempus aus den augen thun (517);

quando – etiamsi – so: *Sed quando manet verbum purum, etiamsi vitae aliquid
deest,* so kan *vita* dennoch zu recht kommen (624).

Sonderfall: ein so-Satz knüpft an einen abl. abs. anstelle eines *quando*-Satzes
an: *salva illa veritate,* so mus jenes weichen (3669);

nachgestellt, ohne Korrelat:

Ich mus yhm glauben, *quando dicit se poenitere* (325); Aber ich sehe es nit,
quando sum in tentatione (122); *Quia* der Teuffel kan einen bald finden,
praesertim quando Christus non est in corde (495); das sie eim ding nach
denkt, *quando est illustrata* (439).

mit Korrelat: so ist die welt geschlagen, *quando haec adsunt* (588).

9. *Cum*-Sätze

Vorangestellt, ohne Korrelat:

Cum autem urgerer legendo publice et scribendo, sammlet ich mein *horas*
offt ein gantze woch (495); *Quia cum Satan mecum disputat, an Deus mihi
sit propitius,* darff ich den spruch nit furen: (352); *Postea cum oramus pro
liberatione,* schlecht der Teuffel aber zu (3669);

mit Korrelat:

iam autem cum non sitis, so durfft yhr unser auch (406); *sic cum docetur
verbum,* so geht *Spiritus Sanctus* mit und webet in das hertz (402); *Cum
autem decumbo in lecto,* so nimb ichs ungekniet (344); *Cum dicit ad Iudam:
Abi, baptisa,* so ist er selb der tauffer (342); *Sed cum disputo,* was ich gelassen und gethan hab, so bin ich dahin (590);

cum – wenn – so: *Cum autem cito convaluissem,* wenn ich wolt lesen, so gieng
mir der kopff umb (495);

nachgestellt, ohne Korrelat:

Wer hat yhn erlaubt, das sie sollen schwein halten, *cum essent Iudei?*
(23); *Facit autem hoc,* das er sein spotte, *cum succumbit infirmo homini*
(440); *Ideo* mus einer denken, was David gedacht hab, *cum discerpsit
leonem,* da er sich mit Goliad must schlagen (467); Ich halte, es sey Paulo
nit ser wol gewest, *cum fuit in illa* ἐκστασει (271); Zu letzt hebt Staupitz
zu mir uber tisch an, *cum essem sic tristis* und erschlagen (518); *Misit
Mosen, sed* si musten sagen, *cum aliquid diceret: Hoc non Mose, sed Deus
dixit* (505).

Vgl. Bi 2, S. 46: Der alte got ynn Sianj *cum essem prima.*

10. *Donec*-Sätze

Nur ein Beleg:

In der *tentatio* bin ich offt dahin gangen *in infernum* hinein, *donec me Deus
revocabit et confirmavit me* (141).

Vgl. den temporalen Gliedsatz in Bi 1, S. 570: zeytt gnug *antequam pena
veniret.*

11. *Quamquam*-Sätze

Vorangestellt, nur mit Korrelat:

quanquam – so:

> *Quanquam igitur apud Iudeos essent magna scandala*, so hatt es doch *sub papa* erger gestanden (461);

quanquam – *tamen:*

> *Quanquam autem mathematicum punctum est in nulla re, tamen* mus man nach dem zweck schissen und zielen (134); *quanquam Petrus, Paulus occiditur, tamen* sollen sie herren werden am jungsten tag (386);

nachgestellt, nur ohne Korrelat:

> *Magistratus* sol gleich wol streng damit sein, *quanquam anima non sit simpliciter damnata* (222); *Sic Iudei*, die warffen Mosen nit hinweg, *quanquam eum depravarent* (342).

12. *Ubi-* (*cunque-*)Sätze

Nur vorangestellt mit Korrelat, *ubi* (*cunque*) – da, bzw. so:

> *ubi autem non est verbum aut opus*, da sol man yhn nit hallten (257); *Ubicunque igitur audis ... vocem: Laus*, so sol man allweg *ad evangelion* gehn (386).

13. Konzessivsätze mit *sive* – *sive*

Vorangestellt, mit Korrelat, *sive* – *sive* – so:

> *Sive peccent sive doleant*, so ist der zuschlagk des Teuffels da (3669);

nachgestellt, ohne Korrelat:

> das hilfft, wenn sie es geben, *sive causa morbi sit calida sive frigida* (360); *Tertium praeceptum* lest er bleyben darumb, das man davon rede, *sive fiat sabbatho sive alio die* (369).

Anm. Ein Vergleich mit Schlag.s Sammlung ergibt: die deutschen wenn-etc.-Sätze spielen bei Schlag. eine noch untergeordnetere Rolle als bei VD.: während bei VD. noch der wenn-Satz eine grössere Gruppe bildet, finden sich bei Schlag. nur 5 Belege dafür (Nr. 1396, 1659 (2 Belege), 1845, 1269). Die übrigen Belege führe ich, ihrer Spärlichkeit halber, hier an; ein ob-Satz:

> Ob uns aber die *tentationes* ein wenig wehe tun, *nihil nocet* (1289);

ein Konzessivsatz mit „wie wohl":

> *et ego saepius sentio*, wie woll ich heutt ein fein tag gehabt hab (1289);

zwei Temporalsätze:

> Weil wir viel hatten und reich waren, *non poteramus canere* (1881); aber so bald sie es ubermachen, *deponit de sede* (1810).

Unter den lateinischen Konjunktionalsätzen überwiegen wie bei VD. die *si*-Sätze (15 Belege, davon 9 vom Muster *si* – so); dazu kommen 6 *nisi*-Sätze und ein *etiamsi*-Satz. Die übrigen Sätze treten zurück: für *quando* habe ich 5 *quando* – so-Belege, für *cum* nur einen Beleg. Daneben findet sich ein Sonderfall, in dem ein so-Satz an einen lateinischen Relativsatz anknüpft, der die Rolle eines temporalen *cum*-Satzes übernimmt: *Deus, qui per me monachatum dissipavit*, so bezalet er mich sehr wol (1313).

An korrelativen Paaren finden sich ferner: *ubi* – da, 2 mal; *utinam* – so, *antequam* – so.

c. *Vergleichssätze mit wie, als, bzw. sicut, ut, quam*

1. Wie-Sätze

Nachgestellt:

Si vellem scribere de oneribus praedicatoris, wie ichs weys und erfaren hab, so wolt ichs alle abschreken (453); *sed sine fide nihil prodest nec potest ratio*, wie die zung on glauben redet eitel *blasphemias* (439); sie thun es nit gern, *sed superantur Diaboli potentia*, wie einer yn eim walt von einem *latrone* ermordet wurdt (222);

eingeschoben:

Iam si facta esset concordia, wie es denn das Bucerlin glatt furgab, *essemus rei sanguinis fusi in Helvetiis* (140); *quod potius velint concedere utramque speciem et missae abrogationem*, wie mans zu Wittenberg hellt, *quam coelibatum* (306).

2. Als-Sätze

Verstärkt durch ,,eben'':

Hae fuerunt inspirationes Spiritus Sancti et divini instinctus, eben als wenn mir ein gedanck izt einfiel (45).

Vgl. Bi 3, S. 535: *i.e. Sterilitatem animae meae*, als muste mein seel verlassen und veracht sein.

3. *Sicut*-Sätze

Yhr solt nit willd sein, *sicut nunc est mundus* (527); Wer kan yhm dienen, wen er so umb sich schlegt, *sicut videmus in multis exemplis adversariorum?* (94); Es kan wol sunst fallen, ..., *sicut leges Persarum ceciderunt* (349); Ich hab mit dem Teuffel ... geredt, da ich mit ... dem Storchen geredt hab, *sicut eum corporaliter vidi Coburgi* (362); Es ist von notten gewest mit den ketzern, *sicut si iam ad nos rediret Bucerus* (128); *sine murmure*, das man nit fluch, *sicut ego interdum impatiens sum in officio* (527); Sonst kund niemand den Teuffl ertragen, *sicut videmus in desperatis* (3669); Die eusserlichen anfechtung machen mich nur stoltz und hoffertig, *sicut videtis in libris meis* (518); *praesertim* wenn es junge regenten sind (*sicut dicebat meus prior Erfurdiae de monachis iuvenibus*), die treffen alle wurf XII kegel (261);

einem wie-Satz untergeordnet:

sed sine fide nihil prodest nec potest ratio, wie die zung on glauben redet eitel *blasphemias, sicut videmus in duce Georgio* (439).

Vgl. Bi 3, S. LXI: Was man thut nach Gottes gebot, das sind feine schone werck und ist eine ewige gerechtigkeit, *sicut ipsum praeceptum est pulchrum et sacrum sed* ...

Der grösste Teil meiner Belege besteht aus Berufungen auf Bibelstellen[1]:

es geht mit euch zu, *sicut scribitur: Alii laboraverunt* ... (495); Das ist die hochst *tristitia, sicut Paulus etiam dicit* (461); Darumb ist es gar ein ander ding, theologia und iuristerei, wie himel und erden, *sicut est in psalmo:* (320); O, Christus hat sein hell hie uff erden gehabt, *sicut Paulus etiam de christianis dicit:* (280); Er wirfft auch mit einem wort ein ganze welt heraus, *sicut est Gen. 1: Principio* (148); denn Gott hat *societatem ecclesiae*

---

[1] Vgl. oben S. 176.

geschafft *et fraternitatem* gebotten, *sicut scriptura dicit:* (122); *sed non vult,* das ich gegen yhm betrubt sol sein, *sicut dicit: Nolo mortem peccatoris* (122); *quia* wem der man feind ist, das ist nit on ursach, *sicut in 41. ps.* (604); *puto,* er hab das mayst *lingua* gethan, *sicut Christus in psalmo de eo queritur,* das … (604); *Ergo* Gott heyst Gotts wort, *sicut apud Johannem: Et Deus erat verbum* (414); *quia* Gott hat gesagt: Was yhr mit yhn macht, das macht Gott mit yhn, *sicut in multis locis ex Genesi patet* (414).

Vgl. Bi 2, S. 173: Ich bin ein retzler *sicut fecit cum regina Sabaea.*

Anm. In den Bibelnotizen geschehen Berufungen auf Bibelstellen meist mit *ut*: Bi. 3, S. 359: Es gieng wunderlich zu *ut sequitur quod angelus disparuit in flamma.* Ebd. S. 522: *Imo* man hat hulffe bey Gott, *ut sequitur:* … Ausserdem geschehen kurze Hinweise nach deutscher Glosse: „*ut supra, ut infra*" (Bi 3, S. 189, 192, 197 u. a.), „*ut Luc. 6*" (Bi 3, S. 533) etc.

4. *Ut*-Sätze

Bei VD. findet sich nur ein Vergleichssatz mit *ut*:

Ihr musts doch sonst thun, *ut detis, si misero Turcam* (514).

Vgl. auch das *ut* vor deutschem Infinitiv, oben S. 192, 2, Nr. 355. Hier ist der Infinitiv als „Block" in einen lateinischen Text eingeschaltet (vgl. oben S. 124).

Vgl. Briefe Bd. 7, Nr. 2123: es ist, *ut Saxones nominant,* Schytrupe. Bi 3, S. 493: Und du meinst Er wisse es nicht, *ut proxime dixisti.*

5. *Quam*-Sätze

Ich habe nur einen Beleg, nach „anders":

Des Teuffels gedanken konnen nit anderst sein, *quam quod cogitat de nobis delendis* (518).

Anm. Ein Vergleich dieser Sätze mit den Vergleichssätzen bei Schlag. ist nicht sehr ergiebig; bei Schlag. finden sich nur vereinzelte deutsche Belege: „wie", 1 Beleg (1587); „gleich wie": 1 Beleg (1684); „gleich als", 1 Beleg (1416). An lateinischen Sätzen habe ich 6 *sicut*- und 2 *quam*-Sätze (1276, 1315, 1335, 1436, 1742, 1764; „anders-*quam*": 1340; „lieber-*quam*": 1563).

BEMERKUNGEN ZUM SPRACHWECHSEL IN DER HYPOTAXE

Allgemeine Beobachtungen zur Zusammenarbeit von Haupt- und Gliedsatz[1]

Wo bei der „Entfaltung" Glieder eines Satzes Satzgestalt erhalten[2], verschwindet eine grammatische Kategorie: der Objektskasus bleibt

---

[1] Zu „Wesen und Leistung des Satzgefüges" vgl. Duden § 1053; — s. auch A. Nehring, Studien zur Theorie des Nebensatzes. In: Zeitschrift für vergleichende Sprachforschung 57. 1930. S. 118 ff. Kritik bei F. Slotty, Zur Theorie des Nebensatzes. In: TCLP 6. 1936. Ferner Glinz, IF., S. 437 ff.; Brinkmann, D. d. S., S. 588 ff.

[2] Vgl. Brinkmann, D. d. S., S. 588.

unausgedrückt. Ob ein Gliedsatz als Akkusativobjekt steht, wird nur aus dem Prädikat des Hauptsatzes ersichtlich; den Gliedsatz als solchen kann man nicht in den Akkusativ setzen. ,,Gliedsätze sind Äquivalent eines Substantivs‘‘[1] — sie sind aber, im Gegensatz zum Substantiv, als Satzglieder nicht den Gesetzen der Deklination unterworfen. Für den Prozess des Sprachwechsels bedeutet dies, dass die Schwierigkeiten und Hemmnisse des Deklinationssystems fortfallen. Die Abhängigkeit des Gliedsatzes vom Hauptsatz ist semantischer Art; grammatisch bildet der Gliedsatz eine in sich geschlossene Einheit[2]. Ein klarer Bruch zwischen beiden Sprachen ist also möglich, der Prozess, den Haugen mit ,,a switch‘‘ bezeichnet: ,,a clean break between the use of one language and the other ... Switching is different from borrowing, in that the two languages are not superimposed, but follow one another.‘‘[3]

Zu den Anführungssätzen und Zitaten

Dass die Notwendigkeit des Zitierens oft einen Sprachwechsel hervorrufen kann, ist bereits oben (S. 170) festgestellt worden. (Haugen bezeichnet diese Notwendigkeit als eine der zwei wichtigsten Faktoren beim Sprachwechsel überhaupt.) Die Belege für den Sprachwechsel zwischen Anführungssatz und Angeführtem (u. U. erst nach Abschluss der Rede) bilden die umfangreichste Gruppe in meiner Materialsammlung.

Es zeigt sich jedoch in meinem Material, dass der Sprachwechsel nur in einem Bruchteil der Fälle durch die Sprache des Zitats bedingt ist. Wenn ein persönlicher Kontakt zwischen Sprecher und Angesprochenem hergestellt werden soll, wird zur deutschen Sprache gegriffen: Bibelstellen werden, im Predigtverfahren, auf deutsch paraphrasiert (oben S. 173 f., β 1), seelsorgerische Gespräche finden auf deutsch statt (S. 174 f.). Der Affekt ruft ferner in 3 Fällen die deutsche Sprache hervor (S. 175). Oft geschieht auch in der zitierten Rede wieder ein Sprachwechsel (S. 173 f., 175, 178), was die mangelnde Sprachgebundenheit des Zitats beweist. Es lässt sich oft kein anderer Grund ersehen, als der Wunsch des Sprechers, das Angeführte von den einleitenden Worten abzuheben. Der Sprachwechsel leistet der gesprochenen Rede, was die Anführungsstriche der geschriebenen leisten.

Die folgende Tabelle beleuchtet das Verhältnis der Sprachen zueinander.

---

[1] Ebd. S. 589.
[2] Ausnahmen sind die attributiven Relativsätze, s. u. S. 205 ff.
[3] Haugen 1953, S. 65.

	zitatbedingter Wechsel		nicht zitatbedingter Wechsel		Summe	
Anführungssatz lateinisch[1]	24	25 %	72	75 %	96	70 %
Anführungssatz deutsch	24	57 %	18	43 %	42	30 %
				Total:	138	100 %

Anm. Die „Zitatbedingtheit" liess sich nicht immer mit absoluter Sicherheit entscheiden, weswegen es möglich ist, dass sich unter den als „nichtzitatbedingte Fälle" gebuchten Belegen noch weitere Zitate verbergen. Die Prozentsätze würden sich dann etwas verschieben.[2]

Es zeigt sich, dass die Sprachverteilung: lateinischer Anführungssatz — deutsche Rede, ihr Spiegelbild überwiegt, und zwar im Verhältnis von mehr als 2:1. Ferner macht sich die Zitatbedingtheit besonders bei lateinischen Zitaten bemerkbar (Bibelzitate), wo sie in über der Hälfte der Fälle ausschlaggebend war. Bei deutschen Zitaten überwiegen andere Gründe im Verhältnis von ungefähr 3:1.

Zur abhebenden Funktion der Anführungssätze s. bes. die Belege oben S. 177 (unter 2, Nr. 468 u. Brief 4025), S. 178 und S. 179, Schlag.

Bei den Belegen aus Luthers Briefen ist der Wechsel zitatbedingt.

Nur in einem einzigen Beleg steht lat. a. c. i. nach „sagen" (S. 177).

Zu den übrigen uneingeleiteten Inhaltssätzen

Inhaltssätze nach Verben des Denkens, Glaubens etc. Auch hier besteht der Unterschied zwischen den Sprachen, dass im Lateinischen nach einem solchen Verb ein a. c. i. folgen kann. In meinem Material kann ein solches lateinisches Verb einen deutschen Gliedsatz nach sich ziehen (Belege S. 179, 2aα), ein entsprechendes deutsches Verb einen lateinischen a. c. i. (Belege S. 180). Das erstere Verhältnis ist weit häufiger. Für einen lateinischen Gliedsatz nach einem entsprechenden deutschen Verb habe ich nur einen Beleg. (Vgl. hiermit auch die dass-Sätze, S. 186,2 die *quod*-Sätze, S. 190, α2, *ut*-Sätze, S. 191, *ne*-Sätze, S. 193.)

In den *id est*-Fällen ist der Sprachwechsel situationsgebunden: ein Bibelzitat wird lateinisch angeführt und deutsch erklärt (S. 179 f.).

---

[1] In den „Sätzen ohne eigentlichen Anführungssatz" ist der vorangehende Satz in Betracht gezogen worden.

[2] Den Hinweis hierauf sowie eine wertvolle Durchsicht des lateinischen Materials der Abhandlung verdanke ich Frau Doz. F. D. Birgitta Thorsberg.

Anm. Auf die uneingeleiteten Inhaltssätze passt nur bedingt, was im Duden steht: ,,Aus dem Namen Gliedsatz ergibt sich auch ohne weiteres, dass Sätze dieser Art ohne den ,,Stammsatz" nicht bestehen können, in dem sie ihren Gliedwert haben ... Man nennt deshalb den übergeordneten Satz zutreffend Hauptsatz"[1]. Im Gegenteil können diese besonderen Gliedsätze, soweit sie nicht Konjunktiv haben, sehr wohl ohne den Stammsatz stehen (*quia spero*, ich will mich bessern, 501). Für die ,,*id est*-Fälle" erscheint die Bezeichnung ,,Hauptsatz" für ,,*id est*" etwas abwegig: die Hauptsache steht im Inhaltssatz, während der Hauptsatz nicht für sich allein bestehen kann; ,,regierender Satz" wird den Tatsachen gerechter[2]. Der Duden hebt auch hervor, dass die uneingeleiteten Gliedsätze den Übergang zwischen dem Satzgefüge und der Satzreihe bilden und oft nur an dem inhaltlichen Abhängigkeitsverhältnis erkannt werden können[3].

Zu den Relativsätzen

Allgemein lässt sich zunächst feststellen, dass lateinische Relativsätze bei deutschem Hauptsatz häufiger sind als umgekehrt (35 Belege gegen 26)[4]. Besonders auffällig ist der Frequenzunterschied in den Briefen und Bibelnotizen: auf 11 Belege für lateinische Relativsätze kommt ein Beleg für deutschen Relativsatz in den Bibelnotizen nach lateinischem Einschub, keiner in den Briefen. Wir müssen also feststellen: in der gesprochenen Rede konnte man einen deutschen Relativsatz mit einem lateinischen Hauptsatz verbinden, in der geschriebenen kam aber fast nur das Spiegelbild zur Anwendung.

Malherbe stellt, u. a. auch von Luthers Briefen, fest: ,,Nicht nur tritt uns das Fremde als Worteinzelheit entgegen, sondern es können auch bei nachlässigen Schriftstellern Nebensätze und Satzteile eingemischt werden. Nicht selten wird dann ein solcher lateinischer Nebensatz (denn in derartiger Verwendung kommt nur das Latein vor)[5] durch einen deutschen abgelöst"[6].

Zu der verhältnismässig geringen Anzahl deutscher Relativsätze trägt auch die Struktureigenart von Luthers Wortgruppenbau bei (vgl. oben S. 182), wodurch Relativsätze in Hauptsätze mit einleitendem Demonstrativpronomen übergehen.

---

[1] § 1053.
[2] Glinz schlägt den Terminus ,,Trägersatz" vor für den ,,'Hauptsatz', der ... wegen unvollständigen Inhalts oder Fehlen eines ersten Gliedes nicht allein stehen kann" (IF. S. 441).   [3] § 1090.
[4] Die deutschen Belege mit Hauptsatzfolge (unter β 6) sind nicht mitgezählt, da hier grosse Abgrenzungsschwierigkeiten vorliegen.
[5] Von mir gesperrt.   [6] S. 3 f., 12.

Die deutschen Relativsätze sind fast ausschliesslich dem Hauptsatz nachgestellt[1] und sind überwiegend attributiv. Für Relativsätze in der Rolle eines Satzglieds habe ich nur 6 Belege; eigenartigerweise gehört mein einziger Beleg aus den Bibelnotizen gerade dieser Gruppe an (oben S. 181). Im vorangehenden lateinischen Hauptsatz findet sich kein Korrelat; dadurch unterscheiden sich diese Sätze von der überwiegenden Anzahl ihrer Spiegelbilder. (Zu der Funktion der Korrelate s. u.)

Der Relativsatz als Satzglied ist „Bestandteil des Hauptsatzes selbst"[2], er ist „unmittelbar mit dem verbalen Kern des Satzes verbunden"[3]. Sein einleitendes Relativpronomen fängt heute mit „w" an[4]; meine Beispiele mit d-Wörtern würden heute ein Demonstrativpronomen im Hauptsatz erfordern (498, 652, 1249, Bi). Dabei ist das einleitende Relativpronomen offensichtlich vom Hauptsatz unabhängig und nur mit dem Sinn des Gliedsatzes verknüpft. Wir stellen fest, dass ein lateinisches Verb einen deutschen Relativsatz als Objekt bzw. Gleichsetzungsnominativ haben kann (vgl. das Verhältnis von Prädikat und Objekt im Satz, oben S. 123 f.); dabei bleibt der Objektskasus unausgedrückt. Das sprachliche Verhältnis ist umkehrbar (S. 183), doch ist in den überwiegenden Fällen der Spiegelbilder die enge Bindung zwischen Prädikat und Objekt durch ein Korrelat im Hauptsatz aufgelöst; durch das Korrelat kommt das Objektsverhältnis auch grammatisch zum Ausdruck und der Relativsatz nähert sich den attributiven Sätzen.

Unter den lateinischen Relativsätzen, die ein Satzglied vertreten, sind die vorangestellten Sätze in der Rolle des Subjekts die häufigsten; das Subjekt wird im nachfolgenden Hauptsatz durch ein Pronomen wieder aufgenommen (S. 183). Die Sprachen sind austauschbar, doch ist das Spiegelbild selten und nicht bei VD. belegt. Die Konstruktion lässt sich mit dem nominativus pendens vergleichen (oben S. 109 f.). Durch das demonstrative Pronomen im Hauptsatz wird die enge Bindung zwischen Relativsatz und Hauptsatz gelockert, indem jetzt nicht mehr der Gliedsatz das Vorfeld des Hauptsatzes füllt; der Hauptsatz hat grammatische Eigenständigkeit gewonnen, indem als grammatisches Subjekt im Hauptsatz jetzt das Pronomen, nicht der Glied-

---

[1] Vorangestellte Relativsätze sind bereits im Ahd. weniger beliebt als nachgestellte, vgl. K. Tomanetz, Die Relativsätze bei den ahd. Übersetzern des 8. u. 9. Jahrh. Wien 1879. S. 9 f., 37.

[2] Duden § 1064.

[3] Brinkmann, D. d. S., S. 589.

[4] Ebd., u. Glinz, IF. S. 117 ff.

satz funktioniert[1]. Ich habe nur einen Beleg ohne Pronomen gegen 9 mit solchem: *qui abutuntur nomine Dei*, nhemen den namen nit hinweg (342). Wir stellen zusammenfassend fest: als Subjekt in einem deutschen Hauptsatz funktioniert ein vorangestellter lateinischer Relativsatz vorwiegend inhaltsmässig; die grammatische Funktion wird im Regelfall durch ein deutsches demonstratives Pronomen erfüllt.

Anm. Der deutsche Hauptsatz scheint mehr zur Stütze zu neigen als der lateinische; Behaghel führt zwei Beispiele aus älteren Übersetzungen an: her war ist, ther mih santa = *est verus qui misit me*; thaz thu thuos, thuoz sliumor = *quod facis, fac citius*[2]. (Vgl. unten S. 208.)

Attributive Relativsätze sind nicht mit dem Prädikat des Hauptsatzes verbunden; sie gehören ,,als Teil zu einem Glied des Satzes, sind also nicht unmittelbar in den Prozess des Satzes einbezogen''[3]. Sie können Äquivalent eines Adjektivs sein[4].

Wir haben für die Gliedsätze in der Rolle eines Satzgliedes grammatische Unabhängigkeit vom Hauptsatz festgestellt, indem der Objektskasus nicht ausgedrückt wird. Für die attributiven Relativsätze gilt dies nicht: so wie ein attributives Adjektiv durch seine Flexion von seinem Hauptwort abhängt, ist das einleitende Relativpronomen in Genus und Numerus von seinem Hauptwort im Hauptsatz abhängig. Durch diese grammatische Abhängigkeit unterscheiden sich diese Sätze von allen anderen eingeleiteten Gliedsätzen. Nicht von dieser Abhängigkeit betroffen werden Sätze, in denen der Anschluss mit einem Relativadverb geschieht.

Auf diesem Gebiet sind die Sprachen in hohem Masse austauschbar. Die Parallelität deutscher und lateinischer Sätze wird in mehreren Belegen beleuchtet (unter β 2, Nr. 284, 3669; S. 182, Nr. 1307); dass sich in der geschriebenen Sprache jedoch ein stilistischer Unterschied bemerkbar macht, ist bereits oben (S. 203) festgestellt worden.

Wie wirkt sich nun die oben festgestellte grammatische Abhängigkeit des Relativpronomens von seinem Hauptwort aus? Wir untersuchen daraufhin *die Korrelate*:

Folgende korrelative Paare finden sich: der, *qui*, und *qui*, der; die, *quae*, und *quae*, die; das, *quod*, und *quod*, das, *quidquid*, das; wo, *ibi*,

---

[1] Anders Renicke S. 138, der jedoch ausschliesslich das ,,logische Subjekt des Gesamtgefüges'' im Auge hat.

[2] Bd. III, S. 747.

[3] Brinkmann, D. d. S., S. 589.

[4] Ebd.

und *ubi*, da; im Plural: *qui*, die. Dazu noch ein aufschlussreiches Paar: *quae*, das, auf das näher einzugehen sein wird.

In den Belegen bei VD. bezieht sich der attributive Gliedsatz auf Hauptwörter, die in beiden Sprachen das gleiche Genus haben, vgl.: auff die selb gnad, *quae est in baptismo* (365); =*gratia*, Fem.; meistens auch bei Schlag.: du schendliche weisheit, *quae ita Deum deridet* (1318); =*sapientia*, Fem. Die lateinischen attributiven Sätze beziehen sich dazu manchmal auf einen bereits im Hauptsatz lateinisch bezeichneten Gegenstand (oben S. 183). Die deutschen Relativsätze beziehen sich entweder auf Personen oder auf Sachen im Plural (S. 181).

Ich habe bei VD. nur einen Beleg, in dem die Sprachen nicht übereinstimmen, und zwar im Numerus: *Quae igitur gessit pro hoc officio*, das ist recht gewest (605).

Für Unterschiede im Genus findet sich ein Beleg bei Schlag.: *Propterea* im edlen Thuringer lannd, *quae est foecundissima terra*, da haben die … (1281).

Stichproben in LbTb ergaben einen weiteren Beleg: wie ein edlen safft hastu geben an dem lieben wasser! *Quae excellit omnia vina, et tamen … flocci pendimus aquam*, das doch so lieblich kulet und erquicket (3952).

Wir stellen dazu fest: aus der Spärlichkeit der Belege lässt sich folgern, dass mangelnde Übereinstimmung im Genus und Numerus der beiden Sprachen hindernd auf einen Sprachwechsel wirkte.

Setzte sich der Sprachwechsel trotzdem durch, so richtete sich das relative Pronomen nach dem Genus, das das entsprechende Wort in der Sprache des Pronomens hat, nicht nach dem wirklich ausgesprochenen der anderen Sprache. Dies gilt für beide Sprachen, und es spielt dabei keine Rolle, dass das Hauptwort direkt vor dem relativen Pronomen steht. Bei dem vorangestellten Relativsatz gilt das gleiche für das wieder aufnehmende Pronomen. Die semantische Leistung des demonstrativen „das" wird in Nr. 605 deutlich: es bündelt den Inhalt des Vorhergesagten zusammen und nimmt ihn in seiner eigenen Sprache durch einen Hinweis wieder auf; in Boosts Terminologie: es hat eine „kontrahierende und den Ertrag fixierende" Funktion[1]. (Über die formalgrammatische Funktion ist bereits oben S. 204 f. gehandelt.) Dabei ist es nur an den Sinn, nicht an die Grammatik gebunden: deutscher Singular steht korrelativ zu lateinischem Plural.

Es besteht also ein Unterschied zwischen dem Sprachwechsel inner-

---

[1] Boost spricht von einem „Ertrag" des Gliedsatzes und von einem „kontrahierenden und den Ertrag fixierenden 'so'" nach einem uneingeleiteten Konditionalsatz (S. 63).

halb eines einfachen Satzes und dem zwischen Haupt- und Gliedsatz: im einfachen Satz sind die Glieder unter sich sowohl grammatisch wie semantisch verbunden. Bei dem Sprachwechsel zwischen Haupt- und Gliedsatz kann sich der Sprecher dagegen von der formalgrammatischen Bindung an das bereits Gesagte lösen, nur an den Sinn anknüpfen und aus diesem heraus in der anderen Sprache frei weitergestalten und das Satzgefüge so zu Ende bringen. Eine Hilfe ist dabei das demonstrative Pronomen mit seiner zusammenfassenden und hinweisenden Funktion. Die Umschaltung von der einen Sprache auf die andere geschieht augenblicklich und vollständig: direkt nebeneinander stehen: ,,lannd, *quae; wasser, quae; aquam,* das".

Anm. Ich habe daneben noch einen Beleg aus VD.s Sammlung, wo das lateinische Genus für das deutsche Pronomen ausschlaggebend war; der Satz hat Hauptsatzfolge: *fides autem est infinita,* die ist in *historiis regum* (467). In einem anderen Beleg scheint der Genusunterschied der Setzung eines persönlichen Pronomens entgegenzuwirken: *Etiamsi vitae aliquid deest,* so kan *vita* dennoch zurecht kommen (624). Man hätte hier im Hauptsatz zwischen ,,sie" (*vita* = Fem.) und ,,es" = das Leben, wählen müssen (s. o. S. 128 f.).

Zu den dass-, bzw. *quod-, ut-* und *ne-* Sätzen

Dass-Sätze in lateinischem Kontext sind häufiger als die entsprechenden *quod-, ut-* und *ne*-Sätze zusammen (90 gegen 59, vgl. die Tabelle oben S. 161). Angesichts ihrer Häufigkeit in den TR ist ihr fast völliges Fehlen in den Briefen und Bibelnotizen auffällig (ein konsekutiver dass-Satz in den Briefen gegen zusammen 6 Belege für die lateinischen Sätze). Vgl. hiermit den Befund der Relativsätze (oben S. 203).

Als Subjekt kann ein dass-Satz mit einem lateinischen Satz in Verbindung treten (Belege S. 185 f.); das sprachliche Verhältnis ist umkehrbar, doch ist das Spiegelbild seltener (9 dass-Sätze gegen 4 *quod*-Sätze und 1 *ut*-Satz, S. 190 bzw. 191).

Über die ,,prädikative Beziehung" ist oben (S. 123) gehandelt. Es besteht jedoch ein Unterschied zwischen dem Subjekt im Satz und dem Gliedsatz als Subjekt: das Subjekt bestimmt die Prädikatsflexion; während diese im Satz von Fall zu Fall wechselt, wird ein Gliedsatz in allen Fällen wie ein Singularis Neutrum behandelt. Wenn im Hauptsatz ein demonstratives Pronomen als Stellvertreter auftritt, hat dieses im Deutschen die Form ,,das", im Lateinischen *hoc.* Von der ,,kontrahierenden und den Ertrag fixierenden" Funktion des demonstrativen Pronomens ist oben die Rede gewesen. Wenn kein Pronomen gebraucht wird, geschieht trotzdem eine Kontraktion mit dem Prädikatsverb, welches den Gliedsatz zu einer 3. Person Sing. zusammenzieht: *Me nonnunquam vexat*, das ... (495).

Dass der lateinische Hauptsatz eher die Stütze des Pronomens entbehren kann als der deutsche (vgl. oben S. 205), hängt mit der Fähigkeit des lateinischen Prädikates zusammen, auch das Subjekt mit zu bezeichnen.

Als Objekt funktioniert ein dass-Satz mit grosser Leichtigkeit zusammen mit einem lateinischen Hauptsatz (Belege S. 186 f.). Das Verhältnis ist umkehrbar, doch überwiegen die dass-Sätze bei weitem (31[1] dass-Sätze gegen 9 *quod*-, 6 *ut*-Sätze, 1 *ne*-Satz[2]. Wie bei den objektiven Relativsätzen bleibt der Objektskasus unausgedrückt, soweit sich nicht im Hauptsatz ein stellvertretendes Pronomen findet (oben S. 204). Dadurch wird die enge Bindung zwischen Prädikat und Objekt gelockert. In den lateinischen Hauptsätzen steht überwiegend kein demonstratives Pronomen (in 27 der 31 Belege), in den deutschen Hauptsätzen ist das Gegenteil der Fall (*quod*-Sätze werden in der Hälfte der Fälle, *ut*-Sätze durchgehend gestützt; der *ne*-Satz hat keine Stütze). Die Hauptmasse der dass-Sätze steht als Objekt nach lateinischen Verben des Denkens, Glaubens etc. Wir hatten bereits oben (S. 202) festgestellt, dass ein solches lateinisches Verb einen uneingeleiteten deutschen Gliedsatz nach sich ziehen kann, dass das umgekehrte Verhältnis jedoch selten ist. Von Einfluss ist dabei die lateinische a. c. i.-Konstruktion nach solchen Verben. Das gleiche gilt für die dass-Sätze. Nach deutschen Verben des Denkens und Glaubens etc. finden sich lediglich 5 *quod*-Sätze und ein *ut*-Satz nach deutschem Objekt. Die Äquivalenz des dass-Satzes mit einer a. c. i.-Konstruktion kommt deutlich in den Beispielen auf S. 187 (unter α 2) zum Ausdruck, wo auf ein lateinisches Verb als Objekt zunächst ein lateinischer a. c. i., dann ein deutscher dass-Satz folgt. Auch kann sich ein dass-Satz in einen a. c. i. eindrängen, indem er die Rolle des Infinitivs (S. 186, unter α 2, Nr. 467) oder des Akkusativobjekts übernimmt (S. 189, Nr. 1322).

Als Gleichsetzungsnominativ spielen nur die dass-Sätze eine nennens-

---

[1] Die Fälle, wo der dass-Satz auf ein lateinisches Objekt folgt, sind nicht mitgezählt, da er hier einen etwas schwebenden Charakter hat.

[2] Die Seltenheit eines *ne*-Satzes nach einem deutschen verbum voluntatis erklärt sich daraus, dass das Deutsche keine direkte Entsprechung hat, sondern einen dass-Satz + Negation verwendet. Dass ein *ne*-Satz trotzdem bei einem deutschen Verb des Willens stehen kann, zeigen die vereinzelten Belege bei anderen Schreibern (nach „vermahnen" und „bitten"), S. 193.

werte Rolle; wir haben hier die *hoc est-*, *id est*-Fälle (S. 187; vgl. oben S. 179 f. u. 202 f.).

Als Attribut steht der dass-Satz doppelt so oft bei einem lateinischen Satz wie der *quod*-Satz bei einem deutschen; für den *ut*-Satz findet sich nur ein Beleg. Die attributiven *quod*-Sätze stehen zudem bei VD. häufig bei einem schon im deutschen Hauptsatz lateinisch ausgedrückten Substantiv (vgl. S. 190).

Auf dem Gebiet der *Modalsätze* sind die Sprachen nicht austauschbar; während die dass-Sätze nach *sic* die Art und Weise eines Geschehens angeben, sind meine Belege mit so–*ut* konsekutiv (S. 188 unter γ 1 bzw. 192 unter γ2). Das Korrelat im lateinischen Hauptsatz wechselt bei den verschiedenen Schreibern. Bei Schlag. findet sich *tam*–dass, *tanti*–dass, in LbTb *ita*–dass.

Bei den *Konsekutivsätzen* ohne Korrelat sind die Sprachen austauschbar; VD. bevorzugt jedoch den *ut*-Satz (13 Belege), während der *quod*-Satz an zweiter Stelle kommt (3 Belege) und der dass-Satz nur eine geringe Rolle spielt (ein sicherer und zwei unsicherere Belege). Jedoch findet sich der konsekutive dass-Satz bei lateinischem Hauptsatz in anderen Sammlungen (vgl. S. 189), und mein einziger Beleg für den dass-Satz in den Briefen gehört dieser Gruppe an (S. 188).

Als *Finalsätze* sind dass-Sätze[1] und *ut*-Sätze austauschbar. Der *ut*-Satz ist etwas häufiger (12 *ut*-Sätze gegen 10 dass-Sätze). Mitunter lösen sich dass-Satz und *ut*-Satz gegenseitig ab (S. 189, unter γ 3, Nr. 386). Zu den lateinischen Finalsätzen kommen noch die *ne*-Sätze (7 Belege), so dass die lateinischen Finalsätze zusammen ungefähr doppelt so häufig sind wie die deutschen. Während der finale dass-Satz kein Korrelat im lateinischen Hauptsatz hat, finden sich bei den *ut*-Sätzen die korrelativen Paare: darum–*ut*, *ut*–so.

Kausalsätze sind selten (4 dass-Sätze, 2 *quod*-Sätze, S. 189 bzw. 190 f.). Möglicherweise hat hier das lateinische „*quod explicativum*" auf das deutsche dass abgefärbt.

Zu den wenn- etc. -Sätzen bzw. *si*- etc. -Sätzen

Dieser Abschnitt umfasst überwiegend Konditional- und Temporalsätze, die einen anderssprachigen Hauptsatz bestimmen.

Auf den ersten Blick springt das Übergewicht der lateinischen Sätze in die Augen: während unter den deutschen Sätzen nur die wenn-

---

[1] Finalsätze mit „damit" finden sich in meinem Material nicht, weder bei VD. noch bei Schlag. Vgl. jedoch Erben 1954, S. 114.

Sätze mit 11 Belegen eine eigentliche Gruppe bilden, sind die lateinischen Sätze durch die *si-*(*nisi-*, *etiamsi-*, *quodsi-*)Sätze (58 Belege!), die *quando-*Sätze (20 Belege) und die *cum-*Sätze (15 Belege) reichlich vertreten. Die *si-*Sätze bilden dabei die umfangreichste Gruppe unter den lateinischen Konjunktionalsätzen; sie wird nur von den deutschen dass-Sätzen übertroffen (oben S. 207).

In der Hauptmasse der Belege geht der Nebensatz voran und wird der Hauptsatz durch ein Korrelat eingeleitet[1]. Folgende korrelative Paare finden sich:

wenn-*tunc*; Ob schon-*tamen*; da-*ibi*; *si*-so, *nisi*-so, *etiamsi*-so und *etiamsi-tamen*-so; also-*quasi*; *quando*-so; *cum*-so; *quanquam*-so; *sive-sive*-so[2] *ubicunque*-da, *ubi*-da.

Von der „kontrahierenden und den Ertrag fixierenden" Leistung des „so" ist bereits mehrmals die Rede gewesen. Grammatisch erfüllt es die gleiche Funktion wie das Demonstrativpronomen nach einem Relativsatz (oben S. 204 f.): es besetzt das Vorfeld und gibt damit dem Hauptsatz grammatische Eigenständigkeit.

Wenn der lateinische Konjunktionalsatz nachgestellt ist, findet im deutschen Hauptsatz keine Inversion statt, so dass dieser grammatisch selbständig ist. In diesen Sätzen findet sich überwiegend kein Korrelat (S. 193 ff.)[3].

Wir müssen also feststellen, dass die Sprachen auf diesem Gebiet nicht gleichwertig sind: um einen Sachverhalt durch einen Temporal- oder Modalsatz zu modifizieren, griff man vorwiegend zur lateinischen Sprache.

Zu den wie- etc.- bzw. *sicut*- etc.- Sätzen
(Vergleichssätze)

Wie-(als-) und *sicut-*(*ut-*)Sätze sind austauschbar. Die umfangreichste Gruppe in meinem Material bilden die *sicut-*Sätze mit 21 Belegen; darnach kommen die wie-Sätze mit 5 Belegen. Dabei spielen die *sicut-*Sätze eine besondere Rolle: bei Berufungen auf Bibelstellen geschieht

---

[1] Die Neigung des deutschen Hauptsatzes zur Stütze haben wir oben (S. 205, 208) festgestellt.

[2] Zum „so" vgl. oben S. 194, Anm. 1.

[3] Behaghel erklärt das „so" aus rhythmischen Gründen: „Es sind vor allem die Bedingungssätze, denen *so* als Einleitung des Nachsatzes folgt ... die starke Ausbreitung dieses *so* ist wohl durch rhythmische Bedürfnisse veranlasst, durch die Neigung des Deutschen, einen Satz mit einer Senkung zu beginnen ..." (Bd. 3, S. 260 und 262).

häufig ein Übergang vom Deutschen ins Lateinische mittels eines *sicut*-Satzes, auch wenn das Bibelzitat darnach nicht lateinisch angeführt wird (S. 199 f.). Die grössere „Autorität" des Lateinischen ist hier offensichtlich von Einfluss[1].

Zusammenfassende Bemerkungen zu den eingeleiteten Gliedsätzen

Unser Material weist grosse Unterschiede in der Sprachzugehörigkeit der Gliedsätze auf. Auf der Seite der deutschen Sprache dominiert der dass-Satz über seine lateinischen Entsprechungen. Daneben kann sich nur der attributive deutsche Relativsatz gerade eben gegen die lateinische Konkurrenz halten. Im übrigen sind die lateinischen Nebensätze in absoluter Majorität. Besonders ausgeprägt ist das Übergewicht des Lateinischen auf dem Gebiet der Modalsätze.

Womit lässt sich diese Sprachverteilung erklären? Über den Gliedsatz im Deutschen ist gesagt worden, dass er grösstenteils der Schriftsprache angehört:

Die deutsche Schriftsprache ist aber ... keine ausschliesslich einheimische ... Sprachpflanze ... Besonders hat sie unter dem befruchtenden Einfluss der lateinischen Sprache gestanden. Der Nebensatz, der sich erst in der Schriftsprache völlig entwickelte, kam somit unter den unmittelbaren Einfluss des Lateinischen. Behaghel (und nach ihm Wunderlich) hat zuerst die Aufmerksamkeit darauf gelenkt ... Behaghel zieht auch das 15. und 16. Jahrh. heran, „als man wieder begann, Denkmäler lateinischer Sprache zu übertragen und an den Fügungen der fremden Sprache Gefallen zu finden"[2].

Für unseren Zeitpunkt und die gesprochene Sprache gilt, dass der deutsche dass-Satz offensichtlich auszunehmen ist: er wurzelt fest in der deutschen Sprache. Dass er über die lateinischen Entsprechungen sogar zu dominieren vermag, kann damit zusammenhängen, dass man im Lateinischen zwischen *quod-*, *ut-*, *ne*-Sätzen und dem Akkusativ mit Infinitiv zu wählen hatte. Wir hätten dann hier eine Auswirkung des Bequemlichkeitstriebes.

Vgl. das Ausweichen vor Schwierigkeiten im Gebrauch der Konjunktionen bei auslandsdeutschen Kindern: „So weichen unsere zweisprachigen Kinder

---

[1] Vgl. oben S. 10 f.

[2] Hammarström, S. 199. Vgl. auch Blatt 1957, S. 55: „It may be said in general that complex subordination (temporal and relative clauses apart), characteristic of intellectual style in all European languages, is mainly due to Latin influence ... Even simple subordination may bear the mark of Latin ... er sass an seiner Arbeit, als sein Freund kam ... This kind of expression is rare before the Renaissance."

ungern aufgenommenen Bedeutungsunterscheidungen der Bindewörter aus, indem sie, sich dem Serbischen anpassend, alle Nebensätze mit 'als' einleiten. Das ist aber auch im Serbischen nur in kindertümlicher Ausdrucksweise zulässig, weshalb sie nun, wenn sie dort vor die gleichen Schwierigkeiten treten, insbesondere vor die Notwendigkeit, 'als' und 'wenn' als Bindewörter zu unterscheiden, sich wieder in eine Angleichung ans Deutsche herüberflüchten. Da sich aber die Sprachen weder in ihren Begriffen noch in ihrem Satzbau decken, ist solch ein Versteckspiel vor den Schwierigkeiten für das zweisprachige Kind leicht möglich."[1]

Auch die attributiven Relativsätze sind in der deutschen Sprache „fest"; sie befinden sich jedoch noch in einem Übergangsstadium in der Entwicklung, indem oft statt eines relativen Gliedsatzes ein Hauptsatz steht (S. 182). Das gleiche Schwanken in der Verbstellung findet sich in den entsprechenden lateinischen Sätzen, vgl. S. 183 f., Nr. 483, 365, 443, 284, 438, 34 und die Belege aus den Briefen, ebd. Nr. 2147 u. 4146. Die Befestigung der Gliedsatzfolge im deutschen attributiven Relativsatz kann also durch lateinischen Einfluss kaum gefördert worden sein[2].

Alle übrigen Konjunktionalsätze sind jedoch noch in hohem Ausmass vorwiegend im Lateinischen heimisch.

Vgl. Pick: Die verschiedenen Sprachen stellen an die logische Gliederung der Gedanken verschiedene Ansprüche ... wegen der Differenzen und Mängel der ihnen zur Verfügung stehenden Sprachmittel; „daraus ergibt sich, dass Gedanken, denen die Sprachformen einer Sprache eindeutig zugeordnet werden können, doch in Beziehung auf eine andere fremde Sprache nicht genügend, auf eine dritte Sprache mehr als notwendig determiniert sein werden, dass somit von der potentiellen Determination der Sprachform stets nur in Beziehung auf eine bestimmte Sprache die Rede sein kann, und dass ein in diesem einzig zulässigen Sinn als potentiell determiniert zu bezeichnender Gedanke bereits Momente in sich enthalten wird, die unzweideutig auf diese eine Sprache hinweisen"[3].

---

[1] H. Geissler, Die Zweisprachigkeit des auslanddeutschen Kindes. Diss. Giessen. Stuttgart 1938. S. 81.

[2] Vgl. oben S. 160 ff. Zum Einfluss des Lateinischen auf die Ausbildung des deutschen Relativsatzes vgl. auch Tomanetz, S. 25: „Ich glaube, es muss von Einwirkung auf das Deutsche gewesen sein, wenn die Geistlichen in ihrer zweiten Muttersprache, dem lat., nur ausgebildete Rels. sprachen und fühlten, wo das einleitende pron. längst nichts mehr anderes als rel. war, während es im ahd. noch einen demon. Beigeschmack hatte und so mag dies auf den natürlichen Gang der Ereignisse einen unterstützenden, beschleunigenden Einfluss gehabt haben, dass das dem. immer mehr wie im lat. als rel. gefasst wurde ..." Ob das Pronomen in unseren Hauptsätzen als Relativum oder Demonstrativum aufgefasst wurde, lässt sich heute nicht entscheiden.

[3] A. Pick, Die agrammatischen Sprachstörungen. Berlin 1913. S. 199, unter Hinweis auf Stöhr, Logik in psychol. Darstellung. 1910. S. 110.

2. DIE PARATAXE

Bemerkungen zur Einteilung des Materials

In der Verbindung von Sätzen findet sich eine ganze Reihe von Abstufungen:

1. Syndetische Satzverbindungen: der Nachsatz wird von einer echten Konjunktion eingeleitet[1]. Die Satzverbindung geschieht vorwiegend durch grammatische Mittel. Beispiel: so trollt er sich, *et manet pax cordis* (3669).

1a. Eine Übergangsstufe zur asyndetischen Satzverbindung bilden die durch Konjunktionaladverbien eingeleiteten Sätze; die semantische Verbindung beginnt die grammatische zu überwiegen. Das Verhältnis zwischen grammatischem und semantischem Gehalt[2] ist für jedes Konjunktionaladverb verschieden (vgl. oben S. 153 ff. und die dort angeführte Literatur). Wo das Konjunktionaladverb nicht mehr an der Satzspitze steht, ist die satzverbindende Funktion nur noch semantisch[3]. Beispiele: Du bist ein bub; *alioqui non accidissent tibi haec* (142). *Aliquando tentavit me de sacramentariis*; wolt **also** den ganzen Teuffel auff mich schutten (571).

2. Asyndetische Satzverbindungen, in denen der Anschlußsatz durch ein Adverb oder demonstratives Pronomen eingeleitet wird[4]. Die Stellung an der Satzspitze leistet den formalgrammatischen Akt der Verbindung; die semantische Leistung besteht in einer „Zusammenbündelung" des vorangehenden

---

[1] „Satzbrücken", Brinkmann, D. d. S., S. 492.

[2] Ich spreche von grammatischem bzw. semantischem Gehalt, wie E. Otto von „Begriffsbedeutung, Beziehungsbedeutung" (Sprache und Sprachbetrachtung. Prag 1944². S. 5 f.), Admoni von „grammatischem Bedeutungsgehalt und lexikaler Bedeutung" (1960, S. 126, passim), Fries von „lexical content" und „structural meaning" (S. 252); vgl. auch G. Stern, der in „Meaning and Change of Meaning" von „basic and relational meaning" spricht (Göteborgs högskolas årsskrift 38. 1932. S. 75 ff.). „Lexikale Bedeutung" scheint mir irreführend, da nicht das Lexikon, sondern der Kontext die Bedeutung festlegt (vgl. E. Oksaar, Semantische Studien im Sinnbereich der Schnelligkeit. Diss. Stockholm 1958. S. 7 f.). Da ich vorwiegend die Leistung der Wörter im Satz im Auge habe, sind die Termini „Begriffsbedeutung, Beziehungsbedeutung" wenig geeignet; sie bezeichnen statische Grössen, sozusagen Eigenschaften der Wörter *per se*. Zu dem Verhältnis dieser beiden Grössen zu einander vgl. L. Hermodsson: „Die begriffliche Bedeutung hat bestimmte syntaktische Beziehungen zur Folge." (Reflexive und intransitive Verba im älteren Westgermanischen. Diss. Uppsala 1952. S. 18.) Dieses Verhältnis: syntaktische Beziehung durch begriffliche Bedeutung, nenne ich „semantische Funktion". Hier die Begriffe „synsemantisch, autosemantisch" einzuführen, bestand m. E. keine Veranlassung. (Vgl. A. Marty: Untersuchungen zur Grundlegung der allgemeinen Grammatik und Sprachphilosophie. Halle 1908. Kritik, von K. Jaberg, in: Archiv f. d. Studium der neueren Sprachen 123. 1909. S. 420–30, bes. S. 426.)

[3] Vgl. Brinkmann, D. d. S., S. 585 f.

[4] Diese Partikeln bilden eine „Satzschwelle" laut Brinkmann, D. d. S., S. 495 f.: „Ihr erster Platz ist „Anschlußstellung". Vgl. auch Duden § 1049, Fries, S. 249 und Renicke, S. 136 ff.

Satzes (vgl. oben S. 206)[1]. Beispiel: *dedi filium meum pro ipsis*, darauff lasst euch tauffen (365).

3. Asyndetische Satzverbindungen, in denen im Anschlußsatz ein persönliches Pronomen auf den Inhalt des vorigen Satzes hinweist. Das Pronomen braucht nicht an der Satzspitze zu stehen. Seine rückweisende Funktion ist ausschliesslich semantisch. Zu diesen Pronomen gehören auch indefinite. Beispiel: *Non vellem venire ad me Angelum*; ich glaubt im doch nit izt (508).

3a. Eine Untergruppe bilden die zusammengefassten Sätze, in denen im Anschlußsatz das Subjektspronomen aus dem vorangehenden Satz zu ergänzen ist. Das satzverbindende Element ist formalgrammatisch die Spitzenstellung des Prädikates, semantisch das „aus dem vorhergehenden Satz nachwirkende Subjekt"[2]. Beispiel: *Daniel nominat Deum Mahosim*, het gern gar gesagt: Messe (624).

4. Asyndetische Verbindungen, bei denen im Anschlußsatz kein Wort seinen Inhalt aus dem vorangehenden Satz bezieht. Beispiel: *Me mitte*, hie bin ich (483). Zwischen solchen asyndetischen Satzverbindungen und unverbundenen Hauptsätzen besteht lediglich ein Unterschied in der Interpunktion[3]. In der gesprochenen Rede lassen sich diese Sätze kaum voneinander unterscheiden.

Zu dieser Stufenfolge vgl. H. Paul: „Wenn wir nun gesehen haben, dass bei der Hypotaxe eine gewisse Selbständigkeit des einen Gliedes bestehen kann, so zeigt sich auf der anderen Seite, dass eine Parataxe mit voller Selbständigkeit der unter einander verbundenen Sätze gar nicht vorkommt, dass es gar nicht möglich ist Sätze untereinander zu verknüpfen ohne eine gewisse Art von Hypotaxe ... es ist kein anderer Begriff von Parataxe möglich als der, dass nicht einseitig ein Satz den andern, sondern beide sich gegenseitig bestimmen."[4] „Gehört es nun zum Wesen aller Satzverknüpfung, dass auch die selbständig hingestellten Sätze eine Beimischung von Unterordnung erhalten, so ist es ganz natürlich, dass von hier aus eine stufenweise Annäherung an gänzliche Unterordnung möglich ist, indem der selbständige Wert eines Satzes mehr und mehr gegen die Funktion einem andern als Bestimmung zu dienen zurücktritt."[5]

Die Nachsätze werden bei Fries „sequence sentences" genannt, die solche Sätze einleitenden Partikeln „sequence signals"[6]. Funke[7] übersetzt „se-

---

[1] Vgl. Paul, Prinzipien, S. 149: „So wird also gewissermassen durch das Demonstrativum der vorangehende selbständige Satz in ein zusammengesetztes Satzglied verwandelt, indem sich die übrigen Teile des Satzes dem Worte, auf welches das Demonstrativum hinweist, als attributive Bestimmung unterordnen." Dass auch das Prädikatsverb einen Satz zu einem Satzglied „kontrahieren" kann, hatten wir oben (S. 208) festgestellt.

[2] Behaghel, vgl. unten S. 233.

[3] Vgl. Fries, S. 252: „The so-called 'compound' sentence seems to be primarily a matter of the punctuation of written materials."

[4] S. 147 f.

[5] Ebd. S. 149. Vgl. auch W. Wundt, Völkerpsychologie. Bd. 2: Die Sprache. 2. Teil, 2. Aufl., Leipzig 1904. S. 309.

[6] S. 240 ff.

[7] Vgl. oben S. 113 f., Anm. 1.

quence signals" mit „retrospektive Signale"[1]; für „sequence sentence"
begegnet in Erbens Grammatik der Terminus „Anschlußsatz"[2], den ich
übernommen habe. Über die retrospektiven Signale sagt Fries:
  „These items are formal structural matters ... These sequence signals all
look back to a preceding sentence; they are retrospective. The various
practical connections between sequence sentences and those that precede
them are matters of the lexical content of the items that serve as sequence
signals; the structural meaning is the particular direction of the connection."[3]
  Zu den einzelnen Stufen der Satzverbindung vgl. im übrigen die Einlei-
tungen zu den entsprechenden Abschnitten.

A. Syndetische Satzverbindung

1. Kopulative Satzverbindung

a. „Zusammengezogene Sätze"[4] mit „und" bzw. et etc.

1. SPRACHWECHSEL LATEINISCH–DEUTSCH

α. Die beiden Prädikate folgen, durch „und" verbunden, unmittelbar aufeinander:
  ibi confirmabar und dacht: Die kunst kan ich auch (480); Ascendit und
nimpt andere mit (386); et tamen saepe incipit mecum disputare und bringt
mich davon (612); sed quando peccatur und macht noch ein gutt gewissen
draus, hoc est ... ... (388); sus devorat, und wird wider ein wurst (341);
der Nachsatz geht zur Hauptsatzfolge über[5]:
  sicut Vergilius Aeneam describit und furet yhn per omnia maria (475).
β. Im lateinischen Satz folgen weitere Satzglieder auf das Prädikat:
  Sic Sathan est contra ecclesiam und ist sovil erger (518); Illi in Actis erant
homines sine fide und wolten allein die ehr haben per nomen Ihesu (480);
Saepe me abegit ab oratione und hat mir solch gedancken eingossen (508);
Nos concedimus moraliter malum und greyffen yhn an theologice malum (22);
Dolores igitur corporis mitiga laetitia spirituali und laß den Teuffel in das

---

[1] S. 150.

[2] S. 197.

[3] S. 252.

[4] „Wenn das satzfügende und nach einem einzigen Subjekt zwischen zwei
Prädikaten auftritt, sagt der Logiker mit Recht, es seien zwei Urteile da, und Paul
sagt, es liege eigentlich ein Satzgefüge vor: er fiel um und starb". (K. Bühler, Sprachtheorie. Jena 1934. S. 404.) Zum Terminus „zusammengezogener Satz" vgl. Duden
§ 1051. Ich behandle in diesem Abschnitt die Belege mit „und" bzw. et, die ein
gemeinsames Subjekt haben. Entsprechende Fälle mit „nicht-sondern" bzw. non-sed
stelle ich lieber unten zu den Adversativsätzen (S. 220 f.). Der inhaltliche Gegensatz
und die Trennung durch Komma scheint mir mit einer „Zusammenziehung"
schlecht vereinbar. Ich verwende für sie lieber die andere Bezeichnung des Duden:
„Zusammenfassung gleichwertiger Sätze."

[5] „Loslösung" laut Behaghel 3, § 1225 ff.

216

kemerlein nicht (3669); *quia illa est gaudium, spes, fortitudo nostra* und
erhelt das *cor* (3669).

mit Hauptsatzfolge im Nachsatz[1]:

Quando fui sine verbo Dei und hab gedacht an Turken (518); *Item quod Deus dat suum Filium* und sol mich so lieb haben (388); *si vellent ... mutare ... propter certas rationes* und liessen es sonst *liberum* bleyben (356); *sicut enim Plato nugatur: Omnia sunt non ens et omnia sunt ens,* und lests so hangen (644);

im folgenden Gliedsatz stehen die beiden Prädikate so weit wie möglich voneinander entfernt:

ne fiant pusillanimes und sich nichts guts zu euch versehen (442).

Sonderfall: der Sprachwechsel geschieht erst nach der Konjunktion:

Sed quando fateris peccatum et lest dennoch nit davon (388).

2. SPRACHWECHSEL DEUTSCH–LATEINISCH[2]

α. Die Prädikate folgen, durch *et* verbunden, unmittelbar aufeinander:

Wen nun ein mensch dazu kompt *et agnoscit Filium Dei esse donum* (3669); David hatt es gesehen *et credidit* (148); *Sed* ein christ lest *disputationes* stehn *et tractat affectus* (494); Da hat yhm unser Herr Gott den vorteyl thun wollen *et providit sic eis* (611); Paulus hat Danielem wol gelesen *et loquitur etiam verbis eius* (625); Der gnedig Gott sey mir armen sunder gnedig *et det mihi gratiam et sepulturam* (61); Christus wolt nit lenger hie auff erden sein *et dabat regnum Patri* (161); Darnach ... halt ich yhme den bapst fur *et dico*[3] (122); *Ergo* lehnet euch dagegen auff *et dicite*[3] (3669); so ist der Teuffel da *et dicit*[3] (495).

Gliedsätze:

da Silvester wider mich schrib *et praefigebat titulum* (491); das ich in funff nachten kein aug zu thett *et decumbebam* bis auff den todt (495); *sed* wenn der *creator* selb kompt *et fit pretium nostrum* (494); das unser sund ein ander tregt *et dicit*[3] (448); Was solt ich den glauben, die yhr gleit nit gehalten haben *et exusserunt libros meos nondum cognita causa* (357).

Vgl. mit diesen Belegen auch oben S. 90, e.

β. Die Prädikate folgen nicht unmittelbar aufeinander.

1. Der deutsche Satz hat ein Nachfeld:

Sed christianus bleybt schnur gleich auff dem Christo *et dicit*[3] (501); bleyben bey dem gesetz *et obliviscuntur Christi* (501); Aber ich predige es izt *et scribo etiam* (522); Du bist unter den buben *et es filius hominis* (141);

---

[1] „Loslösung".

[2] Obwohl die folgenden „Spiegelbilder" den oben behandelten Belegen äusserlich gleichen, haben wir es mit verschiedenen sprachlichen Gebilden zu tun, da ja das lateinische Prädikat das Subjektspronomen mit enthalten kann, wenn kein Subjekt besonders bezeichnet ist. Vgl. unten S. 232, Anm. 1. In diesem Abschnitt habe ich die Belege gesammelt, in denen das lat. Prädikat auf das Subjekt im vorangehenden Satz zurückweist; vgl. den folgenden Abschnitt.

[3] Zum Sprachwechsel bei Anführungssätzen vgl. oben S. 172 ff., 202.

Der Teuffel disputiret heindt mit mir *et accusabat me* (248); so kompt er *et dat tela contra me* (518); so schiss ich dem bapst auf die kron *et calcarem Turcam pedibus* (218); Er wirdt kommen mit eim plitz *et rapiet omnes in occursum sibi* (586); Warumb konnen sie es so bald *et praesumunt de scientia* (247); Judas ist so notig ... als sonst drey apostel *et solvit infinita argumenta* (605); ich halts gewiss fur unser Herr Gotts wort *et repuli iam in corde meo omnes alias fides in mundo* (130).

Gliedsätze:

das ich bin aller heyden Gott *et dedi Filium meum pro ipsis* (365).

Sonderfall: Die Schaltung geschieht erst nach „und":

das bett ich und *admisceo nonnunquam aliquid ex psalmo* (421).

Vgl. Briefe Bd. 8, Nr. 3139: Behut Euch alle Gott und *conterat sub pedibus nostris Satanam*[1] ...

2. Im lateinischen Satz folgt das Prädikat nicht auf die Konjunktion:

Sie haben sich an das wort gehangen *et per illud Spiritum Sanctum acceperunt* (402); *Dux Albertus* ... ist allweg ein schrit nach herzog Ernst ... gangen *et semper genu flexit* (492).

Gliedsätze: was gemacht ist *et non fluit* (427); der der welt entlaufft *et iterum mergit mundum* (652).

Sonderfälle. Im Nachfeld wird ein Infinitiv von einem anderssprachigen Modalverb im Hauptsatz regiert[2]: yhr must verzweiyveln *et Deo dare gloriam et dicere* (502); das er ... den fursten von Beyern kondt auffpieten *et sic superiorem fore* (588);

parallel zu einem dass-Satz: *Et dominus vult,* das sie bey einander bleiben *et se mutuo consolentur* (202).

Vgl. Briefe Bd. 10, Nr. 4004: Wer ein Christ sein will, der muß ... Gott auch etwas lassen zu richten befohlen sein *et locum dare non solum gratiae, sed etiam irae.*

γ. Andere Konjunktionen.

Nec: quia er ist Christus feind *nec curat poenam suam* (518).

Vgl. Bi 3, S. 501 (unten): Wenn er ein ding ein mal thut, sihet er nicht an *nec deliberat ut homo, qui* ... Ebd. S. 227: das sie sich neeren solten von dem benanten *nec plus rapere,* das er inen gegeben hatte.

Ac: Hoc magnum miraculum mit dem reichstag ist gar vergessen, *ac si nunquam fuisset* (284); Darnach spricht mich der Teuffel auch drumb an *ac saepius me occidisset hoc argumento* (453).

Anm. Ein Vergleich mit Schlag.s Sammlung ergab übereinstimmende Befunde. Auch bei Schlag. wird häufiger vom Deutschen aufs Lateinische umgeschaltet als umgekehrt.

Während bei VD. die Zeitformen der beiden Prädikate übereinstimmen, findet sich bei Schlag. ein Beleg, in dem auf lat. Perfekt ein deutsches Imperfekt folgt: *Proles inspexit rationarium* und fand ... (1623).

---

[1] Zitatbedingte Umschaltung, vgl. Röm. 16,20.

[2] Übergangsform zwischen gereihten Gliedern und zusammengezogenem Satz, vgl. Duden § 1036 und 1052, und oben S. 90, e. Dem Infinitiv haftet keine „Satzintention" an, vgl. Brinkmann, D. d. S., S. 261 f.

b. *Mit kopulativer Konjunktion verbundene ganze Sätze*

1. Sprachwechsel lateinisch–deutsch

α. Und-Sätze.

Hauptsatzverbindend:

Nullum audivi argumentum ab hominibus, quod me movisset, und meine nacht krieg sind mir vil seurer worden denn die tag krieg (518); *Scripsi ad episcopum Moguntinum psalmum,* und es steht in: *Dixit Dominus* (306); *Idem accidet de papistis nostris, qui se piorum sanguine onerarunt,* und (Got gebe) das sie auff pfingsten widder stecken noch stil haben (94).

Nebensatzverbindend: *sicut si darem alicui 10 florenos,* und er wolts nur fur 10 rechenpfennig hallten[1] (325).

Sonderfall 1. Im folgenden Beleg knüpft der und-Satz an einen a. c. i. an: *ideo videmus etiam Christum violare sabbathum,* und lest allein die zwey bleyben[2] (369).

Sonderfall 2. Die Umschaltung geschieht erst nach der Konjunktion: *Econtra Deus separat, quando filia mea sine mea voluntate nubit, et* wenn si mein willen weys, so weys si Gotts willen (414).

„Und doch-Sätze" vgl. unter „adversative Sätze", unten S. 220.

β. So-Sätze[3]:

Finge personam christiani, so wurdt er anderst von sachen reden *quam Erasmus* (523); *Hic vellem urgere opera charitatis etc.;* so fiele man als bald auch uff die hypocrisin (247); *Ergo hoc statuendum est, quod Deus loquitur;* so wird man denn sein wort lernen hoch halten (148); *Ordines in ecclesia fuerunt civiles gradus,* so sind sie zu gefaren und haben *spirituales ordines* draus gemacht (574); *Alioqui sineret inter Turcas et alias gentes ἀναρχιαν esse,* so richteten sie sich selb hinweg (162).

2. Sprachwechsel deutsch–lateinisch

α. Et-Sätze.

Hauptsatzverbindend:

So trollet er sich, *et manet pax cordis* (3669); Der tochter ist unrecht geschehen, *et ipse peccavit* (374); beichtets darnach Doctor Staupiz, *et dicebat mihi*[4] (137); Also bleybt der *catechysmus* herr, *et nemo est, qui eum intelligat* (122); Ich lige offt meiner Kethen an der seyten, *et est tamen mulier digna amari* (476); Gabriel ist mein knecht, Raphael mein furman, *et alii omnes in omnibus necessitatibus meis sunt ministratorii* (81); *Substantiam* muß

---

[1] „Loslösung", vgl. S. 215, Anm. 5.

[2] Das Subjekt im Nachsatz ist dem Akkusativobjekt des Vordersatzes zu entnehmen.

[3] Vgl. Franke Bd. 3, S. 285: „Luther knüpft ... auch mit 'so' ein Ereignis an, das durch den vorausgehenden Satz bedingt ist, während wir hierfür 'dann' verwenden". „So" ist Konjunktionaladverb, vgl. oben S. 153 f.

[4] Das im Prädikat enthaltene Subjekt des Nachsatzes ist dem Objekt des vorangehenden Satzes zu entnehmen.

man sezen, *et abusus non tollit* (574); Torgaw all jar auff das wenigst 44 000 schöffel gersten zu bir, *et est modius maior nostro* (151);

ein Satzgefüge anknüpfend:

Da werden auch kezer gewesen sein, *et nisi Cain ita foede lapsus esset in caedem*, solt er die gantz welt verfuret haben (291). *Puto autem*, das Cains todt auch ein gross geschrey gemacht hab, *et dixerunt: Ecce* ... (291).

Sonderfall: ein lose angeknüpfter *et*-Satz als Attribut:

woll hab ich so ein edle zeit erlebet, sovil *revelationes, et vere sicut Christus dicit de novissimi diei temporibus* (193).

β. Andere Konjunktionen.

Autem[1]: Sonst die hohe theologia kan man nit ausfechten, *Paulus autem tantum hoc disputat, quod ex gratia tantum sit salus* (514).

quoque[2], mit Zusammenfassung von Sätzen:

Die hat Ökolampadius nit konnen ertragen, er hatts mussen sterben, *Zinglius quoque non* (461).

2. *Adversative Satzverbindung*

1. Sprachwechsel lateinisch–deutsch

α. Aber-Sätze:

Quare omnes, qui tentatur, debent Christum proponere exemplum, qui etiam est tentatus, aber es ist yhm seurer worden *quam vobis et mihi* (141); *Bonaventuram ea de re legi*, aber er hett mich schir toll gemacht (644);

mit nachgestelltem „aber"[3]: *Mundus denuo insanit contra Christum*, wir aber wollen mit dem man Christo zu scheittern gehen[4] (47);

mit *sed* anstelle von „aber":

haec scio, sed wol zehen mal in einem tag wurd ich anderst zu sinn (122); *ibi accipiebam Chrysostomum eumque legebam, sed* er liess mich stecken an allen orten (188); *ideo utitur amplis figuris, sed* es ists izund nit werdt, das ... (235); *Verum est, peccavi, sed* wil nit darumb verzweifeln (273); *continent tantum exemplum, sed* leren nichts[5] (347); *Nam quod Moses docet, hoc etiam docet natura, sed* er hatts bas gefasset *quam gentes* (356); *sum vobis adultis*

---

[1] *autem* steht nicht an der Satzspitze, also nicht „als eigenständige Verkörperung eines besonderen Denkschritts koordinierend zwischen dem Vorangegangenen und Folgenden" (vgl. oben S. 158 f.).

[2] Vgl. Anm. 1.

[3] Vgl. Brinkmann, D. d. S., S. 494: „Man wird sagen dürfen, dass *aber* in der Stellung vor oder nach der Personalform den betroffenen Satz enger mit dem vorhergehenden Satz verbindet, während *aber* an der Spitze auf eine übergreifende Erwartung bezogen ist."

[4] Das nachgestellte *aber* unterstreicht hier die Antithese zwischen *mundus* und *wir* (vgl. die Antithesen unten S. 234 f. 240), während ein *aber* an der Spitze durch seine Funktion der Satzverbindung diese eher gemildert hätte.

[5] Zusammenfassung von Sätzen.

Iudeis quoque promissus, sed yhr seydt zu klug worden (365); *Sic offenditur papa, ...*, sed was frag ich darnach (395); *Posset psalmus quoque accipi pro prophetia, sed* ich lass mir kein prophetia sein (424); *Sic in monachatu eram ego volens et currens, sed* ich kam ye lenger ye weyter davon (502); *Ego facile et cito vellem evertere omnes leges, sed* ich hallt innen (349); *et est tamen mulier digna amari, sed* mir geht die weyl der angst schweys aus (476); *Misit Mosen, sed* si musten sagen (505);
ein Satzgefüge einleitend:

habent baptismum ... eundem quem nos, sed wenn es zum treffen kompt, so fallen sie (501); *Creatura Maria non potest satis laudari, sed* wenn der *creator* selb kompt ..., das ist die freud (494); *Fide Christi utcunque puto servatum Hieronymum, sed* den schaden, den er ... thun hat, den vergeb yhm Gott (445); *Errorem ferre nihil est, ..., sed* was aus bosheyt geschicht, das kan man nit leyden (367); *Hoc quidem videmus in facto, ..., sed* solt der Teuffel kommen ..., so weren all iuristen zu schwach dazu (349); *Principio Augustinum vorabam, non legebam, sed* da mir in Paulo die thur auffgieng, ..., da ward es aus mit yhm (347).

β. Sätze mit „und doch", „und dennoch":
Per magnum gaudium fit securitas, per magnum terrorem desperatio, und hats doch unser Herr Gott beydes verbotten bey der hochsten straff (407); *In coniugio sunt ... item cohabitatio et mutua fides*, und dennoch sol es der Teuffel so zureissen (185).
Vgl. Briefe Bd. 7, Nr. 2117:
Tristes abire non debeo sinere, und doch sind es blinde Sachen ...

γ. Deutsche adversative Sätze nach Negation („nicht – sondern").
„Sondern" findet sich bei VD. in meinen Belegen nicht; bei einer Umschaltung steht durchgehend *sed*. Mit Zusammenfassung von Sätzen:
Ideo non iudico, sed befelhe es Gott (365); *Debemus ... non manere in terrore, sed* sollen wider keren *ad gratiam* (407); *Paulus non agit cum Iudeis de praedestinatione, sed* hat allein mit yhn zuthun gehabt, *qui opponebant* (514).
Sonderfall: der Infinitiv im Nachsatz hängt von einem anderssprachigen Modalverb im Vordersatz ab[1]:
hoc non volo habere, sed ee alles hin werffen (502).
Ganze Sätze:
Non sunt sui arbitrii neque iuris, sed unser Herr Gott richtet sie dahin (222).

2. SPRACHWECHSEL DEUTSCH–LATEINISCH

α. *Sed*-Sätze; ohne vorangehende Verneinung:
die sagen nach yhren gedanken, *sed nos dicimus*, was Gott sagt (505); Unser Herr Gott lest *Filium suum* predigen, *sed excipitur sicut sol* (435); mir mussen die ersten [sein], *sed postea cum illis nullus erit finis* (41); so mus ich ein ... bossen reyssen, ee ich mich heraus winde, *sed in oeconomicis cogitationibus ... facile supero* (19); wir bleyben hie kezer und sunder, ..., *sed in spiritu sumus sancti* (14); *quia* man mocht wol aus dem

---

[1] Vgl. oben S. 217, Anm. 2.

ligno et lateribus ettwas anderst machen; *sed ex domabili proprie fit domus* (135); Hab darnach rue gehabt, ..., so gut tag hett ich, *sed post rediit* (141); ist ein grosse sund und heist Gott veracht, *sed non est peccatum in Spiritum Sanctum* (388); und feret so fort, *sed aliter experietur* (388); Glaub und Geyst ist bey sammen, *sed Spiritus non semper est revelatus* (402); Es ist war, er strafft uns auch mit, *sed primae tabulae peccata afferunt simpliciter desperationem* (461); und gleichwol ... fellts bey yhn, *sed nos ... legimus* (594); hat acht tag bestimbt, ist war, *sed tu dic:* (365); So lass es, *sed nomen ... non habebis* (510); Ich schilte mich nit fromm; *sed de verbo, an vere doceant, ibi pugno* (624); Er offenbart sich yhnen wol, *sed non omnes accipiunt* (365); Zusammenfassung von Sätzen: Er hett mich offt gern umbbracht, *sed non potuit* (143);

mit vorangehender Verneinung (nit – *sed*); zusammengefasst:

quia sie thun es nit gern, *sed superantur Diaboli potentia* (222); Sihe, ich dacht nit, das ..., *sed imaginabar ...* (147); Ich wolt nit, das ..., *sed volo dicere sicut Esaias* (316); Mit gutem wollen sie nit, *sed cogentur* (306); Ich hab die wort nicht gemacht, *sed accepi* (3669); ohne Zus.fassung: da ist kein *divisio* mehr, *sed est punctum mathematicum* (312); Niemandt hat uns geheyssen, *sed est simpliciter religio liberi arbitrii* (624); *Magister Vitus* trinkt nit, *sed potator bibit* (135);

Gliedsätze: das wir nit allein sein, *sed multi in mundo passim eadem patiuntur* (141); die eim stock narren nit einfielen, *sed sunt meditata* (466).

Vgl. Briefe Bd. 10, Nr. 4025: Darumb sollen wir nicht gutes sehen noch horen *ab extra, Sed vivimus in regno Christi ab intra ...*

Ein deutsch angefangener Brief Luthers geht sozusagen mitten entzwei bei *sed* und danach lateinisch weiter; Bd. 11, Nr. 4120:

und wo die Ärzte nicht Hülffe wissen, so ist es gewiss nicht eine schlechte Melancholie, *Sed potius est tentatio Diaboli ...*

β. *Et-tamen*-Sätze:

Itzt mussen wir *haeretici* sein, *et tamen non sumus in mundo* (629); Ich mus da bey bleyben, *et tamen saepe incipit mecum disputare* (612); *sed* wol zehen mal an einem tag wurd ich anderst zu sinn, *et tamen resisto Satanae* (122).

nach Negation: Sie haben nit drein gewilliget, *et tamen sic circumcisi sunt populus Dei* (365); *In vita* haben sie die rechten *doctrinam* nit getriben, *et tamen in fine vitae confessi sunt* (118); *Est miraculum,* das in sovil buchern kein vers *de Christo* steht, *et tamen reprehendit idem in Sexto* (445); das er sihet, das er unrecht thut, *et tamen non cessat* (388).

γ. *Tamen*-Sätze:

Ubi igitur est confessio verbi, Got gebe, der bube sey, wie er wolle, *tamen sacramento nihil decedit* (574).

Vgl. Briefe Bd. 7, Nr. 2147: der wird's hinaus führen seliglich ... ob wir wohl arme Sünder sind; *tamen infirmitatem nostram etiam ipse novit, Et Spiritus eius interpellat pro nobis.*[1]

δ. Vereinzelte übrige Belege.

---

[1] Bibelzitat, Röm. 8,26.

tantum[1]:

Am willen feylets yhn zum ersten nit, *tantum occasio deest* (291);
nihilominus
Treugt er mich, so treugt er sich, *sacramentum nihilominus est verum* (325).

3. Kausale Satzverbindung

a. *Rein kausale*

1. SPRACHWECHSEL LATEINISCH–DEUTSCH

Denn-Sätze:

Hic textus aperte loquitur de pueris, denn man kan nit fur uber: (365);
qui tamen habuit revelationem ... *non inferiorem illa Danielis*, denn er fasset
auch alle *quatuor regna* (34); *debent summe cavere, ne sint soli*, denn Gott
hat *societatem ecclesiae* geschafft (122); *Ibi non variant circumstantiae,*
denn in Christo kann man nit feylen (349); *Et haec est causa, quod non
damnamus infantes extinctos ante baptismum*, denn *parentes* haben es yhm
willen (365); *Ibi ipse quoque incipiebat dubitare*, dann er wust nit, das ...
(141); das ist *maius peccatum, quia est irremissibile*, denn Gott hat bschlossen *se velle remittere peccatum* (273); *Nos enim sumus* ... *stultissimi contra
Diabolum*, denn er hat ein grossen forteyl gegen uns, *quia* ... (522);

mit *quia* statt „denn":

ora pro me, quia du bist seer fromm (571); *Ideo non credo, quia* himel und
erden sind so beschaffen (517); *habet etiam potestatem sacramenta admini-
strandi, quia* wir halten das sacrament geringer denn das predigen (512);
Somnia autem ... *non dico valere nec curo, quia* wir haben schon *in scriptura,*
was wir haben sollen (508); *Tristia somnia sunt Satanae, quia* alles, was
zum tod ... dienet, das ist des Teuffels handwerck (508); *Multis modis
autem fui superior, quia* ich hett *scripturam sanctam* ... fur mich (480);
Remissio peccatorum est nostris adversariis impossibilis intellectu, quia si
sind in der *qualitate* verstokt (437); *Fides nostra est infirma et tamen est
potens, quia* es ist ein klein geistlin im hertzen (425); *vanum est, quia* zu den
gedanken werden die *impii* nit kommen (402); *Hoc modo est de praedestinatione disputandum, quia* sie ist schon ausgericht (365); *Sic autem non
poterant, quia* es nham sich der gantz orden mein an (326); *est calumnia,
quia* man kan an Christum nit glauben (273); *faciunt eam speculativam,
quia* sie konnen aus der *cogitatio* nit kommen (153); *Domus* ... *non fit ex
ligno et lateribus per accidens, quia* man mocht wol ... ettwas anderst machen
(135); *et hoc* ... *facio* ... *ex experientia, quia* der nhame Christus hat mir
offt gehollfen (518); *ratio est, quia* sie thun es nit gern (222);

ein Satzgefüge mit vorangehendem Gliedsatz anknüpfend:

Episcopi non audebant attingere unum monachum, quia wenn ein sau schry,
so lieff der gantz kober zusammen[2] (416); *quando hoc fit, certo sequitur
casus et peccatum, quia* wo die schlang den kopff in ein loch bringt, da
kreucht sie gewisslich hinach *cum corpore*[2] (407); *Scio me habere causam
iustam, quia* ist tauff ... unrecht, so bin ich auch unrecht (612); *Necesse*

---

[1] Zu der fliessenden Grenze zwischen Adverb und Konjunktion vgl. Fries S.
250, Anm. 4.   [2] Sprichwort, vgl. TR, Anm.

est fuisse nequissimum Iudam, quia wem der man feind ist, das ist nit on ursach (604);

nach lateinischem Einschub an einen deutschen Hauptsatz anknüpfend:

Judas ist so notig *in numero apostolorum et solvit infinita argumenta, ...*, *quia* man hat sovil *probata* (605); Des Teuffels gedanken konnen nit anderst sein, *quam quod cogitat de nobis delendis, quia* er ist Christus feind (518).

2. Sprachwechsel deutsch–lateinisch

α. *Quia*[1]-Sätze:

Mitt der *substantia* must ir euch trösten, *quia illa est gaudium, spes ...* (3669); *sed* nichts gewinnen, *quia haec victoria debet stare* (3669); Man sol im sagen, das er der *tentatio* mussig gehe, *quia non est reus huius peccati* (642); Ich will nichts sein, *quia sum missus, ut ministrem* (641); Da hore nur bezeit auff, *quia ipse habet chirographum contra nos* (612); Es muss *summa probitas* in Abrahamo sein gewest, *quia noluit aliam uxorem ducere* (611); Bibel lest sich nit ausstudiren, *quia non reducitur ad primum praeceptum* (596); Sonst ists nit muglich, das er bleyb, *quia impossibile est attingi punctum mathematicum* (577); *Nos enim sumus ... stultissimi contra Diabolum*, denn er hat ein grossen forteyl gegen uns, *quia sapientia, potentia, sanctitas non est tanta, quanta in illis fuit* (522); *Disputationes* wehren die freud, *quia pariunt dubitationes* (494); die streichen sie aus, *quia ibi suppetunt verba* (467); so hatt es doch *sub papa* erger gestanden, *quia ibi unus tantum populus turbabatur* (461); das radte ich euch, *quia est etiam divinitus prohibita* (461); Das wort *creator* stosst all *merita* zu boden, *quia quid potest creatura creatori dare* (424); Offentlich wil ich nit so judicirn, *quia non habeo exemptionem* (414); Gleich wol sol man nach der tauff trachten, *quia verbum et signum sunt coniuncta* (365); So thut weder der befelh noch das zeichen dazu, *quia Abraham ante circumcisionem fuit iustus* (365); da haben mich meine *tentationes* hin bracht, *quia sine usu non potest disci* (352); Es mus *regnum iniustitiae* sein, *quia non attingit punctum mathematicum* (320); David wird erger Teuffel gehabt haben denn wir, *quia revelationes tantas non potuit habere sine magnis tentationibus* (199); Sie solten yhr halb leben drumb geben, das die *consequentia* recht wer, *quia sic nemo damnaretur* (184); Gott vertrawt sich im selb, *quia dicit:* (149); da wil ich nit *remissionem peccatorum* haben, *quia doctrina non est mea doctrina* (316); O, da wolt ich 1000 gulden drumb geben ..., das yhn Christus vom himel schlagen wurd, *quia non peribit humana virtute* (245); Trotz Petro, Paulo, Mosi *et omnibus sanctis*, das sie ein *verbum Dei* grundtlich durch aus verstehn, daran sie nit zu lernen hetten, *quia: Sapientiae eius non est numerus*[2] (81); die ich bekennen und sagen mus, das es *dona Dei* sein, *quia non sunt mea* (141); *Alii quoque dicunt:* Gott ist mir gnedig, *quia spero*, ich will mich bessern (501); ich wiss kein anfechtung ..., *quia videbam:* Brot und Gott sein, (515); *Christianus* fraget nit nach ungluck, *quia scit*, das Christus ... (518); und gleichwol, *quia papa, episcopi, Turca non legunt biblia*, fellts bey yhn (594).

---

[1] Zu den *quia*-Sätzen vgl. unten S. 232, Anm. 1.

[2] Bibelzitat.

Vgl. Briefe, Bd. 10, Nr. 4004:

Denn ohn unsere Gerechtigkeit können wir selig werden, aber ohne Friede können wir nicht Christen sein, *quia Christus est pax.*

Ebd. Bd. 2, Nr. 478; die in einen deutschen Brief eingesprengten lateinischen Bibelzitate werden mit *quia* eingeführt (vgl. die *(sic)ut*-Sätze, oben S. 199 f.):

... unnd unterscheytt wissen tzwisschen rechter und falscher lere, *Quia: Quicunque crediderit, salvus erit.* (Mark. 16,16.) ... das volck ... warnen, *Quia Oportet deo magis obedire quam hominibus* (Apg. 5,39).

Quia-Sätze in den Bibelnotizen:

Bi 3, S. 301 (unten): die kan ich nicht umb reden *quia sunt impersuabiles.* Ebd. S. 420 (unten): Das hat man allein draus observirt und mysticirt, *quia domus ubique tecta auro.* Ebd. S. 327: ists recht, so halt fest, das es recht bleibe, *quia impedimenta artes doli.* Bi 1, S. 465 (unten; Notiz zu Ps. 16,14): ich will yhre geblütte nicht annemen zum opffer, *quia specula quaero offertoriorum.* Bi 2, S. 72: als ein untuchtiger rise, *quia non habes virtutes.* Bi 3, S. 501 (unten): Hiob hat gewonnen, *quia innocens de facto.*

β. Übrige lateinische kausale Sätze:

Nam-Sätze:

Hac ratione saepe obscurissimos locos intellexi, das es *vel lex vel evangelion* uns in die hend getriben hat, *nam Deus divisit suam doctrinam in legem et evangelion* (312).

Enim[1]:

Si non fecissem, so must ich dennoch *per remissionem peccatorum* selig werden, *sum enim baptisatus* (590); Wo *in Genesi* von einem altar stehet, ists ein gross ding, *significat enim totum cultum* (290); Das wasser steht, aber es mus fallen, *non enim potest diu durare* (207); die drey hat unser Herr Gott vor dem jungsten tag wider zu recht wollen bringen, *neque enim magistratus unquam ita laudatus est* (433);

an einen lat. Hauptsatz + dass-Satz anknüpfend:

Ego non vellem totum mundum accipere, das der Fucher ... solt unser Herr Gott sein, *Satan enim omnes nos in uno momento extingueret* (216).

b. *Konditionale*

1. Umschaltung lateinisch–deutsch

Sonst-Sätze[2]:

Insignes promissiones scripturae argumento sunt maximas esse calamitates, quas piis Satan et mundus infligit; sonst nahme sich der hochste Gott unser nit so hefftig an (169); Ich halt nit, das wir gleich gross *statura* sein werden, *non erunt connubia,* sonst wolt yderman weyb oder man sein (305).

---

[1] Vgl. oben S. 158 f.

[2] Der deutsche Satz gibt den möglichen Grund der lateinischen Aussage an; vgl. Duden, § 599 δ. ,,Sonst" nimmt den Platz vor dem Verb ein und gehört folglich zu den Konjunktionaladverbien. — Man könnte in diesen Sätzen ein ,,denn" vor das ,,sonst" setzen, ohne den Sinn zu ändern. — Belege für disjunktive sonst-Sätze s. u. S. 225.

2. Umschaltung deutsch–lateinisch

Alioqui-Sätze[1]:

Unser Herr Gott hat recht thun, das er vill ding nit hat lassen schreyben, *alioqui contempsissemus illa, quae nunc habemus* (319); Du bist ein bub; *alioqui non accidissent tibi haec* (142).

c. Konsekutive

1. Umschaltung lateinisch–deutsch

So-Sätze:

Zinglius fuit quidem ens, sed nec verum nec bonum, so ists auch als hinweg (322).

Nach lateinischen Gliedsätzen an einen deutschen Hauptsatz anknüpfend: Ihr musts doch sonst thun, *ut detis, si misero Turcam aut aliud infortunium;* so thuts eben so mehr, wenn ichs euch heyß (514).

Sonderfall, mit *ergo* vor deutschem konsekutivem Satz: *Nisi enim haec exempla fierent, non timeremus Deum; ergo* mus er uns so lernen (222).

2. Umschaltung deutsch–lateinisch

Ergo: Du bist unter den buben, ..., solst der ausbund sein, *ergo es particeps omnium peccatorum totius mundi* (141); so haben sie ein Gotts dienst, *ergo sciunt esse Deum* (451); Wir aber haben es izt, *ergo non debemus dubitare de salute nostra* (365); *tamen* so mussest du dich auff die gnad beruffen ... oder verlorn sein, *ergo ne despera* (459).

Ideo: Das kan niemand solvirn denn Christus, *ideo dicit:* (514); Ich gehe all tag auff der grub, *ideo volo eum confiteri* (446).

Vgl. Briefe Bd. 8, Nr. 3185:

Sie ist ein Kind und bleibt (sorge ich) ein Kind, *ideo nihil est, quod* ...

Igitur (im Satzinneren):

Villeicht wurd es Gott wol gefallen; *quare tu igitur oppugnas* (430).

4. Disjunktive Satzverbindung

1. Umschaltung lateinisch–deutsch

Oder: *Necesse est ei aliquando in mentem venire, fuerintne aeterna*, oder sie mussen die augen ins kot hinein stecken *sicut sues* (447).

Sonst[2]: *obicit ei nocentes, ne elabantur;* sonst wer es unmuglich, *nisi esset divina sententia* (219); *Haeretici excitant nos ad scrutandas scripturas*, sonst dechte nimand dem wort nach (626).

2. Umschaltung deutsch–lateinisch

Aut: Das mus sein, *aut fides nostra nihil est* (358).

Alioqui[3]: Es ist noch nit zeit, *alioqui iam dicerem* (515).

---

[1] Disjunktive *alioqui*-Sätze s. u.

[2] Weitere Belege für sonst-Sätze s. oben unter „konditionale Sätze".

[3] Weitere Belege für *alioqui*-Sätze oben unter „konditionale Sätze".

5. *Modale Satzverbindung*

1. Umschaltung lateinisch–deutsch

Mit *sic* statt „so"[1] an der Stelle einer echten Konjunktion: *Sic salus ex Iudeis, sic* aus dem spruch *de semine Abrahae* haben sie es alles (386).

2. Umschaltung deutsch–lateinisch

Sic: Mutter lieb ist vil sterker denn der trek und der grind am kind; *sic Dei dilectio erga nos fortior est quam nostrae sordes* (437); sonst esset, ... kleydet euch, wie yhrs habt, *sic Deus non curat, quomodo vestiamus aut edamus* (59); *sus devorat*, und wird wider ein wurst, *sic sine fine*[2] (341); *non hoc vult*, das ein *magistratus* das gut gar soll nhemen, sonder allein beschweren, *sic nec filias debent rapere* (350); Der Teuffel sizt und faucht; *sic etiam Angeli*[2] (489).

Vgl. Bi 3, S. 263 (Zu 2. Mose 32,1):

Er ist geflohen, *sic curo moras Dei interpraetari*[3].

Ita: Ergo so hallt den bauch ... voll, *ita iuvabitur etiam somnus* (141).

6. *Lokale und temporale Satzverbindung*

Ich zitiere den Duden: „Ausgesprochen lokale Konjunktionen gibt es nicht. Wenn gelegentlich einmal ein Lokaladverb (da, hier u. a.) nebenordnend im konjunktionalen Sinne gebraucht wird, dann ist der adverbiale Gehalt doch noch so stark, dass man sich nicht entschliessen kann, es als Konjunktion anzusprechen."[4] Das gleiche gilt für die temporalen, gelegentlich im konjunktionalen Sinne gebrauchten Adverbien[5].

In meinem Material findet sich jedoch ein deutscher Satz, der von dem lateinischen Adverb *ibi* eingeleitet wird. Dieses nimmt hier nicht den Platz vor dem Verb ein, sondern steht als „selbständiger Denkschritt" an dem Platz, der im Deutschen einer echten Konjunktion gebührt:

Ecclesia est supra terram in coelo, da ist kein *divisio* mehr, *sed est punctum mathematicum, ibi* die *principia* konnen nit feylen (312).

Dieses Beispiel steht, wie die durch Konjunktionaladverbien eingeleiteten Sätze, zwischen den syndetischen und den asyndetischen Satzverbindungen.

Anm. zu A 1–6. Ein Vergleich dieses Abschnitts mit Schlag.s Sammlung ergab bis auf wenige Einzelheiten übereinstimmende Resultate.

VD.s Gebrauch von *quia* statt „denn" vor deutschem Satz (oben S. 222) hat bei Schlag. keine Entsprechung. Dagegen findet sich bei Schlag., im Gegensatz zu VD., das Spiegelbild mit „denn" vor lateinischem Satz:

---

[1] Vgl. oben S. 153f., 159 f. u. S. 213, unter 1 a.

[2] Verkürzter Satz.

[3] Konfirmative Periodenverbindung, in der das Vorangehende in *sic* zusammengefasst wird: „Ja, so ist es"; vgl. K. F. v. Nägelsbach, Lateinische Stilistik. Nürnberg 1905. S. 786 f.

[4] § 596.

[5] Ebd. § 597.

Sie stellet sich ytzund wie vor 2000 jaren, denn *verbum Dei ad similia tempora cadit* (1401). Anstelle von „aber" steht *sed* einmal vor einem deutschen Satz (Nr. 1387; vgl. oben S. 219 f.); für „sondern" kommt *sed* bei Schlag. überhaupt nicht vor (vgl. oben S. 220). Bei Schlag. finden sich zwei Umschaltungen bei einem deutschen sondern-Satz (Nr. 1361, 1753). *Nam*-Sätze, die bei VD. nur einen Vertreter haben, finden sich viermal nach deutschem Satz: Nr. 1288, 1361, 1379, 1405.

Im übrigen dominiert auch bei Schlag. die Schaltung deutsch-lateinisch über die umgekehrte: und: *et* = 6:17; denn: *quia* = 12:28.

B. Asyndetische Satzverbindung

1. *Das retrospektive Signal ist ein Adverb*

a. *Umschaltung lateinisch-deutsch*

α. Da-Sätze[1]; mit vorwiegend lokaler Bedeutung:
hic regnabit Dominus Iesus, in quo sum baptizatus, da bleib ich (3669); *Ascensus enim est ... et regnat in vita,* da laufft man yhm nach (386); *quia in mathematica non est varietas;* da bleybt eins eins und zwey zwey (349); *Ecclesia est supra terram in coelo,* da ist kein *divisio* mehr (312); mit vorwiegend temporaler Bedeutung: *Saeculum Christi et apostolorum est virilis [aetas];* da geht *senatus* und *bellum* an (435); *Post Mosen misit Christum;* da ists auch ein gewisse lahr und gewisse person (505). Vgl. Briefe Bd. 10, Nr. 3784: *Imo videant ipsi, ... quomodo sint responsuri ad literas suas* Wolfenbüttel *inventas,* da wird sichs machen. Mit allgemein hinweisender Bedeutung:
Mea doctrina est vera, da wil ich nit *remissionem peccatorum* haben (316); *illae sunt cogitationes melancholicae et tristes,* da man seuffzet und klagt (491); *Deinde est ecclesiastica ira,* da gillt es die seel und den himel (255); *Deinde debemus scire et cogitare, quod vere sunt peccata in nobis;* da muss man unsern Herrn Gott nit vexirn *cum parvis peccatis* (461); Das argument konnen sie nit leyden, *taceo de altero,* da ists eben mit eim Juden disputirn alls mit einem strohalm auff ein ambos schlagen[2] (369);
da = darum: *Sum baptisatus et habeo verbum,* da sol ich kein zweyvel haben *de salute* (365).
da = damit, daran: *Ibi natura tantum considerat obiectum oboedientiae,* da thut er yhm zu viel (587).
da + Präposition, häufig klammerbildend[3]:
Mundus vult habere noctuas, id est, superstitiosos, da fliegen die vogel alle

---

[1] Zu dem Gebrauch des „da" bei Luther vgl. Franke 3, S. 351 ff. Luther gebrauchte „da" und seine Zusammensetzungen mit Präpositionen oft in Fällen, wo wir heute ein Relativpronomen setzen würden.

[2] Sprichwort.

[3] Vgl. Erben 1954, S. 142. Anm. 2.

zu[1] (532); *Sathan habet contra nos gladium Goliad, id est, vires*, da gibt yhm unser Herr Gott auch noch darzu *legem suam* (440); *Verbum spargitur*, da haucht der Heilig Geist ein (402); *sic etiam est, quod dicunt regem Galliarum debere subesse iure imperii;* da sagt er neyn zu (349); *Contra hanc tentationem confirmabant me analogiae fidei*, da kondt ich nit fur uber (300); *accipiebam haec duo vocabula: Deus creavit*, da gab mir Thomas wol 100 *quaestiones* drauff (280); *dedi Filium meum pro ipsis*, darauf lasst euch tauffen (365); *Alia contemnit scriptura sancta*, die denkt: ... *sed maxima est Deus;* da geht sie *praecipue* mit umb (467).

Vgl. Bi 1, S. 583: *occulte laetatur*, Da ist nicht viel von zu sagen.

β. So-Sätze: Hab darnach rue gehabt, *ut etiam uxorem ducerem*, so gut tag hett ich (141); Lieber Herr Gott, *iudicavi in hac causa*, es ist unser *regimen* so (320); *Sed non erat verum;* der Teuffel bildets einem so ein (195).

Also: (an zweiter Stelle im Satz): *Aliquando ... tentavit me ... de sacramentariis;* wolt also den ganzen Teuffel auff mich schutten (571).

b. *Umschaltung deutsch-lateinisch*

Temporale Adverbien:

Fridricus dux sammlet ein mit scheffeln und gab aus mit loffeln[2]; *nunc fit contrarium in aula* (653); Kompt yhr auch in die practiken, *tunc videbitis* (228); Gebt uns aber zu vor das *imperium, tunc stabunt leges* (349); die isst man, *dein egeritur* (341); *Patres igitur* haben das empfangen: Ich will ewr Gott sein, *deinde sunt circumcisi* (365).

Vgl. auch die Belege mit Konjunktionaladverbien im vorigen Abschnitt.

In den Bibelnotizen finden sich zu diesem Abschnitt noch folgende Belege:

tantum: Bi 1, S. 524 (Notiz zu Ps. 110,7): Das man trincken mocht vom bach auff dem wege / *tantum sanguis curret in viis ut possit bibi.*

scilicet: Bi 3, S. 360 (Zu Richter 15,7): durfft yhr das thun, *scilicet occidendo uxorem.*

2. *Das retrospektive Signal ist ein Demonstrativpronomen*[3]

Einleitende Bemerkungen. ,,Weil der Satz eine Einheit ist, kann er durch ein Pronomen vertreten werden, das ihn als Ganzes in Erinnerung hält (oder bringt), ohne dass es einer Wiederholung bedürfe.''[4]

---

[1] Bild.

[2] Sprichwort, vgl. Wander 4, Sp. 116, Nr. 9, 10.

[3] Vgl. oben S. 213 f., Anm. 4 bzw. 1. Vgl. auch Fries S. 244, 246. Zur Überführung des Demonstrativpronomens in das Relativpronomen vgl. oben S. 182. S. auch Wundt S. 298 ff. und Renicke S. 137 ff. Über die Entstehung der Relativsätze vgl. Behaghel Bd. 3, S. 765 f.

[4] Brinkmann, Satzprobleme. In: WW 8. 1957/58. S. 129. Vgl. jetzt auch D. d. S., S. 457.

Ein Hinweis auf einen bereits genannten Inhalt geschieht auch mit Hilfe des bestimmten Artikels. Glinz nennt deshalb die Formen „der, des, den" usw. „Hinweiswörter" und ordnet sie den Pronomen zu[1]. Auch bei Fries wird „the so-called 'definite article'" als 'sequence signal' den Pronomen zugeordnet und zusammen mit dem attributiven demonstrativen Pronomen behandelt[2].

a. *Umschaltung lateinisch-deutsch*

α. Das Pronomen schliesst sich an das Nomen an, auf das es hinweist:
sic intelligendum est, quod consuluerit veros praedicatores; die radten yhm er solls nit thun (505); *sunt enim accidentia infinita,* die machen *substantiam* falsch (349); *Quia habetis propitium Deum,* der will euch nit wurgen (522); *ibi tantum est dialectica,* die giebt dem Pamphilo seine *affectus* (467); *Hoc fallit etiam sacramentarios;* die sagen nach yhren gedanken (505); *quod ita exhaustus sit tentationibus cogitationum;* die haben yhn so zurissen (461); *Aderat tum Pomeranus,* dem hielt ichs fur (141); *Singularis* πληροφορια *est in Iohanne;* der redet davon (13); *quidquid est scriptura, vel est lex vel evangelion;* der zwei eins mus triumphirn (626); *in eo posuerunt Romani omnium deorum simulacra excepto Christo;* den kan kein mensch leyden (507); *id est, ad genus generalissimum, ut sunt in theologia lex et evangelion;* der zwey mus es eyns sein (312); *istic est coactum et* δεσποτιχον *imperium;* das ist ein gemacht imperium, jhenes ist gewachsen (386); *sed hoc habent omnes gentes,* das sind grosse und kleine, jung und allt (365); *Veneti ... personam caesaris Maximiliani fecerunt in forma venatoris,* der griff in beutel, der war locherit (5);
mit bestimmtem Artikel:
Sic occidi Muncerum etiam, der todt ligt auff meim hals (446).
β. Das Demonstrativpronomen steht nicht im unmittelbaren Anschluss an sein Nomen:
Sed promissio est coelestis; die schenkt es gar (499); *sicut leges Persarum ceciderunt;* die sind eben sowol constituirt gewesen als *Romanae* (349); *Hoc natura sine Spiritu Sancto non potest;* die kan nit weyter denn *opera* (437); *Reliqua peccata secundae tabulae afferunt contritionem secum et spem poenitentiae;* die haben noch *obiectum misericordiae* (461); *econtra dux Venetorum ibat,* der greiff in beutel (5).
Im folgenden Beispiel ist es ungewiss, ob man es nicht schon mit einem Relativpronomen zu tun hat (vgl. oben S. 182): *sed theologia attingit [punctum mathematicum],* die sagt: *Una est iustitia* (320).
γ. Das Pronomen bezieht sich auf den im Prädikat mit seinen Ergänzungen dargelegten Inhalt des Vordersatzes:
Illi si quando post se offerunt, cum conditio aliqua vacat, das heist sich nit eindringen (483); *et non dubitare etiam, cum desint bona opera, sicut semper*

---

[1] 1961 (IF.), S. 265 ff., 292. Vgl. auch Brinkmann, D. d. S., S. 63 f. und H. M. Heinrichs, Studien zum bestimmten Artikel in den germanischen Sprachen. Giessen 1954. S. 28 ff.
[2] S. 246.

omnibus desunt, das ist so gross (437); *Econtra remittit omnia peccata gratis,* ..., *modo credant;* das ist auch zuvil (587); *Iam Erasmus studio et malitiose loquitur amphibola,* das will ich yhm noch auffrucken (446).

δ. Mit nur loser Anknüpfung an den vorangehenden Satz:
Saeculum patriarcharum est puerilis aetas in ecclesia; das sind junge gesellen, die bulen und singen (435); *Spiritus autem in gentilibus possumus etiam dicere, id est, motus,* das thut Gott auch (473).

ε. Mit vorangehender Präposition: *sed Christus est episcopus animarum;* an dem will ich hangen (501); *Metaphysica sunt de esse, physica sunt de fieri;* in den zweien steht des Aristoteles kunst alle (135).

b. *Umschaltung deutsch-lateinisch*

α. Das Pronomen steht im Anschluss an sein Hauptwort:
Unser Herr Gott ist unser Herr, *ille vocat nos* (526).

β. Das Pronomen schliesst sich nicht unmittelbar an sein Hauptwort an;
auf einen lateinischen nominativus pendens zurückgreifend: *sed voluntatis cogitationes,* die thun es, das ein ein ding verdreusst oder gefellt yhm; *illae sunt cogitationes melancholicae et tristes,* da man seuffzet und klagt (491).

γ. Das Pronomen bezieht sich auf den im Prädikat mit seinen Ergänzungen dargelegten Inhalt des Vordersatzes:
Quando autem sentis, es sey unrecht, und machst bos gewissen draus, *hoc non est peccatum in Spiritum Sanctum; sed quando peccatur* und macht noch ein gutt gewissen draus, *hoc est peccatum in Spiritum Sanctum* (388); *sed* yhr suchets und wolletts haben mit gerechtikeit; *hoc non volo habere, sed* ee alles hin werffen (502).

δ. Mit vorangehender Präposition: *Hic est crucifixus ille pro peccatoribus;* kennest du den auch? *In huius iustitia vivo* (141).

ε. Mit vorangehender Konjunktion: das man den gedancken nit einreume mit dem nachdencken; *quando hoc fit, certo sequitur casus et peccatum* (407).
Sonderfall; lateinische relativische Anknüpfung: Das mag aber wol seyn, das eyner zur tauff eylet und steht auff der *promissio, is si moritur,* so ist er selig (365).

3. *Das retrospektive Signal ist ein persönliches Pronomen*

Einleitende Bemerkungen zur Einteilung des Materials. Als satzverbindendes Element (bzw. ,,retrospektives Signal", ,,sequence signal") kommt von den persönlichen Pronomen nur das der dritten Person in Frage, da die Pronomen der ersten und zweiten Person nur in der direkten Rede existieren und ihren Inhalt aus der Sprechsituation beziehen. Das Pronomen der dritten Person dagegen hat seinen Platz im Erzähltext und ist in seiner Existenz durch die Kontinuität der Rede bedingt; es bezieht sich immer auf einen vorher sprachlich festgelegten Gehalt. Wo Fries Beispiele der persönlichen Pronomen als „sequence signals" gibt[1], sind es nur solche der 3. Person, ohne dass dies besonders hervorgehoben wird. Doch kommt später ein Spezialfall vor, in dem ein possessives Pronomen der 1. Person als „sequence signal" funktioniert: es handelt sich um ein Telephongespräch, in dem also der Sprecher nicht sofort durch die Situation identifiziert ist. Um diesem Mangel abzuhelfen, muss er sich erst vorstellen: „X: „This is ... Do you have a return on *my* request"[2]. Zu dem Gespräch zwischen räumlich voneinander getrennten Menschen muss man auch den Brief zählen. Die Identität der 1. Person wird hier durch die Angabe des Absenders, die der 2. durch die Adresse, bereits auf dem Umschlag festgelegt[3]. In den Tischgesprächen sind Sprecher und Angesprochene jedoch räumlich nicht voneinander getrennt, weswegen die Pronomen der beiden ersten Personen als retrospektive Signale nicht in Frage kommen.

a. Schaltung lateinisch-deutsch

α. Das Pronomen steht an der Satzspitze:

quia Satan ... non potest se negare; er muss sich sehen lassen (291); *Bernhardus consumit totum sermonem in laude virginis Mariae* ...; er und Anshelmus haben Mariam so hoch gehabt (494).

Auch das Subjekt des vorangehenden lateinischen Satzes gibt den Inhalt des Pronomens nicht an, sondern bezieht sich auf etwas früher Festgelegtes:

Illi admittunt hoc, quod sunt baptisati; sie nhemen sichs nit (501); *Potest enim dicere, quod vel praecipitem dederit*, er hab yhn selb gestossen (349).

Vgl. Bi 2, S. 62: *ipsa malevolentia ieiunij.* si thun mehr den sie konnen ...

β. Das Pronomen steht nicht an der Satzspitze:

Non vellem venire ad me Angelum; ich glaubt im doch nit izt (508); *Petrus Lombardus satis placet pro theologo;* es thuts yhm keiner nach (192); *Hoc est supra te*, du kanst es nit halten (80); *Dum fui monachus, nescivi quid esset mundus;* hab es aller erst in dreien Jaren gelernt[4] (377).

Vgl. auch unten S. 234, Nr. 60 („draus"), ebd. unter b, Nr. 219 (*ei*) und oben in Nr. 501: „sich*s*", und 349: „yhn".

Vgl. Bi 2, S. 44: *Non curo securus sum Nihil est.* Bins noch nicht uberdrussig.

b. Umschaltung deutsch-lateinisch

Einleitende Bemerkungen. Für ein lateinisches Subjektspronomen der 3. Person an der Satzspitze finden sich naturgemäss keine Belege, da das

---

[1] S. 242–245. Vgl. auch Erbens Grammatik, S. 197.

[2] S. 251. (Dagegen wird das *I* auf S. 252 nicht als retrospektiv gewertet, was mir inkonsequent erscheint.)

[3] Besondere Verhältnisse liegen ferner im Ich-Roman vor; das „Ich" muss sich im allgemeinen erst vorstellen, behält dann aber seine Identität durch das ganze Buch. Vgl. B. Romberg, Studies in the narrative technique of the first-person novel. Diss. Lund. 1962.

[4] Über die Auslassung der 1. Person in Hauptsätzen bei Luther vgl. Franke 3, S. 77; hier kann das Fehlen des Subjekts nicht als satzverbindendes Mittel angesehen werden (vgl. den nächsten Abschnitt).

lateinische Prädikat ein Subjektspronomen mit enthält, wenn kein Subjekt besonders bezeichnet ist; der Inhalt muss dann dem vorangehenden Text entnommen werden. Somit knüpft der auf die Person hinweisende Gehalt der verbalen Endung in der gleichen Weise an Vorhergesagtes an wie das deutsche persönliche Pronomen. Die Parallelität dieser Sätze wird besonders in den folgenden Belegen beleuchtet, wo der lateinische Satz auf einen deutschen mit persönlichem Pronomen folgt:

> *Ex Augustinus apparet*, das er ist allein gewesen; *non habuit socium studiorum* (190); *id est*, da man yhm yhn nham, musst ers geschehen lassen, *de conscientia non concessit* (656).

Die Belege, die mit dem lateinischen Prädikat beginnen, habe ich dem nächsten Abschnitt zugeordnet wegen ihrer äusserlichen Ähnlichkeit mit deutschen Sätzen, die das Personalpronomen auslassen[1].

α. Ein persönliches Pronomen als Objekt funktioniert retrospektiv:

> *id est*, ich bin yhr Christus, *eis sum promissus* (365); unser Herr Gott aber jagt im die visch zu, *obicit ei nocentes*[2] (219).

Vgl. Bi 3, S. 395 (zu 2. Sam. 5, 6):

> Beisse dich mit unsern Gottern *poeta vocat eos cecos et mutos*.

β. Indefinite Pronomen[3]:

das Pronomen steht erst am Satzende: Das argument konnen sie nit leyden, *taceo de altero* (369); das wir die gedancken ausschlagen, wollen nit dran denken, *figimus animum in cogitationes alias* (141);

das Pronomen steht an zweiter Stelle: Graff Georg von Wertheim, der stirbt dahin; *impius alius princeps vivit* als Herzog Georg[4] (44).

Sonderfall: im folgenden (antithetischen) Beleg verkörpert im verkürzten Satz das *non* den Inhalt des vorangehenden Satzes mit negativem Vorzeichen: Bin ich fromm, so hab ich einen gnedigen Gott; *si non, tunc non est Deus* (447).

4. *Der Anschlußsatz beginnt mit dem Prädikat unter Auslassung des Subjektspronomens*

Einleitende Bemerkungen. Brinkmann spricht von einer „Anschlußstellung der Personalform"[5]. Die Satzverbindung geschieht formalgrammatisch dadurch, dass dem Nachsatz das Vorfeld fehlt; semantisch dadurch, dass das Subjekt dem vorangehenden Satz zu entnehmen ist. Es handelt sich in diesen

---

[1] Da man bei der Gliederung eines Mischtextes sich nur nach der Struktur der einen Sprache richten kann, ist es leider unvermeidlich, dass der anderen Sprache der Übersichtlichkeit wegen hier und da Gewalt angetan werden muss.

[2] Vgl. unten unter 4.

[3] Zu der Zwischenstellung der indefiniten Pronomen vgl. oben S. 130, Anm. 1. Fries zählt „free combinations with *else* and *other*" als „connectives between sentences" auf (S. 247).

[4] Antithese, vgl. unten S. 234 f., 240.

[5] D. d. S., S. 476.

Sätzen um keine „Spitzenstellung" des Prädikates, laut Behaghel: „das erste Glied ist das aus dem vorhergehenden Satz nachwirkende Subjekt"[1].

In der geschichtlichen Entwicklung dieser Sätze unterscheidet Behaghel vier Stufen:

„A. Eine älteste, in der beliebige Sätze asyndetisch gebunden werden können; sie reicht in spärlichen Ausläufern bis in die mhd. Zeit hinein. — B. Eine zweite Stufe, in der die Asyndese eingeschränkt wird auf einen bestimmten Fall, der einem besonders engen Zusammenhang der verbundenen Sätze entspricht. Sie herrscht in der ältesten Prosa und tritt in beschränktem Umfang in der mhd. Dichtung auf. — C. Die dritte Stufe stimmt sachlich mit der ersten überein, sie reicht von der Mitte des 15. Jhs. bis etwa 1700. — D. Eine vierte Stufe nimmt archaisierend um die Mitte des 18. Jhs. die dritte wieder auf."[2]

Unser Material gehört also der dritten Stufe an; darüber wird folgendes gesagt:

„Schwer ist die dritte Stufe zu beurteilen, insbesondere deshalb, weil nicht sicher festzustellen ist, ob die Asyndese noch der lebendigen Rede angehört ... Am wahrscheinlichsten ist es, dass die dritte Stufe ... eine Neuschöpfung der Zeit bedeutet, ähnlich der Unterdrückung des Relativpronomens."[3]

Möglicherweise wurde diese „Neuschöpfung" durch die Parallelität mit lateinischen Sätzen (vgl. unten) gestützt. Darauf deutet hin, dass sie gleichzeitig mit dem Humanismus wieder aufblühte (in der „dritten Stufe") und mit dem Rückgang des Lateinischen wieder abklang und verschwand. — Laut Behaghel ist diese Konstruktion bei Luther selten[4]. Er führt lediglich drei Belege an, von denen zwei Übersetzungen von Bibelstellen sind und auf ein Partizip der Vorlage zurückgehen: Luk. 8,53: „sie verlachten ihn, wusten wol ..." =*scientes*, und Apg. 9,26: „sie furchten sich alle fur jm, gleubeten nicht, ..." =*non credentes*.

In Erbens Luthersyntax finde ich über diese Konstruktion nichts; wie bereits Behaghel betont, ist sie nicht mit der „Extremform des Hauptsatzes" mit absoluter Anfangsstellung des Verbs zu verwechseln[5].

a. *Umschaltung lateinisch-deutsch*

α. Mit Auslassung der 3. Person:

Daniel nominat Deum Mahosim, het gern gar gessagt: Messe (624); *Proverbia Salomonis non possunt transferri*, werden uns mehr muhe machen *quam reliqui libri* (477); *Sapientes homines vident ecclesiam contemptam et alios elatos*, richten es nach der *ratio sine verbo Dei* (352); *Sancti quidem intelligunt verbum Dei*, konnen auch davon reden (81); *Desperatio autem est affectus ad nihil utilis*, ist zu keinem ding gut (265); *Papa ex omnibus*,

---

[1] Behaghel IV. S. 36.
[2] Bd. III, S. 497 f.
[3] Ebd. S. 503.
[4] Ebd. S. 501.
[5] Vgl. Erben 1954, S. 13 f.

quae sunt in religione, nundinationem fecit, hat gellt draus geschmidt (60);
*Ab Adam usque ad Abraham habuerunt tantum signum sacrificii, quod ignis
devorabat hostias;* ist ein herrlicher zeichen gewesen, denn wir haben (365);
mea lingua loquitur laudem Dei, et tamen est idem instrumentum in utroque,
ist eine zung *ante fidem et post fidem* (439); *deinde confutat,* lest yhm con-
traria sagen (142); *Ipsi voluerunt per speculationes apprehendere Deum,*
haben das *verbum* lassen ligen (257); *Fuit fur,* hat ettwas redlichs bey
yhm sammlen wollen (604); *Aliquando ... tentavit me ... de sacramentariis;*
wolt also den ganzen Teuffel auff mich schutten[1] (571).

β. Mit Auslassung der 2. Person:

Vos adulti estis Diaboli filii, seydt aus der kindheit gefallen (365).

γ. Mit Auslassung des „wir“:

Wir alten narren haben die hell und das hellisch feur, *disputamus de verbo,*
..., mussen uns dennoch zu lezt ans *verbum* allein halten wie sie (18).

Dagegen ist bei Luther die Auslassung des „ich“ auch in unverbundenen
Sätzen keine Seltenheit und kann deswegen nicht als retrospektives Signal
gewertet werden (vgl. oben S. 231, Anm. 4).

b. *Umschaltung deutsch-lateinisch*[2]

Wo *in Genesi* von einem altar stehet, ists ein gross ding, *significat enim
totum cultum*[3] (290); unser Herr Gott aber jagt im die visch zu, *obicit ei
nocentes, ne elabantur*[4] (219); der lest sich nit binden, *vult simpliciter domi-
nari* (613); sie gehn beseytt ab, *volunt mereri* (501).

Vgl. Bi 3, S. 181: es rauchte vom feur, *erat ignis ardentis*; Bi 1, S. 623 (unten):
Er mus sich leyden, *non superat labore vanitatem.*

5. *Übrige asyndetische Satzverbindungen*

α. Antithesen[5].

In meinen beiden Belegen wird nach einem anderssprachigen Einschub
wieder an die anfängliche Sprache angeknüpft: das hilfft, wenn sie es geben,
sive causa morbi sit calida sive frigida, ein *medicus* dorffts nit geben
(360); *ac quanquam de facto concessit, id est,* da man yhm yhn nham,
musst ers geschehen lassen, *de conscientia non concessit* (656).

Während in den TR Umschaltungen in einer Antithese selten sind, habe
ich mehrere Belege aus den Briefen und Bibelnotizen:

Briefe Bd. 6, Nr. 1772 (geschrieben 1531, der Schreiber war Dietrich):
So laß ich Sie machen, *Ego sum liber.* Ebd. Nr. 1940: Wohlan! wohlan!
sit sanguis super caput ipsorum, wir haben gnug getan. — Briefe Bd. 10,
Nr. 3807: Sie der Teuffel, *nos filii lucis.* — Bi 3, S. 285 (unten): Ich und

---

[1] Vgl. oben S. 228, unter β.

[2] Zu diesen Belegen vgl. oben S. 231 f.

[3] Anknüpfung auch durch *enim,* vgl. oben S. 224.

[4] Anknüpfung auch durch *ei,* vgl. oben S. 231.

[5] Vgl. Behaghel III, S. 494, C.

mein son, durffte Annen Straussin nicht nemen, *frater meus posset.* — Bi 1,
S. 565 (zu Sprüche 2, 2): *non aurem tantum* mustu deyn hertz neygen.

β. In einer Anzahl meiner Belege bringt der nachfolgende deutsche Satz die
Erläuterung des vorangehenden lateinischen Satzes, meist eines Bibelzitates
(vgl. die „*id- est*-Fälle, oben S. 179 f.):

> *Dabo liberos tuos*, ich wil dir leut geben, die es annhemen (130); *Sum Deus
> tuus;* ich wil dich nit fressen, ich wil dein gifft nit sein (461); *Tamen non
> genui omnem multitudinem hanc*, bin ich doch nit vatter dazu (386); *Opera
> eorum sequentur eos;* nit das man yhn ettwas sol nach thun, *sed* das yhr
> *opera* sollen bleyben (499); *Semper est additum: Spiritus irruit in eum;*
> wenn der mut voll ist, so mus der leyb stark werden (289); *Posui animam
> meam in manu mea*, Ich hab mein leben gewagt (375).

In deutschen Briefen Luthers steht häufig ein lateinisches Bibelzitat, gefolgt
von einer deutschen Übersetzung; Beispiel: Bd. 10, Nr. 3956:

> *Hunc audite*, den höret, ... *Venite*, kumpt, kumpt, ... *Ego reficiam vos*,
> Ich will eüch erquicken.

γ. Der Inhalt eines Satzes wird in beiden Sprachen variiert[1].

1. Umschaltung lateinisch-deutsch:

> *sed nos patimur*, mir mussen die ersten [sein] (41); *Magistratus sunt
> custodes quarti praecepti*, die katzen uber die ratten und der hund uber
> die bern und willde schweyn[2] (386).

Vgl. Bi 3, S. 171 (unten): *Et non erat similis illi*, keins hielt sich so Zu im als
ein Mensch.

2. Umschaltung deutsch-lateinisch:

> wollen nit dran denken, *figimus animum in cogitationes alias* (141); nit
> allein ein stuck, als das einer Esaiam kan *etc., non unum tantum locum
> legis vel evangelii.*

δ. Die Aussagen gelten derselben Grösse oder drücken denselben Gedanken
aus[3].

1. Umschaltung lateinisch-deutsch: *Sicut Esaias: Me mitte*, hie bin ich (483).

2. Umschaltung deutsch-lateinisch: und laß den Teuffel in das kemerlein
nicht, *dic: Non debes huc intrare* (3669); Ich halt nit, das wir gleich
gross *statura* sein werden, *non erunt connubia* (305).

ε. Es besteht eine ursächliche Verknüpfung[4]: Wan wir das nicht thun,
werden wir fur dem hamen fischen; *Dominus nos deseret* (3669).

Vgl. auch folgende asyndetische Sätze aus den Bibelnotizen: Bi 3, S. 354 (Zu
Richter 8,21): *occurre in nos*, las her gehen, *Martyres dei facies.*

Anm. Ein Vergleich mit Schlag.s Sammlung ergab folgendes Resultat:
Mit „da" angeknüpfte Sätze, die bei VD. eine umfangreiche Gruppe bilden
(vgl. oben S. 227 f.), treten bei Schlag. zurück; als Adverb mit temporaler
Bedeutung steht bei Schlag. „do" (3 Belege für „da": 1343, 1492, 1768;
5 Belege für „do": 1346 (2 Belege), 1349, 1376, 1347). Klammerbildendes

---

[1] Vgl. Behaghel III. S. 494, D.: „Der zweite Satz bildet die weitere Ausführung
des ersten, enthält einen besonderen Fall des allgemeineren ersten Satzes."

[2] „Zusammenfassung" von Sätzen. Man beachte das Bild!

[3] Vgl. Behaghel III. S. 493.

[4] Ebd. S. 495.

„da" + Präposition (oben S. 228) fehlt völlig; auch Stichproben in LbTb verliefen negativ.

Im übrigen stimmen die Befunde überein. Asyndetische Sätze, die denselben Gedanken ausdrücken (s. oben), sind bei Schlag. verhältnismässig häufiger (7 Belege, gegen die 3 bei VD.: 1351, 1361, 1396, 1490, 1557, 1764, 1858). Besonders aufschlussreich unter diesen Sätzen ist der folgende Beleg, in dem drei antithetische Sätze asyndetisch aneinandergereiht werden (Satzparallelismus[1]). Die lateinische Sprache dringt allmählich ein; im ersten Satz nur als vereinzelte Wörter („im sacrament" in eingedeutschter Form), im zweiten Satz ist nur noch das Gerüst deutsch, der dritte, „krönende und abschliessende Satz"[2] ist rein lateinisch:

Papa gibt im sacrament *operi* zu viel, *sacramentarii* nemen *opus et sacramentum* hinweg, *nos incedimus regia via* (1828).

Unter den asyndetischen Sätzen bei Schlag. finden sich noch 2 dreigliedrige Belege; da sich bei VD. solche nicht finden, führe ich sie hier an; in allen ist der abschliessende Satz lateinisch:

Manna ist Manna, krambat vogel sind krambat vogel, *aqua est aqua* (1396); *Haustus aquae et cerevisiae est remedium sitis*, ein stuckh prott vertreibt den hunger, *Christus est remedium mortis* (1764).

Diese parallelen Sätze sind von Einflüssen der lateinischen Rhetorik nicht frei; die lateinische Sprache im abschliessenden Satz kann sehr wohl aus Gründen des grösseren Nachdrucks gewählt worden sein. Vgl. den oben S. 224 angeführten Beleg aus den Briefen, Bd. 10, Nr. 4004! Ich führe auch noch folgenden Beleg im rhetorischen Briefstil an, Briefe Bd. 10, Nr. 4025:

Ach wir leben ins Teuffels Reich *ab extra*;
Darumb sollen wir nicht gutes sehen noch horen *ab extra*,
Sed vivimus in regno Christi ab intra;
Ubi videmus divitias gloriae et gratiae Dei[3].

Hier werden die inhaltlichen Gegensätze (*extra- intra* in der Epipher) durch den Sprachwechsel noch unterstrichen. Parallel stehen: wir leben ins Teuffels Reich — *vivimus in regno Christi*, nichts gutes sehen noch horen — *videmus divitias gloriae et gratiae Dei* (Chiasmus und Erweiterung durch Zweigliedrigkeit[4]).

3. Sprachwechsel zwischen unverbundenen Sätzen

Einleitende Bemerkungen. Diese Sätze hier sämtlich aufzuführen, erübrigt sich. Wie bereits oben (S. 214) hervorgehoben wurde, besteht

---

[1] Vgl. meine Einleitung zu Hubmaiers Schriften, S. 51 f.

[2] F. Wenzlau, Zwei- und Dreigliedrigkeit in der deutschen Prosa des XIV. und XV. Jahrhunderts. In: Hermaea IV. Halle 1906. S. 112. Anm. 2.

[3] Viergliedrigkeit mit Epipher und Antithese, vgl. die oben angeführte Arbeit von Wenzlau und meine Studien zu Hubmaier S. 7 ff. (masch.)

[4] Vgl. Wenzlau S. 122, Anm. 2.

der Unterschied zwischen asyndetischen Satzverbindungen und unverbundenen Hauptsätzen lediglich in der Interpunktion. (Für diese sind aber in unserem Material die Herausgeber der TR verantwortlich.) Ich bringe hier nur eine Auswahl typischer Beispiele.

1. Das retrospektive Signal ist eine echte Konjunktion

α. Deutsche Anschlußsätze:

Quod blasphemasti, dicit. Und was thett Manaße, der morder? (596); ... *sed non potuit eloqui.* Aber izt, o Gott, woll hab ich so ein edle zeit erlebet (193); *quod vici monachatum, vota, missas et omnes abominationes illas.* Und zwar wie sol es unser Herr Gott anderst machen? (141); mit lateinischer Konjunktion vor deutschem Satz:

Erasmus scripsit contra me in Hyperaspiste. Sed lebt ein Gott im himel, so wird ers ein mal inn werden, was er gethan hat (108); die deutsche Konjunktion steht im Satzinneren:

Sub papa mansit tamen nomen Christi. Ich besorge aber, es wer noch dazu kommen ... (622); *ille exercuit et acuit Augustinum.* Wir werden auch vom *loco iustificationis* kommen (18).

Vgl. Briefe Bd. 10, Nr. 4004: *et locum dare non solum gratiae, sed etiam irae.* Denn ohn unsere Gerechtigkeit können wir selig werden ... Ebd.: *quae Christum pacem nostram conculcat pedibus.* Sondern so sollen sie sagen:

β. lateinische Anschlußsätze[1]:

Yhr solt dem Teufel nit sovil raum geben. *Et debetis audire nos fratres, Deus enim per nos loquitur* (120); da bleybts gleich. *Sed in morali materia variatur substantia accidentia* (349); Es ist ein guter Doctor, ..., und kan die lieblichsten pselmlin daraus machen. *Nam totum psalterium nihil aliud est* ... (369); Wenn es heist *verbum Dei,* so mus es alles zu ruck gehen. *Et tamen non licet principi iudicare sine lege scripta* (349); ich, ... Pommer, sind all zorniger. *Neque scio ex nostris doctoribus, qui sit eius ingenii* (347); die Konjunktion steht im Satzinneren:

Dennoch mus man es nit lassen. *In theologia autem non est excipere* (349); Die har hettens sonst nit than. *Fuit enim Nazareus* (289).

Vgl. Briefe Bd. 10, Nr. 3784: so sie doch die leuthe nicht sind, die mein kleinster finger fürchten könne. *Sed superbia est.* Lasset sie kommen, ... da wird sichs machen. *Sed sine eos ita furere et impingere!* Ebd. Nr. 4004: ... bis es Gott selbst einmal abwinde. *Tentat enim nos Satanas.* Ebd. Nr. 4006: daß Gott meinen Sententz bey vielen Leuten würde stärcker gehen lassen denn unsers *Consistorii. Quia verbum Domini regnat etc.* Weil ihr auch zu meinen gnädigsten Herrn reiset...

---

[1] Diese überwiegen zahlenmässig die deutschen.

2. Das retrospektive Signal ist ein Konjunktionaladverb

α. Deutsche Anschlußsätze.

Deus infatuat mundum, ergo pendeamus simpliciter ex eius verbo. Sonst meyndt man, es sey *gaudium* (476); *Ergo* heists: *Revelari per Spiritum Sanctum in coelo.* Sonst sol es niemand wissen (531); *dicunt: Non putaram.* Darumb mach man die welt, wie man wil (510); *ideo non procedunt eius consilia.* Darumb heyst unser Herr Got auch *creator* (313).

Vgl. Briefe Bd. 10, Nr. 3721:

Maledicat sane et imperet, quantum volet, sed domi suae et suis, non Luthero aut domui et suis. Sunst will ich ihm die Zunge zum halse lassenn hinden heraus reissenn. Ebd.: ... *quod tam opulenter et potenter in nobis regnare voluit.* Sunst wolt Ich auch wissen, was hierinn zu thun were.

Das Konjunktionaladverb steht im Satzinneren:

In summa, non descendit in cor hominis, quod Deus sit Pater. Es kondt sonst ein mensch nit ein augenblick leben (122).

Sic vor deutschem Satz: *sacramentarii nimium aberrant ad dextram, quod omnia derogant sacramentis. Sic* man falle aus dem schiffe vornen oder hinden, so ligt man im wasser[1] (314).

β. Lateinische Anschlußsätze:

da erkenne ich den Heiligen Geist, das er da ist. *Ergo duo sunt:* (402); Als bald die *blasphemiae* kommen, so mus ein ander welt werden. *Sic Rabsaces et Pharao suos perdiderunt blasphemiis* (102); Ich hab auch schir kein grossers *signum ultimi diei* schir denn das. *Denique verbum etiam est in summo contemptu* (462);

mit SONST vor lateinischem Satz:

Da muß er hin. Sonst *si facit in sua iustitia,* so ist er des Teuffels (577).

Vgl. Bi 3, S. 329: Denn solch ... beume ... sind die leute die fur dir ynn die belegrüng ... fliehen als ein ... acker gewest (*Ergo et tibi utilis*). Ebd. S. 200 (Notiz zu 1. Mose 30,30): Das ist, ich hab mussen lauffen und rennen durch dünne und dicke, das du so reich wurdest. Mein Fus hats mussen thun. *Inde pedes Evangelisantium pacem, et cursus verbi seu ministerii.*

3. Das retrospektive Signal ist ein Adverb

α. Deutsche Anschlußsätze:

et tamen non obmittere debet legem. So ists in allen stenden (315); *In Synai descendit, hic ascendit.* Dort stosset er sie in die hell, hie furet er sie in himel (386); *Maledictionem legis solus Christus sustinuit.* Da findt mans alle (573); *Non est possibile excusari medicum nisi per remissionem peccatorum.* Da muß er hin (577).

Das Adverb steht im Satzinneren: *Sunt horribiles voces a tantis principibus!* Sol man so reden mit unserm Herrn Gott? (306); *Sic nec hoc possum*

---

[1] Sprichwort, vgl. Wander 4, Sp. 169, Nr. 96.

opponere, quod sum diligens lector aut praedicator. Das huff eysen ist da nit recht gehenkt[1] (352); *est mirum, non secundum cor, oculum, aurem.* Ee man dahin kompt, so ists muhe (39); *Hoc cum post ... lectum est, suspensus est.* Wer darnach in das regiment kam, ... (487);

am Satzende: *Ante hoc tempus fuit misera carnificina.* Wol haben wir izt so edel leben dagegen (582).

β. Lateinische Anschlußsätze:

er hab yhn selb gestossen, ..., den strik umb den hals gelegt. *Sicut Satan facit et solet* (349); er will niemandt schuldig sein. *Deinde quando credimus, tunc ...* (514); Da kan er die *rhetoricam* so meysterlich, einen spliter auffblasen und ein palken machen. *Econtra scit etiam commoda doctrinae mirifice extenuare* (612); Das bringt alls die verbundtniss, der verheissen same. *Iam non amplius valet circumcisio* (365); Ich ruche ettwas davon. *Ibi canitur etiam: ...* (428).

Vgl. Bi 3, S. 428: das er schlug tod zu beiden seiten, hie und da, wie ein truncken man gehet. *Sic supra, Ut quid claudicatis in duas partes ...*

4. Das retrospektive Signal ist ein Demonstrativpronomen

α. Deutsche Anschlußsätze:

Non furare, ergo nemo furatur. Das sihet man wol (112); *liberum est osculari bibliam vel non osculari.* Das heist auch angebett (344); *Sathan enim sic perit.* Der kan das *verbum* nit leyden (588); *Hoc non possunt facere iurisconsulti.* Die thun wie die ungewissen organisten (320);

nach lateinischem Bibelzitat: *Servite ei in timore et exultate ei cum tremore.* Das reim mir einer zusammen, frolich sein und furchten! (148).

Das Demonstrativpronomen steht im Satzinneren:

quod haec doctrina est vulgata propter fidem electorum. Umb der willen ists geschehen (452).

β. Lateinische Anschlußsätze:

Die andern, die papisten, wird unser Herr Gott auch wol finden. *Ipsi vocaverunt impanatum Deum* (94); So horets alls auff und heisst: Gott, ewr gnediger Herr. *Haec prima mea regula est in transferendo* (312); Das ist unser Herr Gott. *Ipse creavit omnia* (360); Er hat sich freundtlicher gegen Cayphas und Herodes gestellt denn gegen seinen son. *Hoc exemplo debent se erigere afflicti* (372).

Vgl. Bi 3, S. 226: Wir alten Narren essen mit den Kindern, nicht sie mit uns. *Ipsi Domini, nos procuratores.* Bi 3, S. 330: Es thut dir nichts und ist dir nütz. *Hic sensus congruit allegoriae ...*

5. Das retrospektive Signal ist ein persönliches Pronomen

α. Deutsche Anschlußsätze:

Iudas etiam fuit apostolus. Er wurdt sich auch on zweivel vil bas gestellt haben (605); *Satan scit omnes cogitationes impiorum, quia ipse est earum*

---

[1] Bild.

autor. Er gibts ein (588); *Si nihil, saltem Diabolo occasio praecluditur.* Er kan ja nit aus drey zwey machen (333); *Nullum bonum opus suscipitur aut fit in sapientia.* Es mus alls in einem Dorrsel geschehen (406).

Vgl. Briefe Bd. 10, Nr. 4007: ... *magna pernicies vel etiam Vastitas parochiarum et Scholarum.* Sie wollens alles haben, Und das auch dazu, das die fursten haben. *Et econtra venit finis* ... Bi 3, S. 491: *dulcescunt ei rimae torrentis.* Er ligt nü still und lesst die leut mit frieden. Bi 3, S. 508: *cum Deo, quis loquetur aut contendet.* Er schlegt mit donner drein.

Das Pronomen steht im Satzinneren:

Gadarenorum porci pereunt, et merito. Wer hat yhn erlaubt, das sie sollen schwein halten (23); *Nihil est tam pestilens quam speciosus consiliarius.* Wenn man es horet, so hatts hend und fuss (366).

β. Lateinische Anschlußsätze; das Pronomen steht im Satzinneren:

Hoc non possunt facere iurisconsulti. Die thun wie die ungewissen organisten ... *Quare professio et vita eorum est infinita et sic etiam incerta* (320).

mit Auslassung des Subjekts (vgl. oben S. 231 f.):

es sol niemadt mit dem Teuffel kempfen, er bette denn vor Vater unser. *Est magna res* (590); Es will des papsts regiment werden. *Vult esse liber a ministerio et cogere fratrem* (600).

Nicht selten lösen sich solche deutschen und lateinischen Anschlußsätze wechselweise in einem Stück ab: *Erasmus est anguilla.* Niemand kan yhn ergreiffen denn Christus allein. *Est vir duplex.* ... Man ways nit, wo man sein gewarten kan. *Statim deprehendit illam malitiam* (131).

Vgl. Bi 3, S. 362 (unten): ich halte es werde ein *ritum* mit einschliessen. *fuit singulare genus idoli.* Wir heissens alls heilig.

6. *Der deutsche Anschlußsatz beginnt mit dem Prädikat unter Auslassung des Subjektspronomens*

Id videmus in papa, in Muncero, Zinglio etc. et Arianis. Huben es all an (291); *Anno 1415 est occisus.* Hatts nur zwei jar getriben (488); *Oecolampadium occidit haec vox conscientiae: Hoc fecisti!* Hat sich nit konnen herumb werffen (596).

Vgl. Bi 3, S. 322: Ich hab gelauffen und gerant das ichs zu samen brecht. *Non sterti nec ociosus fui* [.] Ist mir saur worden.

7. *Übrige asyndetische Sätze*

α. Antithesen.

1. Anschlußsatz deutsch: *Ego nec somnia nec signa curo.* Ich habs *verbum,* da las ich mir an gnugen (508); *Puerorum infantium etiam fides in vita est optima, quia illi tantum habent verbum.* Wir alten narren haben die hell und das hellisch feur (18); *Ex Erasmo nihil habeo.* Ich hab all mein ding von Doctor Staupiz (173).

2. Anschlußsatz lateinisch: Der Christus wird ein mal gros werden. *Nunc et a principio mundi semper fuit infirmus* (89).

β. Der Anschlußsatz bringt die Übersetzung oder Auslegung des vorangehenden Satzes, meist eines Bibelzitats:

Ad Titum est: Expectantes revelationem magni Dei. Der Christus wird ein mal gros werden (89); *In Ecclesiaste: Est tempus vincendi et tempus succumbendi.* Wenns stundlin kombt, so wirdt der Turck dahin fallen (308).

γ. Der Anschlußsatz bringt ein Beispiel aus der Bibel;

1. deutsch: *Non est addenda negatio Christi.* Wie vil schlug yhr David zu tod umb einer huren willen (596);

2. lateinisch: Unser Herr Gott bleibt unrecht, er thue, wie er wolle. *Damnavit Adam propter inoboedientiam* (587).

δ. Die Aussagen drücken denselben Gedanken aus.

1. Anschlußsatz deutsch: *Estis mihi molesti.* Ich ways bas, was es ist denn yhr (142); *debent se ad eas ferendas assuefacere.* Yhr solts lernen tragen (141); *Est enim valde copiosus.* Ein person redts mit wenig worten (279); *Est autem difficile orare.* Ich weys wol, was mich ein gebet gesteht (358).

2. Anschlußsatz lateinisch: Unser Herr Gott hats befolhen, man sol frolich sein. *Tristitia in mundo fere nascitur ex pecunia* (461).

Vgl. Bi 1, S. 588:

quia sine ignominia vitam transigere rarum est[.] brings da hyn da ichs hab hyn bracht. Bi 2, S. 36: ... *qui talia iumenta simul cum eis vadunt*[.] ein thier furt das ander (= der Nachsatz gibt die Art und Weise an).

ε. Es besteht ein ursächlicher Zusammenhang: *Fit autem, quod sic tentamur, ut erudiamur.* Wenn wir ymmer solten freud haben, so solt uns der Teuffel bescheissen (522); *Ergo concipiamus spem, nos esse sanctos, ... cum revelabitur.* Hatt er den schecher am creutz so angenommen ... (122).

Vgl. Bi 3 S. 269: *opera mea non fuerunt si misericordia non comitetur*[.] Wir sind wol so bose.

ξ. Durch emotionale Faktoren hervorgerufene Umschaltung[1].

Ausrufe, Gefühle des Zornes oder der Zuneigung (Koseformen!) verursachen Übergang in die deutsche Sprache:

Aut dies Domini est pro foribus aut maxima mutatio imminet. Gott gebe uns sein gnad! (207); *Interim legebantur ridiculi libri contra gentiles etc.* O, Christus hat sein hell hie uff erden gehabt (280); *volunt canones resuscitare.* Das sind ye grobe esel! (349); *tunc volo confiteri Ihesum contra Erasmum.* Will das Jhesichen nit so verkauffen[2] (446).

In Luthers Briefen ist der Affekt der häufigste Grund, aus dem Lateinischen ins Deutsche hinüberzuwechseln; die Umschaltung geschieht vorwiegend bei ganzen Sätzen. Anscheinend liess es sich auf Deutsch besser schimpfen. Besonders wenn die Rede auf den Teufel kommt, tritt die deutsche Sprache in Funktion. Aus der Unmenge der Belege hier nur einige Beispiele[3]: Bd. 11, Nr. 4100: im lateinischen Brief stehen plötzlich zwei deutsche Sätze: Hat der Teuffel die Welt ynne? Sind sonst nicht frawen und Jungfern allenthalben ubrig gnug, das er solche unlust stifften mus? *Sed Satan est Satan.* — Bd. 7, Nr. 2132, fängt lateinisch an, dann: ... *saltem ante*

---

[1] Vgl. oben S. 170 f.

[2] Zum Diminutiv vgl. ebd. Anm. 5 u. 6.

[3] Vgl. auch oben S. 192, 194 f.

unum mensem. Es ist ja ein schendlicher diepstall, ... Der ganze Abschnitt geht dann deutsch weiter, während der nächste und abschliessende wieder lateinisch ist. — Bd. 6, Nr. 1802: im lateinischen Brief veranlasst der Affekt einige deutsche Sätze; ein deutsches Sprichwort als Würze schliesst den deutschen Einschlag ab: ... *dabit fortassis Dominus, ut aliquando coram et me et meos liceat excusare.* Denn wie kommen wir armen leut dazu, das wir so unschuldig ... solten beides, einen ungnedigen Gott und einen ungnedigen landesfursten, erlangen? Das wolte Gott nicht! Sie eßen so lange salz bei euch zu Wittenbergk als bei uns, so werdet ir sie wol kennen als wir. Es seind nicht alles gutte köche, die lange meßer tragen. *Multi sunt titulo Christiani et Evangelici praedicatores* ...

η. Bei der Schaltung zwischen ganzen Sätzen lässt sich eine besondere Gruppe unterscheiden, in denen ein Gleichnis, ein Bild oder eine sprichworthafte Wendung auf deutsch einem Gedankengang Nachdruck verleihen soll; die Anwendung geschieht auf lateinisch; der Nachsatz ist oft, aber nicht immer, von einer Konjunktion eingeleitet.

1. Umschaltung deutsch-lateinisch:

Zur sau darff man nit sagen, das si essen sol, *sed* sie thuts ungeheissen. *Iureconsulti igitur proprie non habent ius naturale* (581); *Evangelion* ist zu Wittenberg, wie der regen ins wasser fellt; wo feld und saat ist, da verbrendt es die sonn. *Legem boni et evangelion mali arripiunt* (496); Ein messer schneit bas denn das ander. *Sic bona instrumenta, scilicet linguae, artes, clarius possunt docere* (439); Hie konnen die juristen nur mucken fangen; die grossen hummeln reissen hindurch. *Ergo imperia non stant in legibus et libris* (2); laßt die baumen vor bluhen, ee sie frucht bringen. *Quid ego fui?* (515); Da kan er die *rhetoricam* so meysterlich, einen spliter auffblasen und ein palken machen. *Econtra scit etiam commoda doctrinae mirifice extenuare* (612).

2. Umschaltung lateinisch-deutsch:

Vult triumphare Deus, sed per speciem infirmitatis. Muken sollen den grossen kunig schlagen, und di grossen reisigen zeug jagen, *sic* ein mensch den Teuffel (158); *sic etiam Diabolus nocet per media apta.* Wenn sich der zaun vor ein wenig neigt, so stosst er yhn voll zu bodem (360); *Remissio peccatorum est in omnibus creaturis.* Die beume wachsen nit all gerad (315); *Sathan enim sic perit.* Der kan das *verbum* nit leyden; es ist yhm in den augen wie ein rauch und dicker nebel (588).

Vgl. hierzu Braun: ,,Neben der Bequemlichkeit wird die Sprachmischung noch durch eine Triebkraft gefördert, die ich als ,,Bildhaftigkeitstrieb" bezeichnen möchte. Jede Sprache kann gewisse Gedanken und Vorstellungen bildhafter und einprägsamer ausdrücken, als eine andere; jede hat ihre besonders treffenden, witzigen oder anschaulichen Formulierungen: Sprichwörter, Vergleiche, Flüche, Beschwörungen usw. Bei der Sprachmischung spielt nun gerade diese Art von Ausdrücken eine überaus wichtige Rolle. Der Zauber solcher bildhaften Ausdrücke ist sehr stark und veranlasst immer wieder beim Sprechen und Denken ein Hinüberwechseln aus der einen Sprache in die andere.[1]"

---

[1] S. 125. — Vgl. auch oben S. 235, unter γ 1; S. 238, Nr. 314; S. 238 f., Nr. 352, u. a.

Braun scheint dabei an stereotype Ausdrücke zu denken. In unserem Material werden aber nicht nur Sprichwörter und feste Wendungen auf deutsch angeführt, sondern auch Bilder und Gleichnisse, die dem Augenblick entspringen. Die grössere Anschaulichkeit der Muttersprache gegenüber dem abstrakteren Latein gibt hier den Ausschlag. Der Sprachwechsel geschieht vorwiegend zwischen ganzen Sätzen.

Zum Schluss noch einen Abschnitt aus den Briefen, der deutlich die verschiedenen Rollen der Sprachen illustriert: die deutsche Sprache dient dem ,,Bildhaftigkeitstrieb" und dem Affekt; Bd. 10, Nr. 4011:

Et displicet, me ex Aula tam diu esse dilatum. Es ist doch mit dem hofe nichts, Ihr Regiment ist eitel krebs oder schnecken. Es kan nit fort von steten oder wil ymer zuruck. *Christus optime Ecclesiae consuluit, quod Aulae non commisit Ecclesiarum administrationem.* Der Teuffel hette sonst nichts zu thün, denn eitel Christen seelen zu fressen. *Dicitur hodie princeps venturus huc ...*

4. Fortlaufende Texte

Um die Struktur eines Mischtextes und das Verhältnis der verschiedenen Arten des Sprachwechsels zu illustrieren, zitiere ich hier zwei zusammenhängende Abschnitte, einen Dietrichs und einen aus Lauterbachs und Wellers Sammlung, die am häufigsten von allen Sammlungen zwischen ganzen Sätzen umschaltet[1]. Zu beachten ist dabei, dass Lauterbachs und Wellers Sammlung Abschriften von Abschriften enthält[2]. Bei der Abschrift wurde oft das Sprachgemisch ausgelöscht, so dass der ganze Satz einheitlich wurde[3].

Hic textus aperte loquitur de pueris, denn man kan nit fur uber: *De adultis non loquitur, quia tales iam erant apostoli. De pueris autem dicit: Horum est, id est,* ich bin yhr Christus, *eis sum promissus; sum vobis adultis Iudeis quoque promissus, sed* yhr seydt zu klug worden. *Sic de baptismo puerorum habemus promissionem et mandatum, quod dicit:* Predigt allen heyden, *quasi dicat: Volo omnium esse Deus. Circumcisio tantum fuit Abrahae et Iudeorum, sed hoc habent omnes gentes,* das sind grosse und kleine, jung und allt. *Circumcisionem non salvat, sed hoc,* das sie gehengt ist *in futurum Christum* (365).

Lb + W: *Quae visio cuidam Romae minoritae visa est.* Also treib Gott die sach wunderlich ... das es ... nit kan vertragen werden, *quia papae non convenit ... cedere, econtra nobis non licet ... concedere.* Darumb helffe Gott diser sachen! ... Weil ich lebe, so wil ich ... den bapst wol helffen reuffen, *et nisi illi schwermerii ... incidissent, optime processisset.* Aber da ichs allain ... hiebe, wolten sie auch ... erlauffen, fischten mir fur dem hamen, *et in illo consilio ... promovebant papam* (3593).

Nicht selten wechselt in Dietrichs Texten jeder zweite Satz: *Non vult servum,* der sich nit guts zu yhm versehe, *haec scio, sed* wol zehen mal in einem tag wurd ich anderst zu sinn, *et tamen resisto Satanae* (122); *Item*

---

[1] Vgl. die Tabelle oben S. 48.

[2] TR Bd. 3, S. XVIII.

[3] Vgl. oben S. 28 ff.

in tanta abundantia donorum Dei (die ich bekennen und sagen mus, das es *dona Dei* sein, *quia non sunt mea*) wer ich in abgrund der hell *per superbiam* gefallen, *nisi fuissent tentationes* (141); unser Herr Gott aber jagt im die visch zu, *obicit ei nocentes, ne elabantur;* sonst wer es unmuglich, *nisi esset divina sententia,* die heist so: *Vel poeniteas vel puniaris* (219); ... *et irae divinae tentationem.* Hab darnach rue gehabt, *ut etiam uxorem ducerem,* so gut tag hett ich, *sed post rediit* (141); ... *qui tamen suspensus est,* den ich nie gesehen, nie gewust, nie gekandt hab. *Est mihi tanquam lapis aliquis in medio mari positus,* da ich nichts von ways, *nisi quod dicit in evangelio:* Ich bin ein herr ... (284).

In Parallelsätzen geschieht die Umschaltung gleichartig:

Qui sunt peccatores vere, die wollen es nit sein; *qui autem sancti,* die wollen es auch nit sein (437); *Saeculum patriarcharum est puerilis aetas in ecclesia;* das sind junge gesellen, die bulen und singen. *Saeculum Christi et apostolorum est virilis;* da geht *senatus* und *bellum* an, das man mit den feusten umb sich schlegt (435).

Dass Parallelität von Sätzen die Sprache nicht zusammenhält, hatten wir auch von dem rhetorischen Briefstil festgestellt (oben S. 236).

Dass jeder zweite Satz wechselt, kommt nicht nur in der Satzverbindung, sondern auch zwischen unverbundenen Sätzen vor:

Ex illis Paulus et reliqui quoque exclamant: Cupio dissolvi. Die haben des lebens auch gnug. *Idem nos hodie etiam clamamus.* Unser Herr Gott muss ein gemueter man sein (161). Auch bei Schlag.:

Ego sum victus. Ich bin ein bettris. *Edo, bibo, dormio, sed nihil possum legere, scribere et praedicare.* Ich leb nur der welt zu verdrieß (1404).

Bemerkungen

Zum Sprachwechsel in der Parataxe

Mit „und" bzw. et zusammengezogene Sätze

Der Unterschied zwischen der analytischen deutschen und der synthetischen lateinischen Sprache zeigt sich besonders deutlich im Verbalsystem. Ein mit „und" bzw. *et* zusammengezogener Satz, in dem die eine Hälfte deutsch, die andere lateinisch ist, funktioniert, als sei dieser Unterschied nicht vorhanden: ein deutscher Nachsatz kann an einen lateinischen Vordersatz anknüpfen, auch wenn das gemeinsame Subjekt nicht besonders ausgedrückt, sondern im lateinischen Prädikat enthalten ist (vgl. die Belege oben S. 215 f.); ich mache besonders auf den Sonderfall Nr. 388 aufmerksam, wo nur das lateinische Prädikat darüber Auskunft gibt, ob im Nachsatz die 2. oder 3. Person Singular gemeint ist: *fateris ... et* lest ... Umgekehrt kann ein lateinischer Nachsatz an einen deutschen Satz mit zusammengesetzter Zeitform anknüpfen (hat ... gesehen *et credidit* (148)); die oben (S. 116 f., 122) festgestellte „zusammenhaltende Kraft" des geteilten Prädikates erstreckt sich nicht auf den Nachsatz. Dabei ist zu beachten, dass ein „zusammengezogener Satz" mit lateinischem Nachsatz ein anderes Gebilde ist als sein Spiegelbild, da ein lateinisches Prädikat das Subjekt mit enthält. Ein lateinischer Infinitiv dagegen kann nicht ohne Modalverb bestehen; er lässt sich an einen deutschen Infinitiv anknüpfen und dadurch von einem deutschen Modalverb regieren (vgl. die Sonderfälle auf S. 217).

Zu Tempus und Modus in diesen Sätzen s. unten S. 248 f.

Zusammenfassend ergibt sich: analytische und synthetische Teilsätze können, sich ablösend, dergestalt zusammenarbeiten, dass der Nachsatz semantisch vom Vordersatz abhängt, formalgrammatisch jedoch unabhängig seinen eigenen Gesetzen folgt. Wir hatten das gleiche Verhältnis im Satzgefüge beobachtet (vgl. oben S. 207). Dass der zusammengezogene Satz „eigentlich" ein Satzgefüge sei, stellte schon Paul fest (vgl. oben S. 215, Anm. 4).

Die Sprachen sind also in diesen Sätzen austauschbar; die Gebilde, die dabei entstehen, sind jedoch formalgrammatisch nicht identisch.

Die semantische Abhängigkeit kommt deutlich durch ein Kriterium zum Ausdruck, von dem noch nicht die Rede war und das eigentlich zur Stilistik gehört: *die Anrede*[1]. In der deutschen Sprache redeten sich die Tischgenossen für gewöhnlich mit „Ihr" an, in der lateinischen mit *tu*[2]. Besonders aufschlussreich ist dafür Nr. 3669. Dieses Stück ist zweimal in rein deutscher Form überliefert worden, einmal von Aurifaber, einmal von Weller[3]. Weller hat dabei das lateinische *tu* durchgehends mit „Ihr" übersetzt, während Aurifaber durchgehends „du" übersetzt und nun auch das deutsche „Ihr" zur 2. Person Sing. ändert.

Wo nun in der Urschrift in einem zusammengezogenen Satz ein Sprachwechsel vor sich geht, passt sich der Nachsatz in der Anrede dem Vordersatz an, vgl. z. B. S. 504, Z. 29 f.: *Ergo* lehnet euch dagegen auff *et dicite*: ... (dagegen z. B. S. 505, Z. 1 f.: *Hic ergo erige te et dic*: ...). Umgekehrt heisst es auf S. 507, Z. 28 ff.: *Dolores igitur corporis mitiga laetitia spirituali* und laß den Teuffel in das kemerlein nicht, (*dic*: ... *surge!* Unser

---

[1] Zur Anrede vgl. A. Keller, Die Formen der Anrede im Frühneuhochdeutschen. In: ZfdWf 6. 1904/5. S. 129 — 174; J. Svennung, Anredeformen. Uppsala 1958, und Th. Finkenstädt, You and thou. Berlin 1963. S. 232 ff.

[2] Vgl. z. B. Nr. 141, wo Luther Staupitz' Worte wiedergibt: „*Quid tristis es?* ... Ach, yhr wisset nit, ..."; s. Keller S. 144.

[3] TR Bd. 3, S. 508 f. bzw. D. Hieronymi Welleri von Molsdorff Teutsche Schrifften. Leipzig MDCCII. „Andere eintheilung" S. 262 ff.

Hergott heltt euch wol zu gutt … *Dominus non deseret te, quia es … qui te servet*). Dass sich die Anredeform der einen Sprache in die andere eindrängt, geschieht in diesem Stück nur im Prädikat solcher zusammengezogenen Sätze. Dies beleuchtet die semantische Abhängigkeit der beiden Sätze voneinander: obwohl logisch und formalgrammatisch eigentlich zwei Sätze, werden sie inhaltlich als Einheit verspürt.

Anm. Die Anredeform der 2. Person Sing. drängt sich ins Deutsche jedoch nur im Imperativ ein; direktes „du" habe ich nicht gefunden[1]. Bei Schlag. werden die Anredeformen nicht so streng geschieden, d. h. auch im Lateinischen steht mitunter Pluralform. Vgl. u. a. Nr. 1288, 1289. Auch in Luthers Briefen kann die Anrede plötzlich wechseln. So fängt z. B. Nr. 3837 (Bd. 10) an eine Frau M. per „Ihr" an; im zweiten Teil geht es per „du" weiter und zu Ende. Es handelt sich um einen seelsorgerischen Brief, in dem Luther im zweiten Teil die Frau M. von einer Sünde losspricht; hier wirkt die Praxis im Beichtstuhl ein[2]: „..Nu sprechen wir Prediger Dich los … Dir ist Deine Sünde vergeben" etc.

Zur syndetischen Satzverbindung

Auf dem Gebiet der durch Konjunktionen und Konjunktionaladverbien eingeleiteten Anschlußsätze halten sich die beiden Sprachen im grossen und ganzen die Waage (abgesehen davon, dass ein deutscher Anschlusssatz bei VD. oft von einer lateinischen Konjunktion eingeleitet wird; darüber oben S. 159 f.). Um einen Überblick über die umfassendsten Gruppen meiner Belege zu geben, nenne ich einige Ziffern: auf 3 deutsche Anschlußsätze mit „aber", 19 mit *sed* statt „aber" und 5 mit *sed* statt „sondern", zusammen 27 Belege, kommen 28 lateinische Anschlußsätze mit *sed*; auf 8 deutsche Anschlußsätze mit „denn" und 22 mit *quia* statt „denn", zusammen 30 Belege, kommen genau 30 *quia*-Sätze.

Die lateinischen Konjunktionen vor deutschem Anschlußsatz sind in diesen Belegen sämtlich von dem vorangehenden lateinischen Satz abhängig. Möglicherweise erklärt sich ihre Dominanz daraus, dass man bei

---

[1] Die Anrede macht auch heutzutage im internationalen Verkehr Schwierigkeiten; ein deutsches „Du" ist etwas anderes als das englische *you*, das schwedische *du*. Beispielsweise duzen sich schwedische Studenten, während deutsche sich siezen. Wenn man nun mit einem deutschen Studenten in Schweden erst schwedisch spricht, dann ins Deutsche hinüberwechselt, kann man das schwedische *du* nicht einfach ins deutsche „Du" umsetzen; man würde unter Umständen plumpvertraulich wirken. Andererseits ist das *du* dem „Du" so ähnlich, dass nun ein „Sie" danach eigenartig distanzierend wirkt. Mir ist es deshalb geschehen, dass ich das Deutsche vermieden habe. — Siehe hierzu S. Öhman, Wortinhalt und Weltbild. Diss. Stockholm 1951. S. 120 ff.   [2] Vgl. Keller S. 132.

sed nicht zwischen „aber" und „sondern", bei *quia* nicht zwischen einem Hauptsatz mit „denn" und einem Nebensatz mit „da" zu wählen hatte; daraus würde sich die Tatsache erklären, dass mit „da" eingeleitete kausale Nebensätze in meinem Material völlig fehlen[1]. (Vgl. das Ausweichen vor Bedeutungsunterscheidungen der Konjunktionen bei auslandsdeutschen Kindern, oben S. 211 f.) Für diese Erklärung spricht auch die Tatsache, dass *et* keine ebensolche Rolle vor deutschem Satz spielt. Eine sichere Beurteilung dieser Verhältnisse ist jedoch schwer, da viele lateinische Konjunktionen möglicherweise auf die Abkürzung zurückgeführt werden können (vgl. oben S. 159 f.).

In den Briefen und Bibelnotizen finden sich fast ausschliesslich lateinische Anschlußsätze; der einzige deutsche Anschlußsatz ist ein „und doch-Satz" in den Briefen (oben S. 220). Die *quia*-Sätze nehmen den grössten Raum ein (S. 224). Wir hatten die gleiche Sprachverteilung in der Hypotaxe festgestellt (oben S. 203, 207).

Wir fassen zusammen: in der gesprochenen Rede sind die Sprachen auf diesem Gebiet austauschbar und gleich häufig; in der geschriebenen Rede überwiegt der lateinische eingeleitete Anschlußsatz.

Zur asyndetischen Satzverbindung

Bei diesen Sätzen überwiegt die Umschaltung lateinisch-deutsch zum erstenmal über ihr Gegenteil. Auf dem Gebiet der durch Adverbien eingeleiteten Anschlußsätze ist der Befund nicht ganz eindeutig, da einerseits die Konjunktionaladverbien einen Grenzfall bilden, andererseits der reichhaltige Befund der da-Sätze bei VD. nicht bei Schlag. gestützt wird (doch habe ich einen Beleg aus den Briefen und einen aus den Bibelnotizen). Bei den Sätzen mit Demonstrativpronomen als retrospektive Signale überwiegt eindeutig der deutsche Anschlußsatz (27 deutsche Sätze gegen 7 lateinische). Dabei ist von Einfluss, dass viele deutsche Relativsätze von Demonstrativsätzen nicht zu unterscheiden sind, während das Lateinische den relativischen Anschluss bevorzugt (vgl. oben S. 182 und 203).

Auch bei den Satzverbindungen, in denen der Anschlußsatz mit dem Prädikat unter Auslassung des Subjekts beginnt, herrscht vorwiegend die Schaltung lateinisch-deutsch (14 deutsche Anschlußsätze gegen 4 lateinische). Einzig bei den Antithesen überwiegt der lateinische Anschlußsatz; hier machen sich stilistische Absichten geltend.

---

[1] Es finden sich lediglich einige kausale dass-Sätze, s. oben S. 189.

In den Briefen und Bibelnotizen dominiert wieder der lateinische Anschlußsatz; Demonstrativpronomen als retrospektive Signale sind nicht belegt[1]; mit persönlichem Pronomen finden sich in den Bibelnotizen zwei deutsche Anschlußsätze und ein lateinischer (S. 231 f.); mit Auslasssung des Subjektspronomens habe ich ebd. nur zwei lateinische Anschlusssätze. Wir stellen also wieder einen Unterschied zwischen geschriebener und gesprochener Sprache fest.

Anm. Die Parallelität zwischen subjektslosen deutschen und lateinischen Sätzen wird durch Belege in LbTb illustriert; solche Sätze lösen einander ab, als bestände kein Unterschied zwischen deutschem und lateinischem Prädikat (vgl. die „zusammengezogenen" Sätze, oben S. 244 f.):

Ideo rex ungariae ... *noluit ullum Hispanum in Hungaria contra Turcam scire,* haben sie alle hinweg geschlagen; *sunt enim multo crudeliores Turca* (4049); *Frigide docet, quia non audet prodire;* geht wie ein gespanter hase[2], *timet auditorum iudicium* (4094).

Tempus und Modus in der Hypotaxe und Parataxe

Tempus. Allgemein lässt sich feststellen, dass jede Sprache ihrem eigenen Gebrauch folgt, und dass dies reibungslos geschieht. Es herrscht grosse Übereinstimmung im Gebrauch der Tempora. Besonders gut lässt sich diese im „zusammengezogenen Satz" beobachten (Belege oben S. 215 ff.). Im Nachsatz steht stets das gleiche Tempus wie im Vordersatz; Beispiele:

Präsens: Ascendit und *nimpt* (386); *lest* ... *stehn et tractat* (492);

Präs. Konj.: sey ... gnedig *et det* (61).

Imperfekt: confirmabar und *dacht* (480); *schrib et praefigebat* (491); *zu thett et decumbebam* (495).

Perfekt: gehalten haben *et exusserunt* (357); *Quando fui* ... und hab gedacht (518); *abegit* ... und hat ... eingossen (508).

Futurum: wird kommen ... *et rapiet* (586).

In den Sätzen bei VD., wo Tempusunterschied herrscht, ist dieser vom Kontext bedingt: hat ... gelesen *et loquitur* (625); bin ... *et dedi* (365); halts ... *et repuli* (130).

Dagegen findet sich bei Schlag. ein Beleg, in dem auf lateinisches Perfekt deutsches Imperfekt folgt: *inspexit* und fand (1623).

Die gleiche Übereinstimmung im Tempus herrscht im Satzgefüge und in der Satzverbindung:

Imperfekt: accipiebam ... *legebam, sed* ... liess ... stecken (188); *eram* ... kam (502); dacht nit, ... *sed imaginabar* (147).

---

[1] Vgl. dagegen bei unverbundenen Sätzen, S. 239.   [2] Bild.

Perfekt: fecit, hatt … geschmidt (60); *voluerunt … apprehendere*, haben … lassen liegen (257); *Fuit fur*, hat … sammlen wollen (604); *habuerunt* …, ist gewesen (365); *Posui* …, ich hab … gewagt (375); hat … geholffen, *ubi potuit iuvare* (518).

Doch habe ich auch einen Beleg, wo auf lateinisches Perfekt ein deutsches Imperfekt folgt: *tentavit me* …, wolt … schutten (571).

Bei der grossen Übereinstimmung besonders im Gebrauch des Perfekts und Imperfekts lässt sich die Möglichkeit einer Tempusattraktion nicht ausschliessen, z. B. Nr. 518: *Quando fui* … und hab gedacht[1]. Die Voraussetzung für solche Tempusattraktion ist in der Lernsituation der Schule zu suchen: die Übersetzungen lateinischer Paradigmen ins Deutsche konnten ein Gefühl der Äquivalenz der Tempora hervorgerufen haben[2]. Doch ist mein Material zu spärlich, um bindende Schlussfolgerungen zuzulassen.

Modus. Im Sprachwechsel in der Hypotaxe besteht grosse Übereinstimmung im Gebrauch des Konjunktivs, auch wenn dieser im Dt. formal nicht immer deutlich zum Ausdruck kommt: *si darem* … und er wolts … halten (325); *Hic vellem urgere* … so file man … (247); *sineret* … so richteten … hinweg (162); *nisi lapsus esset* …, solt er … verfuret haben (291).

Nach „glauben" steht im Lateinischen entweder ein a. c. i. oder ein *quod*-Satz mit Konjunktiv: so gleub ich doch *Christum adhuc vivere* (3669); … sol glauben, *quod sit Filius Dei* (284); glauben, *quod sit victurus* (132); ebenso attributiv zum Substantiv „Glauben": in dem glauben, *quod Christus sit* … (3669).

Ebenso nach *puto* im deutschen Gliedsatz: *Puto*, das die predig … gewest sey (291); *Puto autem*, das … geschrey gemacht hab (291); *Puto*, er hab … gethan (604). Es findet sich jedoch auch ein vereinzelter Indikativ: *de lege* … *puto*, das unser Herr Gott hat … erneeren wollen (611). Indikativ ist ferner die Regel, wenn der dass-Satz auf einen a. c. i. folgt: *Ego puto multa scripta esse* …, das es Moses … hat genommen (291)

---

[1] Im Latein des Mittelalters wurden Perfekt und Imperfekt ununterschiedlich gebraucht, s. Strecker, S. 26; zum Gebrauch der Vulgata dagegen s. Nunn, S. 37 ff. Zum Tempusgebrauch in Luthers Schriften (der nicht mit der gesprochenen Sprache übereinzustimmen braucht) s. Erben S. 53 ff. und Franke 3, S. 309 ff. Für das Oberdeutsche liegt die Untersuchung von Kaj B. Lindgren vor, Über den oberdeutschen Präteritumschwund. Helsingfors 1957. L. stellt für die oberdeutschen Mundarten fest, dass das Präteritum um 1500 dem Perfekt gewichen war (S. 110 ff.).

[2] Lateinische Grammatiken mit deutscher Übersetzung gab es seit ungefähr 1450. Vgl. M. H. Jellinek, Geschichte der neuhochdeutschen Grammatik. Bd. I. Heidelberg 1913. S. 34 ff., bes. S. 37.

Ego puto esse et significare ipsum Deum cultum, das sie ... haben nennen wollen (40).

Laut Franke[1] steht bei Luther Konjunktiv „sehr häufig“ in Objektssätzen mit „dass“ (Franke hat u. a. einen Beleg mit Konjunktiv nach „glauben“); in unserem Material sind Indikativ und Konjunktiv ungefähr gleich häufig, vgl. die Belege oben S. 186 f.

Während in Luthers Schriften laut Franke meistens Indikativ nach Verben des Wahrnehmens, Mitteilens, Glaubens steht[2], wechselt in meinem Material der Indikativ mit dem Konjunktiv (vgl. oben S. 179); vgl.: *existimo,* es sey ... (591), und: *existimo,* das alle fahrliche *morbi* sind ... (360); *cogitabam,* wie schwer es gewesen sey (335), und: *cogitat,* das ... ist (484)[3].

In Übereinstimmung mit dem Gebrauch nach deutschen Verben der Aufforderung[4] steht Konjunktiv nach *moneo: moneo,* das ... lasse (257).

Es finden sich also keine festen Regeln für den Gebrauch des Konjunktivs in meinem Material. Den Konjunktiv in den dass-Sätzen nach *puto* führe ich auf den Einfluss des obliquen Konjunktivs in den entsprechenden lateinischen *quod*-Sätzen zurück.

Zum Sprachwechsel zwischen unverbundenen ganzen Sätzen

Für diese Sätze gilt das gleiche wie für die asyndetische Parataxe (vgl. oben S. 236 f.). Reichliche Belege finden sich in den Briefen und auch in den Bibelnotizen. In den Briefen überwiegt der Sprachwechsel beim Punkt über den beim Komma, in den TR ist es umgekehrt. (Ausführlicheres hierzu s. u. S. 259 ff.).

Lehnwendung und Lehnsyntax

„Noch zum Lehngut gehören ... die Nachbildungen fremder idiomatischer Wendungen und syntaktischer Fügungen.“[5] Während F. Boas der Ansicht

---

[1] Bd. 3, S. 318 f.

[2] Ebd. S. 316 f.

[3] Zum Konjunktiv nach „glauben“ finde ich nichts bei Behaghel (Bd. II, S. 219 ff.) oder Erben; Bei Erben 1954, S. 57, finden sich Beispiele für den Konjunktiv in hypothetischen Aussagen; regierende Verben der angeführten Beispiele sind u.a. „besorgen“ und „meinen“. Für das moderne Deutsch gibt es eine Untersuchung von B. Ulvestad, Statistik und Sprachbeschreibung. In: Das Ringen um eine neue deutsche Grammatik. S. 61–73. Auf S. 66 wird für die Moduswahl im Gliedsatz nach „glauben“ für die moderne Sprache ein Verhältnis Konjunktiv : Indikativ = 1 : 114 festgestellt.

[4] Vgl. Erben 1954, S. 60.

[5] Gneuss, S. 37. Vgl. hierzu auch Blatt 1957, S. 33, und derselbe 1934, S. 30 ff.

ist: „Influences of the syntax of one language upon another are easily proved"[1], meint Blatt, dass man es hier mit einem schwierigen Gebiet zu tun hat[2]; dieselbe Ansicht vertritt K. Sørensen: „it is usually impossible actually to *prove* that a syntactical loan has taken place, apart, of course, from cases where a word-by-word translation creates syntactical innovations in the translated version."[3] Einigkeit herrscht unter den Forschern jedoch darüber, dass solcher Einfluss tatsächlich stattfindet[4].

Mein Material zu diesem umfangreichen Problem ist spärlich. Im allgemeinen muss man darüber staunen, wie säuberlich die Sprachen auseinandergehalten werden; man denke z. B. an die Wortstellung (vgl. oben S. 164 f.). Eine Erklärung dafür liegt wohl in der besonderen Art dieser „gebildeten Zweisprachigkeit" (vgl. oben S. 14 f.).

Schwierigkeiten bei der Behandlung dieses Problems macht wieder die Abgrenzung: soll man z. B. ein artikelloses lateinisches Substantiv in einem deutschen Satz zur Lehnsyntax zählen? Dass hier mehr vorliegt als eine lexikalische Anleihe bei einer fremden Sprache ist offensichtlich; andererseits aber „ist der Artikel mit der Leistung des Substantivs unlösbar verbunden", er „gehört zur Ausstattung der Wortart, wie Genus und Numerus"[5]. Genau genommen braucht man für das lateinische Substantiv den Terminus „Lehn-" noch nicht zu bemühen, solange man das sprachliche Geschehen im Auge hat: es handelt sich um die Einschaltung eines fremdsprachlichen Blockes. (Über die artikellosen Substantive s. oben S. 125 ff. und unten S. 295 ff.) Wie aber, wenn nun ein deutsches oder eingedeutschtes Substantiv nach lateinischem Muster artikellos auftaucht? Dann muss „Lehnsyntax" vorliegen. Ich verweise auf: „Bibel lest sich nit ausstudiren" (596, Objekt!) und zahlreiche Belege bei Schlag.: Teuffel kan das argument nicht solvirn (1617), Bischoff von Trier hatt der Teufel leibhaftig hin weckh gefurt in die hell (1530, Objekt!), und das sprachlich neutrale „Doctor": Doctor nam sein kind (1615), Doctor fand ein raupen (ebd.) usw. Ich habe keinen Beleg für ein rein deutsches Wort; bei „Teuffel" wirkt *diabolus*, bei „Bischoff" *episcopus* nach[6].

Ein klarer Fall von Lehnsyntax liegt vor, wenn die lateinische relative

---

[1] F. Boas, General Anthropology. New York 1938. S. 138.

[2] Blatt 1957, S. 40.

[3] K. Sørensen, Latin influence on English syntax. In: TCLC XI. 1957. S. 132.

[4] Vgl. auch K. Sandfeld, a. a. O.

[5] Brinkmann, D. d. S., S. 50 bzw. 51.

[6] Vgl. in heutigen wissenschaftlichen Texten das artikellose „Verf.", und den unten (S. 272, Anm. 3) angeführten Buchtitel „Leben Willirams ...", nach *Vita* in entsprechenden lateinischen Titeln.

Verschränkung[1] die deutsche Satzverbindung beeinflusst: *Necesse est fuisse nequissimum Iudam, quia* wem der man feind ist, das ist nit on ursach (604).

Einfluss des a. c. i. lässt sich mitunter beobachten: *in tanta abundantia donorum Dei* (die ich bekennen und sagen muß, das es *dona Dei* sein) (141). Auch in den Bibelnotizen: das ... den babst ein Boswicht wil an tag kommen (Bi 3, S. 524, unten; zu der im übrigen reinlichen Scheidung des a. c. i. von der deutschen Sprache und seine glatte Zusammenarbeit mit dieser vgl. oben S. 142 und 208.)

Einfluss der lateinischen Präpositionalkonstruktion mit *de* liegt vielleicht vor in: Wenn ich von Gott denck, *tunc sic cogito* (517).

Einfluss eines lateinischen prädikativen Attributes findet sich in einem Beleg bei Schlag.: *Afflictorum gemitus* horet der Herr leiss (1270), =auch wenn sie leise sind. Die Undeklinierbarkeit des deutschen prädikativen Adjektivs verdunkelt die Zusammenhänge[2].

Über eine mögliche Tempusattraktion in gewissen Fällen ist bereits oben (S. 249) gehandelt; zum Modus s. ebd.

Möglicherweise liegt Einfluss von „*quod explicativum*" in den kausalen dass-Sätzen vor (oben S. 189).

Die Beeinflussung des Lateinischen durch die deutsche Sprache ist einer besonderen Untersuchung wert, die ich berufeneren Kräften überlassen muss, zumal die Hilfsmittel, gerade was das Latein des ausgehenden Mittelalters betrifft, unzureichend sind.

Gründe für den Sprachwechsel in der Parataxe bzw. Hypotaxe und zwischen ganzen Sätzen[3]

An Hand des Materials haben sich folgende Gründe für den Sprachwechsel feststellen lassen:

1. die Notwendigkeit des Zitierens (vgl. oben S. 201 f.);
2. Deutlichkeitsstreben, indem die Sprache zwischen Anführungssatz und direkter Rede wechselt, ohne dass das Zitat dies bedingte. Dadurch hebt sich die zitierte Rede von den Worten des Sprechers ab.

---

[1] Vgl. R. Kühner, C. Stegmann, Ausführliche Grammatik der lateinischen Sprache. Teil II. Leverkusen 1955³. S. 315.

[2] Schlag.s Autorschaft ist für dieses Stück nicht sicher, vgl. Anm. 1 in den TR.

[3] Vgl. oben S. 169 ff.

Der Sprachwechsel leistet der gesprochenen Rede, was der Anführungsstrich der geschriebenen leistet (vgl. ebd.);

3. Übersetzung oder Paraphrasierung eines lateinischen Zitates oder Erklärung einer komplizierten Feststellung (Belege S. 173 f., die „*id est*-Fälle" S. 179 f., 235);

4. „Bildhaftigkeitstrieb", vgl. oben S. 242 f., und die dort angeführten Hinweise.

5. Affekt, vgl. oben S. 175, und S. 241 f.

6. Möglicherweise kommt dazu noch, was Braun „Trieb zur sprachlichen Geschlossenheit" nennt:

> Darüber hinaus scheint mir aber im Rahmen der Zweisprachigkeit ganz allgemein ein Trieb zur sprachlichen Geschlossenheit zu bestehen. So ist zweifellos ein Bestreben zu beobachten, den ganzen Satz dem psychologisch wichtigsten Wort sprachlich anzugleichen. Wenn sich mir etwa … ein russisches Wort in einen deutschen Gedankengang dazwischendrängt, so werde ich sehr oft gleich den ganzen Satz, in dem dieses Wort vorkommt, russisch denken … Ich kenne … eine deutsch-russische Dame, die ein Gespräch mit anderen Deutschrussen gewöhnlich russisch anfängt und solange bei dieser Sprache bleibt, bis ihr irgend ein deutsches Wort dazwischengerät; sofort redet sie deutsch weiter — bis das nächste eingeschobene russische Wort ein ebenso unvermitteltes Zurückschalten bedingt. Ich glaube auch, dass wir hier die eigentliche Erklärung für die Lehnübersetzungen haben, die in mehrsprachiger Umwelt so auffallend häufig sind: die Lehnübersetzung stellt behelfsmässig die sprachliche Einheit wieder her, die durch ein unverhülltes Lehnwort allzu offensichtlich gestört worden wäre[1].
>
> Vgl. hierzu auch Haugens Beobachtung: „the completely bilingual speakers felt no hesitation at switching to English when their Norwegian vocabulary was inadequate. Rather than incorporate their lws. singly, they found it easier to switch to the other language"[2].

Solche Fälle des Sprachwechsels zwischen ganzen Sätzen und Teilsätzen sind in meinem Material nicht mit Sicherheit festzustellen. Dagegen finden sich zahlreiche Belege, in denen das Satzgerüst deutsch, alle wichtigen Wörter jedoch lateinisch sind. Doch mache ich auf den oben S. 243 angeführten Textabschnitt aus VD. Nr. 365 aufmerksam: die Sätze mit *promissus, promissio*, und *circumcisio* sind dort lateinisch; es ist möglich, dass diese Wörter als die psychologisch wichtigsten den ganzen Satz beeinflusst haben, wie Braun beschreibt[3]. (Zu *promissio* vgl. auch unten S. 260 f.)

---

[1] S. 129.

[2] 1953, S. 63.

[3] Offenbar war das entsprechende „verheissen, Verheissung" nicht ebenso disponibel wie der lateinische Ausdruck; in Nr. 365 finden sich 12 Belege für *pro-*

Zu diesen sechs überwiegend sprachpsychologischen Gründen können wir noch einen rein sprachlichen feststellen:

7. die Struktur der einen Sprache ist günstiger für die Formulierung des Gedankeninhalts als die der anderen. Hier sind besonders in der Hypotaxe die lateinischen Konditional- und Temporalsätze zu verzeichnen (vgl. oben S. 209 f.). Dem an der lateinischen Sprache geschulten Denken bietet die Hypotaxe ein schärfer geschliffenes Instrument als die dem Deutschen natürlichere Parataxe. Konjunktionen und die durch sie eingeleiteten Sätze sind vorwiegend dem Lateinischen entnommen. Hier kann auch der Bequemlichkeitstrieb von Einfluss sein (vgl. oben S. 246 f.).

Durch diese sieben Ursachen ist jedoch nur ein Bruchteil der Fälle erklärt. (Anders in Luthers Briefen: hier kommt die Hauptmasse der Belege auf Zitate, Bildhaftigkeitstrieb und Affekt; vgl. unten S. 259 f.) In der grossen Mehrzahl der Belege ist kein Grund des Sprachwechsels ersichtlich[1].

Das Äquivalenzverhältnis der Sprachen und die sprachliche Indifferenz

Es finden sich zahlreiche Fälle, in denen das „psychologisch wichtigste Wort" abwechselnd auf deutsch und auf lateinisch steht. Demnach bestand zwischen diesen lateinischen Ausdrücken und ihrer deutschen Entsprechung ein Äquivalenzverhältnis[2], und offenbar waren sie in beiden Sprachen gleich leicht verfügbar. Ich zitiere:

sed [ratio] illustrata a Spiritu hilfft judicirn die heylig schrifft. *Sicut lingua Coclei loquitur blasphemias, mea lingua loquitur laudem Dei, et tamen est idem instrumentum in utroque*, ist eine zung *ante fidem et post fidem, et lingua, in quantum lingua*, hilfft dem glauben nit, *et tamen* dienet sie yhm, *quando cor est illustratum. Sic etiam ratio* dienet dem glauben, das sie eim ding nach denkt, *quando est illustrata; sed sine fide nihil prodest nec potest ratio*, wie die zung on glauben redet eitel *blasphemias, sicut videmus in duce Georgio. Ratio autem illustrata* nimbt alle gedanken vom *verbo. Substantia* bleybt, *vanitas*, die geht under, *quando illustratur ratio a Spiritu* (439).

---

missio bzw. *promissus*, dagegen nur einer für das deutsche Wort: „der verheissen same". — Belege für „Verheissung" bei Luther vgl. DWb Bd. 12, Sp. 559 f. — Zur Disponibilität der Wörter vgl. G. Müller, Wortfeld und Sprachfeld. In: Festschrift Ernst Otto. Berlin 1957. S. 159 f.

[1] Mit Vorbehalt für nicht entdeckte Zitate. Vgl. auch oben S. 171, Anm. 1.

[2] „compound language system" im Gegensatz zu „coordinate system" in angelsächsischer Terminologie, vgl. unten S. 257, Anm. 5.

Im Text wechseln *fides* und *lingua* mit „glauben" und „zung". Nur der lateinischen Sphäre dagegen gehören *ratio, illustratus, blasphemia* und *verbum* an.

Auf die gleiche Art wechseln in Nr. 388 „verzweiveln" mit *desperare, ruunt in peccatum* mit „inn die sund gefallen"; in Nr. 141 steht „kein hulff noch trost noch ruge" gegen: „bis einer zu der *consolatio* kompt"; „nhemen den namen nit hinweg, *sed nomen* bleybt" (342); „Unser Herr Gott hat ein wellt gemacht *pro hominibus et alium mundum pro Spiritibus*" (517); „*ex gratia*" wechselt mit „aus gnaden" in Nr. 514; „*ieiunium*" mit „fassten" in Nr. 141; auf dem Gebiet der Verben wechselt z. B. „glauben" mit *credo*: „Das sie geglaubt haben wie wir, *quod ecclesia … crediderit, sicut nos credimus*" (584); „bleiben" mit *maneo*: „*tamen* bin ich yhn *ecclesia* bliben, *sicut papa adhuc manet in ecclesia*" (574); „*Primum praeceptum* bleybt … *Econtra secundum praeceptum* bleybt … *hic enim manet nomen*" (369); „sollen" mit *debeo*: „*Debemus terreri peccato … sed* sollen wider keren …" (407). Wie wenig sprachverhaftet das „psychologisch wichtigste Wort" mitunter sein kann, zeigen die folgenden zwei Belege, die beide „Papsttum" und „Seule" als Zentrum haben: Die munchen sind des bapststums *columnae* gewesen (226), und: die zwo seulen, da *papatus* auff stehet (113).

Dagegen habe ich auch einen Beleg für nichtäquivalentes Verhältnis: „wollen" ≠ *volo*: *Mihi credite*, ich wolt wol schaden thun, *si vellem* (320)[1]. Vgl. auch oben S. 253.

Für das weitgehende Äquivalenzverhältnis der Sprachen auf lexikalischem Gebiet lassen sich verschiedene Gründe angeben. Was die „sprachliche Zwischenwelt" und das „Weltbild" der Sprachen betrifft[2], so hatten sich diese auf geistigem Gebiet seit Jahrhunderten an der lateinischen Sprache ausgerichtet[3]. Was im Volk an geistigen Begriffen vorhanden war, auf wissenschaftlichem, religiösem, juristischem Gebiet, war grösstenteils auf Übersetzertätigkeit zurückzuführen. Mit dem

---

[1] wolt thun = Konditionalis; für Luthers Gebrauch von „wollen" als Futurum vgl. Franke Bd. 2, S. 364.

[2] Eine gute Übersicht über das Problem Sprache–Weltbild gibt F. Tschirch, Weltbild, Denkform und Sprachgestalt. Berlin 1954. Vgl. auch L. Jost, Sprache als Werk und wirkende Kraft. Bern 1960 und S. Öhman.

[3] Vgl. hierzu A. Lindqvist, Studien zu Wortbildung und Wortwahl im Ahd. In: PBB 60. 1936. S. 1–132. L. betont die Notwendigkeit, Bildung und Sinn der im Ahd. aufkommenden neuen Wörter *sub specie latinitatis* zu untersuchen (S. 5). — Jetzt auch H. Eggers, Deutsche Sprachgeschichte I. 1963. S. 184 ff., 208 ff.

„wissenschaftlichen Weltbild" hat es überdies noch etwas Besonderes auf sich:

Das wissenschaftliche Weltbild nährt sich aus dem Boden vieler Muttersprachen und konkretisiert sich zugleich in vielen muttersprachlichen Formen, so dass es ins Blickfeld der Sprachgemeinschaften gelangt. Dabei lässt es stellenweise die Konturen des muttersprachlichen Weltbildes zugunsten neuer Sehweisen verblassen und schafft von oben her eine Sprachschicht, die über die Sprachgrenzen hinaus geistige Brücken schlagen kann. Doch bleiben die Muttersprachen als verbindende grosse Klammern um die Einzelwissenschaften für jede Sprachgemeinschaft unentbehrlich[1].

Die Fachterminologie spielt dabei eine eigene Rolle:

Diese Fachterminologien schaffen ... eigene Sprachgebräuche, spezielle Formeln und Klischees, so dass gewissermassen „Fremdsprachen" im Lebensraum der Muttersprache entstehen[2].

Die Rolle der Übersetzungstätigkeit kann ich dabei im Rahmen dieser Arbeit nur streifen[3]. Zwar war das frühneuhochdeutsche Übersetzungsideal angeblich, „nicht von Wort zu Wort, sondern Sinn zu Sinn" zu übersetzen, wie es stereotyp in jeder Einleitung hiess. Dieses Ideal fusste auf Horaz (*De arte poetica* 133) und Cicero und erhielt damals neue Verbreitung durch den viel gelesenen Brief des Hieronymus ad Pammachium „Über die beste Art zu übersetzen"[4]. Doch war dieses Ideal weitgehend zur blossen Formel geworden, die in jedem Vorwort

---

[1] H. Gipper, Muttersprachliches und wissenschaftliches Weltbild. In: Sprachforum II. 1956/57. S. 10. Vgl. auch Jost S. 157.

[2] Gipper S. 8. — Zum Entstehen von „Fremdsprachen im Lebensraum der Muttersprache" vgl. auch G. Korlén, Zur Entwicklung der deutschen Sprache diesseits und jenseits des Eisernen Vorhangs. In: Sprache im technischen Zeitalter 4/1962. Sonderheft. S. 259–280, bes. S. 276 ff., und die dort angeführte Literatur.

[3] Vgl. dazu R. W. Jumpelt, Die Übersetzung naturwissenschaftlicher und technischer Literatur. Berlin-Schöneberg 1961. Dort weitere Literatur. Über „spezifische Weltbilder" ebd. S. 11. — H. Klynne, Übersetzungstheoretische Studien an Hand der schwedischen Übersetzungen der Werke Thomas Manns. (Lizentiatabhandlung.) Stockholm 1963. (Masch.) — Valli, zitiert oben S. 171. —

[4] Vgl. L. Mackensen, Der Zasiusübersetzer Lauterbeck. GRM 11. 1923. S. 305. Auch W. Stammler, Zur Sprachgeschichte des XV. und XVI. Jahrhunderts. In: Festschrift Ehrismann. Berlin und Leipzig 1925. S. 176 ff. — Der Brief des Hieronymus lässt sich in einer deutschen Übersetzung von L. Schade leicht nachlesen. (Bibliothek der Kirchenväter. 2. Reihe. Bd. 18. München 1937. S. 262–287.) — Die Forderung, „Sinn zu Sinn" zu übersetzen, bedeutet im Grunde nichts anderes als die „Entsprachlichung", die J. Wirl heute fordert (Erwägungen zum Problem des Übersetzens. In: Festschrift Hibler–Lebmannsport. Wien 1955. S. 181).

zitiert, jedoch nicht befolgt wurde[1]. Die Übersetzung Wort für Wort war herrschender Gebrauch[2]. (Die Reaktion zugunsten freierer Übersetzung begann sich erst in den 30er Jahren des 16. Jahrhunderts durchzusetzen[3].) Diese Übersetzungstradition hatte alte Ahnen. Ihre extremste Form sind die Interlinearversionen. (Über den Einfluss des Lateinunterrichts in den Schulen s. unten.) Auch in der juristischen Sprache war sie von alters her weit verbreitet, da die Gesetze häufig hin und wieder zurück übersetzt wurden:

> Die Übersetzung vollzieht sich psychologisch gewürdigt durch eine Äquivalentsuche. Der Übersetzer will Gedanken, die in einer Sprache geformt sind, in einer andern Sprache wiedergeben. ... Oft können die Gedanken nur dann einander entsprechen, wenn die gebrauchten Worte, isoliert betrachtet, dies gar nicht tun ... Die extreme Form der Wortübersetzung kann man als ,,Äquivalentmethode" bezeichnen. Da die Unterschiede in der Bedeutung der Worte nicht beseitigt werden können, so ist eine Übereinstimmung von Worten oft nur auf Kosten der richtigen Wiedergabe des Gedankens zu erreichen ... Bei Rechtsaufzeichnungen war nun schon durch den Zweck der Aufzeichnungen eine gewisse Worttreue gegeben, die Äquivalentmethode in gewissem Grade notwendig. Der Wortlaut des Gesetzes war ja wichtig, er sollte so aufgezeichnet werden, dass er bei der Rückübersetzung wieder herauskam ... Deshalb musste jedem deutschen Rechtsworte ein bestimmtes Lateinwort entsprechen, deshalb musste man, soweit es ging, sich an die Übersetzungssitten halten, die in den Glossaren enthalten waren, allerdings zeitlich und örtlich wechseln konnten ... Bei der wortgetreuen Übersetzung stehen die einzelnen Lateinworte und die deutschen Worte in einer Entsprechung, die man der Kürze halber als ,,Äquivalenz" bezeichnen kann[4].

Ein solches Äquivalenzverhältnis bildete sich im Laufe der Jahrhunderte in den verschiedensten Sondersprachen aus. Von dem Einfluss der vorlutherischen Bibelübersetzungen ist bereits oben (S. 171) die Rede gewesen. Auch der Lateinunterricht in den Schulen spielte eine wichtige Rolle, teils durch das Vokabellernen[5], teils durch die Übersetzungen:

---

[1] Dies galt ebenso für englische Übersetzungen, vgl. K. Workman, Fifteenth century translation as an influence on English prose. Princeton 1940. S. 75 ff.

[2] Strauss, S. 7 f. und 238; Stammler, S. 179 ff.

[3] Stammler, S. 186 ff. — Luthers ,,Sendbrief" erschien 1530.

[4] Ph. Heck, Übersetzungsprobleme im frühen Mittelalter. Tübingen 1931. S. 8f.

[5] Vgl. S. M. Ervin, Ch. E. Osgood, Second language learning and bilingualism. In: Psycholinguistics. Baltimore 1954. S. 139 f. ,,... a compound language system ... is typical of learning a foreign language in the school situation ... obviously fostered by learning vocabulary lists." Wieczerkowski bestreitet dies: ,,Die Annahme, dass eine bestimmte Lernsituation *eine bestimmte Art* der Zweisprachig-

Die Eigenart der Übersetzung zu Protokoll wird uns vielleicht am verständlichsten, wenn wir die Schulleistungen der Gegenwart zur Erläuterung des Gesagten heranziehen. Die Übersetzung zu Protokoll hat ihr Gegenstück in einem lateinischen Extemporale ... ohne vorherige Niederschrift des deutschen Textes und ohne Erlaubnis einer Durchsicht der vollendeten Übersetzung[1].

Mit Übersetzungen hat man sich in den Lateinschulen seit jeher beschäftigt[2].

Auch die Sprechsituation des Schülers kann zu diesem Äquivalenzverhältnis beigetragen haben:

A compound system can ... be characteristic of bilingualism acquired by a child who grows up in a home where two languages are spoken more or less interchangeably by the same people and in the same situations[3].

Wenn dies auch nicht für das Familienleben der damaligen Schüler der Fall war, so war es umso mehr der Fall im Umgang der Schüler untereinander: dass in unbewachten Augenblicken deutsch statt Latein gesprochen wurde, wird aus den Strafen ersichtlich, die für dies ,,Vergehen" angedroht wurden[4]. Ebenso wird der unnatürliche Zwang, auch beim Spielen lateinisch zu sprechen, bei den Kindern ein Äquivalenzverhältnis der Sprachen bewirkt haben, in dem nun das Lateinische zwangsweise deutschem Sprachgebrauch angepasst wurde.

Aus diesem Verhältnis der Sprachen zueinander musste sich eine gewisse Indifferenz ergeben, vgl. Schuchardts Beobachtungen von einem sprachlichen Grenzgebiet (oben S. 14 zitiert). Die Voraussetzung dafür war ein ebenso zweisprachiger Gesprächspartner (vgl. oben S. 12 f.). Dieses Verhältnis spiegelt sich auch in den Briefen ab: die gemischtesten Briefe sind an Tischgenossen oder nahe Freunde gerichtet (vgl. an Schlag., Bd. 7, Nr. 2091, und an Lauterbach, Bd. 10, Nr. 3784). Als Beispiel führe ich ein Zitat aus dem genannten Brief an Schlag. an, in dem sich einzig das *ora pro me* als zur Sprache des Gottesdienstes gehörend, erklären lässt:

---

keit herbeiführe, ist nicht haltbar. ... Ausschlaggebend sind letzten Endes die Begabung, die Möglichkeit der Ausbildung und der Zwang der äusseren Umstände" (S. 11 f.).

[1] Heck, S. 16.

[2] Vgl. u. a. Rosenfeld 1959, S. 372.

[3] Ervin–Osgood, S. 140.

[4] Vgl. oben S. 9 f.

Gnad und Friede in Christo. *Audio, te valetudine laborare ... tam vivo inutilis, ut me mire oderim.* Ich weiß nicht, wo die Zeit so vergeht und ich so wenig ausrichte. Das ist die Summe. *Ora pro me ...* (geht dann lateinisch zu Ende.)

III. VERGLEICHE MIT ANDEREN MISCHTEXTEN

Zur Authentizität der in den TR vorliegenden Sprachmischung

a. *Die Bibelnotizen und Briefe, zusammenfassende Übersicht*

Die Hauptmasse der in den Briefen und Bibelnotizen gefundenen Belege zur Sprachmischung liessen sich ohne Schwierigkeit in den bei VD. gewonnenen Kategorien unterbringen. Dabei waren gewisse Gruppen stärker, andere schwächer oder gar nicht vertreten. Für das Fehlen beispielsweise der deutschen Relativsätze und der dass-Sätze bei einem lateinischen Hauptsatz in den Briefen haben wir oben (S. 203, 207) stilistische Gründe verantwortlich gemacht (vgl. auch S. 247). Auffällig ist auch der Frequenzunterschied zwischen den verschiedenen Formen des Sprachwechsels: in den Briefen überwiegt der Sprachwechsel zwischen ganzen, unverbundenen Sätzen, bei VD. der zwischen Haupt- und Gliedsatz und in der Satzverbindung. Dieser Unterschied muss mit dem Streben nach gepflegter Sprache zusammenhängen, das normalerweise beim Briefeschreiben herrscht. Auch an der „Glättung" der Abschreiber zeigt sich, dass man beim Schreiben darnach strebte, den ganzen Satz sprachlich zusammenzuhalten (vgl. oben S. 29 f.). Hier kann man mit Braun von einem „Trieb zur sprachlichen Geschlossenheit" sprechen.

Bei dem Sprachwechsel in den Briefen lässt sich oft der Grund ersehen: Zwang zum Zitieren, Affekt, Bildhaftigkeitstrieb (vgl. oben S. 241 ff.). In deutsche Briefe werden lateinische Bibelzitate eingeschaltet, in lateinische deutsche Sprichwörter und affektgeladene Aussprüche. Es ist offenbar, dass diese Art von Schaltung ganze Sätze und Teilsätze sprachlich zusammenhält.

Daneben ist die veränderte Situation von Einfluss: der Empfänger war z. B. nicht ebenso zweisprachig wie der Schreiber, dann bestand der „Partnerzwang" (vgl. oben S. 12 f.); in einem deutschen Brief erscheint dann ein lateinisches Bibelzitat, gefolgt von der deutschen Übersetzung (vgl. oben S. 235). Aber auch wenn der Empfänger ebenso zweisprachig war, bemühte man sich beim Briefeschreiben um Korrektheit, und man hatte mehr Zeit zum Wählen. Die Sprache wird ohne ersichtlichen Grund in den Briefen viel seltener gewechselt als in den TR[1]. Die Frequenzunterschiede spiegeln also den Unterschied zwischen der Umgangssprache und dem Briefstil wider.

Grammatische Abweichungen. In den Bibelnotizen bestand einiges Material aus unvollständigen Sätzen, in denen kein Prädikat eine Satzstruktur bildet oder die sprachliche Zugehörigkeit entscheidet. Dort findet sich eine lateinische Präposition vor deutschen Gliedern: Bi 2, S. 196: *De* Laüserey von kargem filtz. In den TR steht eine lateinische Präposition nicht vor deutschen Gliedern (vgl. oben S. 137 ff.; aber auch die Belege aus der heutigen Amtssprache, oben S. 138). Hier ist die Ausdrucksstärke der Muttersprache ausschlaggebend (vgl. oben S. 170).

Im Gegensatz zu dem Befund bei VD. stehen zwei Belege aus den Briefen:

1. die hackenbuchsen habens gethan und den reysigen zeug Heintzen *dissipaverunt* (Bd. 11, Nr. 4164).

Der Beleg lässt sich am ehesten mit den Sonderfällen unter den „zusammengezogenen" Sätzen vergleichen, in denen der Sprachwechsel erst nach der Konjunktion stattfindet (oben S. 216 f.). Dass ein lateinisches Verb einzeln in deutschem Kontext steht, kommt bei VD. jedoch nicht vor. Wir hatten für diese Sätze oben (S. 244 f.) festgestellt, dass die sprachzusammenhaltende Kraft zwischen den Gliedern einer zusammengesetzten Verbalform im Nachsatz gelockert ist. Zwischen *dissipaverunt* und dem Vordersatz besteht nur die prädikative Beziehung.

2. Der zweite Beleg ist ein gemischter Gliedsatzrahmen: „wie sie uns *promissa est"* im Kontext: Aber wir mussen uns kehren mit dem Angesicht *ad invisibilia gratiae et non apparentia solatii* und derselben hoffen und warten, wie sie uns *promissa est* und unser wartet (Bd. 6, Nr. 1978).

Ein gemischter Gliedsatzrahmen mit „wie" findet sich auch bei Schlag. (oben S. 108, Nr. 1430), doch überwiegt in den TR bei solchen Sätzen in der Regel die Sprache des Verbs. In Übereinstimmung mit dem Befund in den TR steht das Verb am Satzende (vgl. oben S. 160). „*promissa*" bestimmt ein lateinisches Hauptwort (vgl. oben S. 131 f.); es hat hier eine Attraktion der Sprachen stattgefunden (vgl. oben S. 50), indem *promissa* wieder das Hilfsverb attrahiert hat. Für *promissio, promissus* hatten wir oben (S. 253 f.) eine besondere Durchschlagskraft

---

[1] Dass die gesprochene Sprache mehr mischt als die geschriebene, haben auch andere Forscher festgestellt, vgl. oben S. 14.

festgestellt, indem sie nicht mit „Verheissung, verheissen" wechseln und sich auch als einzelnes Wort leicht in einen deutschen Satz eindrängen.

Für beide Belege gilt, dass uns das finite Verb als Kriterium für die Sprachzugehörigkeit eines Satzes im Stich lässt.

b. *Vergleich mit einer Predigtnachschrift Rörers*

Um festzustellen, wie eine Sprachmischung aussieht, die des schnellen Schreibens halber zustandekommt, habe ich eine Predigtnachschrift Rörers untersucht[1]. Ich greife willkürlich eine Nachschrift heraus: WA Bd. 41, S. 333 ff.; es handelt sich um eine Predigt am Tage Johannes des Täufers. Wir haben hier die ursprüngliche Niederschrift Rörers ohne nachträgliche Überarbeitung.

Rörer, als der geübteste Schnellschreiber, schrieb die meisten Predigten Luthers nach. Er hatte dabei seine eigene Kurzschrift entwickelt, die schon von seinen Zeitgenossen kaum zu lesen war[2]. Dabei machte er ausgiebigen Gebrauch von den Abkürzungen und Siglen, über die die lateinische Schrift so reichhaltig verfügt. Die Nachschrift einer Predigt oder Vorlesung ist anders zu denken als die einer Tischrede: eine Tischrede nahm nur gelegentlich eine interessante Wendung; nicht alles, was gesagt wurde, war des Aufschreibens wert. Der Nachschreiber konnte in grösserer Ruhe das Gesagte zu Papier bringen, während er es noch im Ohr hatte und schon ein anderer sprach, dem er nicht zuzuhören brauchte. Bei einer Predigt oder einem Vortrag ist das Tempo schneller. Während der Schreiber das Gesagte noch zu Papier bringt, muss er bereits das Folgende mit dem Ohr aufnehmen. Dabei war eine stärkere Kürzung, eine Art Telegrammstil notwendig. Ich greife im folgenden vorwiegend solche Sätze auf, die in direktem Gegensatz zu den bei VD. gefundenen Gebräuchen stehen:

S. 334: *quia* unser herr Gott hat *eam* mussen anders machen ... *quod scilicet in sua senectute, quae* verdorret, *quae non* sol safft kriegen, *non ut* jungs meidlin, das thut sie, *et est* wunderzeichen, *sed quod deus per eius* leib thut. Er wunderzeichen, *quod fit* stum, *et nato filio*, das must auch lautber werden. ... *Ista est prophetia, quod* sol stimmen und setzen zeit *futuri Messiae.* ... *quando meus filius* gros *et* kan mans erbeit thun, *fiet praedicator et talis, qui* hard fur dem herrn her ghe, ...

---

[1] Vgl. oben S. 40.

[2] R. Jauernig, Die Konkurrenz der Jenaer mit der Wittenberger Ausgabe von Martin Luthers Werken. In: Luther-Jahrbuch 1959. S. 77.

S. 335: *Si omnes Reges sua* macht und krafft, *non* kunden dem gleich thun, *quod* verdort, veraltet ein jungen son *etc.* ... Ehr *habebant in vetere testamento, quando* zeugeten kinder ... *Si* dran gedechten, *ut olim captivi* ...

S. 336: *Ipse erat* stum *et non poterat* sagen, *mater non novit.*

S. 337: *Romani* nhemen seel, *Sadducaei corpus*, stelts dich, *quasi non* uns angehorst. ... *Non* ghet auff leiblich erlosung, ... *erroribus* falscher prediger, *qui* inn unglauben furen ...

Besonders deutlich ist der Telegrammstil in den folgenden Belegen, die fast unverständlich sind:

S. 339: *Sic quando vitam habemus, baptizati* und gerecht, *sed* widder hin ein Pet. 2. cap. 2. *Qui vero* an dem helt, *liberatus est.* ...

S. 341: Er ruckt ymer auff und macht im seer nutz weissagung *prophetarum, et quod deus* dran gehalten *et non* gelogen *nec* angesehen unser bosheit, *quia* hat ausdermassen bos gestanden, *ut hodie dixi*, und zu der zeit, *quo* hochsten leute *in terris*, ...

Wer mit den Abkürzungen der lateinischen Sprache auch nur etwas vertraut ist[1], sieht, in wie hohem Masse die lateinische Sprache in diesen Sätzen auf solche zurückzuführen ist: für *qui, quia, quod, et, non* etc. standen bequeme Siglen zur Verfügung.

Im Gegensatz zu den TR, Briefen und Bibelnotizen steht:

1. lateinisches Relativpronomen als Einleitung zu einem deutschen Satz oder Mischsatz (vgl. oben S. 131 u. 160);

2. lateinische Negation vor deutschem Verb. (oben S. 133);

3. lateinisches possessives Pronomen attributiv vor deutschem Hauptwort (vgl. oben S. 130);

4. ist in deutschem Mischsatz das Subjekt nicht ausgedrückt;

5. steht auch vor deutschem Hauptwort mit Attribut kein Artikel (vgl. oben S. 128);

6. ist das Hilfsverb „sein" in deutschem Mischsatz nicht ausgedrückt, gelegentlich fehlt auch „haben";

7. ist ein einzelnes lateinisches persönliches Pronomen Objekt in einem deutschen Mischsatz (vgl. oben S. 129).

Aber auch diese Texte verwenden kein lateinisches *sum* oder *habeo* in deutschen zusammengesetzten Zeitformen; das bei S. Krüger zitierte: *iam habent* burgerrecht gewonnen[2] ist falsch zitiert; der Text hat: *iam* haben burgerrecht gewonnen.

Es zeigt sich, dass eine Sprachmischung, die nur des schnellen Schreibens

---

[1] Vgl. Cappelli.

[2] S. 457.

halber zustandekommt, wesentlich andere Merkmale aufweist als die, die uns in den TR, Briefen und Bibelnotizen vorliegt.

Somit bestätigt sich die eingangs (oben S. 41) aufgestellte Arbeitshypothese, dass die zuverlässigen Nachschriften der TR die damals gebräuchliche Sprachmischung im grossen und ganzen getreu widerspiegele.

Vergleich mit schwedisch-lateinischen Mischtexten aus dem 16.–17. Jahrhundert

Als Vergleichsmaterial habe ich die Aufzeichnungen von der Synode in Uppsala 1593 herangezogen, die in einer Mischung von Tagebuch- und Protokollform gehalten sind[1]. Es liegen hier drei Handschriften vor, A, B und C, von denen C rein lateinisch ist. Ausserdem habe ich Stichproben in den Protokollaufzeichnungen der Stiftssynoden in Strängnäs und Uppsala von 1583 ff. gemacht, wo auch gelegentlich Mischtexte zu finden sind (in Strängnäs jedoch meist reines Latein)[2]. Da sich diese Texte wie die TR mit kirchlichen Dingen befassen, schienen sie mir als Vergleichsmaterial geeignet. Dabei ist der Vorbehalt zu machen, dass sie nicht die gesprochene Sprache in demselben Grade widerspiegeln wie die TR; sie sind vorwiegend im Kanzleistil abgefasst.

Allgemeine Feststellungen

Die schwedischen Sätze zeigen Beeinflussung durch das Lateinische im Satzbau; besonders häufig ist das Partizip (,,föregifvandes, betänkandes" etc.)[3]. In Übereinstimmung mit dem Deutschen findet sich in dieser Zeit auch der Gliedsatzrahmen (,,hvilket ... declamerat hafver"), doch nicht konsequent.

Satzbaupläne

Grosse Übereinstimmung herrscht zwischen dem deutschen und dem schwedischen Satzbau, indem auch im Schwedischen das Prädikat an

---

[1] In: Svenska Riksdagsakter jämte andra handlingar som höra till statsförfattningens historia under tidehvarfvet 1521–1718. 3/1. (1593–1594). Stockholm 1894. ,,Berättelserna om mötet", S. 31–78. — Den Hinweis auf diese Texte verdanke ich meinem Mann, Doz. Bengt Stolt.

[2] Svenska synodalakter, utg. av Herman Lundström. (Skrifter utgifna af kyrkohistoriska föreningen. II:4.) Uppsala 1903 ff.

[3] Über das Eindringen dieser Konstruktion in das Altschwedische vgl. M. Ahlberg, Presensparticipet i fornsvenskan. Diss. Lund 1942.

zweiter Stelle steht. Dadurch wird eine Einteilung des Satzes in Vorfeld und Nachfeld möglich.

Das Vorfeld. Das Satzmuster: lateinisches Vorfeld, schwedisches Prädikat stellt sich dadurch neben die entsprechenden Sätze mit deutschem Prädikat:

> *litania pro defunctis* rifvas uthur psalmböckerne (7.3.B)[1];
> *Hora 2 pom[eridiana] usque ad 6* giorde bisperna ... sin ... bekiännelse (6.3.A);
> *Pastor Upsaliensis* ville giöra en *ambiguam confessionem* (6.3.B).

Das Mittelfeld. Auch die Spreizstellung des zusammengesetzten Prädikates kommt mitunter vor, so dass ein Mittelfeld entsteht:

> *Hora 7 usque ad 1* blefve nogra *suffragia doctissimorum virorum* upläsna (7.3.A);
> *Postremo* las han och sin confession up (8.3.A);
> Begärade ..., att *unum tertium* skulle *ex duobus datis,* s[cilicet] *concilii et principis,* blifva componerat och sammanstält (17.3.A).

Der gewöhnliche Satzbauplan zeigt jedoch keine Spreizstellung des geteilten Prädikates; nur wenn das Vorfeld von einem anderen Satzglied als dem Subjekt besetzt ist, steht das Subjekt zwischen dem finiten und dem infiniten Teil:

> Ther näst tog *praeses* fram *suffragia quatuor praecipuarum academiarum* (6.3.B);
> På sidstone blef han priverat *officio propter errores in doctrina et scandalosam vitam* (8.3.B).

Das Nachfeld. Da die „Klammer" nur einen so geringen Teil des Satzes umfasst, erhält das Nachfeld ein grösseres Gewicht als in den deutschen Sätzen. Es ergibt sich eine grössere Möglichkeit, sich von dem bereits ausgesprochenen schwedischen Teil loszulösen und ganz auf die andere Sprache umzuschalten (vgl. unten S. 297).

Weitere Belege für lateinisches Nachfeld:

> om the alle samptelige ville förkasta liturgiam *et eius requisita* (6.3.B);
> at thet var disputerat *in coronatione regis Johannis III* (9.3.A);
> hvilkens summa författat är *in Augustana confessione, in christiano catechismo et tribus symbolis* (16.–18.3.B);
> thet som handlat blef *de disciplina ecclesiastica, ceremoniis et electione episcoporum* (ebd.);
> stegh *preses in cathedram* (18.3.A);

---

[1] Die Ziffern bezeichnen das Datum, die Buchstaben die Handschrift der Uppsalasynode 1593. Kursivierung von mir.

at her effter tuå aff presterskapett skulle haffua *declamationes latinas breues et succinctas in locos propositos, quas* ... (Stiftssynode in Strängnäs 1584, S. 14, XIII);
ty weta icke huart sin man tog weien, är *supina negligentia et ignorantia affectata* (ebd. S. 14, X).

Der Gliedsatz. Wie in den TR finden sich schwedische Gliedsatzrahmen mit lateinischer Füllung:

> som *archiepiscopus ... senior* giorde (1.3.B);
> som *notarius P.* hade upläsit (3.3.A);
> hvad för *progressum* the *in literis* giort hade[1] (19.3.A);
> förrän *admonitio ad preces propter concione habenda* stelles (Strängnäs 1610. S. 61. IV).

mit Nachfeld[2]:

> om hvilket och *graves dissentiones* vore *inter clerum* (28.2.A);

Gliedsatzgerüst[3]:

> at *exorcismus* är *de natura et substantia baptismi* (8.3.A);
> at *textus verborum historiae evangelii* skal vara mer än *epistolae, Pauli verba et aliorum apostolorum* (9.3.B).

Vgl. auch den att-Satz oben unter „Mittelfeld" (17.3.A).

Ein mit „och" angeknüpfter Satz zeigt ebenfalls einen schwedischen Rahmen um einen lateinischen Kern:

> och *errores ex apologia eius collecti* blefvo upläsne (7.3.A)

Wie in den TR fehlt dagegen das Spiegelbild dieser Konstruktion; und wie in den TR besteht eine sprachzusammenhaltende Kraft zwischen nebensatzeinleitender Partikel und Prädikat.

Das Prädikat als sprachdeterminierendes Satzglied

Wie bereits aus den oben angeführten Belegen hervorgegangen sein dürfte, spielt das schwedische Prädikat bei der Konkurrenz der beiden Sprachen die gleiche wichtige Rolle wie das deutsche; es bestimmt allein die Sprachzugehörigkeit eines Satzes; die verbale Flexion ist das letzte Rückzugsgebiet der schwedischen Sprache. Der Schreiber versucht, schwedisch zu schreiben, aber der Terminologiezwang (vgl. oben S. 169 f.) macht sich mächtig geltend. Ein lateinisches Verb wird bei der Übernahme durchgehends der schwedischen Konjugation angepasst; der deutschen Endung „-ieren" entspricht schwedisches „-era".

---

[1] Auch das Subjektspronomen schwedisch, vgl. oben S. 118, 6 a.
[2] Vgl. oben S. 91, Anm. 2.
[3] Vgl. oben S. 106.

Beispiele:

Nur das Verbum ist schwedisch[1]:

Hora 10[2] gick *m. Ericus Jac[obi] in collegium* (28.2.A).

Verbum + Partikel:

och ähr *serio nunc illis iniunctum* (Strängnäs S. 84, Nr. 4); *Hora 2* up-
räcknades och explicerades *20 et 21 articulus cum 7 articulis mutatis ad
finem usque* (5.3.A).

Verbum + Subjektspronomen:

hvilken skulle comprehendera *modum et ordinem cessionis* (1.3.A).

Partikel + Verb + Subjektspronomen:

att skulle the *praescribere ordinem et modum*, så blef *ecclesiae libertas nulla*
(1.3.A).

Während in den TR ein deutsches Hilfsverb im Regelfall nur zusammen mit deutschem Infinitiv oder Partizip funktioniert (oben S. 122),
kann auf ein schwedisches modales Hilfsverb ein lateinischer Infinitiv
folgen; ausser dem eben angeführten Beispiel: skulle de *praescribere*, vgl.
folgendes:

så frampt *illustrissimus princeps cum senatoribus regni* ville *subiicere
totalem confirmationem* (26.2.A).

Möglicherweise erleichtert die grosse Ähnlichkeit der lateinischen In-
finitivendung mit der schwedischen (-*ere* gegen ,,-*era*") diese Funktionsgemeinschaft, auch wenn die Betonung verschieden ist. Ich habe jedoch
nur diese beiden Belege. Für die weitaus häufigere Anpassung des Infinitivs an die schwedische Flexion vgl. das oben unter ,,Verbum + Subjektspronomen" angeführte Beispiel: skulle *comprehend*era, und unten: kunne
*contin*eras.

Zu den angeführten Beispielen aus den TR vom Typ ,,distinguirn *ab
officio*" (oben S. 116), wo von einem syntaktisch zusammengehörigen
Gefüge nur die verbale Endung eingedeutscht wird, stellen sich folgende
Belege:

och *litania subiung*eras *concioni* (Strängnäs 1620, S. 85, Nr. 14); och
*consult*erade *de processu concilii* (28.2.A); at *praesid*era *concilio* (ebd.);
Den *6 martii inter 9 et 10 examin*erades *scripta Petri Pauli* (6.3.B); att the
sigh *emend*era och *collig*era *eleemosinam in usum pauperum, tempore
Adventus* eller *Nativitatis Christi* (Strängnäs, S. 84, Nr. 4); än att calve-
nister kunne *contin*eras *sub vocabulo sacramentariorum* (18.3.A); at thet
var *disput*erat *in coronatione regis Johannis III* (9.3.A).

---

[1] Vgl. oben S. 117 f.

[2] Ich setze für die Ziffer die lateinische Ordnungszahl an wegen des ausge-
schriebenen: ,,*Hora secunda* kommo ..." (vgl. unten S. 269).

Lateinische Mischsätze

Wie in den TR sind lateinische Mischsätze selten. Ich habe nur zwei Belege:

> doch inthet annat straff ther hos, än allenast *subscripsit liturgiae*, och nu *justo et merito officio et beneficio privatus* (10.3.A).

Ein *vel*-Satz:

> Att alla predikningar appliceras till *catechismum vel in exordijs fiant transitiones* af dedh *evangelio* eller annan text, som ... (Strängnäs, S. 85, Nr. 14).

Die Einverleibung lateinischer Substantive in den schwedischen Mischsatz[1]

Ein grosser Unterschied zwischen der schwedischen und der deutschen Sprache besteht in der Bildung der bestimmten Form des Substantivs: während das Deutsche den bestimmten Artikel voranstellt, bezeichnet das Schwedische die bestimmte Form mit der Endung *-en* oder *-et*. Bei der Einverleibung lateinischer Substantive in einen schwedischen Satz stand der schwedischen Sprache also nicht der Schritt: Beigabe des bestimmten Artikels bei Beibehaltung der lateinischen Endung zur Verfügung, d. h. Anpassung an die einheimische Syntax ohne Veränderung am Lautkörper des Substantivs. Während ein lateinisches Wort bis zur Aufnahme in die deutsche Sprache folgende Stadien durchmacht: 1) Zitatwort + fremde Syntax, 2) Zitatwort + einheimische Syntax, 3) Fremdwort, fällt bei der schwedischen Sprache das 2. Stadium fort. Die bestimmte Form macht eine Anpassung an die einheimische Flexion notwendig. Die schwedische Sprache verzichtet demnach in den meisten Fällen auf die bestimmte Form, d. h. das lateinische Zitatwort bringt seine Syntax mit in den schwedischen Satz (wie ja auch oft in den deutschen)[2]:

> att *disciplina ecclesiastica* motthe blifva igen revoceradt (26.2.A; heute: disciplin-en); hvilket *professores* svarade (28.2.A; heute: professorer-na); som *archiepiscopus* ... *senior* giorde (1.3.B; heute: ... biskop-en); Men *episcopi* svarade (2.3.B; heute: biskopar-na); han hade subscriberat *liturgiae* (28.2.A; heute: liturgi-en).

---

[1] Vgl. oben S. 126. Vgl. auch B. Loman, Försvenskningen av latinska substantiv i reformationstidens skriftspråk, 1–2. In: Nysvenska studier 35–36. 1955–56. S. 84–137 bzw. 74–120.

[2] Vgl. oben S. 251.

Dagegen wird der unbestimmte Artikel vorangestellt:

ville giöra en *ambiguam confessionem* (6.3.B); hade ... en *orationem* (3.3.B); *stella* en *confessionem* (1.3.A);

ebenso ein demonstratives Pronomen:

thetta concilium (3.3.B).

Neben der lateinischen Form *liturgia* findet sich bereits eine mit schwedischer Flexion:

einerseits: försvarat *liturgiam* (6.3.B), öfvergifva *liturgiam* (ebd.), tog ... fram *liturgiam* (ebd.), önskade *liturgiam* i helfvetit (ebd.), med *liturgiae* bejakelse (ebd.); *andererseits:* fördömt liturgien (7.3.A), hade stått medh liturgien (6.3.A), vedertagit liturgien (ebd.), i liturgien (6.3.B).

Neben *episcopi* findet sich „bisperna":

Hora 2 pom[eridiana] usque ad 6 giorde bisperna ... sin ... bekiännelse (6.3.A).

Neben *archiepiscopus* auch „erchiebisp":

vidh gambla erchiebisp Larses confession (1.3.A).

Wie aus letzterem Beispiel hervorgeht, kommt auch die eingeebnete Form „confession" vor, doch ist sie selten; dagegen wird „bekiännelse" gebraucht (s. oben). Ebenso findet sich „confirmation" in der Zwillingsformel: confirmation och stadfästelse (11.3.B).

Präpositionalkonstruktionen

Wie in den TR werden lateinische Präpositionalgefüge als geschlossene Blöcke einem schwedischen Satz einverleibt; Beispiele:

gingo *in collegium* (6.3.B, u. a.); theras begynnelse *in concilio* (2.3. A); vilia vara *in consessu concilii sine aliquo preside* (28.2.A); och consulterade *de processu concilii* (28.2.A); betenkia till morgonen *de eligendo et nominando archiepiscopo* (25.2.A); hvadh först handlas skulle, nempligen *de sacra scriptura* (2.3.A); hade för svar gifvit *de deliberatione et consultatione* (28.2.A); komma tilstädes effter predikan *ad electionem praesidis* (1.3.B); att alle skulle komma tilstädes *post contionem sequentis diei* (26.2.A); hvilket ... *ex maiori cathedra* ... declamerat hafver (27.2.A); Thetta *concilium* skulle nu hållas *ex mandato illustrissimi domini principis et consiliariorum regni* (3.3.B); *graves dissentiones* vore *inter clerum* (28.2.A).

Doch kann auch eine schwedische Präposition vor lateinischen Gliedern stehen:

uthi *collegio* (26.2.A u. 1.3.A); i samma *concilio* (1.3.A); ... voro bisperna
... sampt medh *dominis professoribus* ... församblade (28.2.A); låta sig
nöija medh *professoribus* och *capitularibus* (1.3.A); medh nögre sanfärdige
argumentis (1.3.A).

In den obigen Belegen fallen im Lateinischen Dativ und Ablativ zusammen. Im folgenden jedoch ist der Ablativ sicher:

med *suo autore Petro P[auli]* (7.3.A) medh *cantu* (Strängnäs, S. 48, Nr. 9);
begäran om *praeside* (1.3.A).

Das lateinische Substantiv steht durchgehend im obliquen Kasus,
wo die lateinische Sprache einen solchen verlangen würde. Es findet
sich also keine Entsprechung des in den TR belegten Gebrauchs, gewisse lateinische Substantive durchgehend im casus rectus zu verwenden
(vgl. oben S. 166 f.); dadurch fällt eine weitere Stufe im Einverleibungs-
prozess eines Zitatwortes fort (vgl. oben S. 126, Nr. 3; das Ausfallen von
ebd. Nr. 2 war bereits oben festgestellt worden).

Weitere Belege für lateinischen Ablativ im schwedischen Mischsatz:

Abl. temporis: *Hora secunda* kommo de åter tilsammans (28.2.B); *Hora
10* gick m. *Ericus Jac[obi] in collegium* (28.2.A); ... hade en under-
visning om de bortlagde helgedagar *tempore reformatae religionis* (7.3.B);
modi oder instrumentalis: så att hvar och en skulle thetta *concilium* bepryda
concordia et placido consensu (26.2.A); Svarade the alle, *quasi uno ore*, nej
(1.3.A); gick hvart biskops stifft fram *ordine* (2.3.B).
Abl. absolutus: Den *18 martii finita concione* blef afkunnat af predikostolen
(18.3.A).

Wie in einem deutschen Mischsatz kann der lateinische Ablativ seine
Funktion auch in einem schwedischen ausüben, obwohl auch die schwedische Sprache keinen Ablativ kennt.

Lateinisches Adverb

Lateinisches Adverb steht nur zusammen mit anderen lateinischen
Gliedern:

hvilket ... *ex maiori cathedra* ifrån 9 och nogot när in till 11 *memoriter
sine charta* declamerat hafver (27.2.A).

Umschaltung in der Hypotaxe

Ich habe fast ausschliesslich lateinische Gliedsätze.

Relative: then hålla vi såsom fri ting, *quae pro ratione temporis mutari possit*
(9.3.B); när man allenast på them tänka ville, *quod est absurdissimum*

(7.3.A; weiterführend); *Domino Nicolao in* Aschersund i Närike bleff effterlåtit skilies ifrå sin hustru, *quae iudicata est desertrix malitiosa, quae* ... (Strängnäs 1584; S. 7, Nr. 1);

cum, eingeschoben: och sade ther hos, *cum aperuit nobis concilium*, att alle skulle vara så enlige, att ... (1.3.A);

ne: ... icke länger än som en tima, *ne nimia in concionando prolixitas pariat auditoribus fastidium et sic male audit verbum Dei* (10.3.A); ... skal suspenderas *ab officio. Ne Ecclesiastica misceantur politicis* (Strängnäs 1584; S. 13, Nr. 7);

donec: ... och sädan therföre suspenderat, *donec obedientiam sposponderit* (Strängnäs 1585, S. 25, Nr. 5).

Ein schwedischer Relativsatz: *et sic male audit verbum Dei*, hvilket och Lutherus förekastade (10.3.A; weiterführend).

Umschaltung in der Parataxe

Et: Uti gestebod skall man vara skickeligh, icke bruka nogot slemt snack, drijcka duu skåll och annat sådant, som inthet gott födher aff sigh & *in colloquijs et collationibus sententiarum in potu, seruetur pietas et placida modestia et fugiatur tenax sententiarum pertinacia* (Strängnäs 1583, S. 4, Nr. VIII);

nach Anführung des Gedankenguts des Petrus Pauli, vgl. unten unter „Anführungssätze":

... blifver han ther uthaf upväckt till att fruckta Gudh *etc., et inde conclusi tandem ceremonias esse res ad salutem necessarias, quod est falsissimum* (7.3.A).

In diesen Texten ist die Umschaltung in der Parataxe und der Hypotaxe weit weniger häufig als in den TR. Die häufigste Form des Sprachwechsels ist die Einschaltung von Wortgruppen in einen Satz. Dies hängt mit den Gründen für den Sprachwechsel zusammen (vgl. unten).

Anführungssätze

Wie in den TR hebt sich der Anführungssatz mitunter sprachlich von dem Zitierten ab:

som han uprepeterade af thet, som riksens canselär talat hade, *erupit et in hanc sententiam*, att vår nådige konungh ... sagt sig ... hafva åstundat att vara tilstädes i samma *concilio* (1.3.A).

Das Ende einer indirekten Anführung wird durch den Sprachwechsel markiert:

Hvarföre the och sade, att then the kiände godh före at praesidera *concilio*, honom sågo och the än före att vara godh till erchebiscop, *in quorum*

sententiam pastores diecaesis Upsalensis conspiravere, säijandes ...
(28.2.A); Vardt ther hos och ... förmant, att ther nogor var, ... han skulle
komma ther fram och låta sigh se. *In prima igitur sessione explicati sunt
quatuor priores articuli* (3.3.A).

Sonderfälle.

In einigen Belegen geschieht der Übergang in die lateinische Sprache
durch die Aufzählung von Eigennamen; nach der Aufzählung dieser
Namen hat der Sprecher die sprachliche Orientierung verloren und führt
den Satz oder Abschnitt lateinisch zu Ende:

> när the nu förnummo, att *m. Nicolaus Olai* hade mäst *suffragia* be-
> kommit, ty han bekom 196[1], *m. Petrus B[enedicti] Lincopensis epi-
> scopus 5, m. Petrus Jonae Streng[nensis] 56, Arosiensis episcopus O, Abo-
> ensis saltem unum*, confirmerade h. f. N. ... (2.3A).

Im folgenden Beleg führt eine dritte Sprache zum Verlust der sprachlichen
Orientierung:

> Och war min swar ... at the äre dööpte, *Swanta ima pålsai nagora
> nebone Bogv. Ima Christows. Ima Swentei Dwchtz*[2] *cum suo
> addito nomine, totaliter in aqua* (Uppsala, 1614; S. 29).

Gründe für den Sprachwechsel

In erster Linie macht sich der Terminologiezwang geltend, der zur
Einschaltung von einzelnen Wörtern und Wortgruppen führt. Dazu
kommt der Zwang zum Zitieren und das Bedürfnis, Angeführtes und
eigene Worte voneinander zu unterscheiden. Auf diese Gründe sind
die meisten Belege zurückzuführen. Stärkeres Kolorit der einen Sprache
wirkt sich nur selten aus (z. B. S. 270, unter „*et*"). Dies hängt mit dem
sachlichen Charakter der Amtssprache zusammen.

Wie in den TR bleiben jedoch auch viele Fälle unerklärt. Und wie
in den TR drängt sich ein Wort, das so der „häuslichen" Sphäre angehört
wie „*parentes*", in den muttersprachlichen Text ein: att han haffuer
förmögne *parentes*, som honom kan hielpa (Strängnäs 1583, S. 5, Nr. 15).
Vgl. TR: denn *parentes* haben es yhm willen (365).

Zusammenfassung. Die Stichproben in den schwedischen Mischtexten
weisen grosse Übereinstimmung mit den Mischtexten in den TR auf.
Besonders tritt diese Übereinstimmung beim Prädikat hervor. Auch

---

[1] Die Sprachzugehörigkeit der Ziffern ist unsicher.

[2] Vermutlich entstellte Variante einer kirchenslawischen Taufformel, laut mag.
theol. u. phil. Christofer Klasson.

in den schwedischen Texten sind lateinische Mischsätze selten; auch für schwedische Mischsätze gilt, dass das, was am engsten mit dem Prädikat zusammenhängt, am ehesten auf Schwedisch steht (Subjektspronomen, gliedsatzeinleitende Partikel, Negation); wie in den deutschen Mischsätzen ist die verbale Flexion das letzte Rückzugsgebiet. Eine schwedische Präposition kann vor lateinischen Gliedern stehen und unter Umständen den Ablativ regieren. In der Hypotaxe wird vorwiegend vor lateinischen Gliedsätzen umgeschaltet.

Aus den Texten ergibt sich mit grosser Deutlichkeit, dass es für gebildete Menschen im Reformationszeitalter nicht leicht war, so zu sprechen, ,,wie ihnen der Schnabel gewachsen war". Der Schnabel war zweifältig gewachsen. Beschränkung auf nur eine Sprache war unter diesen Umständen offenbar mit Anstrengung und Zwang verbunden.

Die althochdeutsche Mischprosa

Im folgenden werden zwei althochdeutsche Texte zum Vergleich herangezogen: Notkers Kommentar zu Boetius' *De consolatione Philosophiae*[1] und Willirams Paraphrase des Hohenliedes[2]. Die Mischprosa in diesen Werken ist schon früher Gegenstand von Untersuchungen gewesen[3]. Dabei ist jedoch nicht die Struktur der Sprache philologisch untersucht, sondern vorwiegend nach den Gründen der Mischung gefragt worden. Die Erklärungsversuche waren teils philosophischer Art (Hoffmann), teils ästhetischer (Junghans), während Schaumann den didaktischen Zweck betonte:

Notker hat seine Mischprosa aus der gebräuchlichen Sprachmischung der St. Galler Klosterschule zu stilistischen, rein praktischen Zwecken ausgebildet, um einerseits die dialektischen Stützpunkte seiner Erläuterungen hervorzuheben, anderseits ... die Verknüpfung von Bild und Deutung, Begriff und Erklärung enger und inniger zu gestalten[4].

---

[1] Notkers des Deutschen Werke. Nach den Handschriften neu herausgegeben von E. H. Sehrt und Taylor Starck. Halle 1933. Bd. 1.

[2] Willirams deutsche Paraphrase des Hohen Liedes. Hrsg. v. J. Seemüller. QF 28. Strassburg 1878.

[3] Siehe die oben S. 6, Anm. 3 angeführten Arbeiten von Junghans, Hoffmann und Schaumann. Erklärungsversuche ferner bei W. Scherer, Leben Willirams, Abtes von Ebersberg in Baiern. WSB 1866. Bd. 53. S. 293 ff. Vgl. auch F. Leimbach, Die Sprache Notkers und Willirams. Diss. Göttingen 1933.

[4] S. 38.

Die Mischsprache als solche wird erklärt 1. als ein Produkt der Schule, „Pädagogenjargon[1]", 2. als „Jargon der hohen geistigen Gesellschaft"[2], als ein Produkt des Klosters[3]; den Tatsachen am gerechtesten wird wohl Scherer, wenn er von einer „Muttersprache des geistigen Standes" spricht:

> Strebte der deutsche Priester auch den geläufigen Gebrauch seiner natio-
> nalen Muttersprache an, so betrachtete er doch als die Muttersprache seines
> Standes, als die Redeform, worin er sich gleichsam im Hauskleide bewegte,
> eben jenen gemischten Jargon. Und es begreift sich nun, dass Williram auf
> Beifall rechnen durfte, indem er diesen Jargon ... zu einer Litteratursprache
> erhob ... Andererseits war dies für Williram selbst weitaus die bequemste
> Form und die er am leichtesten handhabte[4].

Beim Vergleich dieser Texte mit den TR muss man folgenden Tatsachen Rechnung tragen: die Texte sind zu einem grossen Teil reine Übersetzungstexte, teils Paraphrasen; auch die Kommentare sind an vielen Stellen direkt von der lateinischen Vorlage abhängig; sie haben schriftsprachlichen Charakter und sind von stilistischen Absichten beeinflusst.

Die Unterschiede zwischen dem Althochdeutschen und dem Frühneuhochdeutschen brauchen an dieser Stelle wohl nicht besonders hervorgehoben zu werden.

Die Rolle des Prädikates

Das deutsche Prädikat spielt in den althochdeutschen Texten die gleiche zentrale Rolle wie in den TR: auch bei Notker und Williram finden sich Sätze, in denen das deutsche Element nur aus dem Prädikatsverb besteht:

> *In fornicibus theatri* uuúrten *meretrices prostrate* (N 4, 12)[5]; *Flores* bezêiche-
> nent *initia uirtutum, mala perfectionem bonorum operum* (W 31)[6].

Es zeigt sich jedoch ein Unterschied zwischen Notker und Williram: während ich bei meinen Stichproben in Notkers Werken keine lateini-

---

[1] Hoffmann, S. 4 f.
[2] Junghans, S. 35 f., nach Scherer.
[3] Schaumann, S. 10 f.
[4] S. 295.
[5] Die erste Ziffer bezeichnet das Kapitel, die zweite die Seite.
[6] Die Ziffer bezeichnet das Kapitel.

schen Mischsätze gefunden habe, finden sich Sätze mit lateinischem
Prädikat (auch bei deutschem Subjektspronomen!) nicht selten bei
Williram (vgl. unten: „Abweichungen bei Williram").

Vor-, Mittel- und Nachfeld

Lateinisches Vorfeld:

   Sirenes sínt mére-tîer (N 4, 13).

Vor- und Nachfeld:

   Nardus nesál ábo nîet sîn *sine croco* (W 69); *post contemplationem* scált
   dú ôuch uúre gên *ad fratrum utilitatem et ad publicam actionem* (W 44);
   In omnem terram íst kúman *praedicatio apostolorum* (W 40);
Williram liebt den nominativus pendens[1]:

   Tabernacula dîe uuérdent *ex pellibus mortuorum animalium* (W 9); *Caprea*
   díu íst *mundum animal* (W 59); *Lex* díu quît (W 7); *Facilitas operandi*
   díu íst *significata per manus tornatiles* (W 92).

Lateinisches Mittelfeld ist selten, da die Spreizstellung des geteilten
Prädikates oft nicht stattfindet; der folgende Gliedsatz hat jedoch
lateinisches Mittelfeld und Nachfeld:

   Do íh zuîueleta, óbe íh *ad exhortationem sponsi* scólte *de secreto contemplationis* uúre kúman *ad publicum praedicationis* (W 79).

In diesem Gliedsatz ist ausser dem Gerüst (einleitende Partikel und Prädikatsverb) nur das Subjektspronomen deutsch, vgl. die übereinstimmenden
Belege in den TR, oben S. 106. Mittelfeld hat auch:

   Uuánda dâr-úmbe chám *christus*[2] *dei sapientia* hára in uuérlt (N 12, 27).

Besonders das *Nachfeld* ist von lateinischen Gliedern besetzt:

in den folgenden Belegen findet die Spreizstellung des Prädikates nicht statt:
   sínt geuuáhsen *aromaticae arbores* (W 69); Déro túgede ... scál sîn *assidua
   commemoratio gratiae caelestis* (ebd.); dáz der glîch íst *mannae de caelo
   uenienti* (ebd.); so êinemo uuírdet gegében *per spiritum sermo sapientiae*
   (ebd.);
(Jedoch: dîe u u é r d e n t mít *rore gratiae caelestis* d e a l b a t i (ebd.), s. unten
unter „Abweichungen".)
   Im folgenden Beleg ist das Vorfeld von einer Partikel besetzt; im Nachfeld stehen sämtliche übrigen Satzglieder auf lateinisch:
   Târfúre lêrtôn *philosophi ęthicam . i . morum disciplinam* (N 12, 27).
Nach demselben Verb findet sich ein lateinischer Infinitiv im Nachfeld:
   táz er ménnisken lêrti. *in terris angelicam uitam ducere* (ebd.).

---

[1] Vgl. Seemüllers Verzeichnis auf S. 78 f.

[2] Da der Name ohne Akzent auf dem i geschrieben ist, muss er dem Lateinischen
zugewiesen werden.

Bei Notker findet sich, dem didaktischen Charakter seines Textes entsprechend, sehr häufig der in den TR und Briefen stark belegte Typ mit lateinischem Gleichsetzungsnominativ im Nachfeld (vgl. oben S. 91 f.):

táz sínt *artes liberales* (N 3, 10); táz sínt *tumultus secularium* (N 10, 24); táz sínt *furores principum* (ebd.) usw.

Mit Akkusativobjekt im Nachfeld:

Táz pezéichenet *practicam uitam* . táz chît *actiuam* (N 3, 11); Nu uuíl íh ábo frâgan *prophetas et apostolos, qui custodiunt ciuitatem dei* (W 48); unte sîe héftent *multitudinem auditorum in unitatem fidei* (W 56).

Gliedsatzrahmen und Gliedsatzgerüst

Wie in den TR findet sich deutscher Rahmen mit lateinischer Füllung:

álso *tres amici iob* uuóltôn (N 22, 41); uuîo *anaxagoras stoicus philosophus* indrán (N 8, 21); táz *motus quieti contrarius* sî (N 5, 65); târ *liberales artes* ána uuâren (N 3, 12).

mit Nachfeld:

díu *in cella SANCTI GALLI nouiter* gemáchôt íst. *sub PURCHARDO ABBATE* (N 45, 123); táz *phitagoras phylosophus* spráh. *de non sacris.* álde *de non diis* (N 20, 39); unte ôuh *acerbitas persecutionum* béran scál *maturitatem praemiorum* (W 73).

Ausser dem Rahmen oder Gliedsatzgerüst ist das Subjektspronomen deutsch:

Sîe rîeton mír ôuh, daz íh *mundiales curas, quae per pallium significantur,* híne uuúrfe, *nisi pro fraterna utilitate* (W 84); uuánte sîe *mediatores* sint *inter me et populum* (W 58); vgl. auch den oben S. 274 angeführten óbe-Satz.

In Gegensatz zu Notker sind bei Williram gemischte Gliedsatzrahmen keine Seltenheit, vgl. unten S. 279 f.

Lateinische Substantive im deutschen Mischsatz

Wie aus den Belegen bereits hervorgegangen sein dürfte, werden lateinische Substantive ohne Artikel in obliquer Form einem deutschen Mischsatz einverleibt. Doch kommt auch schon Artikel vor (bei Williram weitaus häufiger als bei Notker):

dáz negât ten *oratorem* nîeht ána (N 27, 98); Íst tiu *fortuna* sô skámelôs (N 15, 32); dîe *haereses,* dîe *haeretici* (W 45); uóne démo sûozen slâffe déro *contemplationis* (W 43);

sogar bei lateinischem Attribut (vgl. oben S. 128):

der *angelus malus* (N 20, 40); dîe *sancti doctores* (W 51); dîe *uerae fidei doctores* (W 13), díu *legalia praecepta* (W 41).

Dagegen steht *ecclesia* ohne Artikel (auch als Objekt):

beuuáret *Ecclesiam* (W 51); daz íst *Ecclesia,* (ebd.); als Gegensatz: díu *Ecclesia de gentibus* (W 50, zweimal; vgl. oben S. 60).

Adjektive

Deutsches Adjektiv kann lateinisches Substantiv bestimmen:

Sô uuârên *sumptis* uuâríu *inlatio* fólgêt (N3, 10).

In numero fidelium da sínt míchelero *dignitatis casti et continentes*, dîe íro lébentegaz *corpus* álso *immune* beháltont *a foetore luxuriae* (W70).

Im letzteren Beleg steht auch ein lateinisches Adverb bei deutschem Verb; es wird von der lateinischen Präpositionalkonstruktion gestützt (vgl. oben S. 131 ff.).

Dagegen findet sich kein lateinisches Adjektiv attributiv vor deutschen Substantiven[1]. Die wenigen bei Junghans aufgeführten Adjektive sind prädikativ; oft bestimmen sie dazu lateinische Substantive:

daz der *amor* nîene sî *otiosus*, súnter mít gûoten uuérchon *condîtus* (W132); Suâse mîn *dilectio* íst, da ne íst síu nîeht *otiosa* (W138); dáz íst *inutile. et non necessarium* (N25, 96);
vgl. auch die Partizipien, unten unter „Abweichungen".

Präpositionalgefüge

Hier wie in allen früher untersuchten Mischtexten setzen sich die lateinischen Präpositionalgefüge stark durch; ausser den Belegen oben unter Vor- und Nachfeld (W44) und dem Gliedsatz mit Mittelfeld und Nachfeld (W79) führe ich hier nur noch an:

... lángo uuás *in exilio* (N8, 21); tîe férrôst sízzent *ad austrum*. dîe sízzent *in ethiopicis insulis* (Notker, zitiert nach Hoffmann S. 85, der dort weitere Belege für lat. Präpositionalkonstruktion nach „sízzen" anführt); Ter ménnisko íst keskáffen *ad imaginem et similitudinem dei* (N20, 39 f.); áber chómên *ad ortum* (N5, 16); *In numero fidelium* da sínt ... (W70); dîe scúlon iruuélet sîn *ex fortissimis Israel* (W51).

Im folgenden Beleg steht *contra* parallel zu „uuíder":
uuíder démo tîuuele unte *contra haereticos* (W51).

Daneben kommen auch deutsche Präpositionen vor lateinischem Hauptwort vor, besonders „von" und „mit" (bei Williram ist „mit" sogar häufiger als seine lateinische Entsprechung):

VON

ohne Artikel oder Pronomen: uóne *dei sapientia* (N3, 10; Abl. od. cas. rect.); fárent fóne *actiua vita ad contemplatiuam* (N3, 11; Abl. oder cas. rect.); uóne *legalibus faecibus* (W30; Dat. oder Abl.);

---

[1] Vgl. Junghans' Verzeichnis der „ausser Zusammenhang auftretenden Adjektiven, Verben u.s.w.", S. 34 f., deren Anzahl „gegenüber der Menge von Substantiven eine verschwindend kleine" ist.

mit Artikel: fóne demo *hiemali circulo* (N 5, 16; Dat. oder Abl.);

mit Pronomen: fóne mánigên *persecutoribus* (N 9, 22; Dat. oder Abl.).

MIT

ohne Artikel oder Pronomen: mít *exemplis,* mít *doctrinis* (W 118; Dat. oder Abl.) mít *effusione sui sanguinis* (W 68, Abl.); mít *lacte diuini uerbi* (W 59, Abl.); mít *dealbatione baptismatis* (W 62, Abl.); mít *mortificatione carnis* (W 50, Abl.); mít *munditia precum* (W 50, Abl. oder cas. rect.); mít *crudelitate* (W 118, Abl.).

Die Belege bei Williram liessen sich leicht vermehren. Überwiegend steht kein Artikel, doch finden sich auch drei parallele Belege wie folgt:

mít déro *munditia mentis et corporis,* unte mít *acuta prouisione fraternae utilitatis,* unte mít *despectu terrenorum* (W 59, Abl.);

mit Artikel: Mít tien *caracteribus* (N 12, 27; Dat. oder Abl.); mít déro *munditia mentis et corporis* (W 59, Abl. oder cas. rect.);

mit Pronomen: mít íro *lenociniis* (N 4, 13; Dat. oder Abl.); mít mînên *carminibus* (N 4, 14; Dat. oder Abl.).

AN

ich habe nur Belege mit Artikel: án demo *consulatu* (N 13, 28; Abl.); an dén *praecipuis membris* (W 61; Dat. oder Abl.); an dén *continentibus et coniugatis* (ebd.; Dat. oder Abl.); an dén *conuenticulis fidelium* (W 68; Dat. oder Abl.).

IN

Belege mit deutschem Pronomen: in dîner *praedicatione* (W 54, Abl.); in dînero *praedicatione* (W 43; Abl.); in sînero *uocatione* (W 46, Abl.).

Es zeigt sich, dass der in den TR gebuchte Gebrauch des lateinischen Ablativs nach deutscher dativheischender Präposition + deutschem Artikel oder Pronomen im Dativ bereits im Althochdeutschen vorgebildet ist; es zeigt sich aber auch, dass in der überwiegenden Anzahl von Fällen, wo lateinischer Dativ und Ablativ nicht zusammenfallen, im Gegensatz zu den TR kein Artikel oder Pronomen vor dem Ablativ steht.

Einen sicheren Beleg für lat. cas. rect. statt obl. habe ich nicht, da in den in Frage kommenden Belegen cas. rect. und Abl. zusammenfallen; m. E. ist hier der Abl. anzusetzen.

Lateinische Konstruktionen ohne deutsche Entsprechung

Wie in den TR finden sich Belege für:

lateinischen *ablativus temporis:*

dáz *saturnus* úmbe-gât ten hímel *triginta annis . iouis duodecim. mars duobus. sol in uno anno* ... (N 5, 15).

Gerundium:

táz tûot sî *diuina scrutando* (N 2, 10).

Umschaltung in der Hypotaxe

Anführungen: Sî chád. *per me reges regnant* (N 3, 12); als íz quît: *omnis gloria eius filiae regum ab intus,* sóne máht ôuh ... (W 14); áls íz quît: *Miseri estote et lugete* ... (W 40; s. auch W 36); sîe nefûorîn sáment mír. *Quasi diceret.* Úbe íh ánderro sáchôn beróubôt pín ... (N 1, 7).

Konjunktionalsätze.

ut: Úbe du nîo negeéiscotôst. uuîo *anaxagoras stoicus philosophus* indrán. *s. ut non pateretur tormenta.* únde ér ... (N 8, 21); uuánte sîe ... sínt ... nâh mînemo ráte, *ut me expeditius sequi possint* (W 55).

cum: daz íh mîne mûoter ... uuídere ze sînemo gelôiben brínge, *cum plenitudo gentium intrauerit* (W 48).

nisi: Míh ne lústet nîeuuetes, *nisi tantum dissolui et esse cum illo* (W 85).

Relativsätze.

Als Subjekt: Sîe lâzet thér ûz. *qui producit uentos de thesauris suis* (N 5, 16). Attributiv: állersláhto túgede, *quae per aromaticas arbores designantur* (W 69); in mînemo sínne, *qui per uentrem significatur* (W 79).

Junghans stellt auf S. 20 sechs solche Belege zusammen.

Im folgenden Beleg lösen sich lateinische und deutsche Relativsätze gegenseitig ab: daz íst díu uuúnna des êuuegen lîbes, *quam nec oculus uidit, nec auris audiuit, nec in cor hominis ascendit,* díu der îetemêr zegêt, dánne díu *cedrus, quae in Libano est,* iruûlet (W 52).

Doch ist Schaltung bei deutschem Relativsatz selten.

Häufig steht der lateinische Relativsatz attributiv zu lateinischem Hauptwort in deutschem Mischsatz. Im folgenden Beispiel macht sich der Parallelismus geltend: bêide sîn *mansuetudo, qua suscepit publicanos et peccatores,* unte sîn *seueritas, qua corripuit Pharisaeos et poenitentiam agere nolentes,* unte sîn *laetitia, qua exultauit in spiritu sancto,* unte sîn *tristitia, qua fleuit super ciuitatem Hierusalem et super Lazarum mortuum* (W 90).

Es findet sich auch ein Relativsatz als Akkusativobjekt mit demonstrativem Pronomen als Stütze im deutschen Hauptsatz:

Íh uuíl míh dén nâhan, *qui terrena despiciunt* unte dîe der *carnem suam mortificant* ... unte dîe der ôuh mír daz ópfer bríngent ... (W 60).

Zum gemischten Gliedsatzrahmen im letzten Beispiel (dîe ... *mortificant*) s. unten unter „Abweichungen".

Umschaltung in der Parataxe

Ein „zusammengezogener" Satz, Schaltung deutsch-lateinisch[1]:

fóne déro sánge intslâfent tie uérigen . *et patiuntur naufragium*[2] (N 4, 13 f.).

quia-Sätze: uóne dánnan níst íro nechêin únbârig, *quia omnium quaecumque faciet prosperabuntur* (W 55); unte íh sího ôuh uílo uuásso, *quia nullum*

---

[1] Siehe oben S. 216, Anm. 2.

[2] Rhythmische Gründe (Cursus) können eingewirkt haben. Zum Cursus vgl. jetzt Gudrun Lindholm, Studien zum mittellateinischen Prosarhythmus. Diss. Stockholm 1963.

me latet secretum (W 59); ... únde úngebróstenes . *quia pertingit a fine usque ad finem fortiter* (N 2, 9).

Der Parallelismus macht sich im folgenden Beispiel geltend:

Mîn suéster, *quia cohaeres regni mei,* mîn frûintin, *quia conscia secretorum meorum,* mîn tûba, *quia dotata a me donis spiritus sancti,* ... mîn scôina, *quia in baptismate purgata ab omni macula peccati* (W 77).

id-est-Sätze, (= Glossen): daz sîe der úbelo hûorare, *id est, diabolus,* nîene múge *corrumpere* (W 51); unte mít ánderen uuóletâten ze démo gíth hûffen, *id est ad me* (W 55); mîn uuêida íst ôuh an den bérgon, *id est, in his, qui terrena despiciunt* (W 59).

Abweichungen bei Williram

Während die Mischprosa bei Notker im grossen und ganzen mit der in den TR gefundenen überraschend gut übereinstimmt, finden sich bei Williram Abweichungen in der Behandlung des Prädikatsverbs: es findet sich *deutsches Subjektspronomen zusammen mit lateinischem Verb:*

uuánte sîe dîe *perfectos instruunt* mít *spiritualis sensus dulcedine,* unte ábo dîe *infirmos auditores nutriunt* mít déro míliche *historialis uerbi* (W 66); do íh uuás *in tenebris incredulitatis* unte íh *consentiebam carnalibus desideriis* (W 48).

Der Parallelismus ist wieder auffällig.

Während sich bei Notker *lateinischer Infinitiv nach deutschem Hilfsverb* nur selten findet:

Nû uuíle sî *disputare* (N 27, 98),

ist dieser Gebrauch häufiger bei Williram; parallel zu dem oben zitierten ,,íh *consentiebam*" steht:

nú ne uuíl íh nîet mêr *consentire carnalibus desideriis* (W 48);

und, wiederum in parallelen Sätzen:

Scál íh *officium praedicationis repetere,* so scál íh ôuh *subiectis necessaria prouidere* (W 78).

Die Beispiele liessen sich leicht vermehren.

Bei Williram finden sich auch *gemischte Gliedsatzrahmen* mit einleitender deutscher Partikel und lateinischem Verb (vgl. oben S. 108 und 160):

daz íuuih *caelestis gloria amplecteretur* (W 53); Ábo dîne *doctores,* dîe der *per dentes figurantur* (W 55); do dú dîe *apostolos secundum meam praedestinationem disseminasti* (W 68); dîe der ze êin ánderen *mutua caritate cohaerent,* also *multa grana sub uno cortice mali punici continentur* (ebd.).

Die Beispiele liessen sich leicht vermehren; im folgenden Beleg hat das Verb keine Endstellung:

daz sîe síh dánne *conferant ad plenissima fluenta diuini uerbi* (W 89).

Auch findet sich bei Williram häufig (bei Notker dagegen selten) *deutsches Hilfsverb mit lateinischem Partizip*:

táz er uuúrte *captus.* álde *ui obpressus.* álde *in uincula missus* (N 13, 79); dîe uuérdent mít *rore gratiae caelestis dealbati* (W 69); unte sô sîe mít *lacte simplicioris doctrinae* uuérden *enutriti* (W 89); in íro geschríften uuárt íh so hárto *compuncta* unte so hárto gesêrot (W 84); Álle *contradictionem, quae per pessulum significatur,* hábon íh *remotam* uóne mînemo hérzen (W 81); unte ér uuárt *incarnatus ex uirginali castitate* (W 93); unte síu uuás ábo *decorata caelestibus signis* ... Síu uuâron *distincta* an ímo *opera diuinae maiestatis* unte *infirma humanae necessitatis* (ebd.). „Das germanische Part. Prät. geht zurück auf idg. Verbaladjektiva auf *-to* und *-no.* Diese Adjektiva ... standen ... in loserem Verhältnis zum Verbalsystem und hatten einen mehr rein nominalen Charakter als die eigentlichen Partizipia. Dies Verhältnis ist noch im ältesten Germanisch spürbar.“[1] — Die Belege aus Nr. 93 nähern sich den oben S. 91 f. angeführten mit dem Gleichsetzungsnominativ im Nachfeld.

Die Abweichungen bei Williram sind z. Teil aus der gebundenen Form seines Textes zu erklären; die stilistischen Absichten hat besonders Junghans hervorgehoben[2]; Seemüller führt dazu an, „dass er in den Fluss der deutschen Rede, als Merkzeichen, lateinische Ausdrücke einsetzte, um damit die Hauptbegriffe der Allegorie zu bezeichnen, an die man sich zu halten habe, um das ganze Gewebe von Symbolen und Auslegungen besser zu übersehen“[3]. Dass sich besonders im Parallelismus an der Eindrucksstelle[4] gern lateinische Wörter finden, lässt sich auch bei Notker feststellen:

Sínt sie *non sacri.* sô sínt sie *sacrilegi.*
sínt sie *non dii.* sô sínt sie *demones* (N 20, 39).

Man vergleiche damit den oben S. 236 angeführten Beleg aus Luthers Briefen, wo sich in der Epipher *ab extra, ab intra* antithetisch gegenüberstehen.

Die Untersuchung hat gezeigt, dass die Mischprosa, deren sich Luther und seine gebildeten Zeitgenossen bedienten, ebenso alt ist wie die

---

[1] I. Dal, Kurze deutsche Syntax auf historischer Grundlage. Tübingen 1962². S. 117.
[2] S. 31 ff.
[3] S. IX.
[4] Von E. Drach geprägter Terminus, zitiert bei Erben 1954 S. 18.

christlich-lateinische Kultur und Bildung auf deutschem Boden. Besonders gross ist die Übereinstimmung zwischen den TR und Notker. Poesie und Rhetorik können dagegen eigenen Gesetzen folgen.

Es ist daher irrig, Humanismus und Reformation für die Sprachmischung verantwortlich zu machen, wie dies K. G. Steck tut: „Stossen wir in den Tischreden auf eine merkwürdig anmutende lateinisch-deutsche Mischsprache, so ist das ein charakteristischer Ausdruck für die Gesamtentwicklung des christlichen Denkens und Lehrens, die sich seit Humanismus und Reformation zweisprachig vollzieht[1]."

Beispiele aus der heutigen Literatur

Ich bringe hier Beispiele für lateinische Einschaltungen, die mir im Verlauf von ungefähr einem Jahr aufgefallen sind. In wissenschaftlicher Literatur macht sich besonders der Terminologiezwang geltend. Man kann diesen Zwang auch bei akademischen Disputationen beobachten, die auf Schwedisch abgehalten werden[2]. Auffällig ist wieder die Durchschlagskraft der Präpositionalkonstruktionen. Die wissenschaftliche Literatur überwiegt aus natürlichen Gründen, da ja beim Leser Lateinkenntnisse als selbstverständlich vorausgesetzt werden müssen. Doch finden sich auch drei Vertreter der schöngeistigen Literatur (Bergengruen, Böll, Hochhuth).

Präpositionalgefüge[3]:

I alla tre fallen gäller det ifrågavarande sak *in abstracto*[4]; ... but are merely analysing the word *per se* to find ...[5]; When ... the ... terms of all the trains, however differing *inter se*, finally shoot into the same conclusion[6]; wenn *ad hoc* ... zwei Komponenten ... oponiert werden sollen[7]; (Derselbe Ausdruck attributiv:) that they at least are mere *ad hoc* constructions[8]; es versteht sich von selbst, dass das über diese [Sätze] Ausgeführte *cum grano salis* auch für Satzgefüge anderer Art gilt[9]; eine Betrachtung der ... sprachlichen Entwicklung vermag diesen

[1] Luther, Tischreden. Ausgewählt und eingeleitet von K. G. Steck. München 1959. S. 8.

[2] Besonders englische Termini dringen ein.

[3] Die Kursivierung stammt in den allermeisten Beispielen von mir.

[4] N. Beckman, Västeuropeisk syntax. In: Göteborgs högskolas årsskrift XL. 1934:4, S. 24.

[5] E. H. Raymond, Experiences with parts of speech. In: The Psychological Review. Monogr. Suppl. VIII. 1907. S. 8.

[6] W. James, The Principles of Psychology. London 1891. Bd. 1. S. 269.

[7] K. Bühler 1936. S. 11.

[8] V. Mathesius, On some problems of the systematic analysis of Grammar. In: TCLP 6. 1936. S. 106.

[9] F. Slotty, Zur Theorie des Nebensatzes. In: TCLP 6. 1936. S. 140.

Erwerb *in statu nascendi* zu erfassen[1]; Die Feststellung ... gelingt am leichtesten, wo wir synt. Veränderungen *in statu nascendi* beobachten können[2]; Der Deutsche kann das Verfahren *ex analogia* in viel stärkerem Masse heranziehen[3]; dass jede Form von Spezial'begabung' *ex definitione* aus spezifischen anlagemässigen Ausstattungen erwächst[4]; Wenn Sprache *ex definitione* Sinnverwirklichung ... einschliesst[5]; als Sprachkraft *in actu* zwecks schöpferischer Versinnlichung eines Sinns[6]; ... die diesen Bewusstseinsverlauf *sub specie aeternitatis* betrachtet[7]; ... die uns zudem gleich *in medias res* unseres Problems zu führen imstande ist[8]; Il s'agit d'un bilinguisme à la 3me puissance *in sensu distincto* conditionné par les nécessités; ... C'est du bilinguisme à la 3me puissance *in sensu composito*[9]; ... that a principle of explanation which can be shown not to account *in toto* for any change chosen at random is *ipso facto* to be rejected as invalid[10]; Dass unvertraute Situationen, Nervosität und Aufregung die normale Ausdrucksmotorik sofort *in pejus alter*ieren, ist auch vom Sprechen her bekannt[11]; ... dass diese Denkmethoden niemals als *ex nihilo* entstanden betrachtet werden dürfen[12].

Solche Entwicklungen vollziehen sich unmerklich und *praeter legem*[13]; In seiner Art lebte er doch *sub specie aeternitatis*[14]. Sie umfasst Erinnerungen und Erfahrungen, Betrachtungen, Beobachtungen und Gedanken *de omnibus rebus et de quibusdam aliis*[15]; Wir verbieten ihm — verbieten *ex cathedra* — ... dies — da[16]; ... und in seiner unseligen Person würden die Deutschen *in corpore* nur provoziert und denunziert ... Nun endlich Schluss damit, *ad acta*[17].

Für *substantivische Fachausdrücke* habe ich weit weniger Belege. Sie bestehen überwiegend aus Wortgruppen:

---

[1] F. Kainz, Psychologie der Sprache. Bd. 2. Stuttgart 1943. S. 56.

[2] W. Havers, 1931, S. 11.

[3] Kainz, a. a. O. Bd. 4. 1956. S. 336.

[4] Ebd. S. 364.

[5] L. Jost. S. 151 f.

[6] Ebd.

[7] W. Wirth, Die Zeitwahrnehmung. In: „Zwischen Philosophie und Kunst", Festschrift J. Volkelt. Leipzig 1926. S. 3.

[8] Kainz, Vorformen des Denkens. In: Acta Psychologica X. Nr. 1. 1954. S. 61.

[9] Boileau 1946, Heft 3. S. 118 bzw. 119.

[10] A. Martinet, Function, Structure, and Sound Change. In: Word 8. 1952. S. 1.

[11] Kainz, Bd. 4. 1956. S. 161.

[12] H. Gipper, Muttersprachliches und wissenschaftliches Weltbild. In: Sprachforum II. 1956/57. S. 9.

[13] W. Bergengruen, Der dritte Kranz. Zürich 1962. S. 485.

[14] Ebd. S. 707.

[15] Derselbe: Schreibtischerinnerungen. Zürich 1961. S. 27.

[16] Rolf Hochhuth, Der Stellvertreter. Hamburg 1963. S. 174.

[17] Ebd. S. 175.

... short of the identification of some sort of ever present *deus ex machina*[1];
... wo die *demonstratio ad oculos* ausgeschlossen ist[2]; ... but such rebels
must be considered *rarae aves* among the grammarians of that period[3];
Die Beantwortung dieser Frage wird schon in der *opinio communis*
gegeben[4]; ... in ihnen lag ihm der eigentliche *status causae*[5]; ... ist, wie
er's ausdrückt, das *verbum vocale*[6] (zitatbedingt); *Summa iniuria!* Als
wollten Wir nicht allen ... helfen ...[7].

Als einzelne substantivische Wörter habe ich nur zwei substantivierte
Infinitive mit deutschem Artikel:

... das *docere* ist weitaus wichtiger als das *exhortari* ... Das *docere* und das
exhortari sind bei ihm nicht mehr wie dort ... bezogen ...[8].

Für *lateinische Ablative* statt eines Präpositionalausdrucks habe ich
nur wenige Belege: *ipso facto* (oben S. 282) und:

Alles muss *expressis verbis* gesagt werden[9]; Haben Wir nicht *expressis
verbis* von Menschen *aller Rassen* gesprochen[10]; die *bona fide* ihre Gelder
in diesen Werken investierten[11].

Schliesslich habe ich noch zwei *Adverbien*:

... da die beiden Tätigkeiten ... *funktionaliter* aufeinander angewiesen
sind[12] (mit angepasster Schreibung); Wir erfassen ihn zwar *implicite*[13].

Ein lateinisch ausgefüllter *Gliedsatzrahmen* findet sich bei Bergengruen:

dass *justitia fundamentum regnorum* ist[14].

---

[1] Martinet, a. a. O. S. 2.

[2] Bühler, a. a. O. S. 11.

[3] K. Sørensen, Latin Influence on English Syntax. TCLC XI. Kopenhagen
1957. S. 137.

[4] Slotty, a. a. O. S. 137.

[5] E. Hirsch, Luthers Predigtweise. In: Luther. Mitteil. d. Luthergesellschaft.
25. 1954. S. 17.

[6] Ebd. S. 18.

[7] Hochhuth, S. 176.

[8] Hirsch, S. 13.

[9] H. Böll in dem Aufsatz „Gefängnis und Museum", 1960. Zitiert nach der
„Zeit" Nr. 22. 1962. S. 13.

[10] Hochhuth, S. 173.

[11] Ebd. S. 157.

[12] Kainz, a. a. O. Bd. 3. S. 167.

[13] V. Warnach, Satz und Sein. Studium Generale 4. H. 3. 1951. S. 166.

[14] 1962, S. 645.

Ein gemischter Gliedsatzrahmen ist von einem Zitat verursacht:

da gilt die Entschuldigung nicht mehr, dass „*quandoque et bonus Homerus dormitat*"[1].

Hier ist einleitendes *quod* unmöglich und das „dass" nur möglich, weil das lateinische Verb Endstellung hat[2]. Andernfalls hätte man Doppelpunkt + Anführungsstriche nach „mehr" setzen müssen.

Dieses Material liesse sich leicht erweitern. Dass die eingeschalteten Substantive sämtlich aus Wortgruppen bestehen, erklärt sich daraus, dass ein einzelnes Substantiv für gewöhnlich durch Anpassung an die Flexion dem Satz einverleibt wird, während sich eine Wortgruppe, wie ja auch das Präpositionalgefüge, dagegen sperrt. So wird die feste Verbindung *demonstratio ad oculos* übernommen, ein einzelnes „Demonstration" eingedeutscht.

Zu dem Beleg bei Kainz: *in pejus alter*ieren, vgl. oben S. 116.

Sämtliche hier aufgefundenen Typen des Sprachwechsels haben wir auch für die TR gebucht.

IV. SPRACHPSYCHOLOGISCHE AUSWERTUNG

Sprache, Denken und Sprechen

Wir kehren jetzt zu unserer eingangs gestellten Frage zurück: wenn man in mehr als einer Sprache lebt und mehrere spricht, wie denkt man dann?

Wir stossen damit auf ein schwieriges Problem: das Verhältnis zwischen Denken und Sprechen. Erlaubt uns das Sprechen der Zweisprachler Rückschlüsse auf ihr Denken? Für Humboldt war Sprechen und Denken noch eins[3]; heute existiert zu dieser Frage eine umfangreiche Literatur, und die Meinungen der Forscher sind geteilt[4]. Genau genommen betrifft das Problem nicht nur das Verhältnis Denken–Sprechen, sondern: Sprache–Denken–Sprechen. Um die verschiedenen Auffassungen zu beleuchten, führe ich einige Zitate an:

---

[1] Kainz, a. a. O. Bd. 4. 1956. S. 362.

[2] Im Originalzitat hat das Verb nicht Endstellung: „*quandoque bonus dormitat Homerus*", Horatius' *De arte poetica*, Zeile 359.

[3] Gesammelte Schriften V, S. 462; zitiert bei Pick, Teil I. S. 179.

[4] Eine Übersicht über Literatur, Meinungsverschiedenheiten und Ergebnisse gibt Kainz, der im 1. Band seiner „Psychologie der Sprache" ein besonderes Kapitel dieser Frage widmet (S. 142–171); s. auch: Acta Psychologica X, 1–2, 1954, wo 11 Arbeiten verschiedener Forscher dieses Problem behandeln.

Schon 1901 klagte Mauthner: „Aber nicht einmal denken können wir, wie wir wollen. Wir können nur denken, was die Sprache uns gestattet, was die Sprache und ihr individueller Gebrauch uns denken lässt."[1] „Wenn Verf. hier und an anderen Stellen so besonders die Unabhängigkeit des Denkens vom Sprechen betont, so verkennt er natürlich trotzdem nicht die Bedeutung der Sprache für das Denken und insbesondere für die Entwicklung und Höherbildung desselben."[2] „... denn das Denken ist das Bearbeiten einer vorgestellten Wirklichkeit, das der Anschauung entspringt und sich ständig an ihr orientiert ... seine volle Entwicklung und Leistungsfähigkeit ... ist ohne Mitwirkung der Sprache nicht möglich"[3].

Hier ist besonders Weisgerber zu nennen, der ausdrücklich den Einfluss der Sprache in dieser Hinsicht betont.

Vom „Weltbild" und der „sprachlichen Zwischenwelt" war bereits oben (S. 255 f.) die Rede. Es wurde dort betont, dass sich die deutsche „sprachliche Zwischenwelt" auf geistigem Gebiet an der lateinischen ausgerichtet hat[4].

Die „sprachliche Zwischenwelt" eines einsprachigen Menschen muss notgedrungen engere Grenzen aufweisen als die eines mehrsprachigen. Die eines mehrsprachigen Menschen ist reichhaltiger und uneinheitlicher; wo die eine Sprache Grenzen setzt, kann die andere darüber hinausführen. Über den Einfluss der Mehrsprachigkeit auf das Denken gibt es verschiedene Zeugnisse:

The first consequence of bilingualism in myself is that it appears to have greatly reduced my capacity for memorizing literally ... (My memory) has in fact become a factual memory ... the experience tends to be stored up in image form, something like a film, leaving the expression to whatever linguistic form will be needed at the time of telling. ... Keeping experience thus stored at the level of image memory preserves its unity. The language medium mostly occurs in response to outside stimuli and its nature depends on the linguistic surroundings[5].

Es zeigt sich also ein gewisser Widerstand, Erlebnisse und Eindrücke sprachlich zu fixieren. Das gleiche wird über auslandsdeutsche Kinder festgestellt:

[1] F. Mauthner, Beiträge zu einer Kritik der Sprache. Bd. II. Stuttgart 1901. S. 548.

[2] Pick, S. 190.

[3] Kainz in AP X. S. 70.

[4] Zum „Weltbild" und der „sprachlichen Zwischenwelt" s. die oben S. 255 f., Anm. 2 ff. angeführte Literatur. Vgl. auch Moser 1959, S. 204 („sprachige Sehweisen"), Epstein S. 97 ff. das Kapitel über „Diversité d'identification de mêmes idées dans les langues diverses".

[5] P. Christophersen, Bilingualism. London 1949. S. 5 f. — Meine eigene Erfahrung stimmt mit diesem Zeugnis überein.

Wir erfahren auch im sogenannten Heimatkundeunterricht immer wieder, dass die in gleicher Weise wie vom einsprachigen Kinde empfangenen Anschauungen und Erlebnisse vom zweisprachigen Kinde längst nicht im gleichen Masse begrifflich verarbeitet werden. Im freien Unterrichtsgespräch tritt dies immer wieder hervor. Was für eine Fülle von Erlebnissen hat nicht das einsprachige Kind von seiner Sommerreise oder von seinem Sonntag zu erzählen. Wie gern verliert es sich dabei gerade in Einzelheiten ... Ganz anders drückt sich das seit früher Kindheit zweisprachige Kind aus. Es liefert meist einen in der Form genauen Bericht mit Zeit- und Ortsangaben und einer gewissen Einteilung seines Stoffes. Der Inhalt seiner Erzählung ist aber viel geringer und unfarbiger, vor allem verliert es sich fast nie in Einzelheiten ... Oftmals wurden bei uns derlei freie Unterrichtsgespräche mit den gleichen Kindern über dasselbe Thema bei zeitlicher Trennung in beiden Sprachen ausgeführt, wobei sich zeigte, dass die zweisprachigen Kinder in beiden Sprachen fast den gleichen Text erzählten[1].

Man würde gerne wissen, wie der Bericht ausgefallen wäre, wenn man den Kindern das Mischen beider Sprachen erlaubt hätte.

Eine mangelnde sprachliche Fixierung braucht das gedankliche Verarbeiten nicht zu hindern:

Neither when we have the actual object, nor when we have images of it, do we need words to help our thinking, if the problems are easy to us; but we begin to use them when in trouble. By their means we fix and recall easily what we want to think about, and handle it to suit the needs of our thinking. And it constantly happens as we grow expert, that we are able to give them up again, and to work from percept and from image without their help[2].

Beim „Worten der Welt" für seinen eigenen Bedarf benutzt der Mehrsprachler sämtliche Mittel, die ihm von den verschiedenen Sprachen geliefert werden[3].

Wirkliche Regellosigkeit in der Wahl der Denksprache habe ich nur bei rein persönlichen Inhalten beobachtet, die als Thema eines Gesprächs

---

[1] Geissler, Diss. S. 80.

[2] W. Mitchell, Structure and Growth of the mind. 1907. S. 365. Zitiert nach Pick, S. 184.

[3] Mir persönlich drängen sich mitunter englische Ausdrücke auf, obwohl ich diese Sprache nicht so gut beherrsche wie das Deutsche und Schwedische; z. B. „pick one's way", als auf aufgeweichter Landstrasse vor uns ein Reiter auftauchte, dessen Pferd mit äusserster Sorgfalt seine Hufe zwischen die Pfützen, Löcher und ausgefahrenen Reifenspuren setzte; „a nodding acquaintance" bei der Begegnung mit einem flüchtig Bekannten, dem man zunickt, ohne je stehenzubleiben, um sich zu unterhalten. — Die Ausdrücke werden nicht ausgesprochen, sie dienen zur geistigen Verarbeitung, ev. Wertung sinnlicher Eindrücke. Die Prägnanz der Ausdrücke verleiht ihnen die Durchschlagskraft.

kaum in Frage kommen. So wenn ich mir etwa überlege, ob ich im Augenblick lieber Tee oder Kaffee trinken möchte, ob ich noch eine Zigarette rauchen, den einen oder den anderen Weg einschlagen soll ... Aber diese Freiheit der Sprachwahl hört sofort auf, wenn auch nur die geringste Möglichkeit einer Gesprächspartnerschaft auftaucht[1].

Hier befand sich der gebildete Mensch des 16. Jahrhunderts in der besonderen Lage, einer zweisprachigen Sprachgemeinschaft anzugehören, so dass der Partnerzwang im Denken, wie ihn Braun schildert, für alle wissenschaftlichen Themen fortfiel.

Wir müssen aus solchen Selbstzeugnissen unserer Zeit Rückschlüsse auf das Denken der Menschen im 16. Jahrhundert ziehen, da uns die Sprache keine unmittelbaren Schlussfolgerungen erlaubt:

Im Vorangehenden sind wir uns darüber klar geworden, dass Denken und Sprechen weder identisch sind, noch einen so präzisen Gleichgang aufweisen, dass mit dem Verständnis für die Form der Sprache auch schon das der entsprechenden Denkvorgänge gegeben wäre[2].

Kainz spricht von einer „Funktionssymbiose" von Denken und Sprechen:

Die Funktionssymbiose und der wechselseitige Förderungscharakter, der dem Zusammenarbeiten dieser beiden bedeutsamsten Bewährungsbereiche spezifisch menschlicher Geistigkeit ... eignet, schliesst somit nicht aus, dass es sich dabei um zwei Tätigkeiten von jeweils besonderer Art handelt, zwischen denen eine prinzipielle Scheidung vorgenommen werden muss[3].

Es muss dabei betont werden, dass die Denkvorgänge noch nicht endgültig erforscht sind[4].

Zusammenfassend können wir also mit einiger Wahrscheinlichkeit folgendes annehmen:

1. dass ein gewisser Widerstand gegen die sprachliche Fixierung von Erlebnissen und Eindrücken bestand,

2. dass ein Denken in Bildern („images") durch die Zweisprachigkeit begünstigt wurde, und

3. dass die Denksprache, wenn sie sich mit geistigen Problemen und Gegebenheiten befasste, Deutsch *und* Lateinisch benutzte. Sie wird bei der Sprachmischung weitergegangen und hemmungsloser verfahren sein, als die TR, die immerhin eine geglättete Form aufweisen.

---

[1] Braun, S. 127. — Eine andere Auffassung über die innere Sprache vertritt E. Oksaar: „Den inre gestaltningen av människans tankeliv sker endast på ett språk och i regel på modersmålet" (1963, S. 14).

[2] Pick, S. 192.

[3] AP X, S. 71.

[4] Vgl. auch Jost, S. 158.

Wenn uns unser Material über das Denken der Sprecher keinen direkten und eindeutigen Aufschluss gibt, so lässt sich dagegen über den sprachlichen Formulierungsprozess des Zweisprachlers etliches feststellen.

Der Formulierungsprozess des Zweisprachlers

a. *Das Satzschema und seine Füllung*

Wie schon betont wurde, ist im Gegensatz zu den gedanklichen Prozessen der sprachliche Formulierungsprozess bei allen Prozessen der Satzbildung synthetischer Natur; denn er besteht überall in der Aktualisierung sprachlicher Schemata, die durch die Kombination mit neuen Bestandteilen ausgefüllt werden[1].

Die Forschung ist sich darüber einig, dass am Anfang des Formulierungsprozesses ein vag-ganzheitliches Satzschema steht[2]. Nur in der Terminologie ist man sich uneinig. Weisgerber gibt eine Übersicht über die verschiedenen Bezeichnungen[3]: ,,Satzmodelle'' (Brinkmann), ,,Satzschemata, auch Grundmodelle'' (Erben), ,,Grundformen'' (Grebe), ,,Satzpläne'' (Glinz), auf Englisch: ,,patterns of sentences'' (Fries, Hornby), auch ,,(structural) frames'' (Fries).

Das ist aber nicht so zu verstehen, als ob diese Variationen gleichgültig wären, vielmehr zeigt sich deutlich, dass ganz verschiedene Seiten des Problems in den Vordergrund treten und dass gleichzeitig die Ungeklärtheit der Terminologie dazu führt, dass die verschiedenen Aspekte des Satzproblems nicht deutlich genug getrennt werden und dass auch unter demselben Terminus an mehreren Stellen gearbeitet wird, die methodisch klarer auseinanderzuhalten wären.

Ich benutze im Anschluss an Selz und Erben den Terminus ,,Satzschema''[4].

Dieses Satzschema ist nun nicht nur ein grammatisches Schema, sondern zugleich auch ein Sinnschema oder logisches Schema des Satzes ...[5] Bei Beginn der Formulierung des Satzabschnitts ist sein konkreter Gedanken- und Sprachinhalt noch gar nicht gegeben. Er entsteht erst unter der Mit-

---

[1] O. Selz, Über die Gesetze des geordneten Denkverlaufs. Bd. 2. Bonn 1922. S. 353.

[2] Vgl. Erben, Gesetz und Freiheit in der deutschen Hochsprache der Gegenwart. In: Der Deutschunterricht 12. 1960. Heft 5. S. 9. Dort weitere Literatur.

[3] Die vier Stufen in der Erforschung der Sprachen. Düsseldorf 1963. S. 265.
— Weiteres über die Satzbaupläne auch in: Von den Kräften der deutschen Sprache. Bd. I. 1962². S. 372 ff.

[4] Vgl. Erben 1961, S. 171 ff.

[5] Selz, Bd. 2. S. 340.

wirkung des sprachlichen Schemas, das ihn lediglich formal nach seiner grammatischen und logischen Struktur antizipiert[1].

Dieses Schema wird im Deutschen durch die Wahl des Verbs determiniert:

Wer zu einer Aussage ein Verbum wie *geben* wählt, hat sich damit festgelegt; er wird ausser dem Subjekt zwei weitere Stellen besetzen müssen, so dass der Satz nach seiner Struktur mit der Wahl des Verbums schon entworfen ist. Offen bleibt nur die inhaltliche Ausfüllung der Stellen, die das Verbum fordert[2].

Von der Erkenntnis, dass das Verb der ,,Angelpunkt"[3] des Satzgerüstes ist, war bereits oben (S. 54) die Rede, wo wir festgestellt haben, dass das Verb die Sprachzugehörigkeit eines Mischsatzes determiniert.

Für die weitere Ausformung des Schemas mit den Mitteln zweier Sprachen haben wir für die Grammatikalien festgestellt, dass ein Unterschied besteht zwischen solchen, die für das Schema von Bedeutung sind (unterordnende Konjunktionen, Relativpronomen, die deutsche Satzverneinung mit ihrer Klammerfunktion im Verein mit dem Prädikat u. a. m.) und solchen, die vorwiegend für ihr Satzglied Bedeutung haben (Präpositionen, Artikel, Adjektivflexion, Vergleichspartikel u. a. m.): die ersteren werden in einem Satz mit deutschem Verb umso eher auf deutsch gesetzt, je enger sie mit dem Verb zusammengehören, die letzteren sind sprachlich mehr an ihr Satzglied als an das Satzschema gebunden (oben S. 117 ff.). Als Beispiel nenne ich hier nur die Konjunktionen: unterordnende Konjunktionen, die mit dem Verb einen Gliedsatzrahmen bilden, stehen in einem Satz mit deutschem Verb nur selten auf Lateinisch; nebenordnende Konjunktionen dagegen weisen grosse Selbständigkeit auf; wortverknüpfende Konjunktionen sind sprachlich mehr an das Wort, das sie anknüpfen, gebunden, als an das Satzschema (oben S. 145 f.).

Wie ist es zu erklären, dass die Spitzenstellung eines lateinischen Substantivs im deutschen Mischsatz der Beigabe des Artikels entgegenwirkt (oben S. 126 f.)[4]? Der Artikel ist sprachlich mehr an sein Substantiv gebunden als an das Satzschema; wieso kann sich aber die Stellung an der Satzspitze zugunsten der Artikellosigkeit auswirken?

Es lässt sich aus dieser Tatsache schliessen, dass es im Stadium des

---

[1] Ebd. S. 343.

[2] Brinkmann, D. d. S., S. 464.

[3] Erben, Grammatik, S. 172.

[4] Vgl. auch Franke 3, S. 82: ,,Sehr oft fehlt das Geschlechtswort vor Gott ... besonders zu Anfang des Satzes."

„Vorschwebens" die Möglichkeit eines sprachlich neutralen Schemas geben muss: der Sprecher hat vor, an zweiter Stelle im Satz das Prädikat zu setzen; erst mit dem tatsächlichen Setzen dieses Prädikates geschieht die sprachliche Determinierung zugunsten der einen Sprache. Zeigt es sich nun, dass die deutsche Sprache ein zusammengesetztes Prädikat verlangt, geschieht dann die endgültige Ausformung des bisher vagen Schemas durch die Öffnung eines Mittelfeldes, ganz im Sinn der „phasenweisen Formulierung" bei Selz:

Von den Formen der Satzbildung zeigen zunächst die Vorgänge der phasenweisen Formulierung, wie die sukzessive Entstehung eines Satzes sich auch ohne Vorwegnahme des Satzganzen in einer Gesamtvorstellung auf geordnete Weise vollziehen kann. Es erwies sich, dass die phasenweise Formulierung schon zu einer Zeit zu beginnen vermag, wo von dem konkreten Gedankeninhalt des Satzes überhaupt noch nichts feststeht. Dies wird dadurch möglich, dass gewissen im Zielbewusstsein antizipierten allgemeinsten Charakteristiken des erst in Entstehung begriffenen Gedankeninhalts schon ein bestimmtes Satzschema zugeordnet ist ... Das Schema braucht dabei nicht ... als seinem ganzen Bestande nach von Anfang an bewusst gedacht zu werden. Seine Wirksamkeit kann vielmehr auch in der Weise sich geltend machen, dass erst durch die Auffindung einer substantivischen Gattungsbezeichnung die Antizipation einer Bestimmung ausgelöst wird ... Es wird also in diesem Falle nur der jeweils auszufüllende Teil des Schemas aktuell, sobald der vorangegangene erledigt ist[1]. Die Fortsetzung der Formulierung kann einsetzen, sobald die Beziehung des kommenden Gedankeninhalts zum vorausgehenden durch die fortschreitende Gedankenentwicklung bestimmt ist; denn mit der Festlegung dieser Beziehung ist auch das anzuwendende sprachliche Schema bestimmt[2]. Die Anwendung der Methode der phasenweisen Formulierung hat zur Folge, dass die schon fixierten Bestandteile der Rede die zulässigen Sprachmittel für die noch zu fixierenden Gedanken bedingen[3].

Hieraus folgt, dass das Verb seinen Einfluss auf Grammatikalien, die nicht in enger Beziehung zu ihm stehen, hauptsächlich erst *nach* seiner tatsächlichen Setzung geltend machen kann. Auf das Vorfeld kann dagegen der vorangehende Satz Einfluss haben (vgl. die Konjunktionen und Konjunktionaladverbien, oben S. 144 ff.). Beim Gebrauch des Artikels lässt sich der Einfluss des vorangehenden Satzes nicht eindeutig feststellen (von den 20 auf S. 79 f. angeführten artikellosen Subjekten folgen 10 auf einen lateinischen Satz, 7 auf einen deutschen, 3 stehen am Anfang eines Abschnittes; von den 4 auf S. 84 angeführten Subjekten mit Artikel folgen 2 auf einen deutschen, 2 auf einen lateinischen

[1] Selz, Bd. 2. S. 339 f.
[2] Ebd. S. 342.
[3] Ebd. S. 346.

Satz); vgl. jedoch die Konjunktion in: David und *prophetae* sind die sparren (429) nach deutschem Satz, mit: *Daniel et Apocalypsis Iohannis* gehn fein in einander (332) nach lat. Satz (oben S. 82; ebenso Nr. 335 u. 252 nach lat. Satz, 285 am Anfang eines Abschnittes).

Unter meinen lateinischen Mischsätzen mit deutschem bzw. gemischtem Vorfeld (oben S. 85 f.) steht keiner nach einem lateinischen Satz: die vier ersten Belege stehen alle am Anfang eines Abschnittes, drei übrige nach deutschem Satz; der letzte folgt auf einen lateinisch schliessenden deutschen Mischsatz.

Das Schema eines lateinischen Mischsatzes weist eine andere Struktur auf, da die Klammerbildung fortfällt. Da das Prädikat überwiegend Zweitstellung hat, findet sich die deutsche Einschaltung entweder am Satzanfang oder am Ende.

Auch für die Wortstellung im Satz gilt, was wir für die Wortwahl festgestellt haben: Satzglieder, die aus mehreren Wörtern bestehen, folgen der Wortstellung ihrer eigenen Sprache, d. h. die einzelnen Wörter sind an das Satzglied, mit dem sie zusammengehören, gebunden, nicht an das Schema des Satzes; im übrigen wird die Wortfolge durch die Sprache des Satzschemas bedingt (oben S. 164 f.).

Das Satzschema, innerhalb dessen sich der Formulierungsprozess abspielt, wird unbewusst reproduziert. O. Niemeyer spricht von der „Gefügigkeitsqualität" der grammatischen Kategorien (=„Beziehungskategorien"): „es bedarf zu ihrer Verwendung keiner besonderen psychischen Konzentration mehr, sondern sie bieten sich sogar an ...[1]". In grösstem Gegensatz dazu steht der Kampf um den rechten Ausdruck, den Hesse so anschaulich schildert:

Ich rannte hitzig mit krampfhafter Feder meinen Gedanken nach, baute Sätze, wählte unter zuströmenden Assoziationen, angelte hartnäckig nach den geeigneten Worten ... Während man ein einzelnes Wort sucht, unter drei sich anbietenden Worten wählt, zugleich den ganzen Satz, an dem man baut, im Gefühl und Ohr zu behalten —: während man den Satz schmiedet, während man die gewählte Konstruktion ausführt und die Schrauben des Gerüstes anzieht ... das ist eine aufregende Tätigkeit[2].

Das Wählen unter zuströmenden Assoziationen und sich anbietenden Wörtern, wie es Hesse beschreibt, bedeutet für den Zweisprachler oft ein Wählen zwischen beiden Sprachen: Wörter und Assoziationen aus beiden Sprachen bieten sich an.

---

[1] O. Niemeyer, Über die Entstehung des Satzbewusstseins und der grammatischen Kategorien. Diss. Göttingen 1935. S. 36.

[2] H. Hesse, Der Kurgast. Berlin 1939. S. 83 f. Zitiert nach Erben 1960, S. 9.

b. *Der Prozess des Sprachwechsels*

Bei der Gliederung des Textes und der analytischen Untersuchung haben wir nicht den Sprechvorgang, sondern das Resultat dieses Vorgangs, wie es uns in den TR vorliegt, zum Gegenstand der Untersuchung gemacht. Als terminologische Handhabe kamen wir dabei mit den Bezeichnungen ,,Einschaltung", ,,Umschaltung" und, als gemeinsamem Begriff, ,,Sprachwechsel" aus. Wenn wir im folgenden den Prozess des Sprachwechsels ins Auge fassen, so wie er sich an den Texten ablesen lässt, müssen wir die Terminologie etwas differenzieren; es zeigt sich nämlich, dass unsere bisherigen Bezeichnungen unzureichend sind.

Zum Ausgangspunkt nehmen wir Haugens Unterscheidung zwischen ,,switching" und ,,borrowing", und die bereits (oben S. 201) zitierte Definition eines ,,switching": ,,a clean break between the use of one language and the other ... Switching is different from borrowing, in that the two languages are not superimposed but follow one another."[1]

Es zeigt sich ein grosser Unterschied zwischen deutscher und englischer Mischsprache: der deutsche Satzbau mit seiner Entzweiung des Prädikates, der Gliedsatzklammer sowie der reichhaltigen Flexion lässt eine Umschaltung im Sinne von ,,a clean break" nicht so leicht zu wie der englische. Kracke spricht von einer ,,Fernsteuerung" der flektierenden Sprachen und zieht zum Vergleich die mexikanischen Sprachen heran: ,,Flektierende Sprachen vermögen ... durch die Fernsteuerung ihrer Kongruenz und Rektion mehr Glieder zusammenzuhalten als die mexikanischen durch ihre handgreifliche Einverleibung."[2] Für die lateinischen Mischsätze gilt ebenfalls die ,,Fernsteuerung", während die Klammerbildung meistens ausfällt.

Prinzipiell muss man also feststellen: eine reine Umschaltung im Sinne von ,,a clean break" ist unmöglich, solange man:

1. eine deutsch angefangene Satzklammer schliessen muss,

2. an ein person-, numerus- oder kasusbestimmendes Glied ein von diesem bestimmtes anzufügen hat. Im ersten Fall ist nur eine Einschaltung möglich, bei der die erste Sprache ständig im Bewusstsein

---

[1] Den ferner in angelsächsischer Literatur vorkommenden Terminus ,,interference" möchte Haugen den Wörtern vorbehalten, die wir der ,,sprachlich neutralen Schicht" zugewiesen haben: ,,We need to recognize that for certain items a linguistic overlapping is possible, such that we must assign them to more than one language at a time. This is the true interference between languages, and it might be better if the term were limited to such cases" (1956, S. 40).

[2] A. Kracke, Die Bauelemente der Sprache. In: Der Deutschunterricht 10/4. 1958. S. 42.

bleibt, im zweiten Fall herrscht bei der Einschaltung ein grammatisches Miteinander, wobei sich die erste Sprache auf die zweite bestimmend auswirkt.

Dass die erstere Form der Einschaltung überhaupt möglich ist, erklärt sich daraus, dass man, wie Hesse so schön beschreibt, sehr wohl, „während man ein einzelnes Wort sucht, unter drei sich anbietenden wählt, zugleich den ganzen Satz, an dem man baut, im Gefühl und Ohr … behalten" kann.

Wir behandeln zunächst die Fälle, in denen eine klare Umschaltung vor sich geht: in der Parataxe und Hypotaxe (vgl. oben S. 206 f.). Dass eine so völlige Loslösung von der formalgrammatischen Bindung an das bereits Gesagte auch zwischen Haupt- und Gliedsatz möglich ist, wie wir oben festgestellt haben, erklärt sich jetzt aus unseren Erkenntnissen über das Satzschema: Hauptsatz und Gliedsatz haben je ein eigenes Schema, da sie je ein eigenes Verb haben. Genau das gleiche gilt für den „zusammengezogenen Satz", dessen Eigenart durch die Erkenntnis der zwei Schemas aufgehellt wird. Im „zusammengezogenen Satz" geschieht die Umschaltung jedoch nicht so unvermittelt wie zwischen Haupt- und Gliedsatz: es wird mit der Konjunktion an das Vorangegangene angeknüpft.

Auch bei dem Sprachwechsel nach dem nominativus pendens (oben S. 109 f.) geht eine reine Umschaltung vor sich.

Innerhalb eines Satzes dagegen gestalten sich die Dinge komplizierter[1]. Nur für das Mittelfeld lässt sich sofort feststellen, dass eine reine Umschaltung nicht stattfinden kann, weil die angefangene Klammer noch zu schliessen ist. Im übrigen müssen wir die einzelnen Fälle untersuchen und jedesmal die Frage stellen: arbeiten die Sprachen grammatisch miteinander oder nacheinander? Wenn ein grammatisches Miteinander vorliegt, spreche ich im folgenden von „Verflechtung".

Im Vorfeld sind ausser den echten Konjunktionen sämtliche Satzglieder grammatisch mit dem übrigen Satz verflochten: das Subjekt durch die „prädikative Beziehung", das Objekt durch die Kasusabhängigkeit vom Verb, Umstandsergänzungen durch die Beeinflussung der Wortfolge, indem das Subjekt ins Mittelfeld verdrängt wird.

Präpositionalkonstruktionen, die als Block eingeschaltet werden, sind im Mittelfeld und Nachfeld nicht verflochten: ihr Kasus wird durch die Präposition bestimmt, unabhängig vom übrigen Satz, und die Struktur

---

[1] Die folgenden Feststellungen werden an Hand der deutschen Mischsätze gemacht; mit Ausnahme des Mittelfeldes und der Klammerbildung gelten sie auch für die lateinischen Mischsätze.

des übrigen Satzes bleibt unverändert. Die Präpositionalkonstruktionen im Nachfeld werden mittels der Präposition angeknüpft; es ist eine Geschmacksache und hängt letzten Endes von der Sprache des nächsten Satzes ab, ob man diese Anknüpfungen noch zu den Einschaltungen oder schon zu den Umschaltungen zählen will (vgl. die „zusammengezogenen Sätze", wo die Konjunktion das „Knüpfglied" bildet)[1]. Noch zu den Einschaltungen zählen jedoch die notwendigen Ergänzungen, die bei einem Zustands-, Vorgangs- oder Tätigkeitsverb stehen[2], welches solcher Ergänzung bedarf (Beispiel: wenn ich izt wer *in mundo*, 203) und die Präpositionalobjekte wegen ihrer engen Verbindung mit dem Verb (vgl. die sprachliche Gemeinschaft in: distinguirn *ab officio*, disputirn *de iustitia*, u. a. m., oben S. 116).

Die mit einer Vergleichspartikel angefügten Attribute und Artangaben (oben S. 94, 100) gleichen, flüchtig gesehen, den präpositionalen Umstandsergänzungen im Nachfeld; die Vergleichspartikel dient als Knüpfglied, ebenso wie die Präposition. Diese Ähnlichkeit ist jedoch nur scheinbar: die Belege Nr. 141 (*quam vobis et mihi*) und 604 (*sicut Petro*) illustrieren die grammatische Verflochtenheit mit dem übrigen Satz durch ihre Abhängigkeit im Kasus. Der Nominativ in den meisten Belegen ist kein Beweis mangelnder Satzintegration, sondern er signalisiert den Bezug auf das Subjekt[3].

Adjektive, die sich in ihrer Flexion nach dem Hauptwort richten müssen, sind mit ihrem Hauptwort verflochten. Die Verflechtung gilt auch, wenn ein lat. Adjektiv prädikativ steht: *in particularibus* wirds als *varium* (349). So auch ein Partizip in dieser Stellung: Das heyssen *electi* (501).

---

[1] Auch bei Haugen ist die Grenze zwischen „borrowing" und „switching" nicht ganz klar. Vgl. 1956, S. 40, wo für den Gebrauch von Zitatwörtern „*code switching*" gebraucht wird („*code switching* which occurs when a bilingual introduces a completely unassimilated word from another language into his speech"), was wohl nicht der gleiche Prozess sein kann wie „*switching*, the alternate use of two languages". Es ist ein Unterschied, ob ich ein Zitatwort einschalte oder ob ich, z. B. nach Abschluss eines Satzes, völlig in die andere Sprache hinüberwechsele. Dieser Unterschied ist bei der Aufstellung von den drei Stadien: (1) *switching*, (2) *interference*, (3) *integration*, die alle unter den Prozess des *borrowing* fallen sollen, nicht berücksichtigt. Nicht berücksichtigt wird ferner der Unterschied zwischen *borrowing* und *switching*, den Haugen selbst (1953, S. 65) betont hat.

[2] Vgl. Duden § 897 ff., Boost S. 45 ff.

[3] Zum Nominativ siehe Brinkmann, D. d. S., S. 68 ff. Zur Sonderstellung des „als" und „wie" und ihrer Zwischenstellung zwischen Präposition und Konjunktion vgl. Admoni 1960, S. 127. Admoni schlägt die Bezeichnung „präpositionale Konjunktion" vor. — Vgl. auch Erben 1961, S. 135 f.

Über das Adverb kann man geteilter Ansicht sein. Als Beispiel führe ich an: das man sie so *secure sine offensione* hat lesen konnen (383). Für die Präpositionalkonstruktion hatten wir bereits festgestellt, dass sie nicht verflochten ist. Man kann Adverb und Präpositionalkonstruktion auslassen, ohne dass die Struktur des übrigen Satzes beeinflusst wird; auch das Adverb wird in seiner Flexion nicht durch ein anderes Wort im Satz beeinflusst.

Andererseits ist die Zuordnung zum Prädikat durch die Adverbendung *-e* deutlich ausgedrückt, während eine Präpositionalkonstruktion loser verknüpft ist und ausserdem die Präposition ein geschmeidiges Knüpfglied bildet. Hätte man statt *secure* ,,sicher'' gesagt, wäre eine Zuordnung zu sowohl ,,man'' wie ,,lesen'' möglich gewesen; im Lateinischen musste zwischen *securus* und *secure* gewählt werden[1]. Dies würde nun wieder auf eine sprachliche Verflechtung hindeuten, indem die beiden sprachlichen Systeme ineinander eingreifen.

Es ist aber auch möglich, dass die lateinische Adverbendung in einem deutschen Satz ihre Funktion einfach aufgibt und mit dem Wort zu einer Einheit verschmilzt, da ihr in der deutschen Sprache keine Entsprechung zur Seite steht. (Ich habe diese Ansicht oben S. 166 vertreten.) Eine Zuordnung zu ,,man'' in unserem Beispiel ist durchaus möglich und sinnvoll. Ich zähle die Adverbien deswegen zur reinen Einschaltung ohne Verflechtung.

Aus dem gleichen Grunde sind auch lateinischer Ablativ und lateinisches Gerundium nicht mit der Grammatik eines deutschen Satzes verflochten, sondern nur lose eingeschaltet. Es findet sich im deutschen Satz keine Entsprechung dieser Endungen; da sie die Funktion eines deutschen Adverbs oder einer Präpositionalkonstruktion übernehmen, wird auch keine Verflechtung aktualisiert (vgl. S. 141 ff.).

Für das Vorfeld hatten wir grammatische Verflechtung aller Satzglieder ausser den echten Konjunktionen festgestellt. Damit ist jedoch der Prozess des Sprachwechsels, der mit dem Setzen eines deutschen Prädikates nach einem lateinischen Vorfeld stattfindet, noch nicht endgültig geklärt. Wie wir oben (S. 289 ff.) anlässlich der artikellosen lateinischen Substantive im deutschen Mischsatz festgestellt haben, nimmt das Vorfeld insofern eine Sonderstellung ein, als die Sprachzugehörigkeit des Satzes beim Aussprechen des Vorfeldes noch gar nicht festgelegt zu sein braucht.

Wo das lateinische Substantiv in Erststellung deutschen Artikel hat,

---

[1] Vgl. Glinz 1961, S. 35 f.

ist sich der Sprecher von vornherein über die Sprachzugehörigkeit seines Satzes klar. Andernfalls gibt es zwei Möglichkeiten:

1. Der Sprecher ist sich über die Zugehörigkeit seines Satzes zur deutschen Sprache klar, bringt aber das lateinische Substantiv lateinischem Gebrauch entsprechend ohne Artikel; da der Artikel zum Substantiv gehört und mit dem Verb in keiner Beziehung steht, ist der Einfluss des Verbs schwächer als der des Substantivs. Wir haben einen Fall von Einschaltung: der Einschaltung eines lateinischen Blockes in einen deutschen Satz.

2. Der Sprecher ist sich über die Sprachzugehörigkeit des Satzes, den zu sprechen er beabsichtigt, noch nicht im klaren, nur über die des Wortes, das er gerade benutzt (phasenweise Formulierung, vgl. oben S. 290). Die Sprachzugehörigkeit des Wortes bestimmt über den Artikel. Mit dem Setzen des Prädikates geschieht dann die sprachliche Determinierung des Satzschemas. Während das Resultat dieses Vorgangs das gleiche ist wie das unter 1., ist der Prozess ein anderer: wir können nicht von einer Einschaltung sprechen, da zur Zeit des Aussprechens des Vorfeldes noch gar nicht feststand, ob der Satz deutsch oder lateinisch sein würde. Wir befinden uns im Vorfeld auf eine eigenartige Weise zwischen den Sprachen. Wie beim Nachfeld der folgende Satz darüber Aufschluss gibt, ob eine nichtnotwendige präpositionale Ergänzung noch eine Einschaltung oder schon eine Umschaltung ist, spielt auch bei der Beurteilung des Vorfeldes der vorangehende Satz eine Rolle (vgl. oben S. 290 f.); wenn dieser lateinisch ist, bedeutet die Wahl eines deutschen Prädikates für den Nachsatz einen Sprachwechsel zwischen den beiden Sätzen — was wir als „Umschaltung" bezeichnet haben. Es besteht aber hier der Unterschied zwischen den übrigen Formen der Umschaltung, dass das Prädikat mit Subjekt und Objekt grammatisch verflochten ist.

Da das Resultat in beiden Fällen das gleiche ist und wir über die Auffassung des Sprechers nichts wissen[1], müssen wir für das lateinische Vorfeld eines deutschen Mischsatzes eine Ungewissheit des sprachlichen Prozesses ansetzen; nur über das Resultat dieses Prozesses können wir entscheiden: nachträglich erscheint das lateinische Vorfeld im deutschen Mischsatz als eine Einschaltung.

Wir haben bereits oben (S. 294) gefunden, dass die Grenzen zwischen der Einschaltung und der Umschaltung im Nachfeld nicht eindeutig zu ziehen sind. Der Übergang von der einen Sprache in die andere kann

---

[1] Zu der gelegentlichen Unsicherheit des Sprechers, welche Sprache er gerade spricht, vgl. Weinreich S. 69.

schrittweise vor sich gehen, indem zunächst ein Satzglied grammatisch mit einem der ersten Sprache verflochten wird (wie das deutsche Prädikat nach lateinischem Vorfeld, oben) und der Sprecher darnach nicht zurückschaltet; auf eine Verflechtung kann eine Anknüpfung folgen:

> unser Herr Gott ist *mirabiliter negligens in descriptione suarum rerum* (603); I, das ein mensch so *promptus* ist *ad docendos alios omnes praeter se ipsum* (339); Da geschwig unser Herr Gott *quinti et sexti praecepti et urgebat tantum primum* (596); und sol sein *in templo Dei et Christi ecclesiam gubernare* (574); da gibt yhm unser Herr Gott auch noch darzu *legem suam et armat eum contra nos* (440); (in den drei letzten Belegen liegen „zusammengezogene" Sätze vor).

Dazu noch einen Beleg aus meinen schwedisch-lateinischen Texten:

> at her effter tuå aff presterskapett skulle haffua *declamationes latinas breues et succinctas in locos propositos, quas* ... (vgl. oben S. 264 f.).

Die Belege illustrieren, dass man bei der phasenweisen Formulierung (Selz, oben S. 290) nicht nur durch die schon fixierten Redeteile festgelegt wird, sondern dass man sich auch im Nachfeld sukzessiv wieder von der Bindung an das bereits Gesagte — und somit an die erste Sprache — lösen kann. Aus dieser Möglichkeit im Nachfeld erklärt sich vielleicht auch die grosse Frequenz des Sprachwechsels gerade hier (oben S. 90 ff.).

Wir unterscheiden also zusammenfassend:

1. reine, unvermittelte Umschaltung (=*switching*),

1a. Umschaltung in Form einer Anknüpfung (z. B. durch *et*-Sätze),

1b. Umschaltung mit grammatischer Verflechtung (auf ein lateinisches Vorfeld nach lateinischem Satz folgt ein deutsches Prädikat). Dies kann bei der phasenweisen Formulierung der Fall sein;

2. reine, grammatisch nicht verflochtene Einschaltung (z. B. Präpositionalgefüge im Mittelfeld),

2a. Einschaltung in der Form grammatischer Verflechtung.

Eine Übergangsform zwischen 1a. und 2. bilden die nicht notwendigen präpositionalen Umstandsergänzungen im Nachfeld, wenn der nächste Satz nicht wieder zurückschaltet (vgl. oben S. 294).

3. Ein *allmählicher Übergang* kann im Nachfeld durch Verflechtung und Anknüpfung vor sich gehen, indem man sich schrittweise von der Bindung an das bereits Gesagte befreit.

4. Daneben gibt es noch seltene Fälle, die im folgenden illustriert werden, und die ich *Überleitung* bezeichne: durch sprachlich neutrale Wörter (vgl. oben S. 57 f.), eine dritte Sprache oder ein Zitat verliert der Sprecher die sprachliche Orientierung; es ist in diesen Fällen oft unmöglich, eine scharfe Grenze zu ziehen und zu sagen: hier hört die eine Sprache auf und fängt die nächste an:

Trotz Petro, Paulo, Mosi *et omnibus sanctis* (81); hatt er den schecher am creutz so angenomen und Paulum *post tot blasphemias et persecutiones* (122).

Die Eigennamen sind sprachlich verflochten und können nicht eindeutig der einen oder anderen Sprache zugewiesen werden; daran wird dann lateinisch angeknüpft.

Für die überleitende Funktion biblischer Eigennamen habe ich noch einen Beleg aus einem schwedischen Inventarium von 1680[1]:

tillökat i kyrkian 1680: rött kläde, at kläda benkiarna i choren vid alla stoora högtider såsom Jul, Påska, Pingedagh, Mariae bebodelsedagh, S. Joh. Baptistae, Michaelis *et omnium sanctorum, et purificationis Mariae.*

Durch die lateinischen Heiligennamen wird hier der Schreiber, ohne es selbst zu merken, ins Lateinische übergeleitet.

Oben S. 271 ist ein weiterer schwedischer Mischtext angeführt, in dem ein Zitat in einer dritten Sprache zur sprachlichen Desorientierung führte, so dass der schwedisch angefangene Absatz lateinisch vollendet wurde (unter „Sonderfälle").

Schlussbetrachtungen. Zusammenfassende Übersicht

Im einleitenden Teil der Arbeit wurde die Zweisprachigkeit der Gebildeten im 16. Jahrhundert beschrieben und die Aufgabe gestellt, die Formen der gebildeten Umgangssprache, die eine Mischung aus deutschen und lateinischen Elementen darstellte, systematisch zu untersuchen. Als Gegenstand der Untersuchung wurden die Tischreden Luthers gewählt. Im quellenkritischen Teil der Arbeit wurden diese ihrer Entstehung, Überlieferung und Qualität nach kurz beschrieben. Dabei musste besonders zu Aurifabers Sammlung Stellung genommen und vor ihrer Verwertung zu anderen als erbaulichen Zwecken gewarnt werden. Auf die Art der schriftlichen Überlieferung konnte unser Abschnitt über die „Glättung" der Abschreiber neues Licht werfen. Im Gegensatz zu der Theorie einiger Forscher, dass die Sprachmischung zum Teil des schnellen Schreibens halber zustandegekommen sei und also die damals gebräuchliche Umgangssprache nicht getreu widerspiegele, wurde die Arbeitshypothese aufgestellt, dass die TR der besten Sammlungen in der damals gebräuchlichen Mischsprache abgefasst seien. Diese Hypothese hat sich bestätigt (Abschnitt III).

An Hand einer ersten Übersicht über einen Mischtext wurden die ver-

---

[1] Funbo, Uppland, K I:1, S. 104b; den Hinweis verdanke ich meinem Mann.

schiedenen Arten des Sprachwechsels festgestellt und eine Terminologie erarbeitet; diese sollte so einfach wie möglich sein und möglichst keine neuen Ausdrücke bringen, solange man mit bereits in die Diskussion eingeführten auskam.

Ein Vergleich der Frequenz und der Art des Sprachwechsels bei den verschiedenen Schreibern ergab charakteristische Merkmale für die einzelnen Sammlungen. An Hand dieser Feststellungen liess sich das bisher Weller zugeschriebene Stück Nr. 3669 eindeutig Dietrich zuweisen; ebenso konnte für die Stücke Nr. 570–656, bei denen die Herausgeber schon die Mitarbeit anderer Nachschreiben erwogen hatten, die alleinige Urheberschaft Dietrichs für die Mischtexte als bestätigt gelten.

Im Hauptteil der Untersuchung wurde das Material vorgelegt und analysiert. Um zu einer Gliederung des Mischtextes zu gelangen, war es dabei notwendig, ein Kriterium für die Sprachzugehörigkeit eines Mischsatzes zu finden; ein solches war bisher noch nicht festgestellt worden. Es zeigte sich, dass die Schwierigkeiten der Forschung hauptsächlich darauf beruhten, dass man zwischen dem Vorgang des Sprechens, der sich in der Zeit abspielt, und dem im Text niedergelegten Resultat dieses Sprechaktes keinen scharfen Unterschied gemacht hatte. Fasst man das letztere ins Auge, lässt sich in den allermeisten Fällen eine Zuordnung des Satzes zu der einen oder anderen Sprache mit Hilfe des Prädikates vornehmen. Mit diesem Befund als Ausgangspunkt wurden die Bezeichnungen ,,deutscher'' und ,,lateinischer Mischsatz'' für Mischsätze mit deutschem bzw. lateinischem Prädikat eingeführt. Es stellte sich heraus, dass lateinische Mischsätze nur einen Bruchteil der Gesamtzahl ausmachen.

Zunächst wurden die Mischsätze registriert und untersucht. Bei der Gliederung des Materials erwiesen sich die Resultate der modernen Forschung (besonders die von Erben, Brinkmann, Boost und Admoni) als eine ausgezeichnete Handhabe. Ihre Ergebnisse wurden, besonders was die Rahmenkonstruktion im Deutschen betrifft, durch die Mischsätze gestützt.

Bei der Auswertung wurde die Zusammenarbeit lateinischer und deutscher Elemente in einem Satz ins Auge gefasst. Da besonders die Grammatikalien in der Zweisprachigkeitsforschung zur Diskussion gestanden haben, wurde zu Anfang eine kurze Übersicht über den Stand der Forschung und die entgegengesetzten Auffassungen auf diesem Gebiet gebracht. Ausser der bereits früher von anderen Forschern festgestellten Tatsache, dass eine strenge Scheidung von ,,Grammatik'' und ,,Lexikon'' nicht immer durchzuführen ist, ergab unsere Untersuchung zu den Grammatikalien: 1. die absolute Sonderstellung der verbalen Flexion, 2. dass die Grammatikalien, die in Funktionsgemeinschaft mit dem Prädikatsverb oder in grosser Nähe zu diesem stehen, sprachlich eng an dieses gebunden sind, während sich dagegen solche, die hauptsächlich für ein Satzglied Geltung haben (Artikel, Präpositionen usw.), in ihrer Sprache vorwiegend nach diesem Satzglied richten.

Die Einzelergebnisse können hier nicht angeführt werden. Sie können ein Licht auf die unterschiedliche Frequenz der verschiedenen Wortarten in den Lehnwörterverzeichnissen werfen. In der Diskussion um den Gliedsatzrahmen stützt unser Befund die Auffassung Erbens u. a. gegen Admoni. Auch konnte unser Material die Ansicht einiger Forscher widerlegen, dass die Endstellung des Prädikatsverbes im Gliedsatz auf lateinischen Einfluss zurückzuführen sei.

Darauf wurden die Gründe für den Sprachwechsel im Satz untersucht. In erster Linie machte sich der Terminologiezwang geltend, danach kamen die Notwendigkeit des Zitierens, die besondere Ausdruckskraft einer Wendung und der Affekt. Nur ein Teil der Fälle liess sich jedoch mit diesen Gründen erklären.

Im zweiten Abschnitt wurde der Sprachwechsel zwischen Sätzen behandelt.

Es zeigte sich, dass der Prozess des Sprachwechsels hier ein anderer ist als innerhalb des Satzes: innerhalb des Satzes arbeiten die beiden Sprachen miteinander, in der Hypotaxe und Parataxe nacheinander. Auch zwischen Haupt- und Gliedsatz und mit der Konjunktion eines „zusammengezogenen" Satzes kann man sich von der grammatischen Bindung an das Gesagte lösen, nur an den Sinn anknüpfen und in der anderen Sprache frei weitergestalten. Besonders deutlich wurde dieses Verhältnis an den Relativsätzen.

Unter den Gliedsätzen kann sich nur der dass-Satz gegen seine lateinischen Entsprechungen behaupten; im übrigen sind lateinische Gliedsätze in absoluter Majorität. Am ausgeprägtesten ist ihr Übergewicht auf dem Gebiet der Modalsätze. Dies ist eine natürliche Folge der „Schriftsprachlichkeit" der Hypotaxe. In der asyndetischen Parataxe dagegen wird häufiger vom Lateinischen zum Deutschen hinübergewechselt als umgekehrt.

Die Gründe für den Sprachwechsel wurden untersucht. Sie stimmten zum Teil mit den oben für den Mischsatz gefundenen überein; der Terminologiezwang fiel begreiflicherweise fort; neu dazu kamen der Zwang zum Übersetzen oder Paraphrasieren, Deutlichkeitsstreben bei der Abhebung eines Zitates, möglicherweise der „Trieb zur sprachlichen Geschlossenheit", und die grössere Eignung der einen Sprache für besondere Formulierungen (Hypotaxe). Nur ein Teil der Fälle konnte jedoch erklärt werden.

Ein gewisses Äquivalenzverhältnis der Sprachen und eine sprachliche Indifferenz in vielen Fällen wurde festgestellt. Die Gründe dafür wurden in der seit Jahrhunderten geleisteten Übersetzungstätigkeit gesucht und in der Tatsache, dass sich die deutsche „sprachliche Zwischenwelt" auf geistigem Gebiet an der lateinischen ausgerichtet hat.

Im dritten Abschnitt wurden Vergleiche mit anderen Mischtexten durchgeführt; es galt hier besonders, die Authentizität der in den TR vorliegenden Sprachmischung zu erhärten; daneben war festzustellen, inwiefern sich Parallelen zwischen dieser Sprachmischung und der anderer Zeiten und Sprachen ziehen lassen.

Das Material aus den Bibelnotizen und Briefen war bereits laufend unter den Kategorien der TR aufgeführt worden und wies Übereinstimmung mit diesen auf. Einige Abweichungen wurden behandelt. Es bestand vorwiegend ein Frequenzunterschied im Verhältnis der verschiedenen Formen des Sprachwechsels zueinander, der sich besonders in den Briefen bemerkbar machte; dieser wurde auf den Unterschied zwischen Schreiben und Sprechen, Briefstil und Umgangssprache zurückgeführt.

Ein Vergleich mit einer Predigtnachschrift Rörers wurde vorgenommen, um die Struktur einer Sprachmischung aufzuzeigen, die nur des schnellen Schreibens halber zustandekommt. Rörer pflegte auch deutsch gehaltene Predigten Luthers in einem deutsch-lateinischen Gemisch festzuhalten. Es zeigte sich, dass diese Art von Sprachmischung wesentlich andere Merkmale aufweist als die Sprachmischung in den TR, Briefen und Bibelnotizen.

Ein Vergleich mit schwedisch-lateinischen Texten aus dem reformatorischen Jahrhundert, die sich mit kirchlichen Dingen befassen, wies ferner grosse Übereinstimmungen mit den TR auf.

Um die TR auch aus zeitlicher Perspektive zu beleuchten, wurden teils althochdeutsche Mischtexte, teils Belege aus der modernen Literatur herangezogen.

Bei dem Vergleich mit althochdeutschen Texten musste dem besonderen Charakter dieser Texte (Übersetzungen und Paraphrasierungen, von stilistischen Absichten beeinflusst) Rechnung getragen werden. Es zeigten sich grosse Übereinstimmungen besonders zwischen den TR und Notker, der einen Prosatext übersetzte und kommentierte. Bei Williram rief die poetische Form der Vorlage teilweise abweichende

Strukturen hervor. Der Unterschied zwischen Althochdeutsch und Frühneuhochdeutsch wurde u. a. im unterschiedlichen Gebrauch des Artikels im Präpositionalgefüge und in dem besonders bei Williram gebuchten Gebrauch lateinischen Partizips nach deutschem Hilfsverb beleuchtet. Die Gegenüberstellung erwies, dass die Sprachmischung in den TR auf einer jahrhundertealten Tradition fusste.

Belege aus der heutigen Literatur illustrierten, was von der Sprachmischung heute noch übriggeblieben ist, obwohl die deutsch-lateinische Zweisprachigkeit längst nicht mehr besteht. Die Belege bestanden aus deutsch-lateinischen, schwedisch-lateinischen, englisch-lateinischen und französisch-lateinischen Mischsätzen. Die Durchschlagskraft der Präpositionalgefüge, die bereits in den TR beobachtet und erklärt worden war, machte sich besonders bemerkbar.

Im vierten und letzten Abschnitt wurden die Belege sprachpsychologisch ausgewertet.

Während unser Material keine direkten Rückschlüsse auf das Denken der damaligen Menschen zuliess, konnte man über den Formulierungsprozess etliche Feststellungen machen. Das vag-ganzheitliche Satzschema, das am Anfang des Formulierens steht, erwies sich als vom Prädikat dominiert. Es zeigte sich, dass dieses Schema anfangs sprachlich neutral sein konnte, um dann erst mit dem tatsächlichen Setzen des Prädikates zugunsten der einen Sprache festgelegt zu werden (phasenweise Formulierung).

Bisher war das in den TR niedergelegte Resultat des Sprechaktes untersucht worden; jetzt wurde das sprachliche Geschehen bei dem Akt des Sprechens analysiert. Unterschiede wurden festgestellt zwischen der Art des Hin- und Herwechselns in einem deutschen Mischsatz und einem englischen Mischsatz. Wir konnten uns daher Erkenntnisse und Bezeichnungen angelsächsischer Forscher auf diesem Gebiet nur in begrenztem Ausmass zunutze machen. Wir unterschieden: reine, unvermittelte Umschaltung, und Umschaltung in Form einer Anknüpfung; als Sonderfall bei der phasenweisen Formulierung dazu Umschaltung mittels grammatischer Verflechtung; reine Einschaltung, und Einschaltung in der Form grammatischer Verflechtung; Überleitung. Daneben gibt es Übergangsformen zwischen Einschaltung und Umschaltung im Nachfeld. In unserem Material fanden sich ausserdem Belege dafür, dass man nicht nur durch das bereits Gesagte festgelegt wird, sondern dass man sich im Nachfeld sukzessiv wieder von der Bindung an die schon fixierten Redeteile — und somit an die eine Sprache — lösen kann. Wir sprechen in diesen Fällen von allmählichem Übergang.

Für das Vorfeld ergaben sich dabei besonders komplizierte Verhältnisse, die ein exaktes Feststellen des Prozesses an Hand ausschliesslich
sprachlicher Kriterien in vielen Fällen unmöglich machen. Wir bewegen
uns hier auf einem Grenzgebiet; es ist noch gründliche Forschung auch
von psychologischer Seite her nötig, um diese Prozesse gänzlich aufzu-
hellen.

LITERATURVERZEICHNIS

Abou, S., Le bilinguisme arabe-français au Liban. Paris 1962.

Admoni, W., Der deutsche Sprachbau. Leningrad 1960.

—— Die umstrittenen Gebilde der deutschen Sprache von heute. In: Muttersprache 72. 1962. S. 161–171.

Ahlberg, M., Presensparticipet i fornsvenskan. Diss. Lund. 1942.

Albrecht, O., Quellenkritisches zu Aurifabers und Rörers Sammlungen der Buch- und Bibeleinzeichnungen Luthers. In: Theologische Studien und Kritiken 92. 1919. S. 279–306.

Ammann, H., Vom doppelten Sinn der sprachlichen Formen. Heidelberg 1920. (Sitzungsberichte der Heidelberger Akad. d. Wiss. Phil.-hist. Kl. Abh. 12.)

—— Die menschliche Rede. 1–2. Lahr 1925–28.

Arndt, E., Luthers deutsches Sprachschaffen. Berlin 1962.

Bach, A., Geschichte der deutschen Sprache. Heidelberg 1961[7].

Beckman, N., Västeuropeisk syntax. In: Göteborgs högskolas årsskrift XL. 1934: 4. S. 3–44.

Beeson, H., A primer of medieval Latin. Chicago, Atlanta, New York 1925.

Behaghel, O., Deutsche Syntax. 1–4. Heidelberg 1923 ff.

Bergman, G., s. unter *Dahlstedt, K.-H.*

Berndt, R., Strukturalismus — der Weg zu einer neuen „wissenschaftlichen" Grammatik? In: ZfAA 7. 1959. S. 270–280.

Betz, W., Deutsch und Lateinisch. Bonn 1949.

—— Lehnwörter und Lehnprägungen im Vor- und Frühdeutschen. In: DWg I. S. 127–147.

Biener, C., Veränderungen am deutschen Satzbau im humanistischen Zeitalter. In: ZfdPh 78. 1959. H. 1. S. 72–82.

Blatt, F., Sprachwandel im Latein des Mittelalters. In: HV 28. 1934. S. 22–52.

—— Latin influence on European syntax. In: TCLC XI. Kopenhagen 1957. S. 33–69.

Bloomfield, L., Language. London 1933.

Boas, F., u. a., General Anthropology. Boston... 1938.

Boder, H., s. unter *Kuenzi, A.*

Boesch, B., Die mehrsprachige Schweiz. In: WW 8. 1957/58. S. 65–76.

Boileau, A., Le problème du bilinguisme et la théorie des substrats. In: RLV 12. 1946. H. 3, S. 113–125; H. 4, S. 169–193; H. 5, S. 213–224.

Boost, K., Neue Untersuchungen zum Wesen und zur Struktur des deutschen Satzes. Der Satz als Spannungsfeld. Berlin 1959. (Deutsche Akad. d. Wiss. zu Berlin. Inst. f. deutsche Sprache und Kultur. Veröff. 4.)

Borvitz, W., Die Übersetzungstechnik Heinrich Steinhöwels. Halle 1914. (Hermaea 13.)

Bossard, J. H. S., The bilingual as a person – linguistic identification with status. In: ASR 10. 1945. S. 699–709.

Bouda, K., Zur Sprachmischung. In: ZfPhuaS 1. 1947. S. 65–67.

Braun, M., Beobachtungen zur Frage der Mehrsprachigkeit. In: Göttingische gelehrte Anzeigen 199. 1937. Nr. 4. S. 115–130.

Brenner, O., Luthers Handschrift im Lichte der deutschen Schriftentwicklung. In: Lutherstudien 1917. S. 66–71.

Brinkmann, H., Satzprobleme. In: WW 8. 1957/58. S. 129–141.

—— Der deutsche Satz als sprachliche Gestalt. In: WW. 1. Sonderheft. Düsseldorf 1953. S. 12–26.

—— Die deutsche Sprache. Düsseldorf 1962. (D. d. S.)

—— Hochsprache und Mundart. In: WW Sammelband I, Sprachwissenschaft. Düsseldorf 1962. S. 104–115.

Brittain, F., Latin in church. The history of its pronunciation. London 1955².

Bühler, K., Sprachtheorie. Die Darstellungsfunktion der Sprache. Jena 1934.

—— Das Strukturmodell der Sprache. In: TCLP 6. 1936. S. 3–12.

Christophersen, P., Bilingualism. London 1949.

Curtius, E. R., Europäische Literatur und lateinisches Mittelalter. Bern 1954².

Dahlstedt, K.-H. — Bergman, G. — Ståhle, C. I., Främmande ord i nusvenskan. Stockholm 1962.

Dal, I., Kurze deutsche Syntax auf historischer Grundlage. Tübingen 1962².

Diderichsen, P., Elementaer Dansk Grammatik. Gyldendal 1957.

Drach, E., Grundgedanken der deutschen Satzlehre. Frankfurt/M. 1940.

Duden, s. u. *Grebe, P.*

Eggers, H., Deutsche Sprachgeschichte I. Das Althochdeutsche. München 1963.

Ellegård, A., A statistical method for determining authorship. Göteborg 1962. (Gothenburg studies in English 13.)

—— Who was Junius? Stockholm 1962.

Elwert, Th., Das zweisprachige Individuum. Ein Selbstzeugnis. Wiesbaden 1960. (Mainzer Akad. d. Wiss. u. d. Literatur. Geistes- u. sozialwiss. Kl. Jg. 1959. Abh. Nr. 6.)

Epstein, I., La pensée et la polyglossie. Lausanne 1915.

Erben, J., Grundzüge einer Syntax der Sprache Luthers. Berlin 1954. (Deutsche Akad. d. Wiss. zu Berlin. Inst. f. deutsche Sprache und Literatur. Veröff. 2.)

—— Luther und die neuhochdeutsche Schriftsprache. In: DWg I. S. 439–492.

—— Gesetz und Freiheit in der deutschen Hochsprache der Gegenwart. In: Der Deutschunterricht 12. 1960. H. 5. S. 5–28.

—— Abriss der deutschen Grammatik. Berlin 1961⁴.

Ervin, S. M. — Osgood, Ch. E., Second language learning and bilingualism. In: Psycholinguistics. Baltimore 1954. S. 139–146. (Supplement to The Journal of Abnormal and Social Psychology. 49.)

Fausel, E., Die deutschbrasilianische Sprachmischung. Probleme, Vorgang und Wortbestand. Berlin 1959.

Finkenstaedt, Th., You and thou. Studien zur Anrede im Englischen. (Mit einem Exkurs über die Anrede im Deutschen). Berlin 1963. (QF. NF. 10.)

Fourquet, J., Strukturelle Syntax und inhaltbezogene Grammatik. In: Sprache — Schlüssel zur Welt. Festschrift L. Weisgerber. Düsseldorf 1959. S. 134–145.

—— L'ordre des éléments de la phrase en germanique ancien. Études du syntaxe des positions. In: Publications de la Faculté des lettres de Strasbourg. 1938. S. 21–32. — Daraus jetzt in Übersetzung: Zur neuhochdeutschen Wortstellung. In: Das Ringen um eine neue deutsche Grammatik. Hrsg. v. H. Moser. Darmstadt 1962. S. 360–375.

Franke, C., Grundzüge der Schriftsprache Luthers. 1–3. Halle 1913–1922.

—— Zu Luthers Wortstellung. In: PBB 43. 1918. S. 125–144.

Freitag, A., Veit Dietrichs Anteil an der Lutherüberlieferung. In: Lutherstudien 1917. S. 170–202.

Fries, Ch. C., The structure of English. New York 1952.

Frings, Th., s. unter *Müller, Gertraud*.

Fröhlich, A., Zu den verborgenen englischen Einflüssen. In: Muttersprache 72. 1962. S. 19–22.

Funke, O., Die gelehrten lateinischen Lehn- und Fremdwörter in der altenglischen Literatur. Halle 1914.

—— Form und „Bedeutung" in der Sprachstruktur. In: Sprachgeschichte und Wortbedeutung. Festschrift A. Debrunner. Bern 1954. S. 141–150.

—— On the system of grammar. In: AL 6. 1954. S. 1–19.

Geissler, H., Die Zweisprachigkeit des auslanddeutschen Kindes. Diss. Giessen. Stuttgart 1938.

—— Umvolkserscheinungen bei Jugendlichen in der fremdvölkischen Grossstadt. In: AV 2. 1938. S. 358–365.

Gipper, H., Muttersprachliches und wissenschaftliches Weltbild. In: Sprachforum II. 1956/57. S. 1–10.

Glinz, H., Der deutsche Satz. Wortarten und Satzglieder wissenschaftlich gefasst und dichterisch gedeutet. Düsseldorf 1957.

—— Die innere Form des Deutschen. Bern und München 1961². (IF.)

—— Sprachliche Bildung in der höheren Schule. Düsseldorf 1961.

Gneuss, H., Lehnbildungen und Lehnbedeutungen im Altenglischen. Berlin 1955.

Grebe, P., Der grosse Duden. Bd. 4. Die Grammatik der deutschen Gegenwartssprache. Hrsg. v. P. Grebe. Mannheim 1959. (Duden.)

Grentrup, Th., Religion und Muttersprache. Münster 1932. (Deutschtum und Ausland. H. 47/49.)

Hammarström, E., Zur Stellung des Verbums in der deutschen Sprache. Diss. Lund. 1923.

Hansen, K., Wege und Ziele des Strukturalismus. In: ZfAA 6. 1958. S. 341–381.

Haugen, E., The analysis of linguistic borrowing. In: Language 26. 1950. S. 210–231.

—— The Norwegian language in America. Philadelphia 1953.

—— Bilingualism in the Americas: A bibliography and research guide. Alabama 1956. (Publications of the American Dialect Society 26.)

—— Languages in contact. In: Proceedings of the 8th international congress of linguists. Oslo 1958. S. 771–810.

Havers, W., Handbuch der erklärenden Syntax. Heidelberg 1931.

Heck, Ph., Übersetzungsprobleme im frühen Mittelalter. Tübingen 1931.

Heinrichs, H. M., Studien zum bestimmten Artikel in den germanischen Sprachen. Giessen 1954. (Beiträge zur deutschen Philologie 1.)

Hennig, J., Zum grammatischen Geschlecht englischer Sachbezeichnungen im Deutschen. In: ZfdWf 19. 1963. H. 1/2. S. 54–63.

Hermodsson, L., Reflexive und intransitive Verba im älteren Westgermanischen. Diss. Uppsala 1952.

Hieronymus, E., Des heiligen Kirchenvaters Eusebius Hieronymus ausgewählte Briefe. Aus dem Lateinischen übersetzt von *L. Schade*. München 1937. (Bibliothek der Kirchenväter. 2. Reihe. Bd. 18.)

Hirsch, E., Luthers Predigtweise. In: Luther. Mitteilungen der Luthergesellschaft 25. 1954. H. 1. S. 1–23.

Hoffmann, P., Die Mischprosa Notkers des Deutschen. Berlin 1910. (Palaestra LVIII.)

Hubmaier, B. — Balthasar Hubmaier, Schriften. Hrsg. v. *G. Westin* und *T. Bergsten*. Gütersloh 1962. (Quellen und Forschungen zur Reformationsgeschichte. 29.)

v. Humboldt, W., Über die Verschiedenheit des menschlichen Sprachbaues und ihren Einfluss auf die geistige Entwicklung des Menschengeschlechts. 1830–35. (Wilhelm von Humboldts gesammelte Schriften. Hrsg. von der Königlich Preussischen Akademie der Wissenschaften. Bd. 7: 1. Berlin 1907.)

James, W., The principles of psychology. 1–2. London 1891.

Jauernig, R., Die Konkurrenz der Jenaer mit der Wittenberger Ausgabe von Martin Luthers Werken. In: Luther-Jahrbuch 1959. S. 75–92.

Jellinek, M. H., Geschichte der neuhochdeutschen Grammatik. 1–2. Heidelberg 1913 f.

Jespersen, O., Growth and structure of the English language. Oxford 1952[9].

Jørgensen, P., Tysk grammatik. 1–2. Kopenhagen 1953–59.

Jost, L., Sprache als Werk und wirkende Kraft. Bern 1960. (Sprache und Dichtung. NF. Bd. 6.)

Jumpelt, R. W., Die Übersetzung naturwissenschaftlicher und technischer Literatur. Berlin–Schöneberg 1961.

Junghans, F., Die Mischprosa Willirams. Diss. Berlin 1893.

Kainz, F., Psychologie der Sprache. 1–4. Stuttgart 1941 ff. (Bd. 1 jetzt 2. unveränderte Aufl. 1954, Bd. 2. 2. umgearb. Aufl. 1960.)

—— Vorformen des Denkens. In: AP X. 1954. S. 61–92.

Keller, A., Die Formen der Anrede im Frühneuhochdeutschen. In: ZfdWf 6. 1904–5. S. 129–174.

Klaus, B., Veit Dietrich. Leben und Werk. Nürnberg 1958.

Klynne, H., Übersetzungstheoretische Studien an Hand der schwedischen Übersetzungen der Werke Thomas Manns. Stockholm 1963. (Liz. abh., masch.)

Koch-Emmery, E., Die Rolle der Zweisprachigkeit im heutigen Australien. In: Moderne Sprachen 7. 1963. Heft 3/4. (Festgabe H. Koziol.) S. 52–60.

Koffmane, D., Die handschriftliche Überlieferung von Werken D. Martin Luthers. Bd. 1. Liegnitz 1907.

Korlén, G., Zur Entwicklung der deutschen Sprache diesseits und jenseits des Eisernen Vorhangs. In: Sprache im technischen Zeitalter 4. 1962. Sonderheft. S. 259–280.

Kracke, A., Die Bauelemente der Sprache und ihre Funktionen im einfachen Satz. In: Der Deutschunterricht 10/4. 1958. S. 19–46.

Kroker, E., Luthers Tischreden in der Mathesischen Sammlung. Leipzig 1903. (Schriften der Königl. Sächsischen Kommission für Geschichte VII.)

—— Katharina von Bora. Martin Luthers Frau. Leipzig 1908.

—— Rörers Handschriftenbände und Luthers Tischreden. I: in ARG 5. 1908. S. 337–397. II: in ARG 7. 1909–10. S. 56–92.

Krüger, S., Zum Wortschatz des 16. Jh.s: Fremdbegriff und Fremdwort in Luthers Bibelübersetzung. In: PBB 77. Halle 1955. S. 402–464.

Kühner, R. — Stegmann, C., Ausführliche Grammatik der lateinischen Sprache. Satzlehre. Teil 1–2. Leverkusen 1955³.

Kuenzi, A. — Boder, H., Enquête sur le bilinguisme à Luxembourg. In: Bieler Jahrbuch — Annales Biennoises. 1932. S. 34–69.

Langosch, K., Lateinisches Mittelalter. Einleitung in Sprache und Literatur. Darmstadt 1963.

Leimbach, F., Die Sprache Notkers und Willirams. Dargelegt an Notkers Psalter und Willirams Hohem Lied. Diss. Göttingen 1933.

Lentz, E., Zum psychologischen Problem ,,Fremdsprachen und Muttersprache". In: ZfpPs 20. 1919. S. 409–415.

Leopold, W. F., Speech development of a bilingual child. 1–4. Evanston 1939–49.

Lepp, F., Schlagwörter des Reformationszeitalters. (Quellen und Darstellungen aus der Geschichte dés Reformationsjahrhunderts VIII. Leipzig 1908.)

Lindgren, K. B., Die Apokope des mhd. -e in seinen verschiedenen Funktionen. Helsingfors 1953. (AASF Ser. B. Bd. 78: 2.)

—— Über den oberdeutschen Präteritumschwund. Helsingfors 1957. (AASF Ser. B. Bd. 112: 1.)

Lindholm, G., Studien zum mittellateinischen Prosarhythmus. Diss. Stockholm 1963.

Lindqvist, A., Studien über Wortbildung und Wortwahl im Althochdeutschen. In: PBB 60. 1936. S. 1–132.

Ljungerud, I., Deskriptive Sprachforschung und normative Grammatik. In: SN 35. 1963. S. 121–140.

Loman, B., Försvenskningen av latinska substantiv i reformationstidens skriftspråk. 1 u. 2. In: Nysvenska studier 35–36. 1955–56. S. 84–137 bzw. 74–120.

Luther, Martin — Dr. Martin Luthers Werke. Kritische Gesamtausgabe. Bd. 1–57. Weimar 1883 ff. (WA).

Tischreden. Bd. 1–6. Weimar 1912 ff. (WA TR).

Briefwechsel. Bd. 1–11. Weimar 1930 ff. (Briefe).

Die deutsche Bibel. Bd. 1–12. Weimar 1906 ff. (Bibel).

—— Luther Deutsch. Die Werke Martin Luthers in neuer Auswahl für die Gegenwart hrsg. v. K. *Aland*. Bd. 9: Tischreden. Berlin 1948.

—— Luther, Tischreden. Ausgewählt und eingeleitet von *K. G. Steck.* München 1959.

Lutherforschung heute. Referate und Berichte des 1. internationalen Lutherforschungskongresses. Aarhus, 18.–23. Aug. 1956. Berlin 1958.

Lutherstudien zur 4. Jahrhundertfeier der Reformation. Veröffentlicht von den Mitarbeitern der Weimarer Lutherausgabe. Weimar 1917. (LS 1917).

Mackensen, L., Der Zasiusübersetzer Lauterbeck. In: GRM 11. 1923. S. 304–313.

—— Deutsche Etymologie. Bremen 1962.

Magenau, D., Die Besonderheiten der deutschen Schriftsprache im Elsass und in Lothringen. Mannheim 1962. (Duden-Beiträge, Heft 7.)

Malherbe, D., Das Fremdwort im Reformationszeitalter. Diss. Freiburg 1906.

Martinet, A., Function, structure, and sound change. In: Word 8. 1952. S. 1–32.

Marty, A., Untersuchungen zur Grundlegung der allgemeinen Grammatik und Sprachphilosophie. Bd. 1. Halle 1908.

Mathesius, V., On some problems of the systematic analysis of grammar. In: TCLP 6. 1936. S. 95–107.

Maurer, F., Untersuchungen über die deutsche Verbstellung in ihrer geschichtlichen Entwicklung. Heidelberg 1926.

Maurer, F. — Stroh, F. — Deutsche Wortgeschichte, hrsg. v. F. Maurer — F. Stroh. 1–3. 1959–60². (Grundriss der germanischen Philologie 17/I –III.)

Mauthner, F., Beiträge zu einer Kritik der Sprache. Bd. II: Zur Sprachwissenschaft. Stuttgart 1901.

Meillet, A., Linguistique historique et linguistique générale. Paris 1921. (Collection linguistique publiée par la société de linguistique de Paris. VIII.)

Meyer, W., Über Lauterbachs und Aurifabers Sammlungen der Tischreden Luthers. In: Abh. der Königl. Gesellschaft d. Wiss. zu Göttingen. Phil.-hist. Kl. NF. Bd. 1. Nr. 2. Berlin 1896. S. 1–43.

Møller, Ch., Zur Methodik der Fremdwortkunde. Kopenhagen 1933. (AJ V, 1.)

Moser, H., Eigentümlichkeiten des Satzbaus in den Aussengebieten der deutschen Hochsprache. In: Sprache — Schlüssel zur Welt. Festschrift Weisgerber. Düsseldorf 1959. S. 195–220.

—— Das Ringen um eine neue deutsche Grammatik. Hrsg. v. H. Moser. Darmstadt 1962. (Wege der Forschung XXV.)

—— „Hoffentlich ist das bald over" — Sprachprobleme in der Bundeswehr. In: Information für die Truppe. 1963. 7/8. S. 525–532.

Müller, Gert, Wortfeld und Sprachfeld. In: Beiträge zur Einheit von Bildung und Sprache im geistigen Sein. Festschrift E. Otto. Berlin 1957. S. 155–163.

Müller, Gertraud — Frings, Th., Die Entstehung der deutschen dass-Sätze. Berlin 1959. (Berichte über die Verhandlungen der sächs. Akad. d. Wiss. zu Leipzig. Phil.-hist. Kl. Bd. 103. Heft 6.)

v. Nägelsbach, K. F., Lateinische Stilistik. Nürnberg 1905.

Nehring, A., Studien zur Theorie des Nebensatzes. In: ZfvS 57. 1930. S. 118–158.

—— Sprachzeichen und Sprechakte. Heidelberg 1963. (Erschienen nach erfolgter Drucklegung dieser Arbeit.)

Newald, R., Von deutscher Übersetzerkunst. In: ZfdG 2. 1936. S. 190–206.

—— Probleme und Gestalten des deutschen Humanismus. Berlin 1963.

Niemeyer, O., Über die Entstehung des Satzbewusstseins und der grammatischen Kategorien. Diss. Göttingen 1935. (Untersuchungen zur Psychologie, Philosophie und Pädagogik. NF. Bd. 9. Heft 1.)

Norberg, D., Remarques sur l'histoire de la prononciation du latin. In: Acta Conventus Romani. Rom 1959. S. 107–114.

Notker der Deutsche — Notkers des deutschen Werke. Nach den Handschriften neu herausgegeben von *E. H. Sehrt* u. *Taylor Starck*. Bd. 1. Heft 1: Boethius de consolatione Philosophiae I u. II. Halle/Saale 1933. (Altdeutsche Textbibliothek 32–34.)

Nunn, H. P. V., An introduction to ecclesiastical Latin. Eton 1952³.

Öhman, S., Wortinhalt und Weltbild. Diss. Stockholm 1951.

Oksaar, E., Semantische Studien im Sinnbereich der Schnelligkeit. Diss. Stockholm 1958.

—— Om tvåspråkighetens problematik. In: Språklärarnas medlemsblad 19. 1963. S. 5–15.

Osgood, Ch. E., s. unter *Ervin, S. M.*

Otto, E., Sprache und Sprachbetrachtung. Prag 1944². (Abh. der deutschen Akad. d. Wiss. in Prag. Phil.-hist. Kl. Heft 7.)

Paul, H., Prinzipien der Sprachgeschichte. Halle 1920⁵.

Pick, A., Die agrammatischen Sprachstörungen. Berlin 1913. (Monographien aus dem Gesamtgebiet der Neurologie und Psychiatrie. Heft 7.)

Porzig, W., Wesenhafte Bedeutungsbeziehungen. In: PBB 58. 1934. S. 70–97.

Raymond, E. H., Experiences with parts of speech. In: The Psychological Review. Monogr. Suppl. VIII. 1907.

Renicke, H., Grundlegung der neuhochdeutschen Grammatik. Zeitlichkeit — Wort und Satz. Berlin 1961.

Richter, E., Fremdwortkunde. Leipzig u. Berlin 1919.

Riesel, E., Stilistik der deutschen Sprache. Moskau 1963².

Riksdagsakter, Svenska. — Svenska riksdagsakter under tidehvarfvet 1521–1718. III: 1. 1593–94. Utgifven ... genom *E. Hildebrand*. Stockholm 1894.

Roberts, M. H., The problem of the hybrid language. In: The Journal of English and Germanic Philology 38. 1939. S. 23–41.

Romberg, B., Studies in the narrative technique of the first-person novel. Diss. Lund 1962.

Rooth, E., Huvuddragen av det tyska språkets historia. Lund 1962³.

Rosenfeld, H. F., Luther, Erasmus und wir. In: FF 29. 1955. Heft 10. S. 313–317.

—— Humanistische Strömungen. 1350–1600. In: DWg I. S. 329–438.

Rosenqvist, A., Das Verbalsuffix -(i)eren. Helsingfors 1934. (AASF Ser. B. Bd. XXX.)

Rückert, H., Die Weimarer Lutherausgabe: Stand, Aufgaben und Probleme. In: Lutherforschung heute. S. 111–120.

Rynell, A., Parataxis and hypotaxis as a criterion of syntax and style especially in old English poetry. Lund 1952. (Lunds universitets årsskrift. NF. Abt. 1. Bd. 48. Nr. 3.)

Sandfeld, K., Problèmes d'interférences linguistiques. In: Actes du quatrième congrès international de linguistes. Kopenhagen 1938. S. 59–61.

Sandmann, M., Substantiv, Adjektiv–Adverb und Verb als sprachliche Formen. In: IF 57. 1939. S. 81–112.

Schaumann, E., Studien zu Notkers Mischprosa. Wien 1911. In: Jahresbericht der k. k. Theresianischen Akademie in Wien. S. 1–40.

Scherer, W., Leben Willirams, Abtes von Ebersberg in Baiern. Wien 1867. (Sitzungsberichte der kaiserl. Akad. d. Wiss. Phil.-hist. Kl. Jg. 1866. Bd. 53. S. 197–303.)

Schirokauer, A., Das Werden der Gemeinsprache im Wörterbuch des Dasypodius. In: GR 18. 1943. S. 286–303.

Schubert, G., Über das Wort „und". In: WW Sammelband 1: Sprachwissenschaft. Düsseldorf 1962. S. 166–174.

Schuchardt, H., Slawo-deutsches und Slawo-italienisches. Graz 1884.

Schwarz, A., Über den Umgang mit Zahlen. München 1952².

Seemüller, J., Willirams deutsche Paraphrase des Hohen Liedes. Strassburg 1878. (QF 28.)

Seiler, F., Die Entwicklung der deutschen Kultur im Spiegel des deutschen Lehnwortes. Halle 1925 ff.

Selz, O., Über die Gesetze des geordneten Denkverlaufs. Bd. 1, Stuttgart 1913. Bd. 2, Bonn 1922.

Skála, E., Deklination von Fremd- und Lehnwörtern sowie Eigennamen in der Egerer Kanzlei von 1500–1660. In: PBB 84. Halle 1962. S. 199–223.

Slotty, F., Zur Theorie des Nebensatzes. In: TCLP 6. 1936. S. 133–146.

Sørensen, K., Latin influence on English syntax. In: TCLC XI. 1957. S. 131–162.

Ståhle, C. I., s. unter *Dahlstedt, K.-H.*

Stammler, W., Zur Sprachgeschichte des XV. und XVI. Jahrhunderts. In: Vom Werden des deutschen Geistes. Festschrift G. Ehrismann. Berlin u. Leipzig 1925. S. 171–189.

Stegmann, C., s. unter *Kühner, R.*

Stern, G., Meaning and change of meaning. Göteborg 1931. (Göteborgs högskolas årsskrift 38. 1932: 1.)

Stolt, B., Textkritische und stilistische Studien zu den Schriften des Wiedertäufers Balthasar Hubmaier. Stockholm 1959. (Liz. abh., masch.)

Strauss, B., Der Übersetzer Nicolaus von Wyle. Berlin 1912. (Palaestra 118.)

Strecker, K., Einführung in das Mittellatein. Berlin 1929.

Stroh, F., s. unter *Maurer, F.*

Sühnel, R., Homer und die englische Humanität. Tübingen 1958. (Buchreihe der Anglia Bd. 7.)

Svennung, J., Anredeformen. Vergleichende Forschungen zur indirekten Anrede in der dritten Person und zum Nominativ für den Vokativ.

1958. (Skrifter utg. av k. humanistiska vetenskapssamfundet i Uppsala 42.)

Sverdrup, J., Kortfattet tysk sproghistorie. Lyd- og formsystemets utvikling. Oslo 1930.

Synodalakter, Svenska. — Svenska synodalakter efter 1500-talets ingång; samlade och utgifna af *Herman Lundström*. II: 4
1. Uppsala ärkestift. Uppsala 1903–1908.
2. Strängnäs stift. Uppsala 1909–1911.

Tomanetz, K., Die Relativsätze bei den ahd. Übersetzern des 8. u. 9. Jahrh. Wien 1879.

Traube, L., Einleitung in die lateinische Philologie des Mittelalters. München 1911. (Vorlesungen und Abhandlungen von Ludwig Traube, hrsg. v. *F. Boll*. Bd. 2.)

Tschirch, F., Weltbild, Denkform und Sprachgestalt. Grundauffassungen und Fragestellungen in der heutigen Sprachwissenschaft. Berlin 1954.

Ullmann, S., The principles of semantics. Glasgow 1957[2]. (Glasgow university publications 84.)

Ulvestad, B., Statistik und Sprachbeschreibung. In: Das Ringen um eine neue deutsche Grammatik. Hrsg. v. H. Moser. Darmstadt 1962. S. 61–73.

Valli, E., Über den Fremdwortgebrauch in der mittelalterlichen Bibelverdeutschung. In: AASF. Ser. B. Bd. 84. Helsingfors 1954. S. 629–642.

Vogt, H., Contact of languages. In: Word 10. 1954. S. 365–374.

Wahl, A., Beiträge zur Kritik der Überlieferung von Luthers Tischgesprächen der Frühzeit. In: ARG 17. 1920. S. 11–40.

Wallberg, E., Verborgene Einflüsse des Englischen auf die deutsche Sprache. In: Muttersprache 72. 1962. S. 17–19.

Warnach, V., Satz und Sein. In: SG 4. H. 3. 1951. S. 161–175.

Weinreich, U., Languages in contact. The Hague 1963[2].

Weisgerber, L., Sprachenrecht und europäische Einheit. Köln u. Opladen 1959. (Arbeitsgemeinschaft für Forschung des Landes Nordrhein-Westfalen. Heft 81.)
—— Von den Kräften der deutschen Sprache. Bd. 1–4. Düsseldorf 1962[2] f.
I: Grundzüge der inhaltsbezogenen Grammatik.
II: Die sprachliche Gestaltung der Welt.
III: Die Muttersprache im Aufbau unserer Kultur.
IV: Die geschichtliche Kraft der deutschen Sprache.
—— Die vier Stufen in der Erforschung der Sprachen. Düsseldorf 1963.

v. Weiss, A., Hauptprobleme der Zweisprachigkeit. Heidelberg 1959.

Weithase, I., Zur Geschichte der gesprochenen deutschen Sprache. 1–2. Tübingen 1961.

Weller, H. — D. Hieronymi Welleri von Molsdorff Teutsche Schrifften. Leipzig MDCCII.

Wenzlau, F., Zwei- und Dreigliedrigkeit in der deutschen Prosa des XIV. und XV. Jahrhunderts. Halle 1906. (Hermaea 4.)

Wernle, H., Allegorie und Erlebnis bei Luther. Bern 1960. (Basler Studien zur deutschen Sprache und Literatur 24.)

Wessén, E., Svensk språkhistoria. Lund. Bd. 1: 1962[6]; Bd. 2: 1958[3]; Bd. 3: 1956.

—— Om det tyska inflytandet på svenskt språk under medeltiden. Stockholm 1956².

West, M., Bilingualism. Calcutta 1926.

Whitney, W. D., On mixture in language. In: TAPA 12. 1881. S. 5–26.

Wieczerkowski, W., Bilinguismus im frühen Schulalter. Diss. Åbo. Helsingfors 1963.

—— Om tvåspråkigheten och den intellektuella utvecklingen hos tvåspråkiga barn. In: Skola och hem 26. Helsingf. 1963. Nr. 3. S. 18–26.

Williram — Willirams deutsche Paraphrase des Hohen Liedes Hrsg. v. J. *Seemüller* Strassburg 1878. (QF 28.)

Wirl, J., Erwägungen zum Problem des Übersetzens. In: Anglo-Americana. Festschrift Hibler–Lebmannsport. Wien 1955. S. 173–184. (Wiener Beiträge zur englischen Philologie 62.)

Wirth, W., Die Zeitwahrnehmung. In: Zwischen Philosophie und Kunst. Festschrift J. Volkelt. Leipzig 1926.

Workman, S. K., Fifteenth century translation as an influence on English prose. Princeton 1940.

Woronow, A., Die Pluralbildung der Substantive in der deutschen Sprache des 14. bis 16. Jahrhunderts. In: PBB 84. Halle 1962. S. 173–198.

Wundt, W., Völkerpsychologie. Bd. 2: Die Sprache. 2. Teil. Leipzig 1904².

WÖRTERBÜCHER

Baxter, J. H. — Johnson, Ch., Medieval Latin word-list. London 1934.

Cappelli, A., Lexicon Abbreviaturarum. Leipzig 1928².

Dietz, Ph., Wörterbuch zu Dr. Martin Luthers deutschen Schriften. Leipzig 1870 f.

Du Cange, Ch. D. F., Glossarium mediae et infimae latinitatis. 1–9. Niort 1885 ff.

Fischer, H., Schwäbisches Wörterbuch. 1–6. Tübingen 1904 ff.

Georges, K. E., Ausführliches lateinisch-deutsches Handwörterbuch. 1–2. Hannover und Leipzig 1913–18.

Grimm, J. u. W., Deutsches Wörterbuch. Leipzig 1854 ff. (DWb.)

Sleumer, S., Kirchenlateinisches Wörterbuch. Limburg a. d. Lahn 1926.

Trübner, K., Trübners deutsches Wörterbuch. 1–4 hrsg. v. A. Götze, 5–8 hrsg. v. W. Mitzka. Berlin 1939 ff.

Wander, K. F. W., Deutsches Sprichwörterlexikon. Leipzig 1867 ff.

ABKÜRZUNGEN

(Abkürzungen der Schreiber s. S. 45.)

AASF   Annales Academiae Scientarium Fennicae.
AJ   Acta Jutlandica.
AL   Archivum Linguisticum.
AP   Acta Psychologica.
ARG   Archiv für Reformationsgeschichte.
ASR   American Sociological Review.
AV   Auslandsdeutsche Volksforschung.
AWG   Abhandlungen der Königl. Gesellschaft der Wissenschaften zu Göttingen.
DWb   *Grimm, J.* u. *W.*, Deutsches Wörterbuch.
DWg   Deutsche Wortgeschichte, hrsg. v. *F. Maurer-F. Stroh*. Berlin 1959–60².
FF   Forschungen und Fortschritte.
GR   The Germanic Review.
GRM   Germanisch-romanische Monatsschrift.
HV   Historische Vierteljahrschrift.
IF   Indogermanische Forschungen.
JEGPh   The Journal of English and Germanic Philology.
LS   Lutherstudien zur 4. Jahrhundertfeierd er Reformation. Weimar 1917.
PBB   Beiträge zur Geschichte der deutschen Sprache und Literatur, begründet von *H. Paul* und *W. Braune*.
QF   Quellen und Forschungen zur Sprach- und Kulturgeschichte der germanischen Völker.
RLV   Revue des Langues vivantes — Tijdschrift voor levende talen.
SG   Studium Generale.
SN   Studia Neophilologica.
TAPA   Transactions of the American Philological Association.
TCLC   Travaux du cercle linguistique de Copenhague.
TCLP   Travaux du cercle linguistique de Prague.
WW   Wirkendes Wort.
ZfAA   Zeitschrift für Anglistik und Amerikanistik.
ZfdG   Zeitschrift für deutsche Geistesgeschichte.
ZfdPh   Zeitschrift für deutsche Philologie.
ZfdWf   Zeitschrift für deutsche Wortforschung.
ZfPhuaS   Zeitschrift für Phonetik und allgemeine Sprachwissenschaft.
ZfpPs   Zeitschrift für pädagogische Psychologie und Pathologie.
ZfvS   Zeitschrift für vergleichende Sprachforschung.

00193